DER ERSTE TAG

»So ein Scheiß«, presste Commissaire Georges Dupin vom Commissariat de Police Concarneau halblaut hervor.

Der Gestank war bestialisch. Ihm war speiübel. Eine Benommenheit, eine Art Schwindel, hatte ihn überkommen. Er hatte sich mit dem Rücken an die Wand lehnen müssen, lange würde er es hier nicht aushalten. Er spürte, wie kalter Schweiß auf seine Stirn trat. Es war 5 Uhr 32, noch nicht Tag, aber auch nicht mehr Nacht, und empfindlich frisch. Am Himmel dämmerte es zaghaft. Dupin war um 4 Uhr 49 aus dem Bett geklingelt worden – da war es noch tiefe Nacht gewesen –, um kurz nach zwei erst hatten Claire und er das *Amiral* verlassen, wo ausgelassen gefeiert worden war: der Anbruch des längsten Tages, der 21. Juni, die Sommersonnenwende. *Alban Hevin* hieß das Fest bei den Kelten. Wurde die Bretagne ohnehin mit betörendem Licht bedacht, so steigerte es sich, auch wenn das kaum möglich schien, in diesen Tagen noch einmal auf magische Weise. Um halb elf erst ging die Sonne unter, und auch danach blieb für eine ganze Weile strahlendes Licht in der Atmosphäre, war der Horizont über dem Atlantik noch deutlich zu sehen, zugleich bereits die helleren Sterne. Beinahe bis Mitternacht hielt sich das »astronomische Dämmerlicht«, wie es genannt wurde, dann vereinten sich Meer und Himmel in völligem Dunkel. So viel Licht – es machte einen ganz trunken. Tage, die Dupin liebte. Eigentlich.

Der bis an die Decke gelblich gekachelte Raum war beengt, grelle Neonlampen leuchteten ihn kalt aus, die beiden winzigen Fenster, eher breitere Schlitze, waren gekippt, ließen aber nicht annähernd genügend frische Luft hinein. Sechs mannshohe dunkelgraue Container auf Rollen standen in zwei Dreierreihen.

Die junge Frau – Mitte dreißig, vermutete Dupin – hatte in dem Container vorne links gelegen; eine Reinigungskraft hatte sie entdeckt. Zwei Polizisten waren umgehend hergekommen, in die Fischauktionshalle am Hafen von Douarnenez. Zusammen mit der Spurensicherung aus Quimper, die früher als Dupin da gewesen war, hatten sie die Leiche aus dem Container geholt und auf den gekachelten Boden gelegt.

Es war selbst für Hartgesottene ein entsetzlicher Anblick. So etwas hatte Dupin während seiner gesamten Laufbahn noch nicht gesehen. Die Leiche war mit Fischabfällen übersät, Innereien, Mägen, Gedärmen, einem Gemisch aus allem halbwegs Flüssigen, das sich in der Tonne gesammelt hatte. Sogar ganze Fischstücke, Teile von Gräten und Fischschwänze klebten an der Frau. Am Kopf, an den Händen, dem – nur an ein paar Stellen noch in seiner Farbe zu erkennenden – hellblauen Pullover, der knallgelben Öllatzhose mit den schwarzen Hosenträgern, an den schwarzen Gummistiefeln. In ihren kurzen dunkelbraunen Haaren hatten sich ein paar kleine Fischköpfe verfangen, Sardinen. Auch das Gesicht war verklebt. Schimmernde Schuppen blitzten im Licht, eine große Schuppe lag, die Wirkung war besonders makaber, auf dem linken Auge, das rechte stand weit offen. Am Oberkörper hatte sich die schleimige Masse mit dem Blut der Frau vermischt. Mit sehr viel Blut. Am unteren Hals war eine vier bis fünf Zentimeter lange Wunde zu sehen.

»Mausetot«, der drahtige Gerichtsmediziner mit hellrosa Wangen, der eigentlich gar nicht nach einem Komiker ausgesehen hatte und dem der Gestank nicht im Geringsten etwas anzuhaben schien, zuckte mit den Schultern. »Was soll ich sagen? Die Todesursache ist allem Augenschein nach ebenso wenig ein Rätsel wie der Vitalzustand der Frau. Jemand hat ihr die Kehle durchgeschnitten, wahrscheinlich gestern zwischen zwanzig und vierundzwanzig Uhr, Details dieser Hypothese erspare ich Ihnen«, er blickte zu Dupin und dann zu den beiden Mitarbeitern der Spurensicherung. »Wenn Sie keine Einwände haben, bringen wir die junge Dame dann mal ins Labor. Und die Tonne gleich mit. Vielleicht finden wir ja noch etwas Interessantes.« Ein fröhlicher Tonfall. Eine neue Welle der Übelkeit erfasste Dupin.

»Von uns aus kein Problem. Wir sind fertig, die Arbeit der Spurensicherung ist vorläufig abgeschlossen.«

Der eigentlich zuständige Forensiker aus Quimper befand sich, zur Freude Dupins, im Urlaub, an seiner Stelle waren zwei seiner Gehilfen gekommen, beide mit dem gleichen grenzenlosen Selbstbewusstsein ausgestattet wie ihr Herr und Meister. Der kleinere der beiden hatte das Reden übernommen: »Am Deckel der Tonne, da, wo man sie öffnet, haben wir eine ganze Reihe von Fingerabdrücken nehmen können, etwa zwanzig verschiedene, schätze ich, die meisten unvollständig und überlagert. – Mehr ist im Moment nicht zu sagen. Auch wir werden uns die Tonne«, ein kurzes Zögern, »noch einmal genauer von innen ansehen.«

Kadeg, einer der beiden Inspektoren Dupins, der restlos wach und aufgeräumt schien und übertrieben nahe an der Leiche stand, räusperte sich: »Ein paar mehr Informationen wären dennoch schön. Zum Beispiel zur Klinge«, er hatte sich an den Gerichtsmediziner gewandt und mimte den Experten. »Ich vermute, sie war relativ fein, der Schnitt mutet beinahe chirurgisch an.«

Der Gerichtsmediziner ließ sich nicht beeindrucken. »Wir werden uns die Wunde in aller Ruhe ansehen. Die Charakteristik des Schnittes hängt nicht nur von der Klinge ab, sondern maßgeblich von der Geschicklichkeit des Täters sowie von der Geschwindigkeit, mit der er den Schnitt gesetzt hat. Jemand, der sein Messer beherrscht, kann Ihnen mit fast jedem Messer fast jeden Schnitt setzen, auch in einer Kampfsituation. – Gut, eine Machete würde ich tendenziell ausschließen«, unzweifelhaft fand er sich wirklich lustig, »aber jede der, ich vermute, insgesamt hundert, zweihundert Klingen, welche die Fischer hier in der Halle zusammengenommen gerade mit sich tragen, käme infrage. Wobei unbedingt noch an die Dutzenden professionellen Messer zu denken wäre, die beim Ausnehmen und Präparieren der Fische zum Einsatz kommen.«

»Über die Frage, wer mit einem Messer umgehen kann«, fuhr der kleine Forensiker unverhohlen spöttisch fort, »werden Sie hier nicht weiterkommen. Alle, die am Meer leben, angeln, Muscheln suchen, ein Boot besitzen, einer Arbeit nachgehen – also fast jeder hier –, besitzt mindestens ein gutes Messer und kann damit umgehen.«

Kadeg schien eine weitere Entgegnung zu erwägen, ließ es dann aber und wechselte schnell das Thema: »Wie oft und wann werden die Tonnen geleert? Haben Sie das schon in Erfahrung bringen können? Es gibt doch sicher einen festen Rhythmus.«

Mit der Frage wandte er sich an den blutjungen Polizisten aus Douarnenez, der mit seinem Kollegen als Erstes eingetroffen war und der ganz bodenständig wirkte.

»Zweimal am Tag, das wissen wir bereits. Die Arbeiten der Fisch-Ausnehmer dauern manchmal bis in die Nacht, deswegen werden die Tonnen ganz früh am nächsten Morgen geleert, bevor die ersten Boote reinkommen, so um halb fünf. Und dann ein zweites Mal gegen fünfzehn Uhr. Die Reinigungskraft, die die Tonne leeren wollte, hat vollkommen aufgelöst einen Mitarbeiter der Halle herbeigerufen. Und der hat sich bei uns auf der Wache gemeldet. Anschließend hat er den Raum hier abgesperrt.«

»Ohne selbst einmal einen Blick in die Tonne zu werfen und zu schauen, ob er die Person kannte?«

»Man sah wohl bloß ein Bein.«

»Und ein Telefon?« Kadeg bohrte weiter. »Haben Sie ein Handy bei der Toten gefunden?«

»Nein.«

»Also«, der Gerichtsmediziner hatte es eilig, »dann packen wir die Leiche jetzt mal ein und ...«

»Chef!« Riwal, der andere Inspektor Dupins, war im Türrahmen des – längst überfüllten – kleinen Raumes erschienen. Er hatte eine Frau im Schlepptau, die der toten Frau seltsam ähnlich sah, nur war sie wahrscheinlich um die fünfzig.

»Gaétane Gochat, die Chefin des Hafens und der Auktionshalle hier, sie ist gerade eingetroffen und ...«

»Céline Kerkrom. Das ist Céline Kerkrom«, die Hafenchefin war abrupt stehen geblieben und starrte auf die Leiche. Es dauerte einen Moment, bis sie weitersprach.

»Eine unserer Küstenfischerinnen. Sie lebt auf der Île de Sein und kommt mit ihrem Fang meistens zu uns, um ihn hier zu verkaufen.«

Gaétane Gochat klang ganz und gar unaufgeregt, von Entsetzen, Schock oder Mitleid keine Spur, was hingegen, hatte Dupin gelernt, gar nichts besagte. Die Reaktion auf plötzliche brutale wie tragische Ereignisse fiel von Mensch zu Mensch äußerst unterschiedlich aus.

Bei seinem letzten großen Fall am Belon hatten sie Himmel und Hölle in Bewegung setzen müssen, um überhaupt zu wissen, wer da ermordet worden war – hier nahm es sich mit der Identifikation der Toten immerhin geradezu komfortabel aus.

»Ich brauche einen *café*«, brummte Dupin – sein zweiter Satz überhaupt, seitdem er eingetroffen war. »Wir haben einiges zu besprechen, Madame Gochat, kommen Sie mit. Sie auch, Riwal!« Er war nicht in der Verfassung, sich um den griesgrämigen Ton in seiner Stimme zu scheren.

Unvermittelt hatte er sich von der Wand gelöst, war an allen vorbeigelaufen und, ohne eine Reaktion abzuwarten oder die ratlosen, verblüfften Gesichter überhaupt wahrzunehmen, im nächsten Moment aus der Tür. Er brauchte Kaffee, und zwar auf der Stelle. Er musste die Benommenheit loswerden, die Übelkeit, den infernalischen Gestank und auch die Müdigkeit, die ihn alles wie durch einen diffusen Schleier sehen ließ, kurz: Er musste zu sich kommen, überhaupt erst in der Realität ankommen, und das schnell. Mit einem wachen, klaren, scharfen Verstand.

Zielstrebig manövrierte der Kommissar durch die große Halle, beim Hereinkommen hatte er dort einen Stand mit einem kleinen Tresen und großer Kaffeemaschine gesehen, ein paar verschrammte Stehtische davor. Riwal und Gaétane Gochat hatten Mühe, Schritt zu halten.

In der gekachelten schmucklosen Fischhalle nahm das alltägliche professionelle Leben ungeachtet der dramatischen Nachricht, die ohne Zweifel bereits die Runde gemacht hatte, seinen Lauf; es herrschte reges Treiben. Fischer und Fischhändler, Restaurantbesitzer und andere Käufer gingen ihren Geschäften nach. Hunderte flache Kunststoffboxen standen in der ganzen Halle verteilt auf dem nassen Betonboden. Grelle Farben: knallrot, neongrün, signalblau, leuchtend orange, nur wenige in Weiß oder Schwarz. Dupin kannte die Boxen aus Concarneau, sie waren ein fester Bestandteil aller Häfen und ein Hauptutensil des Auktionsgeschehens. In ihnen lag grob gestoßenes Eis und darauf alles, was den Fischern ins Netz gegangen war: Unmengen an Fischen und Meerestieren, in allen Größen, Farben, Formen und Unformen, alles, was sich eine reiche Fantasie an exotischen Meereskreaturen auszudenken vermochte. Riesige, archaisch anmutende Seeteufel mit weit aufgerissenen Mäulern, schillernde Makrelen, angriffslustige blaue Hummer, eng aneinandergeschmiegte grauschwarze Tintenfische, Massen an Langustinen, unterschiedliche Seezungenarten, Prachtexemplare mächtiger Wolfsbarsche (die Dupin liebte, vor allem als Carpaccio oder Tatar), überaus köstliche Rotbarben, gigantische Seespinnen, finster dreinschauende Riesenkrebse. Auch Fische und Krustentiere, deren Namen Dupin nicht kannte, und solche, die er noch nie gesehen hatte, zumindest nicht bewusst, nicht so, vielleicht zubereitet auf seinem Teller. Sein kulinarisches Interesse, musste er zugeben, überwog als guter Franzose bei Weitem das zoologische. In einer Box entdeckte er einen traurig verirrt aussehenden, gekrümmten Hai, in einer anderen daneben einen metergroßen, fast vollkommen runden, dabei ziemlich platten Fisch mit einer unproportional großen Rückenflosse, die der seines Nachbarn zum Verwechseln ähnlich sah. Ein Mondfisch, wenn Dupin sich richtig erinnerte, Riwal hatte ihm vor Kurzem erst einen in den Hallen von Concarneau gezeigt. Die Bretagne war ein Paradies, in vielerlei Hinsicht, natürlich insbesondere für Liebhaber von Fischen und Meeresfrüchten; nirgends waren sie besser, nirgends frischer. Das war der Grund, warum hinter beinahe jedem Fischgericht beinahe jedes französischen Sterne-Restaurants der Zusatz »breton« stand, »Sôle bretonne«, »Langoustines bretonnes«, »Saint-Pierre breton«, eine höhere Auszeichnung gab es nicht.

Im hinteren Teil der Halle fanden die Auktionen statt, dort war am meisten Betrieb. An den Seiten die halb offenen Räume, in denen ein Teil der Fische bereits präpariert wurde. Männer in weißen Hygieneanzügen mit Kapuzen, weißen Gummistiefeln und blauen Handschuhen hantierten an Arbeitsflächen aus Edelstahl mit großen, langen Messern.

»Zwei *petits cafés*«, Dupin hatte, obwohl er zwischen den Boxen hatte zickzack laufen müssen, den Stand zügig erreicht, die ältere Dame hinter dem Tresen warf ihm einen misstrauischen Blick zu, machte sich dann aber doch mit zwei Pappbechern an der Maschine zu schaffen.

Dupin wandte sich an die Hafenchefin, die neben Riwal stand.

»Sind Sie mit der Toten verwandt, Madame?«, es war Dupin durch den Kopf gegangen, weil sie sich so ähnlich sahen.

»In keiner Weise«, winkte Gaétane Gochat ab, sie schien die Frage des Öfteren zu hören.

»Haben Sie eine Ahnung, was hier passiert ist?«

»Nicht die geringste. Ist sie hier in der Auktionshalle umgebracht worden? Und wann? Wann ist der Mord geschehen?«

»Wahrscheinlich zwischen acht und Mitternacht gestern Abend. Ob sie hier umgebracht wurde, wissen wir noch nicht sicher. Bis wann waren Sie gestern Abend hier?«

»Ich?«

»Genau, Madame, Sie.«

»Ich denke, bis ungefähr 21 Uhr 30. Ich war in meinem Büro.«

»Wo liegt Ihr Büro, wenn ich fragen darf?«

Sie antwortete mit unbeweglicher Miene.

»Direkt neben der Auktionshalle. Da ist der Verwaltungskomplex des Hafens.«

Madame Gochat war eher der prosaische Typ, auf die zu regelnden Dinge konzentriert, schnell, rational. Eine Person mit großer Präsenz, etwas stämmig, kurze, braune Haare, braune Augen, kein verbissenes Gesicht, aber sachlich, kleine, ernste Fältchen um die Augen und den Mund. Sie würde, Dupin war sich sicher, resolut sein können, wenn es darauf ankäme. Sie trug Jeans, eine verfluste graue Fleecejacke, die obligatorischen Gummistiefel.

»Welche Fischer kommen hierher? Auch die großen Boote?«

»Morgens um fünf kommen die Hochseetrawler rein, die zwei Wochen auf See waren, nachmittags um vier die lokalen Boote, die zwei Tage auf See waren, und um siebzehn Uhr die Küstenfischer, die morgens um vier, fünf aufbrechen, die Sardinenfischer schon am Abend vorher. Sobald die Boote eingelaufen sind, gehen die Auktionen los. Gestern war viel Betrieb, die Feriensaison hat begonnen, ein paar der Küstenfischer waren noch hier, als ich gegangen bin.«

»Haben Sie Madame Kerkrom da gesehen?«

»Céline? Nein.«

Die ältere Dame hinter dem Tresen hatte die beiden *cafés* vor Dupin abgestellt. Die Miene, die sie dabei machte, war schwer zu deuten.

»Zu einem früheren Zeitpunkt?«

»Gegen neunzehn Uhr, denke ich, da habe ich sie einmal kurz gesehen. Sie kam gerade mit einer Box in die Halle.«

»Haben Sie mit ihr gesprochen?«

»Nein.«

»Und was haben Sie selbst zu dem Zeitpunkt in der Halle gemacht?«

In Madame Gochats Blick lag eine leichte Gereiztheit.

»Ich schaue gerne ab und an nach dem Rechten.«

Dupin trank den ersten *café* in einem einzigen großen Schluck. Ein echter *café de bonne sœur*, *Nonnencafé*, wie Bretonen schwächere Kaffees nannten. *Torré*, *Stier*, hießen die starken. Für die richtig schlechten, die ungenießbaren und ekligen, gab es eine Vielzahl von Ausdrücken, bretonisch drastischen Ausdrücken, *pisse de bardot*, was so viel hieß wie *Pisse vom Maulesel*, oder *kafe sac'h*, *Wasser, durch eine alte Hose gepresst*.

»Sie sagten eben, Céline Kerkrom kam mit ihrem Fang *meistens* hierher, was heißt das? Wie regelmäßig war das?«

»Fast jeden Tag, immer zu Beginn der Auktion. Sie hat sich auf *Lieu jaune* – Pollack –, Barsche und Doraden spezialisiert. Sie fischte meistens mit Leinen. Nur selten noch mit Stellnetzen, soweit ich weiß.«

»Gestern hat sie ihren Fang also hierhergebracht?«

»Ja.«

»Aber nicht jeden Tag?«

»Vielleicht an fünf, sechs Tagen im Monat nicht. Ab und an verkaufte sie direkt an ein paar Restaurants.« Dem Tonfall nach zu urteilen, war es Madame Gochat gar nicht recht.

»Der Täter konnte sich also einigermaßen darauf verlassen, dass sie hier war?«

Madame Gochat blickte einen kurzen Moment irritiert, fing sich aber umgehend wieder.

»Durchaus.«

»Hatte sie eine Mannschaft? Mitarbeiter?«

»Nein. Sie war alleine auf ihrem Boot. Viele Küstenfischer sind Ein-Mann- oder Ein-Frau-Betriebe. Ein hartes Brot.«

»Wir müssen wissen, wann sie gestern gekommen ist, wer sie als Letztes wann und wo gesehen hat. Mit wem sie gesprochen hat. Alles.«

»Klar«, meldete sich Riwal zu Wort.

»Wenn ich es richtig verstehe«, Dupin hatte sich wieder zur Hafenchefin gewandt, nestelte sein rotes Clairefontaine-Notizbuch aus der Hosentasche, seinen Bic aus der Jacke, »sind unter den Fischern, die sich heute Morgen hier aufhalten, wahrscheinlich keine, die gestern Abend da waren?«

»Ganz sicher nicht.«

»Wer genau hält sich außer den Fischern während der Auktionen hier auf?«

»Mindestens einer meiner Mitarbeiter, die Käufer – Fischhändler, Restaurantbesitzer –, die Arbeiter, die bereits einen Teil der Fische präparieren. Und zwei Leute vom Eis.«

Madame Gochat bemerkte Dupins fragenden Blick.

»Alle brauchen erhebliche Mengen Eis. Direkt neben der Halle befindet sich ein großes Eissilo. Das ist ein Service von uns, vom Hafen.«

»Wir brauchen so schnell wie möglich eine vollständige Liste aller Personen, die sich gestern Abend zwischen sechs und Mitternacht in der Halle und am Quai davor aufgehalten haben.«

»Meine Mitarbeiter werden sich darum kümmern.« Gochat schien daran gewöhnt, Anweisungen zu geben. »Die Leute, die in der Halle waren, kriegen wir irgendwie zusammen, aber herauszufinden, wer auf dem Quai war, wird schwierig. Dieser Teil des Hafens ist frei zugänglich. Der Quai ist sehr beliebt bei den Anglern, abends stehen dort immer größere Gruppen. Und auch Touristen schauen gern einmal vorbei, es gibt immer etwas zu sehen. Außerdem liegen da seit gestern Mittag drei spanische Hochseetrawler, jedes Boot mit mindestens acht Besatzungsmitgliedern.«

»Ich nehme an, dass die großen Schiebetüren zur Halle während der gesamten Betriebszeiten offen stehen?«

»Selbstverständlich.«

Das war ein sehr freier Eingang, sicherlich zehn Meter breit. Und einmal in der Halle, war es nicht weit bis zu dem kleinen Nebenraum, wo die Tote gefunden worden war.

»Ich will«, Dupin wiederholte den Auftrag mit deutlichem Nachdruck, »von jeder Person wissen, die sich hier aufgehalten hat. Von wann bis wann wer hier was gemacht hat. Und dann knöpfen wir uns jeden Einzelnen vor!«

»Wird gemacht, Chef«, erwiderte Riwal. »Die Kollegen aus Douarnenez haben übrigens bereits mit dem Mitarbeiter von Madame Gochat gesprochen, der gestern Abend hier war und die Halle abgeschlossen hat. Jean Serres. Um 23 Uhr 20. Die letzten Fischer sind um kurz vorher gegangen. Er hat Céline Kerkrom einige Male im Laufe des Abends gesehen.«

Wie Kadeg machte auch Riwal einen wachen und zudem fast unpassend entspannten Eindruck, aber das war nach der Geburt seines Sohnes Maclou-Brioc vor vier Wochen durchgehend der Fall – trotz des Schlafmangels –, der väterliche Stolz ließ ihn unangreifbar wirken. »Er hat nichts Ungewöhnliches oder gar Verdächtiges bemerkt. Bisher hat sich auch niemand gemeldet, dem etwas aufgefallen ist.«

Es wäre auch zu schön gewesen.

»Um welche Uhrzeit hat dieser Jean Serres die Fischerin das letzte Mal gesehen?«

»Dazu haben die Kollegen nichts gesagt.«

Dupin trank den zweiten *café*. Wieder in einem Zug. Er schmeckte kein bisschen besser als der erste. Es war egal.

»Noch einen, bitte.« Im Augenblick ging es nicht um Geschmack, nur um die Wirkung. Die Dame vom Stand quittierte die Bestellung mit einem flüchtigen Blick.

»Madame Gochat«, Dupin wandte sich an die Hafenchefin, »ich möchte, dass Sie Ihren Mitarbeiter anrufen und fragen, wann er Céline Kerkrom gestern Abend das letzte Mal gesehen hat.«

»Sie meinen, ich soll ihn *jetzt* anrufen?«

»Jetzt.«

»Wie Sie wollen.«

Madame Gochat holte ihr Handy aus der Hosentasche und trat einen Schritt zur Seite.

»Jean Serres«, fuhr Riwal fort, »schätzt, dass es um einundzwanzig Uhr noch zehn bis fünfzehn Fischer waren, die sich in der Halle aufgehalten haben. Zudem fünf Leute zum Präparieren, vielleicht fünf Händler und zwei Männer vom Eis. Ab ungefähr einundzwanzig Uhr haben die ersten Sardinenküstenfischer abgelegt, vom Hafenbecken nebenan. Am Quai war wohl einiges los. Der Regen vom Nachmittag hatte gegen halb sechs schlagartig aufgehört und die Sonne war durchgebrochen. Das hat die Angler und Flaneure angelockt.«

In Concarneau gehörte Dupin selbst zu den Flaneuren, die immer wieder zur Auktionshalle schlenderten. Er mochte das muntere, bunte Treiben an den Hafenanlagen, das sich in seinen perfekt choreografierten Bahnen abspielte und sich jeden Tag verlässlich wiederholte. Es war immer etwas los.

Die ältere Dame vom Stand hatte den dritten Pappbecher vor Dupin auf den Tresen gestellt und sich anschließend um vier ältere Fischer in gelber Ölmontur gekümmert, die gerade eingetroffen waren.

»Ich möchte, dass Sie sämtliche Mitarbeiter der Halle besonders genau unter die Lupe nehmen, Riwal«, sagte Dupin laut.

»Mach ich, Chef.«

Dupin kippte auch den dritten *petit café* in einem Schluck herunter.

Die Hafenchefin trat wieder zu ihnen, das Telefon noch in der Hand: »Serres sagt, er habe Céline Kerkrom so gegen halb zehn abends das letzte Mal gesehen. In der Halle. Er glaubt, dass sie gegen sechs eingelaufen ist.«

»Ist ihm etwas Besonderes an ihr aufgefallen?«

»Nein. Sie sei ganz normal gewesen. Aber er hatte natürlich auch keinen Grund, genauer auf sie zu achten. Sie haben nicht miteinander gesprochen.«

»Ich will gleich selbst mit dem Mann sprechen. – Riwal, sagen Sie ihm, er soll sich sofort aufmachen.«

»Wird erledigt.«

Riwal verließ den Tresen und steuerte auf den Ausgang der Halle zu, wo eine kleine Gruppe von Polizisten stand.

»Wie lange gehen die Auktionen der Küstenfischer für gewöhnlich, Madame Gochat?«

»Das ist extrem unterschiedlich, es hängt von der Saison und dem Wetter ab. Im Dezember, wenn es auf die Feiertage zugeht, ist am meisten los, noch mehr als im Juni, Juli und August. Dann arbeiten wir hier bis nach Mitternacht, im Moment so bis elf, halb zwölf.«

»Und nach dem Ende der Auktionen? Was machen die Fischer da noch?«

Madame Gochat zuckte mit den Schultern. »Sie kehren zu den Booten zurück, bringen sie zu ihren Liegeplätzen. Manchmal hantieren sie auch noch herum, werkeln an ihren Booten, unterhalten sich am Quai oder trinken noch einen.«

»Hier?«

»Am *Vieux Quai*. Port de Rosmeur. Direkt nebenan.«

Zum ersten Mal an diesem Morgen hellten sich Dupins Züge auf. Er hätte fast lächeln müssen. Der Quai und das Viertel dahinter waren fabelhaft, er konnte Stunden auf der alten Mole mit ihren in Blau-, Rosa- und Gelbtönen gestrichenen Fischerhäusern verbringen, in einem der Cafés oder Bistros sitzen und einfach dem Leben zuschauen. Dem wirklichen Leben, wie man so sagte. Am liebsten im *Café de la Rade,* strahlend weiß und atlantisch blau gestrichen, einst eine Fischkonservenfabrik. Alles dort war unverstellt, nichts inszeniert. Man blickte auf den Hafen, auf die Bucht von Douarnenez, es war atemberaubend schön. Dupin mochte Douarnenez, besonders die wunderbaren alten Markthallen – man bekam dort unglaublichen Kaffee – und Port de Rosmeur, das mit Charme gealterte Hafenviertel aus dem 19. Jahrhundert, dem goldenen Zeitalter der Sardine. Wenn sie in Douarnenez eine Einsatzzentrale brauchen würden, wäre das *Café de la Rade* ohne Zweifel der richtige Ort. Der Kommissar, der dazu neigte, alles sofort zu ritualisieren, erkor in jedem seiner Fälle Bars, Cafés, Bistros, manchmal auch Plätze in der freien Natur zur »Einsatzzentale«. Für Besprechungen, und, wenn es sein musste, auch für offizielle Verhöre. Dupins Abneigung gegen Diensträume jeder Art, vor allem seine eigenen, war berüchtigt. Er entfloh ihnen so oft wie irgend möglich. Er löste seine Fälle am Ort des Geschehens, nicht vom Schreibtisch aus, auch wenn es ihm der Präfekt immer wieder nahelegte. Dupin musste draußen sein, an der frischen Luft, unter Menschen. Die Dinge selbst sehen. Die Menschen selbst sprechen, sie in ihrer Welt erleben.

»Kannten Sie die Tote näher, Madame Gochat?«

»Nein. Wie gesagt, eine Küstenfischerin von der Île de Sein. Sie war mal verheiratet, ihr Exmann war, soviel ich weiß, einer der Techniker vom Leuchtturm der Insel.« Der Hafenchefin war auch jetzt, während sie über die Tote sprach, keine Gefühlsregung anzumerken.

»Wann war die Scheidung?«

»Ach, das ist schon viele Jahre her, bestimmt zehn. Auf den Inseln heiratet man jung. Und wenn es schiefgeht, ist man auch jung wieder alleine.«

»Was noch? Was können Sie noch über sie sagen?«

»Tja, sie war sechsunddreißig, eine der wenigen Frauen in diesem Geschäft. Sie war sehr geradeheraus und hat sich ab und an heftig mit einigen Leuten angelegt.«

»Sie war eine Kämpferin! Eine Rebellin!«, die ältere Dame vom Kaffeestand schoss hinter einem kleinen Waschbecken hervor, wo sie mit ein paar Gläsern beschäftigt gewesen war, sie schien in Rage.

Heftiges Missfallen stand Madame Gochat ins Gesicht geschrieben. Dupin beeilte sich nachzuhaken, er war neugierig geworden.

»Was meinen Sie, Madame …?«

»Ich bin Yvette Batout, Monsieur le Commissaire«, jetzt hatte sie sich genau vor Dupin auf die andere Seite des Tresens gestellt. »Céline war die Einzige, die dem selbst ernannten *Fischerkönig* der Gegend die Stirn geboten hat. Charles Morin. Ein Krimineller mit einer großen Flotte, einem halben Dutzend Hochseetrawlern und noch mehr Küstenbooten. *Bolincheurs* vor allem und ein paar *Chalutiers*. Er hat eine Menge Dreck am Stecken, nicht nur in der Fischerei.«

»Es reicht, Yvette«, der Ton der Hafenchefin war schneidend.

»Lassen Sie Madame Batout doch ausreden.«

Madame Batout blinzelte Dupin kurz an. »Morin ist skrupellos, auch wenn er den Grandseigneur gibt. Er fischt mit gewaltigen Schlepp- und Treibnetzen, auch am Boden, verursacht Unmengen von Beifang, missachtet die Fangquoten – Céline hat ihn sogar ein paarmal innerhalb des Parc Iroise erwischt, mitten im Naturschutzgebiet. Auch wenn er alles abstreitet und seine Kritiker bedroht. Céline hat ihn mehrmals angezeigt, bei den Behörden, auch beim Parc. Sie hatte die nötige Courage. Erst letzte Woche wurden sechs tote Delfine an einem Strand von Ouessant gefunden, die in einem Treibnetz erdrückt worden waren.«

»Er hat Céline Kerkrom direkt gedroht?«

Dupin machte sich ausführliche Notizen. Ein rasantes Gekritzel, das an eine Geheimschrift erinnerte.

»Dass sie *sich vorsehen solle, sie würde schon sehen,* hat er gesagt, hier in der Halle, vor Zeugen, im Februar.«

»Er meinte ein juristisches Vorgehen wegen Verleumdung, doch keinen Mord, das ist ein Unterschied, Yvette.« Gaétane Gochats Entgegnung wirkte seltsam mechanisch, es war in keiner Weise zu erkennen, was sie dachte.

»Was genau ist hier im Februar geschehen?«

»Die beiden«, die Hafenchefin kam einer Antwort Madame Batouts zuvor, »sind sich hier zufällig begegnet, und es gab einen Streit. Mehr nicht. So was kommt vor.«

»Es war mehr als ein Streit, Gaétane, und das weißt du!« Madame Batouts Augen blitzten böse.

»Wie alt ist Monsieur Morin?«

»Ende fünfzig.«

»Was meinen Sie mit *Dreck am Stecken, und das nicht nur in der Fischerei,* Madame Batout?«

»Er hat bei einer ganzen Reihe krimineller Machenschaften seine Finger im Spiel. Auch beim Zigarettenschmuggel über den Kanal. Aber aus irgendeinem Grund kriegt man ihn nie zu fassen. Vor drei Jahren war ihm einmal ein Zollboot dicht auf den Fersen, sie hatten ihn fast erwischt, da hat er das Boot versenken lassen! Das einzige Beweisstück! Und man konnte ihm wieder nichts anhaben.«

»Du solltest aufpassen, was du sagst, Yvette.«

»Ist denn gegen Charles Morin schon einmal polizeilich ermittelt worden?«

»Noch nie«, antwortete die Hafenchefin entschieden, »es waren, ich sage es einmal so, immer äußerst vage Anschuldigungen. Gerüchte. Ich denke, bei so vielen illegalen Aktionen, die er begangen haben soll, wäre ihm die Polizei doch irgendwann einmal auf die Schliche gekommen.«

Dupin kannte leider nicht wenige Fälle, in denen es sich anders verhielt.

»Großartig«, murmelte er.

Das erste Gespräch, und sie hatten nicht nur ein heißes Thema, sondern gleich zwei. Illegale Fischerei und Zigarettenschmuggel.

Die Fischerei war ein gigantisches bretonisches Thema. Wer regelmäßig *Ouest-France* und *Le Télégramme* las – und das tat Dupin mit besonders strenger Regelmäßigkeit –, erfuhr jeden Tag Neuigkeiten von der Fischerei. Fast gleichauf mit der Landwirtschaft und noch vor dem Tourismus stellte sie den wichtigsten Wirtschaftszweig dar, ein stolzes bretonisches Symbol, beinahe die Hälfte des gesamten französischen Fischfangs kam aus der Bretagne. Ein altehrwürdiger Wirtschaftszweig, der sich in einer tiefen Krise befand. Gleich mehrere Faktoren machten der bretonischen Flotte zu schaffen: Überfischung, die Zerstörung der Meere durch die industrielle Großfischerei, die Erwärmung und Verschmutzung der Ozeane – ebenso mit erheblichen Auswirkungen auf die Fischbestände –, die Klimaveränderungen mit ihren Wetterkapriolen, die zu einer Zunahme der Fangausfälle führten, die brutale, nahezu gesetzlose internationale Konkurrenz, eine seit Langem dramatisch verfehlte Fischereipolitik, regional, national, international. Ein Gegenstand heftigster Auseinandersetzungen, erbitterter Querelen und Konflikte.

Und mit dem Tabakschmuggel lag ihm der Präfekt – sehr zum Leidwesen des Kommissars – bereits seit Jahren in den Ohren. Aber: Der Tabakschmuggel stellte tatsächlich ein ernstes Problem dar, so abenteuerlich es in hochmodernen Zeiten in Mitteleuropa auch klingen mochte. Ein Viertel aller in Frankreich gerauchten Zigaretten kam auf illegalen Wegen ins Land, der öffentliche Schaden belief sich mittlerweile jährlich auf eine Milliardensumme. Und seit der Verkauf über das Internet verboten worden war, hatte sich die Lage noch weiter verschärft.

»Vielen Dank, Madame Batout, das war äußerst hilfreich. Ich denke, wir werden uns eingehend mit diesem Monsieur Morin beschäftigen. – Wo wohnt er?«

»Bei Morgat, auf der Presqu'île de Crozon. Da besitzt er eine prächtige Villa. Er hat aber auch noch andere Häuser, eines hier in Douarnenez, in Tréboul. Immer an den schönsten Orten«, Madame Batout schaute weiterhin grimmig.

»Und war er gestern Abend auch hier?«

»Ich habe ihn nicht gesehen«, gab Madame Batout enttäuscht Auskunft.

»Er kommt sehr selten«, mischte sich die Hafenchefin ein, »aber es waren sicherlich einige seiner Fischer da. Er …«

»Madame Gochat!«, ein schmaler junger Mann in dickem blauem Filzpullover hatte sich genähert und ihren Blick gesucht. Sie hatte minimal genickt.

»Wir bräuchten Sie oben, Madame.«

»Etwas, das mit der toten Fischerin zu tun hat?« Dupin war schneller gewesen als Madame Gochat. Der Kaffee tat langsam seine Wirkung.

Der junge Mann blickte verunsichert.

»Antworten Sie dem Commissaire, wir haben nichts zu verbergen«, ermutigte ihn Madame Gochat.

Es war ein interessantes Schauspiel. Der junge Mann hatte sichtlich Angst vor ihr.

»Der Bürgermeister, am Telefon, es ist dringend, sagt er.«

»Er wird sich noch einen Augenblick gedulden müssen«, instruierte Dupin.

Gaétane Gochat schien zunächst etwas entgegnen zu wollen, ließ es dann aber.

»Noch einmal zu der Toten, Madame Gochat. Was können Sie mir noch erzählen? Ist sie mit noch jemandem aneinandergeraten?«

Die Hafenchefin gab dem jungen Mann ein Zeichen, er machte sich umgehend wieder davon.

»Sie«, Gochat zögerte kurz und schien die Worte abzuwägen, »sie hat sich für einen nachhaltigen, ökologisch verträglichen Fischfang eingesetzt. Sie war ab und zu an Projekten und Initiativen im Parc Iroise beteiligt.«

»Der Parc Iroise«, Madame Batout mischte sich wieder ein, sie hatte zwischendurch mit beeindruckender Geschwindigkeit ein paar andere Bestellungen erledigt, »ist ein einzigartiger maritimer Naturpark, wie es ihn kein zweites Mal gibt! Hier, vor der äußersten Westküste der Bretagne, zwischen der Île de Sein, Ouessant und dem Kanal. Unser Parc weist die größte maritime Biodiversität Europas auf«, aus der beharrlichen Dame sprach ungezügelter Stolz, Dupin glaubte beinahe, Riwal zu hören. »Mehr als hundertzwanzig Fischarten sind hier zu Hause! Zudem beherbergt er mehrere Robben- und Delfinkolonien. Und das größte Algenfeld Europas! Mit über achthundert verzeichneten Arten, das siebtgrößte der ganzen Welt. Und erst ...«

»Bei dem Parc handelt es sich«, die Hafenchefin fiel Madame Batout ins Wort, »um ein großes Pilotprojekt. Neben der wissenschaftlichen Forschung geht es vor allem um das Modell eines funktionierenden Gleichgewichts zwischen der Nutzung des Meeres durch den Menschen – Fischerei, Algenproduktion, Freizeit, Tourismus – und einer intakten Ökologie, dem Schutz des Meeres.«

Nolwenn und Riwal hatten schon viele Male von dem – zweifelsohne außerordentlichen – Vorhaben erzählt, aber ehrlich gesagt wusste Dupin nur sehr wenig darüber. Und im Augenblick ging es um anderes.

»Ich meine: Hatte Céline Kerkrom in letzter Zeit irgendwelche weiteren Auseinandersetzungen?«

»O ja. Nicht nur mit Morin.«

Gochat warf Madame Batout einen warnenden Blick zu und übernahm: »Auf der Insel hat Céline Kerkrom eine Initiative für alternative Energiegewinnung ins Leben gerufen, gegen das

Öl, das dort zur Produktion von Strom und zur Aufbereitung des Salzwassers eingesetzt wird. Sie hat die ganze Insel agitiert. Sie wollte mehrere kleinere Gezeiten-Kraftwerke bauen lassen, irgend so ein Röhrensystem.«

»Und das erbost Sie?«

Gochat hatte bei ihren letzten Sätzen gar nicht mehr neutral geklungen.

»Ich meine nur, dass sie sich ganz sicher Feinde gemacht hat.«

»Wen speziell?«

»Thomas Roiyou zum Beispiel. Ihm gehört das Ölboot, mit dem die Insel versorgt wird.«

Dupin schrieb alles mit.

»Und sie sind direkt aneinandergeraten?«

»Ja. Céline Kerkrom hat im März ein ›Manifest‹ ihrer Inselbewegung formuliert und überall verteilt, *Ouest-France* und *Le Télégramme* haben darüber berichtet. Roiyou hat sich dann öffentlich in einem Interview dazu geäußert.«

»Céline hatte doch vollkommen recht!«, Madame Batout konnte nicht an sich halten.

Der Unmut in Gochats Gesicht steigerte sich immer weiter.

»Habe ich notiert. Wir werden sicherlich auch mit diesem Monsieur ein Gespräch führen. Wissen Sie«, Dupin richtete sich demonstrativ an beide Damen, »ob Céline Kerkrom Familie hatte? Oder ob sie Freunde unter den Fischern hatte?«

»Das kann ich Ihnen nicht sagen«, Gochat wirkte tatsächlich ratlos. »Sie schien mir eine Einzelgängerin, aber ich kann mich täuschen. Da müssen Sie mit jemandem sprechen, der sie besser kannte. Fragen Sie die Menschen auf der Insel. Da kennt jeder jeden.«

»Haben Sie«, Dupin wandte sich Madame Batout zu, »eine konkrete Idee, was hier vorgefallen sein könnte?«

»Nein.«

Eine überraschend kurze Antwort, dafür, dass sie vorher so engagiert war.

Es entstand eine kleine Pause.

»Aber Sie müssen den Täter zur Strecke bringen!«

Dupin lächelte.

»Das werden wir, Madame Batout. Das werden wir. Haben Sie keine Sorge.«

»Also dann. – Ich muss Milch holen. Hinten im Lager«, Madame Batout, die sehr zufrieden mit sich wirkte, entfernte sich mit diesen Worten.

»Werden Sie«, Gochat war anzumerken, dass sie etwas beschäftigte, »werden Sie die Halle jetzt schließen müssen?«

Das Ja lag Dupin schon auf der Zunge – er war berüchtigt dafür, jeden Tatort großräumig und lange absperren zu lassen.

»Nein. Erst einmal nur den kleinen Raum mit den Abfalltonnen.«

Es wäre in diesem Fall klug, das Leben und den Betrieb hier seinen gewohnten Gang gehen zu lassen.

»Eine letzte Frage, Madame Gochat. Wie geht es dem Hafen wirtschaftlich? Sie werden es sicherlich schwer haben. Wie alle anderen Häfen.«

»Wir haben zu kämpfen, ja. Und das tun wir: Wir kämpfen. Wir liegen bei der Fangmenge seit ein paar Jahren auf Platz sechzehn aller französischen Häfen. Mit viertausendfünfhundert Tonnen Fisch jährlich. Die Sardinen machen dabei immer noch den Großteil aus, sie sind unsere traditionelle Stärke.«

Das Thema schien sie keinesfalls zu verunsichern.

»Die Anzahl der registrierten Boote geht aber sicher auch hier zurück?«

Zumindest war das in Concarneau ein stetiges Thema. So wie in der ganzen Bretagne.

»Seit einigen Jahren haben wir eine einigermaßen konstante Situation. Bei uns sind zweiundzwanzig Boote registriert, davon achtzehn Küstenfischer.«

»Und der Anteil des Fanges, der bei Ihnen auktioniert wird, bleibt der auch konstant?«

Dupin hatte ein leichtes Flackern in Gochats Augen bemerkt. Riwal wäre stolz gewesen auf seine Sachkundigkeit. Auch dieses Thema wurde im Kommissariat leidenschaftlich diskutiert: Internationale Unternehmen, spanische zum Beispiel, nutzten zwar die bretonischen Häfen, aber nur noch zum Ausladen, der Fang wurde direkt am Quai in riesengroße Gefrierfahrzeuge verfrachtet.

Es dauerte einen Moment, ehe sie antwortete:

»Nein, aber dafür steigen die Gebühren für die Benutzung des Hafens«, zum ersten Mal war ein leicht bissiger Unterton zu hören. »Unser Hafen liegt sehr privilegiert. Er bietet selbst bei schwerer See ruhiges Wasser, in jeder Hinsicht perfekte Bedingungen. – Sehen Sie einen Zusammenhang zwischen der ökonomischen Situation des Hafens und dem Mord?«

Sie blickte herausfordernd. Trotzig.

Dupin überging die Frage.

»Das war's fürs Erste, Madame Gochat. Wir werden uns sicher häufiger sprechen.« Dupin hatte nichts dagegen, dass sein Satz den Beiklang einer Drohung besaß.

Die Hafenchefin hatte sich wieder ganz im Griff:

»Ich bin den ganzen Tag über hier. – Auf Wiedersehen, Monsieur le Commissaire.«

Sie hatte sich schon abgewandt, als Dupin – der am Tresen stehen geblieben war – ihr hinterherrief:

»Nachdem Sie um 21 Uhr 30 Ihr Büro verlassen haben, wo sind Sie da hin?«

Er verzichtete darauf, eine Floskel wie »Reine Routine« oder »Diese Frage stellen wir jedem« hinzuzufügen.

Sie kam ein paar Schritte zurück. »Direkt nach Hause, unter die Dusche und dann ins Bett.«

Auch das erneute Nachhaken hatte sie nicht aus dem Konzept gebracht.

»Wie weit ist es von hier bis zu Ihnen nach Hause?«

»Eine Viertelstunde mit dem Wagen«.

»Dann waren Sie noch vor 22 Uhr 30 im Bett?«

»Ja.«

»Und dafür gibt es Zeugen?«

»Mein Mann ist auf einer Dienstreise, er kommt heute Abend wieder.«

»Haben Sie noch vom Festnetz telefoniert?«

»Nein.«

»Das war – höchst aufschlussreich, noch einmal vielen Dank.« Dupin hatte sich mit diesen Worten entschlossen in Bewegung gesetzt.

Richtung Ausgang, es waren nur ein paar Schritte.

Er würde sich draußen ein wenig umschauen. Bis der Mitarbeiter von Madame Gochat einträfe, den er sprechen wollte.

Das »Sichumschauen«, eine spezielle Art des ziellosen Umherlaufens, gehörte zu Dupins Lieblingsdisziplinen. Nicht selten entdeckte er auf diese Weise Details, die zunächst ohne Bedeutung schienen und dann plötzlich doch von großer Wichtigkeit waren. Nicht wenige Fälle hatte er nur aufgrund einer dieser unscheinbaren Kleinigkeiten, auf die er beim Herumstöbern zufällig gestoßen war, gelöst.

Dupin stand auf dem Quai. Mittlerweile war es hell.

Er hatte sich eine ganze Weile umgesehen, war besonders ziellos umhergelaufen, hatte sich dies und jenes besonders genau angeschaut – ohne dass irgendetwas von Bedeutung gewesen wäre.

Er betrachtete die Auktionshalle. Ein weiß gestrichener Bau, lang und flach, schlicht, wie alle anderen Gebäude hier am Hafen. Nahe am Eingang zwei Gabelstapler, quer auf dem Quai, so als hätten die Fahrer sie aus irgendeinem Grund übereilt aufgegeben.

Überall herrschte routinierte Geschäftigkeit, die Menschen gingen ihren gewohnten Tätigkeiten nach. Es war, wie die Hafenleiterin gesagt hatte: Die Auktionshalle lag mittendrin, jeder konnte, ohne aufzufallen, hier umherlaufen. Hinter und zwischen den verschiedenen Gebäuden verliefen auf grasig-erdigem Boden schmale Trampelpfade. Dupin sah sogar zwei kantige Campingwagen mit Klappstühlen davor.

Die immer noch merklich frische Luft tat gut, schärfte die Sinne und den Verstand, hinzu kam das Koffein der drei *cafés*.

Dupin war, wie er es immer tat – ein Tick –, bis zum äußersten Rand der Mole getreten, die Schuhspitzen standen fast über, eine unvorsichtige Bewegung, und er würde fallen, was schon jetzt, bei ablaufendem Wasser, einen Sturz von drei, vier Metern bedeutete.

Vor ihm lag die weite Bucht von Douarnenez, die sich von den langen normannisch anmutenden Stränden am Ende der Bucht bis zum Cap Sizun im Südwesten und der Halbinsel von Crozon im Norden erstreckte, weit Richtung offener Atlantik. Eine riesengroße natürliche Bucht.

Das Panorama war berückend. Dupin verstand, warum alle Welt sagte, es sei die schönste Bucht Frankreichs. Eine der schönsten Europas.

Das tiefblaue glatte Wasser, die helle Betonmole, die den Hafen umschloss, und dahinter wieder das Meer, das dort noch blauer aussah. Postkartenblau. Heiter. Auf ihm schon jetzt leichthändig dahingleitende Segelboote, im Laufe des Vormittages würden es mehr und mehr werden. Ferienstimmung. Oberhalb des breiten Meeresstreifens zarte grüne Landschaften mit flachen, sanft geschwungenen Hügeln. Die Presqu'île de Crozon. Darüber zuletzt das endlose klare Hellblau des Himmels, verziert von einzelnen makellos weißen Wattewolken. Es war Sommer, mit jeder Stunde würden die Temperaturen nun klettern. Ein traumhafter Tag stand ihnen bevor. Der sich nicht kümmerte um die Tragödie, die sich hier gerade abspielte.

Rechts lag der *Vieux Port*, auch er von einer langen Mole geschützt. Links von der Halle knickte der Quai nach zwei-, dreihundert Metern in einem rechten Winkel ab und lief auf die vorgelagerte Hafenmole zu. Dicke Autoreifen hingen als Poller für die Boote an Seilen herab. Einige Angler versuchten in diesen frühen Stunden bereits ihr Glück. Drei hübsche Fischerboote, mehrfach vertäut, sie trugen die Namen *Vag-A-Lamm*, *Ar Raok* und *Barr Au*. So hatten die Fischerboote in Filmen ausgesehen, die Dupin als Kind gesehen hatte, so hatten sie die Maler in Pont-Aven gemalt. Aus Holz, das eine in hellem Türkis, kräftigem Gelb und unten ein Paprikarot, das andere die obere Hälfte knallrot und die untere altantikblau, das dritte in verschiedenen Grüntönen, vom Dunklen ins Helle, und an der Wasserlinie grellweiß. Nichts war beliebig bei der Farbwahl. Jeder Fischer, jedes Unternehmen wählte die Farben und Kombinationen selbst, wusste Dupin, eine richtiggehende Signatur, möglichst auffällig, markant, so waren sie auf See schon von Weitem zu identifizieren.

Dupin betrachtete die technischen Anlagen für die Hochseetrawler dahinter: Boote ganz anderer Dimension, vierzig, fünfzig Meter lang, hoch gebaut. Dieser Teil des Hafens, die Anlagen, die Hallen, besaßen nichts vom Charme und Flair des *Vieux Port*. Alles war funktionell, technisch, aus Beton, Stahl, Aluminium, ewig kämpfend gegen den allgegenwärtigen Rost, das Meer, die Zeit. Es ging, man sah es überall, um harte Arbeit. In dieser Welt zählte nur äußerste Professionalität, jeder Fehler konnte tödlich sein. Können, Wissen, Erfahrung, das war die Währung, wenn man mit dem Meer rang. Standhaftigkeit. Tollkühnheit. Dupin bewunderte das. Schon als kleiner Junge hatte er Häfen geliebt, überhaupt die See und ihre Geschichten. Er war wie besessen gewesen, er hatte alle Meeresgeschichten gelesen, die er in die Finger bekommen konnte. Vor allem war das Meer Gegenstand eines unendlichen eigenen Fabulierens geworden, trotz seiner schon damals bestehenden heftigen Abneigung gegen Bootsfahrten jeder Art. Wahrscheinlich verhielt es sich sogar so, dass seine Fantasie die Abneigung erst hervorgebracht hatte. Die Unzahl an Unwesen, scheußlichen Monsterkreaturen, die er sich ausgemalt hatte und die, wie bei Jules Verne, im Dunkel der Tiefe lauerten. Riesenkraken, Seeschlangen, unförmige, schlingende Scheusale. Die Welt ganz unten war so lichtlos schwarz wie die Welt ganz oben, das All. Das fürchterlich Unbekannte. Das fürchterlich Wunderbare.

Dupin ging in Richtung der Angler. Eine einzige Straße führte in die Hafenzone hinein, Dupin hatte seinen Wagen weiter oben stehen lassen, unweit von Chancerelle/Connétable, der ersten Fischkonservenfabrik der Welt. 1853, Riwal betete es gern herunter, war sie in Betrieb gegangen. Napoleon selbst war es gewesen, der die französische Industrie angewiesen hatte, eine Methode zur Haltbarmachung von frischen Lebensmitteln für seine Feldzüge zu entwickeln. So war die Konservendose erfunden worden und hatte Douarnenez und andere bretonische Gegenden sehr reich gemacht. Um genau zu sein, war es die Sardine gewesen, die alle reich gemacht hatte. Dupin war verrückt nach den roten Dosen mit Sardinen, Makrelen und anderen Fischen, vor allem nach den unfasslich zarten Thunfischfilets. Über tausend Fischerboote mit ihren berühmten dunklen Segeln hatten zu Hochzeiten der Sardine, Ende des 19. Jahrhunderts, in und um den Port de Rosmeur gelegen, ganze fünfzig »Fritures«, Konservenfabriken, hatte es damals gegeben. Dupin hatte von Nolwenn einen Band mit frühen Fotografien aus der Bretagne geschenkt bekommen. Da war es zu sehen: ein quirliges Treiben, ein buntes Gewimmel – und nur zu erahnen: der penetrante Geruch frittierten Fisches, der überall in der Luft gelegen haben musste. *Penn Sardin*, Sardinenköpfe, hatten sich die Bewohner der Stadt stolz genannt.

»Chef! Chef!« Riwal kam dem Kommissar entgegengelaufen. »Ich habe Sie gesucht. Ich …«, er blieb vor Dupin stehen, »Jean Serres, der Mitarbeiter der Hafenchefin, müsste in ein paar Minuten da sein, es hat länger gedauert, er musste das Fahrrad nehmen, weil sein Wagen nicht ansprang, und er wohnt ein gutes Stück außerhalb«, er holte mit dem Arm weit aus, aber es blieb unklar, welche Richtung er meinte. »Die Kollegen haben auch schon mit drei Fischern gesprochen, die gestern Abend da waren. Einer erinnert sich, Céline Kerkrom noch um kurz vor zehn gesehen zu haben. Da war sie alleine und stand in der Nähe des Eingangs, sagt er. Die drei haben uns bereits sämtliche andere Fischer nennen können, die gestern Abend da gewesen sind. Und ein paar der Käufer. – Ich denke, wir werden unsere Liste ohne Probleme bekommen. Bisher hat niemand etwas Besonderes zu berichten gehabt.«

»Bringen Sie so viel wie möglich zu diesem«, Dupin holte sein Notizheft heraus und warf einen Blick auf die erste Seite, »*Fischerkönig* Charles Morin in Erfahrung. Ich will vor allem wissen, was die Polizei von ihm denkt. Ob sie ihn für einen Kriminellen hält. Den sie bisher nur noch nicht drangekriegt haben.«

»Wird erledigt, Chef. – Übrigens sind die Presseleute eben erschienen, die beiden von *Ouest-France* und *Le Télégramme*, sie stehen bei Madame Batout am Kaffeestand.«

»Sagen Sie, dass wir noch völlig im Dunkeln tappen. Die Wahrheit also.«

»Mache ich.«

Dupin hatte sich wieder ganz nah an die Kante der Mole gestellt, sein Blick glitt über die weite Bucht.

Riwal tat es ihm gleich. Passanten würden sie für zwei entspannte Ausflügler halten.

»Sie wissen ja«, eine rhetorische Formel seines Inspektors,

wenn er mit dem Erzählen begann, »hier auf dem Grund der Bucht von Douarnenez soll Ys liegen. Das mythische Ys, die prächtige, unermesslich reiche Stadt mit ihren roten Mauern, in der sogar die Dächer aus purem Gold waren. Die eines Tages im Meer versunken ist. Wo der berühmte König Gradlon herrschte, dem seine Frau eine wunderhübsche Tochter gebar, Dahut. Es gibt zahlreiche Berichte und Erzählungen. Diese *urbretonische*«, selbstverständlich lag Riwals Betonung darauf, »Geschichte ist ohne Zweifel die bekannteste aller französischen Sagen vom Meer.«

Natürlich. Dupin kannte die Geschichte nur zu gut. Tatsächlich kannte sie jedes Kind in ganz Frankreich.

»Im nächsten Jahr wird eine lang geplante, aufwendige wissenschaftliche Expedition den Grund der Bucht untersuchen. Man hat festgestellt, dass er mehrere Meter mit Sand und Schlamm bedeckt ist, sie werden von den großen Sturmfluten in die Bucht befördert. 1923, bei einer der Jahrhundertebben nach einer vollkommenen Sonnenfinsternis, haben mehrere Fischer von Ruinen berichtet, die sie mitten in der Bucht gesehen haben.«

Es waren auch schon zahlreiche Atlantis-Expeditionen unternommen worden, lag Dupin auf der Zunge.

»Und da vorne«, Riwal machte eine vage Bewegung mit dem Kopf, »direkt vor dem westlichen Rand von Douarnenez, liegt die Île Tristan mit ihrer überreichen Fauna und ihren mysteriösen Ruinen. Sie soll, so eine Fassung der Sage, der letzte existierende Teil von Ys sein. Und nicht nur das«, er sprach nun geradezu ehrfürchtig, »sie ist selbst ein Ort vieler sagenhafter, wilder, schauriger, blutiger, aber auch wundervoller Geschichten und Legenden. Sogar der größten und tragischsten Liebesgeschichte, die die Menschheit kennt: der von Tristan und Isolde. Die beide sterben mussten. Eine *bretonische* Geschichte«, auch hier zelebrierte Riwal die Betonung, »eine Geschichte der Cornouaille, des berühmten mittelalterlichen Königreiches, das von der *Pointe du Raz* bis nach Brest und Quimperlé reichte und«, der Ton wurde immer feierlicher, »die zu einem der bedeutendsten Stoffe der abendländischen Literatur zählt. Bis heute wird die Geschichte erzählt. Immer neu. Bereits 1170 wurde sie das erste Mal festgehalten. Und schon dort steht, dass Tristan aus der Gegend von Douarnenez stammt, der Hauptstadt der Cornouaille. Quimper«, ein abschätziger Blick, »wurde es erst viel später. Davor«, ein Aufleuchten der Augen, »war es Ys. – Auch Isolde ist Bretonin. In einer der unzähligen Versionen der Geschichte will sich Tristan aus Verzweiflung über den Tod seiner Geliebten von hohen Klippen ins Meer stürzen. Dabei wird er von einer Böe erfasst und sanft auf der kleinen Insel abgesetzt. Aber auch dort starb er dann schnell an seinem unendlichen Kummer. Wie auch immer, dort befindet sich ihr Grab. Dort liegen sie, die beiden Liebenden, für alle Zeiten unter zwei Bäumen, deren Äste einander umschlingen«, Riwal seufzte ergriffen, »irgendwo im Nordwesten der Insel, niemand weiß, wo, nur der König, der sie dort begraben ließ. Die Überreste seiner Burg finden Sie bei Plomarc'h an der Plage du Ris ...«

»Riwal«, Dupin wurde ungeduldig, sosehr er die Meereslegenden auch liebte, »wir müssen wissen, mit wem Céline Kerkrom den engsten persönlichen Kontakt hatte. Ihr Haus durchsuchen. Gespräche mit Freunden und Nachbarn auf der Île de Sein führen. Überhaupt mit den Inselbewohnern. – Sie fahren, so rasch es geht, auf die Insel.«

»Kein Problem, Chef.« Riwal liebte Boote.

»Finden Sie heraus, wer am meisten über sie weiß. Und dann bringen Sie die Personen mit aufs Festland.«

Dupin wollte, wenn es irgend ging, vermeiden, selbst auf die Insel fahren zu müssen.

»Wird gemacht«, Riwal schien es nicht erwarten zu können.

»Ich habe übrigens einen Cousin hier in Douarnenez.«

Dupin unterdrückte die Nachfrage. Was nichts änderte.

»Er ist der Präsident der *Association du véritable Kouign Amann*, der *Vereinigung des wahren Kouign Amann*.«

Der bretonische Butterkuchen – Dupin lief unfreiwillig das Wasser im Mund zusammen. Bretonische Butter, ein Elixier, sehr viel davon, ein bisschen Mehl, noch weniger Wasser, dafür umso mehr Zucker, das waren die simplen Bestandteile, die hohe Kunst aber bestand darin, sie durch Karamellisieren in eine ambrosiaartige Köstlichkeit zu verwandeln.

»Mitte des 14. Jahrhunderts«, Riwal sprach mit einem kurzen Seitenblick zu Dupin, so schnell er konnte, »musste ein Bäcker hier in Douarnenez Kuchen für ein großes Fest backen, in der Nacht aber waren ihm die meisten seiner Zutaten gestohlen worden, nur Butter, Mehl und Zucker waren ihm geblieben – da erfand er den *Kouign Amann*. Mein Cousin hat es sich zur Aufgabe gemacht, das Originalrezept zu verteidigen. Man kann es nicht verbessern!«

»Ich muss dringend telefonieren, Riwal. Und Sie sollten sich aufmachen, Kadeg wird alles hier übernehmen.«

Übergangslos war der Inspektor wieder ganz bei der Sache: »Ich werde mir ein Boot kommen lassen. Apropos Boot: Kadeg inspiziert gerade mit Kollegen das Boot der Fischerin.«

Das war wichtig.

»Und?«

»Wir geben sofort Bescheid, wenn sie fertig sind, Chef. Dann bis gleich.«

Riwal lief zur Halle zurück.

Dupin blieb an der Mole stehen.

Er zog sein Handy aus der Jackentasche hervor. Ein wichtiges Ritual stand aus: das erste Telefonat in einem neuen Fall mit Nolwenn, seiner unersetzlichen Assistentin. Und auch Claire würde er anrufen müssen, er war vorhin einfach verschwunden, hatte nur eine kurze Nachricht auf dem Tisch hinterlassen. Eigentlich hatten sie vorgehabt, auszuschlafen, im *Amiral* gemütlich zu frühstücken und auch noch gemeinsam zu Mittag zu essen. Dupin hatte erst am Nachmittag im Kommissariat auftauchen wollen. In den letzten Monaten hatten sie nicht allzu viel Zeit miteinander verbracht, Claire und er. Ganz anders, als er es sich gedacht – und gewünscht – hatte, nachdem Claire im letzten Jahr in die Bretagne gezogen war und in Quimper den Posten als Chefin der kardiologischen Abteilung angenommen hatte. Das Traurige war: Heute hatte Claire bis zum Nachmittag frei – äußerst kostbare Stunden also, die sie miteinander hätten verbringen können –, dann musste sie nach Rennes, zu einem Ärztetreffen, und würde auch über Nacht bleiben. Damals in Paris, während ihrer »ersten Beziehung«, hatte es fast ausnahmslos an Dupin gelegen, dass sie sich selten sahen, jetzt war es andersherum. Häufig fuhr Dupin noch spätnachts nach Quimper, um sie von der Klinik abzuholen. Dann saßen sie auf Claires kleinem Balkon, tranken Rotwein und aßen Käse, den Dupin in den Hallen von Concarneau besorgt hatte. Claire war meistens so müde, dass sie einfach schweigend beieinandersaßen und auf die schwach beleuchteten alten Gässchen blickten. Ausflüge, wie früher, als Claire an ihren freien Tagen aus Paris in die Bretagne gekommen war, unternahmen sie nur noch selten; Dupin vermisste es.

Er hatte es eben im Auto schon bei Nolwenn versucht, da war besetzt gewesen. Wie immer würde sie bereits im Bilde sein, bestens informiert; Dupin hatte das Rekonstruieren, wie sie über wen wann welche Information erhielt, schon vor langer Zeit aufgegeben und längst telepathische Techniken in Erwägung gezogen. Gewöhnliche druidische Fähigkeiten also.

»Diese Frau ist eine Rebellin, Monsieur le Commissaire, ich kenne sie über eine Tante meines Mannes, deren Freundin. Kerkrom ist ihre Nichte«, Dupin hätte es sich denken können – auch wenn sich ihm diese verwandtschaftliche Verbindung nicht vollends erschloss. Nolwenn stellte sich – eine urbretonische

Leidenschaft und ein genetisch verankerter, wunderbar anarchistischer Reflex – prinzipiell auf die Seite des Widerstands. Sie kannte alle, die sich gegen Ungerechtigkeiten, Willkür und schlechte Herrschaft auflehnten.

»Sie kannten sie persönlich?«

»So gut wie. Ich werde versuchen, etwas in Erfahrung zu bringen.«

»Unbedingt.«

Besser konnte es nicht sein. Nolwenn nahm sich der Sache an.

»Es geht hier um viel mehr als nur das traurige Ende dieser fabelhaften Frau«, Nolwenn war außer sich. »Es soll Sie nicht weiter unter Druck setzen, aber das muss Ihnen sehr bewusst sein. – Und wissen Sie, welch immensen Mut es braucht, sich bei tosender See, meterhohen Wellen, peitschendem Sturm und in völliger Dunkelheit alleine dem Meer zu überlassen? Das tägliche Brot einer Fischerin. Eines Fischers.«

Für Dupin sowieso ein Albtraum.

»Es sind Helden! Es ist ein großer Beruf! Ein Mythos, ganz zu Recht.«

Dupin hatte nicht vor, zu widersprechen.

»Jean-Pierre Abraham«, Nolwenns Lieblingsschriftsteller, der viele Jahre Leuchtturmwärter gewesen war und später auf den Glénan-Inseln gelebt hatte, Dupin verehrte ihn nicht minder, »hat einmal geschrieben: ›Auf das Meer zu fahren heißt jedes Mal aufs Neue, die Welt der Lebenden zu verlassen. Ohne Gewähr, in sie zurückzukehren.‹ Dagegen ist die Arbeit eines Kommissars der reine Müßiggang!«

Dupin nahm es nicht persönlich.

Nolwenn ließ eine kurze Pause entstehen.

»Sie müssen diesem mafiösen Morin auf den Zahn fühlen, ihm ist alles zuzutrauen!«

»Das werden wir, Nolwenn, das werden wir.«

»Céline wird sich ohne Zweifel eine Reihe von Feinden gemacht haben.«

»Riwal wird auf die Insel fahren.«

»Sehr gut. Er weiß, wie man mit den Menschen dort redet. – Aber eigentlich sollten Sie mitfahren.« Ein strenger Rat. »Und übrigens, nur damit Sie sich nicht wundern, ich arbeite heute von Lannion aus. Bin aber jederzeit erreichbar.«

Dupin hatte keinen blassen Schimmer, was das heißen sollte.

»Und …«

»Chef! Chef!«, wieder Riwal, dieses Mal stürzte er regelrecht auf ihn zu. In seinem Gesicht lag Entsetzen.

»Ich rufe zurück, Nolwenn.«

»Wir haben …«, außer Atem kam er vor Dupin zum Stehen. »Wir haben noch eine Tote, Chef!«

»Was?«

»Kein Witz, Chef. – Noch eine Tote. Eine neue.«

»Noch eine Tote? Wer?«

»Wieder eine Frau. – Und raten Sie, wie sie umgebracht wurde?«

»Eine durchgeschnittene Kehle.«

Riwal starrte ihn verwirrt an.

»Woher wissen Sie das?«

Dupin fuhr sich durch die Haare: »Das kann nicht wahr sein.«

»Eine Delfinforscherin vom Parc Iroise. Eine durchgeschnittene Kehle. Und raten Sie auch noch, wo!«

Bevor Dupin etwas sagen konnte, antwortete Riwal schnell selbst: »Auf der Île de Sein!«

Damit nahm die Insel jetzt unabweisbar eine bedeutende Stellung im Geschehen ein.

»Ein kleiner Junge hat sie gefunden.«

»Delfinforscherin?«

»Ja.«

»Die Dame vom Kaffeestand hat doch eben etwas von getöteten Delfinen erzählt.«

»Im Parc Iroise gibt es zwei Populationen von Großen Tümmlern. Um die Île d'Ouessant sind es circa fünfzig, um die Île de Sein zwanzig. Insgesamt haben sie es im Parc Iroise sogar mit mehreren verschiedenen Delfinarten zu tun, dem Kleinen Tümmler, dem Blauen Delfin und«, natürlich, Riwal kannte sie alle, »im Sommer auch mit dem Rundkopfdelfin. Die Delfine stellen einen Schwerpunkt für die Wissenschaftler im Parc dar, wir wissen noch sehr wenig über ihr hoch entwickeltes soziales Verhalten. Ihre ungeheure Intelligenz. Der Zustand der Delfine zeigt zudem den ökologischen Zustand des Parcs an, die Wasserqualität …«

»Kannten sich die beiden Frauen?«

»Das kann ich Ihnen nicht sagen.«

»Wann wurde die Delfinforscherin umgebracht?«

»Auch das wissen wir noch nicht.«

»Das ist doch vollkommen verrückt.«

Dupin hatte gerade erst begonnen, sich mit dieser einen Toten auseinanderzusetzen. »Das heißt, wir müssen auf die Insel. Ich auch.«

»Ich fürchte ja, Chef.«

Dupin würde nicht umhinkommen.

»Das Meer wird noch ziemlich aufgewühlt sein«, Dupin war sich vollkommen darüber im Klaren, dass es zurzeit ungleich wichtigere Themen gab. Dennoch. Die letzten Tage, bis gestern Nachmittag noch, hatte ein Sturm getobt, heute war Sommer, Hochsommer, und das Meer hier in der Bucht herrlich glatt – aber, er war kein Debütant mehr in »Armorica«, dem »Land am Meer«, draußen würde es noch kräftig nachschwappen.

»Der Helikopter steht uns leider nicht zur Verfügung. Der Präfekt ist damit unterwegs, die viertägige nationale Simulationsübung zur …«

»Lassen Sie gut sein, Riwal.«

Dupin würde sich bloß aufregen. Es war immer das Gleiche.

Wenn sie den Hubschrauber wirklich brauchten, hatte ihn der Präfekt. Dieses Mal, der Präfekt hatte seit Wochen von dem »überaus bedeutenden Ereignis« berichtet, ging es um eine praktische Simulation der über Jahre neu konzipierten Pläne zur Durchführung verdeckter frankreichweiter Geschwindigkeitsüberwachungen mit »sensationellen neuen Technologien und Strategien«; für Dupin persönlich ein überaus heikles Thema.

»Wir könnten mit einem Polizeiboot von hier aus los, oder –«, Riwal schaute auf die Uhr, »oder wir nehmen die reguläre Fähre von Audierne, das könnten wir schaffen, wir sind in zwanzig Minuten am Ableger.«

Dupin warf ihm einen fragenden Blick zu.

»Auf der Fähre ist es deutlich ruhiger, sie liegt tiefer und stabiler im Wasser. Aber«, Riwal schaute noch einmal auf die Uhr, »wir müssten auf der Stelle los.«

Dupin gefiel das Wort »regulär«, wenn er schon aufs Wasser musste.

»Ist bereits irgendein Kollege da? Gibt es eine Gendarmerie auf der Insel?«

»Nein. Aber der stellvertretende Bürgermeister kümmert sich um alles. Er ist zugleich der Inselarzt und Präsident der Nationalen Seenotrettung SNSM.«

Das klang vielversprechend.

»Ein Polizeiboot ist bereits unterwegs. Von Audierne aus.«

»Von Audierne ist die Strecke kürzer als von Douarnenez?«

»Ja.«

»Wir nehmen die Fähre. Regulär. – Wir machen uns umgehend auf den Weg. Mit Ihrem Wagen! Geben Sie der Fährgesellschaft Bescheid, dass sie auf uns warten. Kadeg soll hier übernehmen. Geben Sie ihm die Prioritäten durch. Und er soll sich Verstärkung holen.«

Mit den letzten Worten war Dupin losgelaufen, Riwal folgte. Es war absurd alles. Zwei durchgeschnittene Kehlen innerhalb weniger Stunden – das war kein Zufall. Beide Opfer, beide Frauen, kamen von der Île de Sein, hatten mit dem Meer zu tun, dem Parc Iroise. Natürlich war es ein und derselbe Fall. Dupin hatte keinen Zweifel.

Beim Ablegen waren die Wellen drei Meter hoch, ein wenig weiter draußen waren es schon fünf Meter gewesen – lange, kräftig wogende Wellen mit erstaunlichen Tälern –, seit dem letzten Landzipfel, der *Pointe du Raz*, erreichten die Wellen locker sieben oder acht Meter. Nun hatten sie neun Kilometer offenen Meeres bis zur Insel vor sich.

Die klassisch blau-weiße *Enez Sun III* – der Name der Insel auf Bretonisch – war nicht so lang, nicht so groß, nicht so solide, wie Dupin es sich nach Riwals Ausführungen vorgestellt hatte. Von »deutlich ruhiger« und »stabiler im Wasser« war nichts zu spüren. Die reguläre Fähre schoss in abenteuerlichen Neigungen und Winkeln in den Himmel, um im nächsten Moment tief ins Wellental zu fallen.

Es war ein vollkommenes Chaos. Ein Auf und Ab wie auf einer waghalsigen Achterbahn, aber es war nicht bloß diese *eine* Bewegung von hoch und runter, es waren *mehrere* Bewegungen, völlig unterschiedliche Bewegungen, und, das war das Schlimmste, alle simultan: ein Hin- und Herwiegen, ein Wanken, ein plötzliches Kippen, ein Schwanken und Schlingern. Die Sinne, der Körper, der Geist – nichts vermochte sich auf einen Rhythmus einzustellen. Zu diesen schrecklichen Empfindungen kam das unerträgliche Vibrieren des gesamten Körpers hinzu – ausgelöst durch das unerträgliche Vibrieren des gesamten Bootes, das der Motor direkt unter dem Kommissar produzierte. Und der ohrenbetäubende Lärm.

Dupin versuchte, den Horizont zu fixieren, das half, sagten

alle, unglücklich war nur, dass Riwal und er keinen Sitzplatz auf dem oberen Deck bekommen hatten – das Schiff hatte zwölf Minuten auf sie gewartet –, sondern zwei Meter über der theoretischen Wasserhöhe im offenen Heck stehen mussten und es hier gar keinen Horizont zu sehen gab, weil er beständig von wogenden Wasserbergen verdeckt war. Das Schiff war bis auf den letzten Platz ausgebucht, Tagesausflügler und Inselbewohner, die über Nacht auf dem Festland gewesen waren.

Das Wasser hatte eben, am Festland, ein tiefes dunkles Blau gehabt, nun aber war es einfach schwarz. Und vor allem: Es war überall. Überall um Dupin herum, in keiner ästhetischen Distanz mehr, er war mittendrin, ausgeliefert auf Gedeih und Verderb. Es war auch in der Luft, in Form dichter Gischtwolken, die beim Brechen jeder einzelnen Welle entstanden, und schon die Gischt der kolossalen Heckwelle im steifen Rückwind reichte aus, um alle Passagiere komplett zu durchnässen. Alles schmeckte und roch nach Meer, Dupin hatte es im Mund, in der Nase, im Haar.

Sie würden die ganze Fahrt über stehen und leider nicht einmal in der Mitte des Hecks, wo es zumindest ein klein wenig besser gewesen wäre, da man die seitlichen Kipp- und Gleitbewegungen nicht so heftig mitmachte. Dort jedoch hatte es sich ein dickes Paar mit einem winzigen Hund und unzähligen Gepäckstücken gemütlich gemacht.

Dupin fragte sich, ob das Polizei-Schnellboot nicht doch das geringere Übel gewesen wäre. Jetzt war es zu spät.

Ihm fiel eine Geschichte ein, die Nolwenn gern erzählte: dass die Römer die Bretagne zwar das Ende der Welt und alles Lebendigen genannt hatten. *Finis terrae,* aber eigentlich den Atlantik gemeint hatten. Der Atlantik nämlich war ihnen buchstäblich das tatsächliche Ende, das Ende nach dem Ende noch, nach dem allerletzten Stück Land. Das »Mer extérieure«, das nichts zu tun hatte mit dem harmlosen zivilisierten Mittelmeer, dem »Mer intérieure«. »Es ist eine völlig andere Sache«, notierte Cäsar bei der letzten entscheidenden Seeschlacht gegen die Gallier, »ob man über ein geschlossenes Meer fährt oder den unermesslichen Ozean, der kein Ende hat, aber selbst das Ende ist.«

Dupin hatte das Gefühl, sein ganzer Körper sei ein einziges Schwanken. Er würde sich weiter ablenken müssen. Riwal stand – mit provozierend gut gelaunter Miene – auf der anderen Seite des Hecks und blickte begeistert auf die riesengroße Bugwelle.

Das Beste wäre, sie würden ein paar Dinge besprechen.

Vorsichtig und stetig nach festem Halt tastend, arbeitete sich Dupin auf die andere Seite des Hecks vor, es waren sicher fünf Meter.

»Ah, Chef!«, der Ton verklärt, »eine herrliche Fahrt. Sie wissen ja, was die Fischer sagen: ›Qui voit Sein, voit sa fin‹. – ›Wer Sein sieht, sieht sein Ende‹. Oder: ›Gott, hilf mir, die Passage von Raz zu überleben, das Boot ist klein und das Meer groß‹. Wir fahren jetzt eine der wildesten, gefährlichsten Passagen, die es gibt. Heftige Strömungen, Strudel, Dünungen, das Meer vor der *Bucht der Verstorbenen* ist kilometerweit gespickt mit verheerenden spitzen Klippen.« Das war nicht die Ablenkung, auf die Dupin gehofft hatte. Riwal fuhr unbekümmert fort. »Seit 1859 sind in der Gegend offiziell hundertneunundsiebzig Schiffskatastrophen verzeichnet. In Wirklichkeit waren es mindestens drei Mal so viele! Hier bedarf es präziser Hightech-Navigationstechnologie, die aber zuweilen auch nicht hilft. Schauen Sie, überall schroffe Felsen. Als hätte ein tändelnder Riese auf dem *Cap du Van* gesessen und zum Vergnügen Felsbrocken ins Meer geworfen, wie es Kinder mit Kieseln tun.«

Es war ein schönes Bild, auch wenn es alles noch schlimmer machte.

»Selbst für den Teufel war es ein Problem, auf die Insel zu gelangen, Chef. Und die Geschichte seiner gescheiterten

Versuche erklärt auch, warum das Meer hier besonders wild ist«, die Einleitung machte klar, dass sie unweigerlich folgen würde.

»Der Teufel verlangte nach den Seelen der Inselbewohner. Also musste er dem Heiligen Guénolé zuvorkommen, der den Inselbewohnern das Versprechen gegeben hatte, eine Brücke zum Festland zu bauen. Um auf die Insel zu gelangen, verwandelte sich der Teufel zuerst in einen einfachen Mann und heuerte bei einem Fischer an. Aber das Holz des Bootes fing unter den flammenden Höllenfüßen Feuer. Da ersann der Teufel eine tückische List: Er wollte Guénolé dazu bringen, die Brücke *für ihn* zu bauen. Guénolé saß in der Zwickmühle: Wenn er die Brücke nicht baute, bräche er sein heiliges Versprechen, was einer schweren Sünde gleichkäme, und der Teufel erhielte seine Seele. Und die aller Inselbewohner gleich dazu, weil Guénolé sie niemals missionieren könne. In seiner Not bat Guénolé Gott um Hilfe, der daraufhin mit seinem mächtigen Atem auf das Meer hauchte und eine Brücke aus reinem Eis entstehen ließ. Schon wähnte sich der Teufel als Sieger. Eilig betrat er die Brücke. Doch sie schmolz unter seinen Füßen und er fiel in die tobenden Fluten. – Wieder nicht geschafft.«

Die Pointe war für Riwals Verhältnisse erstaunlich trocken ausgefallen.

»Das erhitzte Wasser ließ zwischen dem Festland und der Insel, also genau hier«, der Inspektor machte eine Geste über die Reling, »gewaltige Strudel entstehen, die den Teufel an einer weiteren Überfahrt hindern und der Insel Schutz vor ihm bieten sollten. Noch heute bekreuzigen sich die Fischer zum Dank, wenn sie die *Pointe du Raz* passieren. Die Stelle, an welcher der Teufel ins Meer stürzte, heißt ›l'enfer de Plogoff‹ und ist auf allen Seekarten eingezeichnet.«

Eine verrückte Geschichte, musste Dupin zugeben. Aber auch das war keine wirksame Zerstreuung.

»Rufen Sie bei der Präfektur in Quimper an, Riwal. Ob es in letzter Zeit irgendwo in der Bretagne Mordfälle gab, bei denen dem Opfer die Kehle durchgeschnitten wurde.«

»Haben Sie eine Vermutung, Chef?« Riwal wirkte plötzlich beunruhigt. »Denken Sie«, er stockte, »denken Sie an einen Serienmörder?«

»Sicherheitshalber. Nur sicherheitshalber.«

Riwals Gesichtsausdruck zeigte, dass er Dupins Antwort als unbefriedigend empfand.

»Hier rechts liegen übrigens die beiden mythischen Leuchttürme *Tevenneg* und *Ar Groac'h, die Hexe*«, jetzt schien sich Riwal ablenken zu wollen, »vielleicht erspähen Sie einen der beiden in einem Wellental. Nur ein paar kahle, schroffe Felsen mitten im Meer, da haben sie die Türme draufgebaut. Gewaltige architektonische Meisterleistungen. Leider«, ein kühles Bedauern, »ist *Tevenneg* verflucht. Der letzte Leuchtturmwärter ist 1910 panisch geflohen. Heute werden sie von der Île de Sein aus ferngesteuert. – Wissen Sie, wie Leuchtturmwärter die einsamen Türme im Meer nennen? ›Hölle.‹ Die auf den Inseln ›Fegefeuer‹ und die auf dem Festland ›Paradies‹.«

Sie fuhren zur Inaugenscheinnahme eines Kapitalverbrechens, eines brutalen Mordes – des zweiten innerhalb weniger Stunden, »Hölle« schien Dupin der passende Begriff für ihre Exkursion.

»Wir müssen«, in Dupin arbeitete es, »vor allem wissen, was die beiden Frauen verband, Riwal. Da müssen wir ansetzen.«

»Ich vermute, wir werden auf der Insel etwas darüber erfahren.«

Dupin hing einem Gedanken nach, den ein Satz Riwals am Hafen von Douarnenez ausgelöst hatte. Das eigentümliche Nachwirken von Gedanken, das Nachfassen, war eine ebenso tückische wie wirkungsvolle Eigenart des Kommissars.

»Sie hatten erwähnt, dass der Gesundheitszustand der Delfine Aufschluss über die Qualität des Wassers und anderer Faktoren des Meeres gibt?«

»So ist es.«

Natürlich erwartete Riwal eine Schlussfolgerung, die verstehen lassen würde, was es mit dieser Frage auf sich hatte. Aber Dupin wechselte das Thema.

»Fahren die Fähren ausschließlich von Audierne aus?«

»*Eine* Fähre. Die *Enez Sun III*. Auf der wir uns gerade befinden. Im Juli und August fahren weitere Fähren, eine auch von Douarnenez aus. Die übrige Zeit des Jahres gibt es lediglich diese hier. Vierunddreißig Meter lang, acht Meter breit, fünfzehn Knoten schnell, äußerst kraftvoll, zweimal 1750 PS. Sie gehört zu *Penn-Ar-Bed*«, die keltische, also die wahrhaftige Bezeichnung für das Finistère, »ein privates Unternehmen, das im Auftrag des Staates die drei Inseln, Sein, Molène und Ouessant, ansteuert. Die *Enez Sun III* verkehrt einmal am Tag.«

»Einmal nur?«

»Sie kommt morgens aus Audierne und verlässt die Insel am Nachmittag. Das war's.«

»Es wird doch andere Möglichkeiten geben, von der Insel ans Festland zu gelangen und umgekehrt?«

»Bei medizinischen Notfällen kommt der Hubschrauber von der Klinik in Douarnenez. – Ansonsten: nein. Keine öffentlichen.«

Das bedeutete, man war weitgehend von der Welt abgeschnitten. Ein Umstand, der auch für ihre Ermittlung von einiger Relevanz war. Dupin überlegte laut:

»Je nachdem wann sich der Mord ereignet hat, hält sich der Mörder immer noch auf der Insel auf. – Es ist beides möglich, jemand, der von der Insel kam und für seine Tat aufs Festland musste, oder aber jemand, der vom Festland kam und auf die Insel musste.«

So ausgeprochen klang es einfältig. Riwal ging über die Einlassung hinweg.

»Die Inselbewohner nennen sich übrigens ›Insulaner‹ und uns, das heißt alle vom Festland, ›Franzosen‹. Was für sie gleichbedeutend ist mit ›Tourist‹. Das sollten Sie wissen. Nur um etwaigen Verwirrungen bei unseren Ermittlungen vorzubeugen. Manchmal nennen sie selbst sich auch ›Amerikaner‹.« Dupin schaute fragend.

»Nach der Bretagne kommt nur noch Amerika«, entgegnete Riwal gelassen.

Dupin wusste, dass das keine Kuriositäten oder Petitessen waren, so etwas war wichtig, wenn man sich in der Bretagne nicht zum Narren machen wollte.

»Sie sind im Allgemeinen äußerst eigensinnig. Wie die Insel selbst. Sie ist nicht von dieser Welt, Chef. Aber wundervoll. Frankreich ist weit weg, viel weiter als die neun Kilometer, die es faktisch sind, Sie werden es merken. Ein kleiner, felsiger Landklecks im offenen Ozean, in der Form eines ›langschwänzigen Fabeltieres‹, sagt man, das den Urgewalten des Atlantiks trotzt. Zweieinhalb Kilometer lang gezogen, an manchen Stellen nur fünfundzwanzig Meter breit, ganz flach, keine zwei Meter über der Flutlinie, sodass bei echten Stürmen gigantische Wellen über die Insel rollen und sie vollständig unter Wasser setzen. Insgesamt nicht einmal ein Quadratkilometer. Rau, karg, wild, einsam. Ich liebe Sein und seine Menschen«, Riwal klang, als redete er über eine andere Spezies. Über einen anderen Planeten. »Eine Insel der Zauberkräfte, mit einer extremen Aura, auch das werden Sie spüren, manchen flößt sie Angst ein«, ein tiefer Respekt sprach aus Riwal. »Schon in prähistorischer Zeit gab es dort Kultstätten, noch heute finden Sie Menhire und Dolmen. Ein bedeutender Tumulus wurde von gierigen Goldräubern zerstört. Später, im keltischen Glauben, war die Insel der Ort, der dem Reich der Toten und der Unsterblichen am nächsten war. Ein

Ort der Feen, Nymphen und Druiden, hier wurden viele von ihnen begraben. Man muss«, gravitätischer Ernst lag nun auf seinem Gesicht, »unbedingt vorbereitet sein, wenn man nach Sein fährt, Chef. Innerlich vorbereitet.«

Dupin hatte keine Kraft gehabt, Riwal zur Räson zu rufen. Das meiste war ohnehin an ihm vorbeigegangen. Zum einen war das Boot gerade besonders hoch geschossen – und besonders tief gefallen –, Dupin hatte sich hinter dem Rücken an einer Stahlverstrebung so verkrampft festgeklammert, dass ihm die Handgelenke schmerzten. Zum anderen versuchte er sich mit aller Kraft auf die dringlichen Fragen zum Fall zu konzentrieren.

»Wie groß ist die Besatzung des Polizeibootes, das aus Audierne kommt?«

»Vier Mann. Und die Spurensicherung.«

»Wie viele Menschen wohnen auf der Insel?«

»Das Jahr über zweihundertsechzig, im Sommer an die sechshundert. Von den Touristen bleiben die meisten nur, bis die Fähre am späten Nachmittag zurückfährt, bloß wenige über Nacht.«

»Vier Polizisten und wir beide sind nicht genug für Gespräche mit so vielen Menschen«, Dupin rieb sich die Schläfe. »Gibt es eine Passagierliste der Fähre – kaufen die Passagiere die Tickets auf ihren Namen?«

»Ja, das ist aus Sicherheitsgründen vorgeschrieben. – Aber wenn es ein und derselbe Mörder war, kann er nicht mit der Fähre gekommen sein. Dann war er ja gestern zwischen zwanzig und vierundzwanzig Uhr auf dem Festland, und dies wäre die erste mögliche Fähre, die infrage käme. Vermutlich wird die Delfinforscherin gestern Nacht oder heute früh ermordet worden sein.«

Wirklich brillant arbeitete Dupins Verstand noch nicht, merkte er, er brauchte mehr Koffein.

»Aber natürlich gibt es viele private Boote sowie Boote von

Firmen und Institutionen, die die Insel anlaufen, manche regelmäßig. Auch Spezialboote wie die Müllabfuhr oder das Ölboot. Gegen das Céline Kerkrom protestiert hat. Dann die touristischen Boote zu Delfinsichtungen, auch wenn es nicht viele sind. Oder die Boote der Wissenschaftler, Forscher und Wächter des Parc Iroise. Die Tote wird auch selbst ein Boot gehabt haben, sie gehörte ja zur wissenschaftlichen Mannschaft des Parcs.«

Das bedeutete: Es gab sehr viele Möglichkeiten, trotz der Abgeschiedenheit ohne Probleme auf die Insel zu gelangen.

»Wie auch immer, Riwal. Wir müssen jedes Ablegen oder Anlegen eines Bootes zwischen gestern Morgen und heute Morgen erfassen.«

»Das wird nicht leicht werden. Ich habe nur einen Teil der Boote aufgezählt. Und wie gesagt: Jeder kann hier natürlich jederzeit mit seinem privaten Boot unterwegs sein.«

»Wir …«, Dupin brachte den Satz nicht zu Ende. Die *Enez Sun III* hatte sich frohgemut mit einer besonders großen Welle angelegt. »Piquer dans la plume« hieß das bei den bretonischen Seeleuten, hatte er einmal gelesen, »die Feder aufspießen«. Das Weiße des brechenden Wellenkamms.

Dupin atmete tief ein und aus.

Er hatte vergessen, was er sagen wollte.

Riwal nutzte den Moment:

»Der folgenreichste Bericht über die Île de Sein stammt übrigens von einem römischen Schreiber, der um das Jahr 20 die Insel bereist hat: Er erzählt vom Orakel einer keltischen Göttin, der neun jungfräuliche Priesterinnen in rituellen Zeremonien dienten. Gallicènes hießen sie, die ersten Hexen, von denen je die Rede war. Mit Zaubersprüchen befahlen sie dem Meer und den Winden, sich zu erheben, vermochten sie sich in jedes beliebige Tier zu verwandeln, Kranke und Sterbende zu heilen. Oder die Zukunft vorauszusagen. Wahrheitssuchende aus aller Herren Länder kamen zu ihnen. – So wie wir«, Riwal meinte es nicht als Witz, so viel war klar. »Eine von ihnen war Mor-

52

gan le Fay«, der Inspektor sprach wie von einer Freundin, »die Sie aus der Artus-Sage kennen. Und auf Sein sollen die neun Priesterinnen Artus nach einer Kriegsverletzung gepflegt haben: Avalon!«

Dupin reagierte nicht, er war in Gedanken.

»Riwal, melden Sie sich beim Parc Iroise und fragen Sie nach diesem Vorfall mit den Delfinen.«

»Denken Sie an etwas Bestimmtes?«

»Nein. Fragen Sie nach Unregelmäßigkeiten bei der Wasserqualität. Verschmutzungen, die es gibt oder gab.«

»In Ordnung, Chef. Nolwenn kümmert sich um Charles Morin. Ich habe mit ihr gesprochen. Sie wird gründlich recherchieren. Und sie organisiert ein Treffen mit ihm. – Außerdem hat sie mit dem Präfekten telefoniert, er ist im Bilde, soll ich Ihnen sagen.«

»Sehr gut. – Wissen Sie eigentlich, was Nolwenn in Lannion macht?«

»Eine Tante.«

»Eine Tante in Lannion?«

Dupin hatte bereits von vielen Tanten gehört, aber von keiner in Lannion.

»Jacqueline Thymeur. Ich glaube, die dritte Schwester ihrer Mutter. Anfang siebzig.«

Gut. Nolwenn konnte von überall arbeiten. Das spielte keine Rolle.

»Ist etwas Besonderes?«

Beim letzten großen Fall hatte Nolwenn zu einer Beerdigung gemusst. Der einer Tante.

»Ihr geht es gut, der Tante, wenn Sie das meinen.«

»Riwal«, Dupin war gerade eine Idee gekommen, eine gute Idee. »Rufen Sie Goulch an! Er soll sich aufmachen und uns später mit seinem Boot auf der Île de Sein abholen.«

Dupin war froh über seinen Einfall. Zwar steuerte auch Kireg Goulch von der Wasserschutzpolizei eines dieser höllischen

Schnellboote, aber zum einen war die Fähre keinen Deut besser, und zum anderen hatte der Kommissar großes Vertrauen in den hochgewachsenen, schlaksigen Goulch, mit dem er bei einem komplizierten Fall auf den Glénan zusammengearbeitet hatte. Nicht, dass die Fahrten auf Goulchs Boot damals ein Vergnügen gewesen wären, aber Dupins Angst, auf dem Meer zu sein – viel mehr als eine Seekrankheit im eigentlichen Sinne –, war mit Goulch nicht ganz so schlimm gewesen wie sonst. Darüber hinaus: Goulch war ein exzellenter Polizist. Und Meeresexperte.

»Sehr gerne.« Riwal strahlte.

Goulch und er hatten sich im Laufe der Jahre richtiggehend angefreundet.

Erneut schoss das Boot besonders kühn in die Höhe, schien einen unendlich langen Moment zu schweben, um dann mit gewaltiger Wucht erbarmungslos hinunterzukrachen. Als spiele der Atlantik mit ihnen. Nicht böse oder wütend – das sähe anders aus –, eher freudig, kokett. Um sich die Zeit zu vertreiben, vielleicht.

Mit einem Mal, aus dem Nichts, ohne sichtbaren Grund – es war bestimmt noch ein Kilometer bis zur Insel, und das Boot fuhr mit unverändertem Tempo –, hatte sich das Meer beruhigt, als hätten sie eine Zaubergrenze passiert, die den Gewalten Einhalt gebot. Wäre Dupin nicht noch so mit sich, seinem Schwindel und einer, zuletzt krampfartigen, Verspannung beschäftigt gewesen – er hatte sich nach dem Gespräch mit Riwal in eine Ecke des Hecks verkrochen und angestrengt versucht, wenigstens ab und an den Horizont zu erblicken –, wäre ihm diese mysteriöse Veränderung wahrscheinlich ein zusätzlicher Grund zur Sorge gewesen, so nahm er sie einfach hin.

Rechts ragten Felsen in bizarren Formen aus dem Meer. Gefährlich spitz und dunkel, ein paar Meter hoch, sich gegen den sagenhaft blauen Himmel reckend. Manche voller grellgrüner Flechten. Misstrauische Möwen starrten zum Boot herüber.

Die Fähre kam den Felsen unnötig nahe. Erst ganz spät bog sie in einer engen Kurve um ein steiniges, dem Hafen vorgelagertes Inselchen. Dann auf einmal sah man sie: die Île de Sein. Sehr real und atemberaubend schön.

Der Hafen, mehrere Molen, ganz vorne ein kleiner schwarzweißer Bilderbuch-Leuchtturm, *Men Brial*, eine gravitätisch daliegende beachtlich große Kirche, ein langer geschwungener Quai mit einem feinen Sandstrand davor, dahinter niedrige Häuser in Gelb, hellem Blau, hellem Rosa, die meisten aber weiß oder aus purem Stein mit atlantisch blauen Fensterläden. Alles ein wenig verblichen, angegriffen, gezeichnet vom ewigen Wind, der Gischt, dem Salz, der Sonne. Das Meer reflektierte das Licht von allen Seiten, vervielfachte es – es schien zu prahlen wie in einem Rausch.

Der Hafen war eine natürliche Bucht, um die eine massive Mole gebaut worden war, und schloss eine Felsengruppe gegenüber mit ein – auch sie mit blendend weißem Sandstrand. Der Beton und die Steine der Befestigungen hatten sich über die Jahre gelblich verfärbt. Hinter dem Quai und dem Dorf und alles überragend: der elegante, grazile, sehr hohe Leuchtturm der Insel, Dupin kannte ihn von Abbildungen. *Goulenez – le Grand Phare*. Eine Berühmtheit, so wie Leuchttürme allgemein Berühmtheiten waren in der Bretagne und alle einen Namen besaßen, in einem inoffiziellen Ranking verehrt, das sich nach der Unzugänglichkeit und Unwirtlichkeit ihrer Standorte bemaß.

Das Boot hielt auf die äußerste Mole zu, der Kurs ließ keinen Zweifel: Dort würden sie an Land gehen.

»Bei Ebbe legt das Boot an der ersten Mole an, das Wasser an den anderen Molen ist dann nicht tief genug«, schnappte Dupin von irgendeinem der Touristen auf, die begannen, die beiden Stahltreppen von oben herunterzukommen.

Augenblicklich bildete sich eine Schlange, Dupin reihte sich erleichtert ein, gleich hätte er festen Boden unter den Füßen, auch wenn es nicht viel davon war.

Ein heftiger Stoß, das Boot hatte angelegt.

»Hier! Hier!«, eine energische, hohe Frauenstimme tönte ihnen von der Mole entgegen, Dupin schickte sich an, den schmalen, steilen Steg hinunterzubalancieren, »Monsieur le Commissaire!«

Eine kompakte ältere Frau mit krausem graublondem Haar winkte heftig. Die Passagiere schauten sich neugierig um, nach der Frau, vor allem aber nach dem Kommissar, noch ein Stück lauter rief sie: »Die Leiche!«

Ein Ausdruck tiefer Verstörtheit und Bestürzung schrieb sich in die Gesichter der Ausflügler, der Aufenthalt auf dem Eiland begann dramatisch.

Dupin war – mit wackligen Beinen – auf der Mole angekommen. Brüsk stand die kleine Dame vor ihm. Die Gesichtszüge so energisch wie die Stimme, zäh, beharrlich, rabiat, Dupin kannte den Typus: hartnäckig bis zur Unerbittlichkeit. Sie musste ihn von einem Foto aus der Zeitung kennen.

»Ich bin Joséphine Coquil, und ich leite die Inselmuseen«, sie wandte sich beiläufig an Riwal. »Sie müssen der Inspektor sein. – Also gut. Ich bringe Sie zu der Toten«, sie zog die Augenbrauen hoch, »zu unserer zweiten Toten! Das ist ein großes Drama für die Insel«, sie klang eher exaltiert als mitgenommen. »Zuerst der Mord an unserer Céline und nun an der Delfinfrau. Die armen Mädchen! So eine Schande! – Wissen Sie denn schon etwas, haben Sie eine erste Spur?«

»Céline Kerkrom wurde gerade erst gefunden, Madame«, Dupin verlagerte sein Gewicht vom einen Fuß auf den anderen, er versuchte, einen sicheren Stand zu erlangen.

56

»Sie wissen, wie man sagt: ›Wer Sein sieht, sieht sein Ende‹. – Ha!«

»Ich habe von dem«, wie sollte man es ausdrücken, »Motto der Insel gehört, Madame.« Und es würde wahrscheinlich nicht das letzte Mal gewesen sein.

»Stimmt es, dass man Céline die Kehle durchgeschnitten hat? So ist es nämlich bei der Delfinforscherin. Da besteht kein Zweifel, sage ich Ihnen.«

»Der besteht auch bei der Fischerin nicht.«

»Hier geht eine Bestie um!«, rief Madame Coquil aus, ohne bei diesem Satz auch nur ein bisschen erschreckt zu klingen. »Céline war mutig, sie hat Dinge verändert. Und auch Laetitia Darot war eine starke Frau«, sie zögerte, »auch wenn sie niemand näher gekannt hat. Sie war meist alleine auf dem Meer. Nur mit Céline hat sie gesprochen, manchmal mit unserem stellvertretenden Bürgermeister. So ein Jammer, sie ist ja erst im Januar aus Brest auf die Insel gekommen. Davon hat sie nicht mehr viel gehabt.« Sie schüttelte grimmig den Kopf. »Sie hat sich um unsere Delfine gekümmert. Und sie war schon viermal bei mir im Museum. Auch wenn sie nicht viel gesprochen hat, hat sie sich doch für uns interessiert. Unsere Insel. Die Geschichte, die Flora, die Fauna. – Wenn Sie noch einmal herkommen, Monsieur le Commissaire, ohne scheußliche Mordfälle, dann müssen Sie sich meine Museen ansehen, es sind gleich drei, eines zur Insel und dem Inselleben, eines zur Résistance und eines zur Seenotrettung, ich …«

»Wo liegt die Tote, Madame? Haben wir einen Wagen?«

Dupin war unruhig.

»Es gibt«, ein strafender Blick, der klarmachte, dass man dies eigentlich wissen musste, »*keine* Autos bei uns. – Nur vier Stück. Zwei Feuerwehrwagen, einen Tankwagen, der das Öl für den Leuchtturm sowie die Trinkwasser- und Elektrizitätsgewinnung fährt, und einen Rettungswagen. Der kommt aber nur bei äußerst dringlichen Vorkommnissen zum Einsatz«, schloss sie streng.

Dupin lag auf der Zunge, dass dies doch eventuell so ein »dringliches Vorkommnis« sein könnte, doch Madame Coquil kam ihm zuvor:

»Und die Frau ist ja schon tot, was nützt uns da ein Rettungswagen? Wir gehen zu Fuß. Gepäck haben Sie ja keins. Kommen Sie, wir sollten nicht trödeln.«

Tatkräftig lief sie los, die lange, nasse Mole entlang. So klein und so betagt sie auch war – sie legte ein rasantes Tempo vor. Der Kommissar musste sich anstrengen, Schritt zu halten. Riwal – ein Grinsen im Gesicht – ebenso.

»Das ist Ihr erstes Mal auf der Insel, habe ich recht?«

Es war keine richtige Frage.

»Ja, Madame.«

»Wie lange arbeiten Sie schon in der Bretagne?« Der implizite Vorwurf entging Dupin nicht. »Wie auch immer – nun sind Sie ja da. Im Juli und August besuchen uns jedes Jahr so einige Ihrer Pariser Freunde, die meisten aber nur für ein paar Stunden.«

Es klang, als müsste Dupin sie ohne Zweifel alle kennen.

»Aber wissen Sie, wann hier am meisten los war?«, wieder war es keine echte Frage. »Zu Zeiten der Römer! Sein und Ouessant waren die wichtigsten Zwischenetappen auf dem Weg vom Mittelmeer nach Britannien und Germanien. Die wichtigste Schiffsroute für Handel und Militär. Es herrschte emsiger Betrieb! Hier haben die Römer auch die Bekanntschaft mit den neun Hexen gemacht, sie …«

»Ich habe davon gehört, Madame.«

»Oder im Hundertjährigen Krieg! 1360, da sind hier achtzig Boote mit vierzehntausend Mann gelandet! Alle auf der Insel! Um sie zu plündern.«

Das schien dem Kommissar doch eine sehr große Menschenmenge für diese sehr kleine Insel, es war, schon rein praktisch, gar nicht vorstellbar. Vierzehntausend Mann!

Rechts am Quai standen vier Männer in gelben Öllatzhosen

an der Mauer, auf der einige stattliche Krebse lagen – die Beute einer erfolgreichen *Pêche-à-pied* –, sie waren mit großen Messern zugange.

»Dann wurde es sehr lange sehr ruhig um die Insel«, tiefe Enttäuschung schwang nun in ihrer Stimme mit, »so ruhig, dass der Sonnenkönig den Bewohnern sämtliche Steuern erließ, um die Insel attraktiver zu machen. Ein Dekret, das bis heute gilt. Er hat gesagt, ich zitiere: ›Sein zu besteuern, das bereits von der Last der Natur niedergedrückt wird, würde bedeuten, das Meer, die Unwetter und die Felsen zu besteuern‹«, es war offensichtlich, dass sie den Satz selbst nachts im Schlaf hersagen konnte. »Wie recht er hatte! Geholfen hat es trotzdem nicht, ebenso wenig, dass die Missionare den Ackerbau mitgebracht haben, aus dem selbstverständlich nichts wurde, ein paar mickrige Kartoffeln in manchen Jahren, etwas armselige Gerste, aber immer zu wenig, sodass die Frauen das Brot aus Wurzeln backen mussten! Der gefangene Fisch ging größtenteils nach Audierne. Da halfen auch die trockenen Biskuits und der minderwertige gesalzene Fisch nicht, die alle paar Monate auf die Insel gebracht wurden. Die Insulaner mussten Seetang sammeln, zum Essen und Feuermachen. Ihnen blieb nichts anderes übrig, als Piraten, Plünderer und Strandräuber zu werden. Was sollten die armen Menschen sonst tun?« Ihr Ausdruck signalisierte tiefes, wenn auch verzweifeltes Verständnis.

Madame Coquil holte tief Luft:

»Wissen Sie, wie Sie uns in Frankreich genannt haben? *Wilde*, *Barbaren* und *Teufel des Meeres*, die Insel den *Felsen der Hölle*. Bloß weil wir nichts zu essen hatten und keinen Pfarrer – was natürlich nur daran lag, dass sich keiner dieser Hasenfüße getraut hat, zu kommen. Böse Zungen haben sogar behauptet, manche Einwohner wären gegen den Bau des ersten Leuchtturms gewesen, weil er die Schiffsuntergänge verhinderte. Denn Wein gab es nur, wenn ihn ein verunglücktes Schiff an Bord gehabt hatte.«

Sie liefen an dem hübschen schwarz-weißen Leuchtturm vorbei den Quai entlang. Ein Gabelstapler fuhr die Mole hinunter zur Fähre, um die Container mit den Koffern und Einkäufen zu holen. Dupin war sich darüber im Klaren, dass sie einfach zuhören müssten. Sie würden eine engagierte Inselkunde erhalten. Und sicher wäre es für die Ermittlungen nicht von Nachteil, mehr über die »Insulaner« und ihr Reich zu erfahren.

»Heutzutage wohnen auf der Insel fünf-, sechsmal so viele Kaninchen wie Menschen. Unser vorvorletzter Bürgermeister hat drei Paar ausgesetzt, das hatte, sagen wir, *Folgen*, er hielt es für angemessen, zur Abwechslung etwas Fleisch zu essen zu bekommen. Jeder darf sich seinen Braten selbst jagen! Früher war es hier bei Weitem nicht so komfortabel wie heute. Die Menschen werden immer verzärtelter: Je angenehmer das Leben auf der Insel in den letzten Jahrzehnten geworden ist, desto zahlreicher sind sie weggegangen. 1793 waren wir dreihundertsiebenundzwanzig, und da haben wir noch an trockenem Fisch genagt und sind an Hunger gestorben. Ende des 19. Jahrhunderts waren wir fast tausend! 1926 gar tausendneunhundertachtundzwanzig! In der zweiten Hälfte des 20. Jahrhunderts jedoch wurden es immer weniger. Dabei haben wir heute Strom und Wasser, eine Post, einen Supermarkt, Cafés und Restaurants, Fernsehen, eine Schule mit sechs Schülern, bei Ebbe sogar Sportunterricht am Strand, eine stattliche Kirche, hübsche Menhire, einen Bürgermeister, einen stellvertretenden Bürgermeister, der gleichzeitig der Inselarzt ist, drei Fischer«, sie stutzte kurz, »zwei Fischer und einen Handymast für tadellosen LTE-Empfang. Festnetz braucht hier kein Mensch mehr! Und«, der Mast war anscheinend noch nicht der Höhepunkt gewesen, »wir sind einer der fünf Orte Frankreichs, dem der *Ordre de la Libération* zuerkannt wurde. Nach dem Aufruf von General de Gaulle am 18. Juni 1940 aus dem Londoner Exil, eine Befreiungsarmee zu formen, sind ausnahmslos alle hun-

60

derteinundvierzig Männer der Insel auf sechs Booten aufgebrochen – am selben Tag noch! Eines dieser stolzen Boote existiert bis heute: *Le Corbeau des Mers*.«

Jeder in Frankreich kannte diese tief beeindruckende Geschichte, sie war gewissermaßen die Seele der Insel.

»Nur Frauen, Alte, Kinder, der Pfarrer und der Leuchtturmwärter blieben zurück. Fünfundzwanzig Prozent der Männer, die auf de Gaulles Appell hin in London eintrafen, waren von uns. Der Präsident hat dann später in einer feierlichen Rede an die Nation erklärt: ›L'île de Sein c'est donc le quart de la France!‹ – ›Die Île de Sein ist ein Viertel Frankreichs!‹ Wir! Niemand war so heldenhaft wie wir. Der Präsident ist persönlich gekommen, um uns das *Croix de la Libération* zu überreichen. ›Sie waren es, die Frankreich gerettet haben‹, hat er uns gesagt. – *Das*«, sie holte noch einmal tief Luft, »Monsieur le Commissaire, *das* ist die Île de Sein, das ist ihr Geist! Die ›Wilden‹ waren es, die Frankeich gerettet haben!«

»Wie weit ist es noch bis zu dem Ort, wo die Tote liegt, Madame?« Doch Joséphine Coquil war noch nicht fertig:

»Und jetzt? Jetzt wird Sein bald untergehen!«

Sie drehte sich zu Dupin um und warf ihm einen strafenden Blick zu. Dupin war sich keiner Schuld bewusst.

»Gerade gestern war es zu lesen. Ein bedeutender Professor aus Brest, Paul Tréguer, hat gesagt, dass Sein zu den ersten Inseln gehören wird, die überschwemmt werden, wenn der Meeresspiegel weiter steigt. Und das tut er! Wir sind doch nur so ein flüchtiges bisschen. – Zudem hat eine Studie gezeigt, dass die zunehmenden *Extremwetterlagen*«, sie sprach das Wort aus, als handelte es sich dabei um ein Tiefseemonster, »die Insel besonders hart treffen werden. Der Mensch wird wie immer erst lernen, wenn es zu spät ist, und bis dahin ist Sein längst Geschichte. Eine Tragödie ist das. Und wenn dann noch der Golfstrom abbricht, liegt die gesamte Bretagne in der Arktis … Wir überlegen, vor den Internationalen Gerichtshof zu ziehen und die Welt zu verklagen, wie diese anderen Inseln es getan haben, in der Südsee und so.«

»Ich …«, Dupin fasste sich. »Sie haben vollkommen recht, Madame«, erwiderte er ernst.

»Durchs Dorf geht es schneller«, Madame Coquil bog unvermittelt zwischen zwei Häusern in ein so schmales Gässchen ein, dass Dupin es beinahe übersehen hätte, einen halben Meter breit, mehr nicht, dennoch mit einem stolzen Straßenschild ausgestattet: *Rue du Coq Hardi*. Sie gingen hintereinander, Riwal als Letzter.

»Damit Sie Bescheid wissen«, der Furor der Museumswärterin hatte sich etwas gelegt, Dupins aufrichtige Zustimmung schien sie beruhigt zu haben. »Wir haben vierundfünfzig Straßen, am wichtigsten sind natürlich die beiden Quais am Hafen, Quai des Paimpolais und Quai des Français Libres, wir sagen nur Quai Nord und Quai Sud. Und die große Ost-West-Achse, die das Dorf mit dem anderen Ende der Insel verbindet. – Letzte Woche gab es ein Großereignis! Alle Straßen wurden mit LED-Leuchten ausgestattet! Sie geben ein stärkeres Licht, verbrauchen dabei erheblich weniger Energie und sind unverwüstlich. In Europa besitzt ansonsten nur Monaco LED-Lampen. Und in Amerika Städte wie Los Angeles.«

Die alte Dame war nach links abgebogen, dann nach rechts und wieder nach links, in weitere, kaum breitere Gassen, überall Häuserwände, die gleich aussahen, weiß, geputzt, einige blassgelb oder rosa. Alle eng beieinander, als wären sie zusammengerückt. Ein regelrechtes Labyrinth. Es war eigenartig: Dupin hatte sofort allen Orientierungssinn verloren, was sonst nie geschah.

»Die Häuser stehen so verschachtelt, damit der Wind draußen bleibt, sie beschützen sich gegenseitig.«

Wieder war Madame Coquil abgebogen und noch einmal, Dupin hatte den Eindruck, dass sie im Kreis gelaufen waren, er wäre nicht verwundert gewesen, wenn sie wieder am Quai rausgekommen wären. Jetzt ging es noch einmal scharf nach links, und sie erreichten einen breiten betonierten Weg.

»Voilà, die Ost-West-Achse, die Route du Phare.«

Nur mit Mühe würde hier ein Auto fahren können, rechts und links lagen kleine Gärten und Innenhöfe. Es war kein Mensch zu sehen.

»Wenn es so schön bleibt, sitzen die Leute heute Mittag alle hier draußen und essen«, sie warf einen prüfenden Blick in den Himmel.

»Madame Coquil, wie finden wir heraus, welche Boote gestern und heute Morgen die Insel erreicht oder verlassen haben?«

Bevor Madame Coquil ihm antworten konnte, wandte sich Dupin an seinen Inspektor:

»Riwal«, Dupin ärgerte sich, das hätte ihm eben schon einfallen können, »weisen Sie an, dass kein Boot die Insel verlässt, ohne dass wir es registrieren und mit den Leuten sprechen. Ohne Ausnahme.«

»Na da haben Sie ja etwas vor, Monsieur le Commissaire! Zwei Sisyphos-Aufgaben auf einmal! Natürlich wird nirgendwo zentral erfasst, welche Boote kommen und fahren. Wie stellen Sie sich das vor? Vor allem jetzt im Sommer: die ganzen Freizeitboote, Segler, Taucher, Angler. Bretonen, Franzosen und andere Ausländer. Und die Boote vom Parc Iroise … Das werden Sie nie überblicken! Und dann noch die offiziellen Boote. Das Ölboot, das jeden Donnerstag kommt. Genau wie das Lebensmittelboot für den Minimarkt. Und normalerweise ist auch der Friseur donnerstags um diese Uhrzeit schon da.«

»Der Friseur?«

Es waren wirklich viele Boote. Und ein Friseur.

»Er fährt mit seinem Boot die Inseln ab. Montags und dienstags schneidet er in seinem kleinen Salon in Camaret, auf der Halbinsel von Crozon. Früher war er Fischer, der ab und zu seinen Freunden die Haare geschnitten hat. Dann hat er einen Beruf daraus gemacht. Er schneidet exzellent. – Wir haben viele ältere Leute auf der Insel, die sind froh, wenn sie wegen eines Haarschnittes nicht extra nach Frankreich müssen. Ach ja und nicht zu vergessen: der Pfarrer! Auch er fährt mit seinem Boot die Inseln ab. Aber den können Sie als Mörder getrost von der Liste streichen, er ist seit zwei Wochen auf Sansibar.«

Es war zu kurios und gleichzeitig sehr plausibel: Das menschliche Leben hier draußen, abgeschieden und auf ein Minimum an Infrastruktur und Sozialem beschränkt, musste sich anders organisieren. Trotzdem war es eine irrwitzige Vorstellung, wie ein Pfarrer und ein Friseur mit dem Boot zwischen den Inseln pendelten. Und mordeten. Wie in einem Agatha-Christie-Krimi.

Sie hatten die letzten Häuser des Dorfes erreicht, die Insel verengte sich hier beunruhigend, von beiden Seiten züngelte der Ozean. Sie liefen zwangsläufig – es war die einzige Straße der Insel außerhalb des Dorfes – auf den großen Leuchtturm zu, auch wenn es noch ein Stück war. Riwal hatte sich, mit dem Telefon am Ohr, ein wenig zurückfallen lassen.

Überall unebenes, struppiges Gras – vom Meer, Salz, Wind und sicher auch den Kaninchen kurz gehalten –, hell und strahlend grün, ein flaches Auf und Ab der Landschaft, die zu allen Seiten in steinige Strände und Küsten überging. Eine merkwürdig leere Landschaft, in der Bäume und Sträucher fehlten. Hier und dort hübsche, heftig blühende rosa Blümchen, die dem Rauen und Kargen der Landschaft plötzlich etwas Liebliches gaben.

»Wo kommt das Boot mit dem Öl her, Madame Coquil?«

»Vom Hafen in Audierne. Es kommt zuerst zu uns, dann fährt es nach Molène und Ouessant.«

Die beiden größten Inseln des einzigartigen Archipels vor

der äußersten Westküste der Bretagne, der einen Teil des Parcs Iroise ausmachte. Der Archipel bestand aus unzähligen Felsen, Inselchen und Inseln. Die mit Abstand größte, imposanteste war Ouessant, aber auch Molène – ein Stück größer als Sein – war eine Berühmtheit.

»Ich nehme an, wir sprechen von dem Boot, gegen das Céline Kerkrom protestiert hat?«

»Nicht gegen das Boot, sondern gegen den Missstand, dass wir hier alles mit Öl machen! Sie hatte doch recht: Es gibt Alternativen!«

»Wann legt es für gewöhnlich hier an?«

»Zwischen sieben und acht Uhr morgens. Und zwischen zehn und elf wieder ab.«

»Und das Lebensmittelboot?«

»Um acht, es ist nicht immer ganz pünktlich.«

»Auch aus Audierne?«

»Aus Camaret. Von der Presqu'île de Crozon.«

Dupin kannte die Presqu'île gut, er liebte sie, vor allem Crozon und das Sommerbad Morgat mit dem kleinen Hafen, er hatte sehr gute Freunde in Goulien, bei einem der atemberaubenden Strände der Halbinsel.

»War es heute vor acht da?«

»Kurz nach acht.«

»Und wann hat es wieder abgelegt?«

»Es liegt noch im Hafen. Die beiden Träger sitzen in einer der Kneipen, an denen wir vorbeigekommen sind.«

Natürlich hatte Dupin die Kneipen auf den beiden Quais gesehen, sie hatten wunderbar ausgesehen, perfekt geradezu.

»Riwal«, der Inspektor hatte die Telefonate beendet. »Wo liegt eigentlich das Polizeiboot?« Dupin hatte es am Hafen nicht gesehen.

»Es hat in der Bucht da vorne geankert, sehen Sie«, Madame Coquil deutete Richtung Leuchtturm, »das ist abgesehen vom Hafen die einzige andere Mole der Insel, die bei allen Wasserständen schiffbar ist. Aber eigentlich benutzt sie niemand mehr. – Wir sind gleich auch schon da.«

»Übrigens«, Riwal ging jetzt dicht neben dem Kommissar, »in der Bretagne hat es in den letzten Jahren keinen Mordfall mit durchgeschnittener Kehle gegeben, definitiv nicht. Und zu dem Vorfall mit den Delfinen kann der Parc Iroise erst einmal nichts sagen, das kommt wohl immer wieder vor. Der widerliche Beifang. Fürchterlich. – Wir sollten mit dem Wissenschaftlichen Leiter des Parcs sprechen, haben sie gesagt. Auch über mögliche Wasserverschmutzungen. – Und was die Boote betrifft: Ich habe alles angewiesen.«

Dupin wandte sich wieder an die Herrin der Museen: »Ist im Augenblick eines der Boote vom Parc Iroise vor Ort? Haben Sie …«

Dupins Telefon klingelte.

Eine Pariser Nummer. Die er nicht kannte.

Er blieb stehen und nahm widerwillig an.

»Ja?«

»Es gibt«, ein Sprechkontinuum in hohem Tempo begann, »auch einen Zug um 6 Uhr 27, dann wärt ihr um 11 Uhr 17 da. – Der um 8 Uhr 33 ist erst um 13 Uhr 23 in Paris. Das wäre doch zu schade, dann wird es schon alles eng, mein lieber Georges. Ich sitze gerade bei deiner Tante Yvonne, wir gehen noch einmal alles durch. Die allerletzten Details.«

Dupin war zu perplex, um ein Wort zu sagen.

Seine Mutter.

Das »große Ereignis«.

Natürlich hatte er in den letzten Stunden nicht daran gedacht. Somit auch nicht an den wahrscheinlichen, höchstwahrscheinlichen Eklat, der sich unerbittlich abzeichnete. Aber: seiner Mutter die Situation zu verschweigen oder Ausflüchte zu suchen, würde nichts helfen. Es würde die Sache am Ende nur noch schlimmer machen.

»Ich – wir«, er musste es tun, er musste es sagen, »wir haben einen Mord – zwei Morde, genauer gesagt. Brutale Morde. Seit eben, seit ein paar Stunden erst«, er sprach pathetischer, als er es wollte, aber wahrscheinlich war es ganz richtig. »Ich befinde mich mitten in einem Fall.« Er seufzte demonstrativ.

Ein Schweigen – zwei Kaninchen zischten direkt vor ihm über die Ost-West-Achse –, dann:

»Es ist mein fünfundsiebzigster Geburtstag, mein lieber Georges«, es war ein kaltes, gleichwohl beherrschtes Zischen gewesen, »du wirst übermorgen in Paris sein, komme, was wolle. Du und deine Verlobte«, sie nannte Claire konsequent so, nur so, auch wenn von Verlobung bisher nie die Rede gewesen war. »Du wirst um Punkt neunzehn Uhr an meiner rechten Seite am Ehrentisch sitzen, links deine Schwester«, ein längeres Schweigen begann, vielleicht beruhigte sie sich, ein wenig zumindest. Sie räusperte sich theatralisch. »Na gut. Dann eben doch erst der Zug um 8 Uhr 33. Das sehe ich ein. – Für den habt ihr ja auch bereits die Tickets.«

Einen Moment später hatte sie aufgelegt.

Der fünfundsiebzigste Geburtstag von Anna Dupin.

Seit einem Jahr liefen die Vorbereitungen. Sie feierte groß, natürlich, oder nach ihrem Empfinden und mit ihren Worten: »angemessen«. Es würde, wie die Pariserin aus großbürgerlichem Haus es schätzte, hochelegant, hochzeremoniell werden. Genau so wie Dupin es schon als Kind nicht hatte ausstehen können. Steif und gezwungen. Knapp hundert Gäste waren geladen, sie hatte den *Salon Anglais* im *George V* gemietet, was sonst? Und hundert Telefonate waren es seit Planungsbeginn sicherlich gewesen, die Dupin mit ihr hatte führen müssen, alleine gestern noch drei, bei denen es das x-te Mal um die »allerletzten Details« gegangen war.

Selbstverständlich hatte er keine Ahnung, wie lange er mit diesem Fall beschäftigt sein würde, aber in zwei Tagen hatte er bisher noch keinen größeren Fall gelöst. Es war ausgeschlossen.

Dupin fuhr sich mit den Händen einmal heftig über den Hinterkopf, er musste sich besinnen.

Er gesellte sich wieder zu Madame Coquil und Riwal. Die kleine Gruppe lief weiter.

»Die Boote vom Parc Iroise – das war meine Frage, Madame Coquil, ob sich gerade eines von ihnen vor Ort befindet, auf der Insel?«

»Das weiß ich nicht. Aber nehmen Sie auch Capitaine Vaillant ins Visier. Den Schmuggler-Piraten, der kreuzt überall auf, wie es ihm passt. Auch hier.«

»Capitaine Vaillant?«

»Für die einen ein Ganove, für die anderen ein Held, der den Staat an der Nase herumführt«, es war nicht klar, wo Madame Coquil ihn einordnete. »Ein Fischer mit einem abgewrackten Boot und einer kleinen Mannschaft, ein Draufgänger. Es heißt, eigentlich lebe er vom Schmuggel. Alkoholschmuggel, *Eau de vie*. Er kauft bei diversen Schwarzbrennereien und setzt die Ware in England ab. Aber bisher hat ihn niemand drangekriegt.«

Schon wieder das Thema Schmuggel. Immerhin Alkohol und keine Zigaretten. Und noch eine schillernde Gestalt, der man bisher nie etwas hatte nachweisen können.

Dupin hatte schon eben sein Notizheft herausgeholt und im Gehen einige – hieroglyphenhafte – Notizen gemacht.

»Vaillant, ja?«

»Capitaine Vaillant. Niemand kennt den Vornamen. – Wir sind jetzt fast da.«

Fünfzig, sechzig Meter entfernt war auf der rechten Seite eine größere Gruppe von Menschen zu sehen, Polizisten, Männer in Zivil – die Spurensicherung wahrscheinlich –, dazwischen eine Frau und ein Junge.

»Sie müssen wissen«, Riwal sprach zu Dupin gewandt, »dass der Schmuggel auf den Britischen Inseln eine lange Tradition besitzt, wie natürlich der Schmuggel überhaupt in der Geschichte der Bretagne eng mit der Geschichte der Piraterie ver-

68

bunden ist. Der *Smuggling*«, Riwal betonte das Wort liebevoll, »begann Anfang des 17. Jahrhunderts. Die folgenden dreihundert Jahre waren die Blütezeit des Schmuggels auf dem Kanal, die Hauptroute lag direkt östlich von Ouessant …«

»Riwal!«, es würde erneut ausufern. Dupin wusste um die besondere Geschichte, auch, dass der Schmuggel in der Bretagne nicht unwesentlich zur wirtschaftlichen Prosperität beigetragen hatte, manche Gegenden am Kanal, wie Roscoff oder Morlaix, waren so zu stattlichem Reichtum und Ruhm gelangt. Er hatte ganze Landstriche geformt, unter anderem die grandiosen Wege direkt entlang der Küsten, die Dupin so liebte – nichts als alte Schmugglerwege –, sodass der Begriff bis heute in bretonischen Ohren einen romantisch bewundernden Beiklang besaß. Und für sie nichts, aber auch gar nichts gemein hatte mit dem modernen Schmuggel, der auf den Weltmeeren heutzutage stattfand und ein ganz anderes Gesicht besaß, ein äußerst brutales Gesicht.

»Dieser Capitaine Vaillant«, Dupin wandte sich an Madame Coquil, er würde auf den Exkurs nicht weiter eingehen, »war er gestern oder heute hier auf der Insel?«

»Da müssen Sie in den Kneipen an den Quais nachfragen. Da laufen sie nach dem Anlegen schnurstracks hin. Mehr sehen die von der Insel nie.«

Plötzlich hoben sphärische Klänge an, keltische Klänge – Riwals Handy. Riwal trat verstohlen ein paar Schritte zur Seite.

»Was ist mit Charles Morin, dem Großfischer? Hat man ihn in den letzten Tagen auf der Insel gesehen?«

»*Das* ist ein *echter* Verbrecher!«, dieses Mal ließ Madame Coquil keinen Zweifel, was sie dachte. »Nicht, dass ich wüsste. Nein. – Er besitzt eine größere *Bénéteau*, die fällt sofort auf. Ab und zu sitzt er im *Le Tatoon*. Dort bekommen Sie den besten *Lieu jaune* der ganzen Welt. Den fangen unsere Fischer.«

Dupin machte sich eine weitere Notiz.

»Und da sind wir schon – der Cholera-Friedhof.«

69

»Der Cholera-Friedhof?«

Ein Mann kam entschiedenen Schrittes auf sie zu.

»Antoine Manet. Unser stellvertretender Bürgermeister! Und unser Inselarzt!« Madame Coquil hatte einen repräsentativen Ton angeschlagen. »Der Bürgermeister ist in den Ferien. Jokkmokk. Lappland. Elche beobachten. Wissen Sie, dass sie dort die Elche zu Salami verarbeiten?«

Der stellvertretende Bürgermeister – Ende fünfzig, Anfang sechzig vielleicht – war schmaler, sportlicher Statur, mit dichtem kurzem, hellgrauem Haar, ein offenes, ernsthaftes, braun gebranntes Gesicht mit klugen Augen. Jungen Augen. Jeans, schwarze Lederschuhe, ein Poloshirt und eine graue Funktionsjacke, darüber eine dunkelgrüne Umhängetasche.

Er hielt Dupin die Hand hin und lächelte:

»So ein Scheiß!« Es folgte ein kräftiger Händedruck.

Dupin stand wie vom Donner gerührt. Er empfand eine schwer zu beschreibende Irritation. Nicht er, sondern der stellvertretende Bürgermeister hatte geflucht, und zwar Dupins ureigensten Fluch.

»Das hat uns auf der Insel gerade noch gefehlt!«

Dupin konnte immer noch nichts erwidern.

»Kommen Sie, Monsieur le Commissaire. Die Tote liegt hier«, er sprach beiläufig, dabei verbindlich. »Sie wissen ja: ›Qui voit Sein, voit sa fin‹.«

Der Arzt hatte sich, ohne eine Reaktion Dupins abzuwarten, mit einer entschiedenen Bewegung umgedreht.

Madame Coquil machte keine Anstalten, sich zurückzuziehen, im Gegenteil:

»1849 hat uns eine schwere Cholera-Epidemie heimgesucht«, es hörte sich an, als spräche sie von letztem Monat, »im 17. Jahrhundert übrigens eine Pest-Epidemie, die uns beinahe ausgerottet hätte, die überlebenden Einwohner haben die Insel in den folgenden Jahren neu bevölkern müssen und haben sich dafür Partner vom Festland geholt«, dieser letzte

Satz war ihr besonders wichtig, merkte man. »Doch zurück zur Cholera, die dummerweise noch mit einer Schweißfieber-Welle einherging. Vom Festland eingeschleppt! Der umsichtige Arzt damals hat die ersten Toten umgehend isolieren und hier auf dem Friedhof bestatten lassen, der Hals über Kopf angelegt wurde. – Die schwarze Tracht der Insulanerinnen geht übrigens auf die Epidemie zurück. Bis heute ist sogar die Haube schwarz.«

Es klang ungemein traurig. Traurig und trübselig, vor allem, wenn man wusste, dass sich die bretonischen Trachten eigentlich durch den Reichtum der lebendigsten Farben auszeichneten.

Dupin folgte dem stellvertretenden Bürgermeister. Der Cholera-Friedhof lag auf einer der stoppeligen – von Kaninchenlöchern lädierten – Wiesen, die sich auch hier bis zum felsigen Strand zogen, der Friedhof selbst war nichts weiter als ein Stück solcher Wiese, von einer kniehohen alten Mauer aus flachen Steinen umgeben. Ein exaktes Rechteck, mit einem Zugang Richtung der Ost-West-Achse. Im Schutz der Mauern kleine Ansiedlungen der Blümchen mit den rosa Blüten. An der Rückseite der Mauer, gegenüber vom Eingang, ein schlichtes verwittertes Steinkreuz, nicht höher als ein Meter. Innerhalb des Rechtecks an beiden Seiten ein paar parallel auf dem Boden liegende mächtige Granitplatten. Ohne Inschrift. Völlig blank.

Das war er. Der ganze Friedhof.

Ein verrückter Ort. Ein flaches, nacktes Nichts unter einem endlosen, fabelhaft blauen Himmel. Dreißig Meter weiter, und der unendliche Ozean begann, ein paar mächtige, bizarr geformte Granitfindlinge an der Wasserlinie, ein paar weitere dahinter aus dem Meer ragend, wie rätselhafte Skulpturen, kryptische Zeichen.

»Das Kreuz müssen sie sich teilen«, Madame Coquil hatte Dupins Blicke gesehen. »Schlussendlich hat es dann nicht mehr als sechs Cholera-Opfer gegeben, der Friedhof hätte weit mehr verkraftet.« Ein Bedauern über die Platzverschwendung.

Die Polizisten, die Männer in Zivil, die Mutter und ein Junge standen nahe dem Steinkreuz und blickten zu Dupin. Der stellvertretende Bürgermeister hatte am Eingang zum Friedhof auf den Kommissar, Riwal und Madame Coquil gewartet.

»Sieben – oder? Es sind sieben«, merkte Dupin beiläufig an.

Er hatte links fünf Steinplatten gezählt und rechts zwei.

Aber es war auch unwichtig.

»Pardon?« Die Museumsleiterin war bei Dupins Anmerkung abrupt stehen geblieben. Offenes Entsetzen stand ihr ins Gesicht geschrieben. Es musste etwas Unerhörtes passiert sein, auch wenn Dupin sich keinen Reim darauf machen konnte, was.

Auch Antoine Manet hatte es mitbekommen: »Joséphine, erschrecken Sie mir den Kommissar nicht! Wir haben Wichtiges zu tun hier. Und es heißt, er sei der beste.«

Madame Coquil versuchte ihre Fassung wiederzuerlangen, was ihr offenkundig nicht leichtfiel.

»Sie – Sie haben sieben Gräber gesehen? Links – *fünf* Gräber, ja? Fünf? War es so?«

»Ich muss mich verzählt haben«, Dupin hatte gerade noch einmal hingeschaut und nur noch vier gesehen.

Er hatte sich vertan.

»Wer in der westlichen Reihe das fünfte Grab sieht, sagt man, der«, sie gab sich Mühe, nicht allzu dramatisch zu klingen, gänzlich ohne Erfolg, »der hat sein eigenes Grab gesehen. – Dem«, sie zögerte, »dem wird in den nächsten Tagen fürchterliches Ungemach zustoßen. Es ist das letzte Mal vor vier Jahren geschehen, einem Mann aus Le Conquet, einem Metzger, er …«

»Joséphine! Hören Sie auf!«, der Ton war streng. Antoine Manet meinte es ernst. Was die Sache irgendwie nicht besser machte, fand Dupin. Warum meinte er es so ernst? Es war nichts als ein lächerlicher Aberglaube.

Dupin warf einen Blick zu Riwal, der sein Telefon zwar noch in der Hand hielt, aber nicht sprach. Er stand wie angewurzelt und blickte abwechselnd zwischen Madame Coquil und Dupin hin und her.

Er würde keine Hilfe sein.

»Was gibt es, Riwal?« Dupin trat auf ihn zu.

»Kadeg«, Riwal bemühte sich vergebens um Festigkeit in seiner Stimme, »hat sich gemeldet: Der Gerichtsmediziner hat die Tatzeit auf ungefähr zweiundzwanzig Uhr festgelegt, plus minus eine Stunde.«

Dupin hatte es nicht anders erwartet.

»Ansonsten hat er all seine ersten Vermutungen bestätigt. Es gibt nichts Neues. – Und auch auf dem Boot von Kerkrom haben sie nichts Ungewöhnliches entdeckt. Es scheint so weit alles unauffällig. Aber Kadeg will es noch einmal von einem Fischer inspizieren lassen, dem die Polizei von Douarnenez vertraut. Er könnte eventuell mehr sehen.«

Das war eine gute Idee.

»Ein Handy«, Riwal wirkte immer noch nicht ganz stabil, er schien sich beim Reden selbst beruhigen zu wollen, »haben sie auch auf dem Boot nicht gefunden. Aber Kerkrom besaß eines, das wissen wir mittlerweile. Der Täter muss es mitgenommen haben.«

»Lassen Sie den Anbieter und Anschluss recherchieren.«

»Wir sind schon dran. Aber Sie wissen, das wird etwas dauern. – Kadeg hat das Gespräch mit Jean Serres, dem Mitarbeiter von Madame Gochat, geführt. Ehrlich gesagt, vollkommen umsonst. Er hat nur wiederholt, was wir bereits wussten. – Die Liste, welche Käufer gestern bei der Auktion waren, liegt jetzt vor. Damit ist die Gesamtliste nach übereinstimmenden Berichten so weit vollständig, die Liste sämtlicher Personen, die sich am Abend *in* der Auktionshalle aufgehalten haben. Die Gespräche mit den Leuten dauern noch an, wir bekommen Bescheid, falls sich etwas Wichtiges ergibt.«

»Gut.«

Kadeg beherrschte das systematische Vorgehen.

»Sie – Sie sollten vorsichtig sein, Chef, Sie sollten das mit dem siebten Grab nicht auf die leichte Schulter nehmen«, Riwal sah tief besorgt aus.

Dupin entfuhr ein ungewollt lautes: »Es ist alles in Ordnung, Riwal. Alles in Ordnung.«

Riwal setzte zu einer Entgegnung an, besann sich dann aber.

»Ich werde mich jetzt um die Boote und ihre Mannschaften kümmern, Chef. – Sie erreichen mich auf dem Handy«, ein Zögern, »rufen Sie an, wenn etwas ist. Egal was.«

Der Inspektor gab sich einen Ruck und trat auf die Polizisten zu: »Wir haben ein paar dringende Aufträge, Messieurs. Folgen Sie mir.«

Mit neugierigem Blick liefen sie hinter ihm her wie junge Hunde, zurück zur Ost-West-Achse.

Dupin wandte sich an Manet: »Die Tote? Wo liegt die Tote?«

Er hatte sie noch nirgendwo gesehen.

»Hinter dem letzten Grab«, Antoine Manet schritt auf die Friedhofsmauer zu. »Da drüben«, er machte eine vage Kopfbewegung, »ganz hinten, in einer Kuhle. Das Grab wurde damals ausgehoben, aber nie benutzt. Es ist mit der Zeit weitgehend eingestürzt. Von der Straße aus ist die Leiche nicht zu sehen, Anthony hat sie heute Morgen beim Spielen entdeckt.«

Das musste der Junge sein, vielleicht neun oder zehn Jahre alt, der bei seiner Mutter stand.

Dupin grüßte in die Runde.

Er kannte keinen der anwesenden Kollegen von der Spurensicherung.

»Warum liegt sie ausgerechnet auf dem Cholera-Friedhof?«

Manet war vor der Mauer stehen geblieben und zog langsam die Schultern hoch. »Wir haben keine Ahnung.«

Dupin war an der letzten Steinplatte angekommen.

Jetzt sah auch er die Leiche.

Den toten Körper einer schätzungsweise dreißigjährigen, man konnte es nicht anders sagen, überwältigend schönen Frau. Laetitia Darot lag auf dem Rücken, wie gebettet, nahezu friedlich. Lange, sanft gewellte braune Haare mit einem kupferroten Schimmer, grazile Züge, die jedoch Stärke ausdrückten, keinesfalls fragil, ein geschwungener Mund. Sie schien nur zu schlafen. Die Schnittwunde an ihrem Hals wirkte fast zart, wie eine seltsame Verzierung, nur die Spur getrockneten Blutes darunter war breit. Dunkle Jeans, niedrige blaue Gummistiefel, eine blaue Wolljacke, ein grauer, grob gestrickter Wollpulli darunter.

»Ich vermute, es ist heute Morgen passiert. Wahrscheinlich zwischen sechs und sieben. Ein glatter Schnitt, die Luftröhre, die Stimmbänder«, Manets Stirn lag in Falten, er wirkte konzentriert. »Sie hat keinen Laut mehr von sich geben können. Das Hirn wird schnell keinen Sauerstoff mehr bekommen haben und das Blut in die Luftröhre geflossen sein, dann ist sie erstickt.« Manet setzte kurz ab, sein Blick war vom Kopf den Körper hinuntergewandert, Dupins Blick war seinem gefolgt. »Das rechte Handgelenk ist ein wenig geschwollen, vermutlich hat der Täter sie dort festgehalten. Zeichen eines echten Kampfes fehlen allerdings. Es gibt auch keine weiteren sichtbaren Verletzungen.«

»Muss man ein Spezialist sein für einen solchen Schnitt, was meinen Sie?«

Die Frage war schon heute Morgen aufgekommen.

»Nicht unbedingt. Am Meer gibt es so viele Menschen, die ein Messer gebrauchen und beherrschen. Richtig beherrschen.«

»Die Gerichtsmedizinerin müsste jeden Augenblick eintreffen«, einer der Männer der Spurensicherung war mit keckem, diensteifrigem Ton einen Schritt nach vorne getreten. Ein junger Kadeg. »Ich denke, wir sollten die Expertin abwarten.«

»Ich habe alle Informationen zur Leiche, die ich brauche«, brummte Dupin.

Der Inselarzt lächelte milde. Dupins Parteinahme wäre nicht

nötig gewesen, Manet war so leicht nicht aus der Ruhe zu bringen. Er machte den Eindruck, schon so einiges gesehen zu haben.

»Der Mord wird wahrscheinlich hier oder ganz in der Nähe stattgefunden haben«, führte der andere der beiden Männer – älter, dichtes weißes Haar – mit kompetentem Gestus aus. »Neben dem Körper ist eine große Menge Blut in den Boden gesickert, so viel kann sie an keiner zweiten Stelle verloren haben. Sie hat sich auch nicht mehr bewegt, nachdem sie in die Kuhle gelegt wurde, das Blut ist immer denselben Weg geflossen.«

»Da hatte Laetitia Darot schon das Bewusstsein verloren«, Manet nickte zustimmend, »das passiert in der Regel bereits nach rund zehn Sekunden.«

»Wir haben zur Sicherheit den gesamten Friedhof nach weiterem Blut abgesucht. Und keines gefunden. Auch nicht auf der Wiese um den Friedhof herum. Überhaupt nichts Auffälliges. Nach Fußabdrücken müssen wir bei dem Boden«, der ältere Kollege schaute vielsagend nach unten, »erst gar nicht suchen. – Auch an der Kleidung der Leiche haben wir bisher nichts Verdächtiges entdeckt. Wir werden hier alles noch einmal inspizieren, wenn die Leiche abgeholt wurde.«

Der kompetente Eindruck bestätigte sich.

Dupin war einmal um die Kuhle herumgegangen.

»Sie muss sich hier mit dem Mörder getroffen haben. In aller Frühe«, Dupins Blick wanderte zum Ufer. »Wenn derjenige mit einem größeren Boot gekommen ist, wird er an der Mole angelegt haben, an dem gerade das Polizeiboot liegt.«

»Wir werden uns die Mole genau ansehen.« Auch jetzt reagierte der Mann sofort.

»Oder«, Madame Coquil meldete sich das erste Mal seit dem »Vorfall« mit den Gräbern zu Wort, Dupin bildete sich ein, dass sie ihn immer noch seltsam ansah, »er hat das Boot etwas weiter draußen liegen lassen und kam mit einem Beiboot, oder«, ihr Blick verdüsterte sich, »oder – er lebt auf der Insel.«

76

»Wann genau hat Ihr Sohn die Tote gefunden, Madame?«

Die beiden Mitarbeiter der Spurensicherung waren mit ihren schweren silbernen Koffern zur Mole aufgebrochen, Dupin war mit dem Jungen, dessen Mutter, Antoine Manet und Madame Coquil zurückgeblieben.

»Um 7 Uhr 24.«

Der Junge hatte das Antworten selbst übernommen.

Seine Augen leuchteten. Er war, so viel war klar, keineswegs eingeschüchtert.

»Und das weißt du so genau?«

Stolz hielt der Junge dem Kommissar eine glänzend schwarze digitale Uhr entgegen: »Bei Verbrechen muss man genau sein.« Er überlegte kurz: »Meine Schule beginnt um 8 Uhr 30, bis 8 Uhr 15 darf ich immer noch draußen spielen, dann muss ich los.«

Seine Mutter sah sich verpflichtet hinzufügen:

»Wir wohnen vorne in einem der ersten Häuser. Eigentlich darf Anthony nicht so weit. – Aber es kann hier ja auch nichts passieren«, sie bemerkte die Ironie, »normalerweise jedenfalls.«

»Lag die Tote genau so, als du sie gefunden hast?«

»Ja, genau so.«

»Hast du noch etwas anderes Ungewöhnliches gesehen, Anthony?«

Er war ein äußerst aufgeweckter Junge. Ein Abenteurer. Verstrubbelte dunkelblonde Haare, ein spitzbübisches Lächeln, völlig verdreckte Jeans, Turnschuhe, ein verwaschenes blaues T-Shirt. Sämtliche Taschen der Jeans, vorne und hinten, waren heftig ausgebeult, es schien, als würde er alles Mögliche darin sammeln.

»Kaninchen. Sechs Kaninchen, die sich die Leiche angesehen haben. Sie saßen um sie herum. Und draußen war Jumeau.«

»Einer der Inselfischer mit seinem Boot«, ergänzte Manet, der den Jungen wohlwollend ansah.

Dupin war sogleich hellwach.

»Wie weit draußen?«

»Mittelweit«, Anthony zeigte in die Ferne, aufs offene Meer. Eine schwer einzuordnende Antwort.

»Die Barsche, er angelt mit Leinen. Er ist seit ein paar Tagen jeden Morgen ungefähr an derselben Stelle draußen. Das musst du dazusagen, sonst hält es der Kommissar womöglich für verdächtig. – Du sollst überhaupt nur das Nötigste sagen«, Anthonys Mutter runzelte streng die Stirn.

Der Junge ließ sich nicht einschüchtern:

»Wissen Sie, dass der Präsident bei uns zu Hause gegessen hat? Er hat da vorne«, jetzt deutete er in Richtung eines steinernen Denkmals, das in einiger Entfernung stand: ein Soldat vor einem eigentümlichen Doppelkreuz auf einem großen Steinquader, »im letzten Jahr eine Rede gehalten. Weil wir so mutig waren und dieser Mut einen Jahrestag hatte. Da waren wir dabei, mit der ganzen Schule. Nach der Rede bin ich zu ihm gegangen und habe ihn zum Essen eingeladen, es war Mittagszeit.«

Anthonys Mutter lächelte verlegen. »Es stimmt. Er ist wirklich mit zu uns nach Hause gekommen, für eine halbe Stunde.«

»Es gab Steinbutt mit Bratkartoffeln.«

Dupin interessierte etwas anderes. »Wie heißt dieser Fischer, hast du gesagt?«

»Jumeau.«

»Hat er auch einen Vornamen?«

»Luc.«

Dupin schrieb mit. Es standen bereits einige Namen auf seiner Liste: »Gochat, Chefin des Hafens; Batout, Frau am Kaffeestand; Morin, Fischerkönig …«. Der Kampf mit dem Namensgedächtnis gehörte bei jedem seiner Fälle zu den schwierigsten Dingen, das war in Paris schon so gewesen, aber mit den bretonischen Namen hatte es sich verschlimmert; eigentlich, dachte Dupin insgeheim nicht selten, machte ihn diese Schwäche ungeeignet für seinen Beruf, diese und ein paar andere auch.

»Vor zehn Jahren«, ergänzte die Museumsleiterin, »waren es noch zwölf Fischer.«

»Was ist dir noch aufgefallen, Anthony?«

»Nichts, was für Ermittlungen wichtig wäre, Monsieur le Commissaire.« Er schien vorsichtshalber noch einmal intensiv nachzudenken. »Aber ich sage Ihnen Bescheid, wenn mir noch etwas einfällt. – So sagt man das doch, oder?«

»Du wirst dich jetzt zur Schule aufmachen«, seine Mutter hatte einen unnachgiebigen Ton angeschlagen. »Du hast schon genug verpasst.«

Wieder leuchteten die Augen des Jungen.

»Schule ist nicht so seine Sache«, erklärte die Mutter entschuldigend.

Dupin verstand ihn gut.

»Vielen Dank. Du hast uns sehr geholfen.«

Dupin bezweifelte, dass die Leiche ohne Anthony so rasch entdeckt worden wäre. Die Entfernung zur Ost-West-Achse betrug sicherlich fünfzig Meter. Und die Leiche war in der Kuhle tatsächlich erst zu sehen, wenn man fast vor ihr stand. Es hätte lange dauern können, Tage vielleicht.

Im nächsten Moment war der Junge auf und davon, seine Mutter folgte ihm.

Dupin trat zu Antoine Manet und Madame Coquil:

»Wer kommt regelmäßig auf diesen Teil der Insel?«

»Ich zum Beispiel«, erwiderte Manet, »wenn ich die vier Techniker für den Leuchtturm und die Inseltechnik besuche.« Er lachte. »Aber einige andere auch. Wenn sie einen Spaziergang machen. Der Weg zum Leuchtturm ist sehr beliebt, nicht nur bei den Insulanern, auch bei den Tagesausflüglern. So viele Wege gibt es hier ja auch nicht.«

Dupins Blick wanderte zum Leuchtturm.

Er war weniger als einen Kilometer entfernt. Und dazwischen lag nichts.

»Die drei Häuser zwischen dem Dorf und dem Cholera-

Friedhof«, Manet deutete zum Dorf, »sind nur im Juli und August bewohnt. Vielleicht Ostern noch eine Woche.«

Dupin rieb sich die Stirn, eine Geste, die wie einige andere während eines Falles zum Tick ausartete.

»Haben Sie eine Vorstellung davon«, Dupin richtete sich erkennbar an beide, »was hier geschehen sein könnte? Zwei Frauen von der Île de Sein sind umgebracht worden. – Sie kannten sie beide.«

»Wir haben«, Madame Coquil ereiferte sich, »schon Schlimmeres überlebt. So leicht lassen wir uns nicht unterkriegen. Aber – etwas Böses spielt sich ab. Etwas sehr Böses. Mehr kann ich Ihnen nicht sagen. Und Sie müssen sich ebenso in Acht nehmen, Monsieur le Commissaire. – Die sieben Gräber!«

Mit diesen Worten hatte sie auf dem Absatz kehrtgemacht. »Ich muss zurück. Meine Museen. Eigentlich öffne ich um neun. Ich erwarte«, sie schaute sich nicht noch einmal um, »dass Sie mich bei Gelegenheit besuchen, Monsieur le Commissaire. – Ich weiß viel.«

Im Nu war sie davongeeilt.

»Sie können sich auch nicht vorstellen, was sich hier abgespielt hat, Monsieur Manet?«

»Ehrlich gesagt: Nein, ich habe nicht die leiseste Ahnung.«

»Erzählen Sie mir von den beiden Frauen. Was sie getan haben. Mit wem sie in Verbindung standen.«

»Einen Moment. Ich muss kurz mit dem Helikopter und der Gerichtsmedizinerin Kontakt aufnehmen. Wir sollten die Leiche hier nicht zu lange liegen lassen.«

Manet trat ein paar Schritte zur Seite. Dupin ging durch den Kopf, ob er nicht mitfliegen könnte, um sich die Bootsfahrt zu ersparen, aber es wäre natürlich zu früh, jetzt waren eine Reihe von Gesprächen zu führen.

Der Kommissar holte ebenso sein Handy hervor:

»Riwal, einer der Polizisten soll hier zum Friedhof kommen

und ein Auge auf alles haben, bis die Leiche abtransportiert wird. Ich will, dass wir den Friedhof absperren.«

»Gut, Chef. Ich habe einen Kollegen am Hafen platziert, der aufpasst, damit kein Boot die Insel verlässt, ohne dass wir zuvor Kontakt aufgenommen haben. Das Ölboot ist noch da. Und auch der Friseur. Ich habe ihnen gesagt, dass wir sie sprechen wollen. Sie warten in einer der Kneipen auf uns. Das Lebensmittelboot ist mittlerweile weg. Die Menschen haben Hunger. – Das mit der Liste aller Boote, die von gestern bis heute Morgen angekommen sind oder abgelegt haben, wird schwierig. Es gibt kein Hafenbüro. Aber wir versuchen es. Wir sprechen mit allen, und die Inhaber der Kneipen helfen uns.«

»Sehr gut.«

Wirte wussten und sahen immer viel.

»Wir werden trotzdem nicht jedes Boot erfassen können. Im Sommer kommen immer noch spätabends welche rein, die am nächsten Morgen schon wieder ganz früh weg sind. Motorboote, Segelboote. Sie müssen sich nirgendwo anmelden. Sie kommen und fahren nach Belieben. Auch tagsüber, manchmal nur für ein paar Stunden, dann spazieren die Leute ein bisschen durchs Dorf, gehen essen und legen wieder ab.«

Sie hätten keinerlei Chance auf eine systematische Erfassung. Sie wären auf pures Glück angewiesen. Dupin seufzte.

Antoine Manet hatte sein Telefonat erledigt, hielt sich aus Diskretion aber ein paar Meter entfernt.

»Wie gesagt«, Riwal formulierte es wie eine Aufmunterung, »der Täter kann ja auch von der Insel kommen.«

Käme der Täter von der Insel, hätte er gestern Abend bis acht oder neun Uhr eine Bootsfahrt nach Douarnenez unternehmen müssen – mit welchem Boot auch immer – und eine nach der Tat zurück. In der Nacht noch, oder heute sehr früh, um die zweite Tat zu begehen. Oder, das andere Szenario: Der Täter käme vom Festland, dann hätte er gestern zwischen ungefähr dreiundzwanzig Uhr und sechs Uhr heute Morgen mit einem Boot zur Insel gemusst. Wenn ein Komplize im Spiel wäre, vervielfältigten sich die Möglichkeiten ins Beliebige, Dupin würde erst gar nicht anfangen, sie sich auszudenken.

»Ich will, dass wir zu jedem Haus gehen und nachfragen – vielleicht hat irgendjemand etwas gesehen, das uns helfen könnte. Ein Spaziergänger, der heute Morgen sehr früh schon unterwegs war, zum Beispiel.«

Man musste dem Glück zu Leibe rücken, ihm zumindest, so gering die Wahrscheinlichkeit auch immer sein mochte, eine Chance geben.

»Ich habe bereits um weitere Unterstützung gebeten, sie müssten bald da sein, noch einmal zwei Boote. Acht Polizisten«, Riwal kannte seinen Kommissar. Es würde eine kleine Invasion werden. »Zwischen dem Quai Sud und dem Quai Nord, direkt am Wasser, gibt es eine Reihe von Schuppen beziehungsweise Verschlägen, die unter anderem von den Fischern genutzt werden. Da bringen sie Netze, Bojen und so weiter unter. Sowohl Céline Kerkrom als auch Laetitia Darot hatten einen gepachtet. Eine Mitarbeiterin des Bürgermeisters wird sie uns zeigen. – Ich habe gerade zwei Kollegen in die Häuser von Kerkrom und Darot geschickt, um einen ersten Überblick zu gewinnen. Laetitia Darot hat ihr Boot übrigens hier im Hafen liegen, das schauen wir uns natürlich auch an.«

Riwal war hoch konzentriert bei der Sache, Dupin war froh, so konnte er sich ganz auf seine eigenen Ideen konzentrieren.

»Bis gleich, Riwal.«

Manet trat auf Dupin zu.

»Kommen Sie, begleiten Sie mich bis zum Haus meiner Patientin, so können wir noch etwas reden. Ihr Knie hat sich schwer entzündet, eigentlich nur ein kleiner Unfall in einem Holzboot, aber ein übler Splitter.«

Der Inselarzt war losmarschiert, noch während er sprach. Dupin folgte. Zwei besonders neugierige Kaninchen saßen vor der Mauer am Friedhofsausgang, blitzschnell schossen sie davon.

»Mit Céline habe ich ab und zu etwas getrunken. Bei *Chez Bruno* meistens. Dann haben wir über alles Mögliche gesprochen, das Leben, die Insel, die Fischerei. Ernste Gespräche, aber wir haben auch viel gelacht. Eine konsequente Frau. Aufrichtig. Sehr eigen. Engagiert – davon werden Sie sicherlich schon gehört haben. Eine Einzelgängerin, aber nicht menschenfeindlich. Ohne Gram, ohne zu hadern mit sich und der Welt. Ich glaube, sie war im Großen und Ganzen einverstanden mit ihrem Leben. Auch mit ihrer gescheiterten Ehe. Sie hat ihren Beruf geliebt, so mühsam es auch geworden ist für die Fischer.« Es war ein ausgewogenes Resümee. »Als die Delfinforscherin im Januar auf die Insel kam, hat sie sich sofort mit ihr angefreundet, es war verblüffend. Gerade in letzter Zeit, in den letzten zwei, drei Monaten, habe ich sie häufig zusammen gesehen, manchmal liefen sie fast gleichzeitig mit ihren Booten abends ein, dann war die eine noch ein wenig auf dem Boot der anderen.«

Manet rieb sich den Hinterkopf. »Das Dumme ist: Die beiden wussten mit Sicherheit jeweils am meisten voneinander, mehr als irgendjemand sonst auf der Insel.«

»Was können Sie über Laetitia Darot sagen?«

»Nicht viel. Laetitia wirkte scheu, aber nicht unfreundlich. Nicht ablehnend oder arrogant. Sie suchte bloß keinen Kontakt. Hier auf der Insel lassen wir jeden sein, wie er mag, es ist eine eigentümliche Mischung aus Gemeinschaft und Solidarität auf der einen und ausgeprägter Individualität auf der anderen Seite. Natürlich führt die große Nähe, die Tatsache, so eng aufeinanderzuhocken, auch zu Konflikten. Aber wie gesagt: Laetitia war in diesem Sinne kein Teil des Dorfes, deswegen weiß ich nicht, in was sie verwickelt gewesen sein sollte. Manche fanden, dass sie sich etwas geheimnisvoll gab, aber niemand hat ein böses Wort über sie verloren. Die Leute hatten

Respekt davor, dass sie Wissenschaftlerin war. Und mit Delfinen gearbeitet hat.«

Sie waren schon wieder auf dem Weg angekommen.

»Sie war die meiste Zeit auf dem Meer.«

»Wissen Sie, was sie zuvor in Brest gemacht hat?«

»Ich weiß nur, dass sie auch von dort aus schon für den Parc gearbeitet hat.«

»Wer auf der Insel könnte mir sonst etwas zu ihr sagen?«

»Eigentlich niemand, befürchte ich. Aber ich höre mich um. Wenn es etwas zu berichten gibt, wenn irgendjemand etwas Merkwürdiges gesehen oder gehört hat, werde ich es bald wissen, nicht nur in Bezug auf die beiden.« Antoine Manet lächelte.

Dupin glaubte ihm. Natürlich. Sämtliche Nachrichten würden auf der Insel in Windeseile die Runde machen. Und ein Arzt war die ultimative Instanz. Eine Vertrauensperson.

»Gut. – Hatte Céline Kerkrom Kontakt zu den anderen Inselfischern?«

»Zu beiden, ja, aber ich habe nie von Problemen gehört. Zu Jumeau war der Kontakt enger. Ob sie richtig befreundet waren, weiß ich nicht. Das Leben der Fischer ist hart.«

Ein älteres Paar kam ihnen auf dem Weg zum Dorf entgegen.

»Pauline, Yanik – Bonjour.«

»Was für eine Tragödie! Schaffst du es trotzdem, Antoine? Bleibt es bei heute Abend?«

»Na klar.«

Natürlich kannte jeder Inselbewohner Manet. Stellvertretender Bürgermeister, Arzt und Präsident der Seenotrettungsgesellschaft. Dabei war ihm nichts Autoritäres anzumerken, kein Überlegenheitsgetue, nichts Aufgesetztes. Eher etwas Weises. Er war allen ein Freund, so wirkte es.

»Dann bis später, Antoine.«

»Das Treffen zur Vorbereitung des großen Festes zum hundertfünfzigjährigen Bestehen der Seenotrettung«, erklärte Manet, das Paar war inzwischen an ihnen vorbeigelaufen. »Yanik ist seit fünfzig Jahren Mitglied und war lange als Retter aktiv. – Wir werden ein gutes Glas auf Céline und Laetitia trinken. Es ist in solchen Situationen besser, man ist zusammen. Mord, das hatten wir noch nie auf der Insel.«

»Es heißt, Céline Kerkrom hat sich mit vielen heftig angelegt?«

»Nicht mit vielen. Mit einigen Bestimmten, ja. Auf dem Festland hat das ab und an für Wirbel gesorgt, hier weniger. Das Leben geht hier seinen eigenen unerschütterlichen Gang.«

»Und der Konflikt mit dem Öl? Ihr Engagement für alternative Energien auf der Insel? Ich habe«, Dupin blätterte in seinem Clairefontaine, »etwas von ›kleineren Gezeiten-Kraftwerken‹ gehört, einem ›Röhrensystem‹.«

»Die meisten sind ihrer Meinung. Nur ein paar haben Sorge, dass wir dann keine stabile Versorgung hinbekommen. Wir werden sie noch überzeugen. Die Machbarkeitsstudie läuft gerade. Es geht nicht nur um kleine Gezeiten-Kraftwerke, sondern um eine Kombination aus verschiedenen alternativen Energien. – Eine richtige Auseinandersetzung gab es deswegen nur mit dem Chef des Ölbootes. Er hat ihr sogar einmal morgens an ihrem Boot aufgelauert und sie heftig angepöbelt.«

Das war konkreter als alles, was Dupin bisher gehört hatte.

»Wurde er handgreiflich?«

»Er hat sie geschubst.«

»Kommt er nicht erst später am Morgen – ich meine, war sie da nicht schon längst auf See?«

»Eigentlich ja. Aber manchmal ist sie auch erst später los. Es hängt sehr vom Wetter ab.«

»Wie heißt der Mann noch gleich?«

»Thomas Roiyou.«

Dupin schaute in sein Heft.

»Ich werde gleich mit ihm sprechen, mein Inspektor hat schon Kontakt aufgenommen.«

Manet nickte.

»Gab es irgendwelchen Ärger oder Vorkommnisse beim Fischen während der letzten Zeit?«

»Nicht, dass ich wüsste, ich habe nichts gehört, auch von den anderen nicht. Die Fischer haben es schwer. Doch es lief in diesem Jahr nicht schlechter als in den letzten Jahren. Céline hatte ihr Auskommen, sie hat zumindest nie von finanziellen Schwierigkeiten erzählt. – Aber Sie sollten vielleicht mit der Hafenleitung in Douarnenez sprechen, Céline hat ihren Fang meistens zur Auktion dorthin gebracht.«

»Wir«, Dupin bemühte sich um einen zumindest einigermaßen neutralen Tonfall, »sind bereits im Gespräch miteinander.«

Sie hatten die ersten Häuser des Dorfes erreicht, gleich würden sie in das Labyrinth eintreten. Manet hielt sich an der ersten Abzweigung links.

»Und ich habe von Charles Morin gehört. Auch vom Zusammenstoß zwischen ihm und Céline Kerkrom.«

»Sie müssen ihn sich als eine Art bretonischer Pate vorstellen. Er macht sich bei seinen krummen Geschäften die Finger längst nicht mehr selbst schmutzig. Er zieht die Fäden im Hintergrund.«

»Ich werde ihn treffen.«

»Das sollten Sie.«

»Sie denken also, dass Céline Kerkrom mit den Vorwürfen recht hatte, dass er tatsächlich mit illegalen Praktiken fischt – fischen lässt?«

»Das ist nicht die Frage – die Frage ist, wird man ihm je etwas nachweisen können.«

»Und worin bestehen diese illegalen Praktiken?«

»Morin hält sich an gar nichts. Nicht außerhalb des Parcs mit seinen Trawlern. Nicht innerhalb des Parcs mit seinen *Bolin-*

cheurs. Er ignoriert Fangquoten, Fangbeschränkungen, Reglementierungen bei den Netzen. Und das alles, da bin ich mir sicher, nicht nur manchmal, sondern systematisch. Mit seinen Schleppnetzen wird er einen enormen Beifang verursachen. Zudem haben einige Fischer gesehen, wie stark verschmutzte Abwasser von seinen Booten ins Meer geleitet wurden. Alles ernste Vergehen.«

»Und die Fischer haben es angezeigt? Dies und die anderen Delikte?«

»Anzeigen hat es, soviel ich weiß, einige gegeben. Nur zur Anklage ist es nie gekommen. – Das Schlimmste ist: Vom allermeisten bekommt niemand etwas mit. Es sieht ja niemand, was auf den Booten passiert.«

Nolwenn würde ihnen hoffentlich bald Genaueres dazu sagen können.

»Schmuggel? Ist Ihnen das schon einmal zu Ohren gekommen? Zigarettenschmuggel?«

»Gehört habe ich davon. Manche munkeln es. Keine Ahnung, ob da etwas dran ist. Manchmal geht auch die Fantasie mit den Leuten durch.«

Ein beachtlicher Satz von einem Bretonen, fand Dupin.

»Hat er Unterstützer?«

»Einige, ja. Darunter ein paar der Mächtigen hier in der Region. Vor allem auch wegen seiner Polemik gegen den Parc Iroise. Der Parc wird von den meisten Fischern unterstützt, von den Küstenfischern zumindest, aber andere behaupten, der einzige Zweck des Ganzen sei, sie zu gängeln. Vor allem die größeren Unternehmen. Für sie ist der Parc eine Kopfgeburt praxisferner Ökologen und Bürokraten, eine Schikane aus Paris. Um ihnen *ihr* Meer wegzunehmen. Überfischung und den elenden Zustand der Meere halten sie für bloße Erfindungen. Natürlich ist das alles Humbug, auch wenn es Exzesse der Bürokratie gibt – dennoch haben wir ein massives Problem, das ist nicht zu leugnen: Die bretonischen und französischen Fischer werden gezwungen, einen ökologisch akzeptablen Fischfang zu praktizieren, im Parc noch strenger als anderswo, andere Länder aber machen, was sie wollen. Auf den Weltmeeren herrscht die reine Anarchie. Oder Barbarei, ganz wie Sie wollen. Sogar innerhalb der Europäischen Union sind die Fischerei-Bestimmungen unterschiedlich. So geraten die hiesigen Fischer in einen Wettbewerbsnachteil. Die strengen Standards sind wichtig, aber sie müssen weltweit gelten. Oder zumindest europaweit.«

Unversehens waren sie aus dem Gässchengewirr herausgetreten und standen vor der Kirche, die vom Boot aus zu sehen gewesen war, auf einem kleinen Platz mit einer gepflegten Wiese.

»Das sind die Schwangere und der Krieger, zwei unserer Menhire. Sie unterhalten sich. Tag und Nacht. Manchmal hört man sie.« Ganz anders als Riwal oder auch Madame Coquil fehlte Manet alle erzählerische Ausschmückung, er berichtete selbst das Fantastische vollkommen trocken.

Die Menhire besaßen tatsächlich ungewöhnliche Konturen, es war erstaunlich, man erkannte – auch ohne besondere Fantasiebegabung – die Schwangere, man erkannte den Krieger.

»Kommt es im Parc häufiger zu Verstößen gegen die Fischerei-Bestimmungen?«

»Ab und an. Ein schwerwiegender erst letzte Woche. Da wurde einer in der Bucht von Douarnenez erwischt, ein *Bolincheur*-Fischer.« Er sah Dupins fragenden Blick, schon in den Hallen war die Rede davon gewesen. »Eine Fangmethode mit einem Netz, das an zwei Bojen zu einem Kegel im Wasser gespannt wird, ein Rundnetz. Hauptsächlich zum Fang von Sardinen, Sardellen, Makrelen und Stöcker verwendet. Er hat damit zwei Tonnen Rosa Doraden gefangen, was streng verboten ist.«

Und äußerst köstlich, ging es Dupin durch den Kopf.

»Und der – *Bolincheur* gehörte zur Flotte von Morin?«

»Das weiß ich nicht. Sie haben den Namen nicht veröffentlicht. Das Verfahren läuft.«

Den Namen bekämen sie sofort, ein Auftrag für Nolwenn. Madame Gochat hatte heute Morgen von dem Vorfall nichts erwähnt.

»Es gab den ganzen Winter über Ärger im Parc zwischen den *Bolincheurs* und den Küstenfischern mit den kleineren Booten, eigentlich gibt es ihn seit Jahren. Die *Bolincheurs* machen der ›petite pêche‹ das Leben schwer. Wenn ein paar Boote mit ihren großen Rundnetzen in einem Gebiet gelegen haben, ist für die Kleinen dort danach nichts mehr zu holen. – Die *Bolincheurs* wiederum sind im Vergleich zu den Trawlern selbst nur ›petite pêche‹. Und auch die Trawler gibt es in sehr verschiedenen Dimensionen, bis hin zu riesengroßen, schwimmenden Fischfabriken.« Manet war anzumerken, dass es ein häufig und heiß diskutiertes Thema war. »Es ist nicht einfach. Es gibt eine Vereinigung der *Bolincheurs*, die von einem der Fischer Morins geleitet wird, mit ihm hatte Céline auch ein paarmal Auseinandersetzungen. Frédéric Carrière. Seine Mutter hat hier auf der Insel gewohnt. Sie ist vor einigen Jahren gestorben, aber er hat noch das Haus.«

Schon wieder ein neuer Name für das Personenverzeichnis in Dupins Heft.

»War Céline Kerkrom irgendwie in diesen Streit im Parc verwickelt?«

»Am Rande.«

»Und was waren das für Auseinandersetzungen mit diesem Carrière? Konkret?«

»Verbale Attacken. Beiderseits. Wohl während der Auktionen vor allem.«

Auch davon hatte die Hafenchefin nichts erwähnt.

»In letzter Zeit?«

»Ich weiß nur von den Querelen im letzten Winter.«

Sie hatten den Kirchplatz inzwischen verlassen und befanden sich erneut im Häuserlabyrinth.

»Diese ganze Fischerei«, Dupin fuhr sich heftig durch die Haare, »ist eine komplizierte Welt.«

Kompliziert genug, um Ort verschiedenster Verbrechen zu werden, Mord eingeschlossen.

»Das können Sie laut sagen.« Manet lachte.

»Haben Sie von Verschmutzungen im Parc gehört? In den letzten Wochen oder Monaten?« Das Thema trieb Dupin um, er wusste selbst nicht, warum.

Manet zog die Augenbrauen hoch.

»Zwei, von denen ich weiß. Ein Ölteppich, nicht groß, aber dennoch. Nördlich von Ouessant. Dort herrscht enormer Verkehr, das ist die Kanalroute. Der zweite Vorfall war eine plötzliche erhebliche Belastung mit Chemikalien durch die Dockarbeiten im Hafenbereich von Camaret. Beim Aufarbeiten der Schiffsrümpfe gegen Erosion und Fäulnis werden üble Stoffe eingesetzt. Da liegen auch die Hochseetrawler von Morin.«

»Waren es Arbeiten an seinen Booten?«

»Keine Ahnung. Sie müssen mit dem Wissenschaftlichen Leiter des Parcs sprechen. Pierre Leblanc. Er weiß alles. Über sämtliche Vorkommnisse im Parc Iroise. Er wacht mit Adleraugen.«

Von ihm war schon die Rede gewesen; Dupin schrieb den Namen auf.

»Der Chef von Laetitia Darot.«

»Genau. Er arbeitet auf der Île Tristan, dort hat der Parc sein wissenschaftliches Zentrum.«

Ihn sollte er als Erstes sprechen, gleich wenn er zurück wäre. In Frankreich.

Es war wie immer. Dupin hätte sie am liebsten alle sofort gesprochen. Er war kein Freund des geordneten Nacheinanders. Wenn es nach ihm ginge – es war schrecklich, für die anderen wie für ihn selbst –, musste prinzipiell alles gleichzeitig geschehen, er war jedes Mal nicht nur frustriert, sondern regelrecht erbost, wenn es wieder nicht möglich war.

»Der Parc verfügt über mehrere Wasserüberwachungsstationen, eine auch hier auf der Insel. Einmal die Woche kommt Leblanc und liest die Werte ab.«

»An welchem Tag?«

»Freitags. – Morgen.«

»Und die toten Delfine von Ouessant letzte Woche?«

»Beifang. Folgen der Treib-und-Schleppnetz-Fischerei. Es ist infam, bis heute hat sich nicht einmal die Europäische Fischereikommission zum vollständigen Verbot dieser Netze durchringen können.«

Ein entsetzliches Thema. Auch Nolwenn sprach häufig davon.

»Der Beifang betrifft auch die Robbenkolonien im Norden des Archipels. Ebenso die Walarten, die es hier gibt, und die Meeresschildkröten. Überhaupt viele Fischarten, deren Fang verboten ist.«

»Gab es in letzter Zeit weitere Zwischenfälle?«

»Sprechen Sie mit Leblanc. Er kann Ihnen auch sagen, woran genau Laetitia gearbeitet hat. Ich kann es nicht. Niemand auf der Insel, vermute ich.«

»Das werde ich.«

Manet war vor einem hübschen alten Haus mit spitzem Giebel stehen geblieben, das von Stockrosen gesäumt war. Die Patientin mit dem entzündeten Knie schien hier zu wohnen.

»Ich sollte noch etwas erwähnen«, er runzelte die Stirn, »obwohl es wahrscheinlich nur ein Gerücht ist und ich auf Gerüchte für gewöhnlich nichts gebe. Ich habe keine Ahnung, ob da etwas Wahres dran ist. Aber wer weiß, es könnte von Bedeutung sein: Manche erzählen sich, dass Laetitia Darot eine uneheliche Tochter von Morin sei.«

Dupin stand kerzengerade.

»Darot – die Tochter von Morin?«

Das war allerhand. Wäre allerhand.

»Er soll eine Affäre mit Darots Mutter gehabt haben. – Dass

man so wenig über Laetitia wusste, hat das Spekulieren natürlich angeheizt, Sie kennen das.«

»Hat Darot je selbst etwas dazu gesagt?«

»Nicht, dass ich wüsste.«

Es wäre eine vortreffliche Anlage für ein klassisches Drama. Vater und Tochter: Der rücksichtslose, zerstörerische Großfischer und die Umweltschützerin und Forscherin. Die den Delfinen ihr Leben gewidmet hatte.

»Wissen Sie etwas über Darots Familie?«

»Gar nichts. Und ich bezweifle, dass überhaupt jemand etwas darüber weiß.«

»Und Céline Kerkrom? Ihre Familie?«

»Einzelkind. Die Eltern sind vor ein paar Jahren gestorben. Kurz hintereinander. Insulaner. Seit Generationen. Célines Vater hat auf einem Hochseetrawler gearbeitet, Thunfisch, die Mutter hat Algen gesammelt, wie viele hier.«

Es klang traurig, es waren einsame Frauen gewesen, beide, aber vielleicht machte sich Dupin ein falsches Bild.

»Ich muss jetzt rein. Und anschließend sicher ein paar Formalitäten erledigen, ich weiß gar nicht, welche Berichte ich bei einem Mord schreiben muss«, Manet sprach gedämpft. »Und wir müssen über die Trauerfeiern nachdenken.«

»Und ich – ich werde meinen Inspektor suchen«, es klang komisch, Dupin hatte es nicht beabsichtigt. »Und ein paar Gespräche führen.«

»Wenn Sie mich brauchen – man kann sich auf der Insel nicht verfehlen.«

Mit diesen Worten verschwand Manet im Haus mit den Stockrosen, ohne zu klingeln oder anzuklopfen, als wohnte er dort.

Der Quai Sud war ein fabelhafter Ort. Als hätte man sämtliche Zutaten genommen, die Dupins Vorstellung eines idealen Ortes entsprachen, und hier zu einem realen Ort zusammengefügt. Die Bucht ein sanft geschwungener Halbkreis, hübsche alte Fischerhäuschen, weiß, blassgrün, hellblau. Dupin war am Ende des Quais aus dem Gewirr der Straßen und Häuser herausgetreten – nach zweimaligem Verirren –, der gesamte Quai lag nun vor ihm.

Zauberhaftes Licht brachte alles hier zum Leuchten, ein klares Licht, das den Konturen eine scharfe Präsenz gab. Und obgleich es so stark war, war es nicht grell, nicht unangenehm.

Den Quai säumte eine wehrhafte Steinmauer in bestem Zustand, es ging, man sah es überall auf der Insel, um den Schutz vor peitschenden Stürmen und tobenden Fluten – an die man unwillkürlich denken musste, sobald man das kleine bisschen Erde betrat, auch wenn sie heute bei gemächlich plätscherndem Meer in dem gut geschützten Hafenbecken unendlich fern zu sein schienen. Wunderhübsche kleine Holzboote in atlantischen Farbtönen schaukelten friedlich vor sich hin. Die blendend weiße Sandbank, die Dupin schon von der Fähre aus gesehen hatte, lag genau gegenüber und bildete einen Teil des schützenden Hafens.

Es geschah etwas Merkwürdiges mit der Welt auf der Insel, Dupin hatte es eben beim Ankommen schon versucht zu begreifen. Der Quai, die Häuser, das ganze Dorf, überhaupt die ganze Insel wirkten eigentümlich zusammengestaucht – als würde sie der gewaltige Himmel buchstäblich nach unten drücken. Am Meer war der Himmel immer weit, gigantisch weit, ja, aber hier auf der Insel wirkte er noch weiter, noch höher; er blähte sich, reckte, streckte, dehnte sich überallhin, sogar der gewaltige Atlantik geriet unter ihm bloß zu einem schmalen blitzenden Streifen. Wie bei einem starken Weitwinkelobjektiv, durch das man im Liegen blickte, genau dieser Effekt war es, dachte Dupin. Und dieser Eindruck, das stand fest, gehörte zu denen, die der Insel ihre besondere Atmosphäre verliehen. Es war ein Gefühl unendlicher Weite, das einen zugleich ganz klein werden ließ – und frei. Seltsam frei. Gefährlich frei vielleicht. Natürlich nur bei formidablem Sommerwetter. Bei Sturm, unter schweren, schwarzen, rasenden Wolkenungetümen und inmitten einer wütenden See den Urgewalten der Natur ausgeliefert, würde davon nichts mehr übrig sein.

Zu den anderen prägenden Eindrücken der Insel gehörte eine eigentümliche Stille. Jegliches zivilisatorische Hintergrundrauschen fehlte – keine Autos, keine Müllabfuhr, keine Bahnen und Züge, keine Maschinen. Die paar Geräusche, die es gab, schien der Atlantik sanftmütig zu schlucken, zudem ließen sie nach ihrem Verstummen die Stille noch absoluter wirken. Vieles war hier anders, man bemerkte es sofort beim Betreten der Insel, aber es dauerte, bis man in der Lage war, sich zu vergegenwärtigen, was diese besondere Welt ausmachte.

»Chef«, wie aus dem Nichts stand Riwal vor ihm, Dupin war zusammengezuckt, »die Kollegen haben sich die Häuser von Céline Kerkrom und Laetitia Darot rasch ein erstes Mal angeschaut, es sieht nicht danach aus, als wäre jemand dort gewesen. Es wirkt alles normal, es ist nichts durchwühlt worden oder so. Aber es ist natürlich schwer zu sagen, auch, weil sie beide ihre Häuser wohl nie abgeschlossen haben, niemand tut das auf der Insel. Der Täter hätte einfach hineinspazieren können. Und natürlich auch gezielt etwas entfernen können, wir würden es jetzt nicht merken. Die Spurensicherung untersucht die Häuser gleich noch einmal genau.«

»Wo liegen die Häuser?«

»Nicht weit voneinander entfernt, hinter dem Quai Nord. Wenn man vom Cholera-Friedhof kommt«, der Inspektor hatte Dupins Gedanken erraten, »kann man über den äußeren Weg direkt am Meer entlang, man müsste nicht einmal durchs Dorf. – Aber wie gesagt, im Augenblick liegen keine Hinweise darauf vor, dass jemand in einem der beiden Häuser war. Allerdings fehlt auch von Darots Handy jede Spur.«

»Ich will mir selbst die Häuser anschauen. – Und kümmern Sie sich um Darots Telefonverbindungen.«

Die Liste der Dinge, die so rasch wie möglich geklärt werden mussten, wuchs weiter an.

»Und die Verschläge der beiden – haben die Kollegen die schon in Augenschein genommen?«

»Einen ersten Blick hineingeworfen, beide sind vollgestopft mit allem möglichen Zeug, Material für die Arbeit hauptsächlich. Bei Kerkrom vor allem Bojen und Netze, ein vollkommenes Chaos. Der Verschlag von Darot ist einigermaßen ordentlich. Alte Taucheranzüge, Flaschen, Bojen, ein kleines Gummiboot. Nichts Verdächtiges im Moment. Natürlich könnte jemand die Verschläge durchsucht haben. Vor allem den von Kerkrom. – Wir wissen ja nicht, was wo gestanden hatte. Was eventuell fehlt.«

»Die Spurensicherung soll sie sich ebenso genauestens ansehen.«

»Machen sie. An der Mole haben sie im Übrigen nichts Verdächtiges gefunden. – Und Kadeg hat sich gemeldet. Sie haben in der Tonne eine ganze Menge menschliches Blut gefunden. Sie vermuten, dass Céline Kerkrom sehr bald nach dem Schnitt hineingeworfen wurde, wahrscheinlich unmittelbar danach. Das hieße, dass sie vermutlich auch in dem Raum umgebracht worden ist.«

Es war vorstellbar, ohne Probleme.

»Wen kann ich jetzt wo sprechen, Riwal?«

»Der Friseur hat die Insel verlassen, er hat Termine in Molène, wir konnten ihn nicht zwingen, zu bleiben.«

»Haben Sie es versucht?«

»Wir haben ihm mit allem Möglichen gedroht. Sogar damit, dass er in die Präfektur nach Quimper kommen müsse. Vier ältere Herrschaften auf Molène würden auf ihn warten, hat er gesagt.« Riwal war anzuhören, dass es das war, was ihn erweicht hatte.

»Zwei Kollegen«, beeilte sich der Inspektor hinzuzufügen, »haben sich das Boot zuvor angesehen und nichts Ungewöhnliches gefunden. Von Dutzenden scharfen Klingen einmal abgesehen«, es war als Witz gemeint gewesen, nahm Dupin an, aber es stimmte natürlich, jede Figur, die in diesem Fall bisher vorgekommen war, beherrschte ein Messer: die Fischer, die Hafenmitarbeiter, die Mitarbeiter des Parcs, der Arzt, auch der Friseur, alle, die ein Boot besaßen, aufs Meer fuhren, angelten. »Ein relativ kleines Boot, sieben Meter achtzig, aber mit einem starken Motor. – Und wissen Sie was?« Riwal machte es spannend: »Beide Frauen gehörten zu seinen Kunden! Kerkrom und Darot. Vor drei Wochen erst hat er ihnen beiden noch die Haare geschnitten. Hintereinander. Die Fischerin war seit vielen Jahren seine Kundin. – Wie beinahe das gesamte Inseldorf.«

Natürlich war der Friseur eine interessante Figur, ein Mensch, dem man gerne viel erzählte in dieser seltsam intimen, dabei ganz und gar geschäftsmäßigen Situation des Haareschneidens.

»Hat er etwas gesagt? Haben ihm die beiden etwas anvertraut, das im Licht der Geschehnisse von Bedeutung sein könnte?«

»Er schien deutlich mitgenommen, das muss man sagen, aber ihm ist spontan nichts eingefallen. Er meinte, Darot sei freundlich gewesen, habe aber nur sehr wenige Worte mit ihm gewechselt. Mit Céline Kerkrom habe er über die Sichtung von Orcas gesprochen …«

»Orcas?«

Es war Dupin rausgerutscht. Er hatte letztens eine Dokumentation gesehen, in der übermütige Orcas mit einer armen Robbe erst mehrere Minuten erbarmungslos Pingpong spielten, sie hatten die Robbe mit ihren gewaltigen Schwanzflossen hin und her gepeitscht, um sie dann zu verspeisen.

»Der Große Schwertwal aus der Familie der Delfine. Er wird bis zu zehn Meter lang. Im Sommer kommen die Orcas manchmal in Gruppen an die Küste, letztens hat man ein paar in der Bucht von Audierne gesehen.«

Da hatten sie heute Morgen mit der Fähre abgelegt.

Dupin schüttelte sich.

»Nicht selten trifft man im Parc Iroise auch auf Schweinswale oder Finnwale. Und sogar auf Pottwale.«

Dupin würde nicht weiter darauf eingehen, er würde einfach zum Fall zurückkehren. »War der Friseur zum Haareschneiden bei den beiden Frauen zu Hause?«

»Ja. Er fährt später noch nach Ouessant, dann zurück aufs Festland. Er wohnt in Camaret.«

»Und wo war er gestern Abend?«

»Bei sich zu Hause, mit einem Freund. Er hat uns den Namen gegeben.«

»Hm.«

Das war eines dieser speziellen Alibis.

»Und heute Morgen?«

»Ist er erst um kurz vor acht Uhr hier angekommen, behauptet er.«

»Wir müssen alles penibel überprüfen.«

»Natürlich. – Goulch ist übrigens eingetroffen. Er untersucht das Boot von Laetitia Darot. Und ist jederzeit zum Fahrdienst bereit«, Riwal grinste unnötigerweise.

Dupins Handy klingelte – dafür, dass er in einem Fall steckte, war es bislang sonderbar ruhig geblieben, auch Nolwenn hatte sich noch nicht wieder gemeldet.

Kadegs Nummer war auf dem Display zu sehen. Unwirsch nahm Dupin an: »Riwal hat bereits erzählt, was Sie berichtet haben.«

»Ein Fischer hat sich vertraulich gemeldet. Einer der Küstenfischer, die gestern Nachmittag auf der Auktion waren.«

Dupin war augenblicklich hellwach. Kadeg machte eine theatralische Pause.

»Er behauptet, Madame Gochat hätte ihn in den letzten

Wochen ein paarmal ausgefragt, ob und wo er Céline Kerkrom im Parc gesehen habe.«

»Was soll das heißen?«

»Ich denke, er meinte, wo sie gefischt hat.«

»Warum wollte Gochat das wissen?«

»Ich werde gleich mit ihr sprechen. Ich ...«

»Lassen Sie, Kadeg, das mache ich selbst. Ich wollte ihr sowieso noch ein paar Fragen stellen.«

Dupin war zu gespannt, was die Hafenchefin dazu sagen würde. Nach den Gesprächen hier musste er ja ohnehin an Land. Den Wissenschaftlichen Leiter des Parcs treffen. Und auch Morin sprechen.

»Bis später, Kadeg.«

Dupin legte auf.

Es ging Schlag auf Schlag, der Fall zeigte ein beeindruckendes Tempo – so wie jeder Fall ein eigenes Tempo besaß, einen eigenen Rhythmus, eine eigene Atmosphäre und, man konnte es nicht anders sagen, eine eigene Persönlichkeit.

»So. Jetzt ...«

Wieder das Handy. Sie standen immer noch mitten auf dem Quai.

Es war Nolwenn.

Dupin hatte das Telefon umgehend am Ohr.

»Es ist verflixt, Monsieur le Commissaire«, Nolwenn wirkte hörbar unzufrieden und auch – ungewöhnlich für seine Assistentin – gestresst, abgespannt. »Ich finde nichts Interessantes heraus über Céline Kerkrom. Nur Dinge, die wir bereits wissen. Ich habe mit der Freundin der Tante meines Mannes gesprochen«, in der Bretagne bildeten nicht bloß Familien über mehrere Generationen richtiggehende Clans, auch enge Freunde gehörten dazu, »sie kannte sie nur ganz wenig. Céline Kerkrom sei sehr intelligent und bemerkenswert starrsinnig gewesen, sagt sie, sturer noch als der durchschnittliche Bretone. *Ein gutes Mädchen.* Sie war vollkommen erschüttert, konnte aber auch nicht helfen.«

»Das war's?«

»Das war's.«

Das war wirklich nicht viel.

»Mehr Familie gibt es nicht.«

Im Hintergrund waren Stimmen zu hören, viele Stimmen, Nolwenn war irgendwohin unterwegs.

»Und dieser Morin?«

»Zurzeit liegen tatsächlich zwei Anzeigen vor. Wegen Vergehen gegen die Fischereibestimmungen im Parc. Und auch in den letzten Jahren hat es eine Reihe von Anzeigen gegeben. Allerdings nicht eine einzige von Céline Kerkrom, das scheint ein Gerücht zu sein. Es ist bislang nie zu einer Anklage gekommen, es heißt, Morin beschäftigt einen äußerst gerissenen Anwalt. Ich habe mit mehreren Stellen gesprochen. Auch mit dem Polizeichef in Douarnenez. Er hat es aufgegeben, sagt er, man würde Morin vermutlich nie etwas nachweisen können, man bräuchte Foto- oder Videoaufnahmen, nicht bloß Indizien oder Zeugen, die etwas auf Hunderte Meter Entfernung gesehen haben wollen. Das ist generell das Problem mit Vergehen auf dem Meer.«

»Was sind das für Anzeigen und von wann?«

»Eine betrifft Rückwürfe von einem seiner Trawler.«

»Ja?«

»Da geht es um das sogenannte Highgrading, das streng verboten ist. Die Fischer werfen bereits gefangenen Fisch zurück ins Meer, tot, in großem Stil, um Platz für noch besseren Fisch zu schaffen oder die Quoten auszureizen. Für Fisch, den sie deutlich teurer verkaufen können als den zuerst gefangenen. – Wir reden dabei über erhebliche Mengen, es ist abscheulich.«

Der Punkt war neu.

»Das ist auch so eine Sache«, Nolwenn echauffierte sich. »Wie wollen Sie das nachweisen? Selbst wenn Sie nach dem Einlaufen eines Bootes – schon hierfür fehlt die rechtliche Grundlage – an

Bord gehen dürften und feststellten, dass ›zufällig‹ sämtlicher Fang optimal wäre, was gar nicht sein kann, selbst dann hätten sie nur einen indirekten Hinweis, keinen Beweis. Das würde nie reichen. Der Staatsanwalt hat gemeint, dass das Highgrading nur direkt bei Begehen der Tat auf See gerichtsfest nachzuweisen ist. – Wir brauchen dringend ein Gesetz, das Videoaufnahmen auf den Booten vorschreibt, da müssen Kameras installiert werden! Letztens«, Nolwenn zischte durch die Zähne, »wurde bekannt, dass ein Hochseetrawler in der Nordsee während einer dreiwöchigen Fangreise tausendfünfhundert Tonnen toten Hering über Bord geworfen hat, ein Schiff, das in den letzten fünfzehn Jahren zugleich mit zwanzig Millionen Euro von der EU subventioniert wurde – eine heldenhafte Kommissarin hat den Fall dort aufgedeckt, eine wundervolle Frau!«

»Wer hat Anzeige gegen Morin erstattet?«

»Ein junger Fischer aus Le Conquet. Ein mutiger Mann. Ich habe eben schon mit ihm gesprochen.« Nolwenn war einfach großartig. »Er kannte Céline Kerkrom hingegen nicht persönlich. Es gibt keinen Hinweis auf irgendwelche Verbindungen.«

»Und die zweite Anzeige?«

»Einer von Morins Fischern ist wiederholt mit einer viel zu großen Menge an *Ormeaux* aufgefallen. Auch schon letztes Jahr. Dann hat es sich aber irgendwie verlaufen. Es wurden kleine Ordnungsstrafen erlassen. – Die *Ormeaux* werden für horrende Summen nach Japan verkauft.«

Ormeaux waren Dupins Lieblingsmuscheln. Perlmuttmuscheln. Mit festem weißem Fleisch, das man wie ein Entrecôte scharf anbriet, in gesalzener Butter, mit Fleur de Sel, Piment d'Espelette, Pfeffer. Delikat.

Der Kommissar konzentrierte sich wieder.

Die Möglichkeiten, im Zusammenhang mit der Fischerei illegale Praktiken anzuwenden, schienen beeindruckend vielfältig zu sein.

»Hat sich Morin dazu geäußert?«

»Nein, soviel ich weiß, nicht.«

»Im Hafenbereich von Camaret war das Wasser in letzter Zeit mit Chemikalien belastet. Wegen der Mittel, die sie bei den Bootsrümpfen gegen Fäulnis einsetzen. – Haben Sie gehört, ob das Morins Boote sind?«

»Habe ich. Nicht nur, aber hauptsächlich. Am Ende des Quai du Styvel befindet sich eine größere Anlage. In Le Conquet und Douarnenez ebenso. Die Sauerei mit den chemischen Verschmutzungen betreiben sie seit Jahren, von irgendeiner Zuspitzung des Konfliktes habe ich aber nichts gehört.«

»Haben Sie etwas von einem Vorwurf wegen Zigarettenschmuggels erfahren? Was sagt die Zollbehörde?«

»Sie sind vor drei Jahren einem vermeintlichen Schmugglerring auf den Fersen gewesen, Tabakschmuggel, der über den Seeweg passiert sein soll. Über Fischerboote. In diesem Zusammenhang sind die Fahnder auf zwei Boote Morins gestoßen, die angeblich einige Male auf der englischen Seite des Kanals gesichtet worden sind, genau da, wo man eine Station der Schmuggler vermutete. Sie haben den Schmugglerring dann schließlich hochnehmen können, fanden aber nur Beweise für den Schmuggel in großen Lastwagen, die durch den Tunnel geschickt wurden.« Nolwenn hatte wie gewohnt penibel recherchiert. »Daher hat man die Ermittlungen Richtung Morin eingestellt. Auch, weil es keine weiteren Indizien gab. Für die Zollbehörden ist Morin eine unbescholtene Figur.«

»Na gut. – Wir haben noch ein Gerücht, Nolwenn. Die ermordete Delfinforscherin soll eine uneheliche Tochter Morins sein.«

»Sie hätte«, Nolwenn blieb vollkommen ungerührt, »ganz sicher einen besseren Vater verdient gehabt«, jetzt seufzte sie tief. »Davon ist mir noch nichts zu Ohren gekommen, Monsieur le Commissaire. Aber ich kümmere mich darum. – Morin ist verheiratet und hat zumindest ehelich keine Kinder.«

»Was wissen Sie noch über ihn?«

»Sein privates Vermögen wird auf rund zehn Millionen geschätzt. Dabei gilt er als geizig, *hemañ zo azezet war e c'hodelloù*, er sitzt auf seinen Hosentaschen, sagen wir Bretonen dazu.« Charaktereigenschaften wurden bei Nolwenn ermittelt wie Fakten. »Er besitzt einige spektakuläre Immobilien, die meisten bewohnt er wechselweise selbst. Sein Hauptwohnsitz liegt bei Morgat, die anderen Häuser, ich meine die, die ich ermitteln konnte, liegen in Tréboul, in Saint-Mathieu, am Cap Sizun und auf Molène.«

Die schönsten Orte, über den ganzen äußersten Westen verteilt.

»Seine vier Hochseetrawler sind in Douarnenez registriert«, Nolwenn war zu einem Stakkato-Berichtstil übergegangen, sie schien wieder gehetzt, »seine anderen Boote, sieben *Bolincheurs* von zwanzig Lizenzen, die es für den Parc überhaupt gibt, und seine drei *Chalutiers* liegen verteilt in Le Conquet, Douarnenez und Audierne.«

Dupin hatte alles mitgeschrieben.

»Sie treffen ihn heute um sechzehn Uhr«, sie zögerte kurz, es war eigentlich gar nicht ihre Art, und fügte hinzu: »Wenn es passt. Sonst verschiebe ich das Treffen.«

»Ich werde sehen, wie lange ich hier brauche. Als Erstes will ich den Leiter des Parcs sehen. Dann noch einmal die Hafenchefin.«

Nolwenn schwieg. Auch das untypisch.

»Die Hafenchefin«, Dupin formulierte den Satz ohne konkrete Absicht, »hat herausfinden wollen, wo Céline Kerkrom in den letzten Wochen gefischt hat.«

»Haben Sie eine Vermutung, warum?«

»Nicht die geringste.«

»Ich schicke Ihnen, Kadeg und Riwal übrigens gleich alle Telefonnummern, die Sie brauchen. Von allen Personen, um die es bisher geht.«

Dupin hatte nur halb zugehört.

»Noch eine andere Sache, Nolwenn«, gut, dass ihm das wieder eingefallen war, er hatte es fast vergessen, »im Moment läuft ein Verfahren gegen einen *Bolincheur*, der in der Bucht von Douarnenez verbotenerweise zwei Tonnen Rosa Doraden gefangen hat. Ich will wissen, wer es war und ob er zu Morins Flotte gehört.«

»Gut. Ich melde mich wieder – bis später, Monsieur le Commissaire.«

Dupin beeilte sich:

»Nolwenn?«

»Monsieur le Commissaire?«

»Ist alles in Ordnung?«

»Oh, unbedingt.«

Das Stimmengewirr im Hintergrund hatte wieder zugenommen.

»Wo sind Sie eigentlich?«

»Wir brauchen nur noch ein paar Unterschriften, die holen wir uns jetzt.«

»Unterschriften?«

»Sie wissen doch, der Pariser Wirtschaftsminister hat die Genehmigung zur Zerstörung der Sandbank in der Bucht von Lannion unterschrieben. Infam! Meine Tante Jacqueline ist die lokale Chefin des *Peuple des Dunes*, einer der Widerstandsgruppen. Wir müssen noch einmal ganz neu mobilisieren. – Ich helfe aus.«

»Ich …« Dupin brach ab.

Nolwenn hatte alles mit der größten Selbstverständlichkeit dargelegt. Die auch klarmachte, dass Nachfragen unangemessen war.

Seit Wochen war Lannion ein großes Thema, in der ganzen Bretagne. Die Wut kochte hoch, berechtigterweise, schon seit Anfang des Jahres hatte es große Aktionen und Demonstrationen gegeben – die nichts geholfen hatten. Dupin hatte darüber im *Ouest-France* ein langes Interview mit einem Professor für

Biologie gelesen. Ein Unternehmen hatte – von der »französischen Zentralregierung«! – die Lizenz erhalten, riesengroße Mengen an kostbarem Sand, Muschelsand, zur industriellen Verwendung aus der Bucht von Lannion zu extrahieren, anders ausgedrückt, denn genau so war es: eine geologisch wie biologisch einzigartige Unterwasserlandschaft zu zerstören. Eine gigantische submarine Sanddüne, vier Quadratkilometer groß, *Trezen ar Gorjegou*. Kleinste und größte Fische, Meeressäuger und Vögel, alle hingen sie vom dort massenhaft produzierten Plankton ab, der Basis allen Meereslebens. Das gesamte biologische Gleichgewicht der Meeresregion würde empfindlich geschädigt, mit massivem Schaden auch für die kleinen Küstenfischer, die ohnehin um ihre Existenz kämpften. Das Zynischste aber war: Damit die Touristen sich nicht gestört fühlten, war beschlossen worden, den Abbau zwischen Mai und August zu stoppen. Dupin hatte sich während seines letzten Falls am Belon mit dem Phänomen Sandraub auseinandersetzen müssen, mit einem kriminellen Unternehmen, das illegal Sand abbaute – dies hier, ein staatlich genehmigter Sandraub, war noch ungeheuerlicher.

»Da laden wir«, Nolwenn war in Fahrt, »die ganze Welt ein zur größten Klima-und-Umwelt-Konferenz aller Zeiten und benehmen uns selbst wie die Barbaren!«

Dupin hörte frenetisches Klatschen. Laute Zustimmungsrufe.

»Wie bei dem Verbot gegen die Tiefseefischerei, das Frankreich in der Europäischen Union blockiert!«, wieder heftiger Beifall aus dem Hintergrund. »Und warum lassen die Menschen das zu? Weil man die Schäden im Meer nicht sieht. Man erkennt die katastrophalen Folgen erst, wenn es längst zu spät ist!«

Begeisterter Jubel brach los. Es schien eine größere Menschenmenge zu sein, in der sich Nolwenn befand.

Wenn Dupin es richtig verstand, würde Nolwenn in diesem

Fall also von den Barrikaden aus arbeiten. An ihrer fabelhaften Arbeit würde es nichts ändern, es waren andere Aspekte dieser Situation, die den Kommissar beschäftigten.

»Sie haben absolut recht, Nolwenn.«

Er hatte etwas sagen müssen. Und es stimmte ja auch.

»Dann sollten Sie sich ebenso engagieren, Monsieur le Commissaire! – Aber jetzt zurück zum Fall; wir haben keine Zeit zu verlieren. Wie gesagt: Ich melde mich.«

Im nächsten Augenblick hatte sie aufgelegt.

Dupin musste sich sortieren. Er war zu perplex.

Riwal hatte Dupins Telefonat für ein eigenes genutzt.

»Ich komme sofort vorbei«, schloss er, »bis gleich«, dann wandte er sich an den Kommissar: »Wir haben eine erste Aufstellung, welche Boote gestern Abend und heute früh die Insel erreicht oder verlassen haben. Natürlich nur der Boote, die jemand gesehen hat. Ich gehe das einmal mit den Kollegen durch.«

»Kontaktieren Sie jedes einzelne, Riwal. Prüfen Sie«, Dupin war in Gedanken noch bei Nolwenn auf den Barrikaden, er gab sich einen Ruck, »prüfen Sie jedes Alibi, ausnahmslos, bei allen.«

»Mache ich, Chef. – Thomas Roiyou erwartet Sie. Der Mann vom Ölboot. Er sitzt hier vorne bei *Chez Bruno*. Mit seinen beiden Männern. Er wartet jetzt schon etwas länger.«

Mit diesen Worten verschwand Riwal.

Der Barbesitzer hatte ein warmes Sonnengelb für die Fassade und ein helles Zitronengelb für die Seite des schmalen Hauses gewählt. Ein adrett weißes Mäuerchen mit grünem Holztor davor, ein knallig rosafarbener Streifen oben an der Mauer. Eine grüne Markise über die ganze Breite der Terrasse. Vorne auf der Markise in großen Lettern: *Chez Bruno*. Die etwas erhöhte Terrasse – über die man die Kneipe erreichte – war mit verblichenen Holzbohlen eingefasst. Wenige runde Bistrotische, bequeme Korbstühle. Es hatte etwas Privates, Intimes, wie bei jemandem zu Hause. Schöner konnte man nicht sitzen: mit Blick auf den Hafen, die Mole, die Sandbank, das Meer dahinter, den fabelhaft blauen Himmel darüber.

Dupin warf zur Vergewisserung einen Blick in sein Heft und nahm die Stufe zur Terrasse.

»Thomas Roiyou?«, sie saßen am Tisch in der Ecke.

Alle drei in abgetragenen, schmutzigen blauen Overalls, die gesamte Terrasse roch nach Öl. Vor jedem der Männer zwei *petits cafés* und ein leeres Glas Fischer-Bier, ein Haufen zerdrückte *Gitanes* in einem großen roten Ricard-Aschenbecher. Auf dem leeren Nebentisch lagen drei Paar ölverschmierte Handschuhe.

»Sie will mir mein Geschäft kaputt machen, wegen ein paar Litern Öl«, der kantige, hochgeschossene Mann in der Mitte der drei, rötlich blonde Haare, hervorstehende Wangenknochen, war es, der sich aggressiv zu Wort gemeldet hatte. »Das ist doch Irrsinn. Sie soll sich gefälligst für was anderes engagieren. Und glauben Sie denn, man bekommt mit Sonne und Wind hier eine solide Versorgung hin? Das möchte ich sehen. Ich meine, die sollen machen, was sie wollen, ist nicht meine Insel. Sie kann mich mal.«

»*Sie* ist ermordet worden.«

Der Mann warf Dupin einen verächtlichen Blick zu.

»Ach, und Sie denken ...«

»Wo waren Sie gestern Nachmittag und Abend und wo heute früh, Monsieur Roiyou? Und wer kann es bezeugen?«

Dupin hatte sich einen freien Stuhl vom Nebentisch genommen und sich in lässiger Pose hingesetzt. Direkt vor die drei, den Chef im Visier.

»Ich muss Ihnen gar nichts sagen.«

»Ich kann Sie dasselbe gerne auch bei einer Vorladung im

Kommissariat fragen. Ganz wie Sie wünschen«, Dupin hatte die Stimme gesenkt, formte die Worte kalt und eindringlich, wobei er die beachtliche Masse seiner Physis in jede Silbe legte. Was selten seine Wirkung verfehlte – hier jedoch schon.

»Ja und?«, blaffte Roiyou und fixierte Dupin.

»Das wird Sie einen Tag kosten. Unter Umständen zwei. Wir werden selbstverständlich einen Termin machen in Concarneau, morgen früh vielleicht, aber Sie können sich vorstellen, wie viel dringliche Polizeiarbeit anfällt während so eines Falles. Sie werden kommen und warten. Irgendwann werde ich den Termin dann verschieben müssen. Sie werden wieder warten. Es wird mir sehr leidtun.«

So primitiv es war, Roiyou schien nachzudenken. Was nicht half.

»Sie machen mir keine Angst.«

»Haben sich die Polizisten Ihr Boot schon angesehen? Wenn nicht, werden wir das jetzt gleich tun.«

»Das können Sie nicht ohne …«

Immer dieselbe Leier, Dupin verlor langsam die Geduld: »Das können wir sehr wohl. Ganz ohne Durchsuchungsbeschluss. Vor wenigen Stunden sind zwei brutale Morde verübt worden. Zwischen Ihnen und einem der Opfer ist es zu einem schweren Konflikt gekommen. Zudem verhalten Sie sich überaus verdächtig. – Das reicht für einen *begründeten* Verdacht.«

Dupin bluffte. Aber mittlerweile war er bereit, bis zum Äußersten zu gehen.

»Gestern Abend, wo waren Sie da? Zwischen einundzwanzig und vierundzwanzig Uhr.«

Wieder schien der Mann nachzudenken. Wenn man das so sagen konnte. Nicht lange.

»Um diese Uhrzeit schlafe ich.«

Prinzipiell könnte es stimmen: Er besaß sicherlich einen völlig anderen Tagesrhythmus. Wie die gesamte Welt der Fischerei und des Meeres.

Dennoch.

»Wer kann uns das bestätigen? Dass Sie um diese Zeit geschlafen haben?«

»Meine Alte.«

»Und heute Morgen?«

»Wir haben Audierne um sechs Uhr verlassen und haben die Insel um fünf nach sieben erreicht.«

Zwischen sechs und sieben Uhr war die Delfinforscherin wahrscheinlich ermordet worden, hatte der Inselarzt gesagt. Es könnte sicher auch etwas später gewesen sein.

»Der Öltransporter hat uns schon erwartet. Hier dauert alles seine Zeit. Wir haben ihn zweimal vollgetankt. Während er das erste Mal zum Leuchtturm gefahren ist, haben wir am Boot hantiert.«

»Waren Sie und die Mannschaft die ganze Zeit über beisammen?«

»Ich denke schon.« Einer der beiden Männer mit einem sonnengegerbten Gesicht hatte geantwortet, beide grinsten sie blöd.

»War noch jemand bei Ihnen?«

»Nur der Fahrer vom Tankwagen, oder meinen Sie noch andere Leute?«

Erneutes Grinsen.

»Wie lange war er weg, um die erste Ladung zum Leuchtturm zu bringen?«

»Eine halbe Stunde, würde ich sagen.«

Dupin schrieb mit.

»Wir überprüfen das«, murmelte er.

»Wie lange hat es gedauert, bis der Tankwagen ein erstes Mal voll war und losfuhr?«

»Zehn Minuten, schätze ich. Höchstens.«

»Das wäre dann ungefähr 7 Uhr 15 gewesen. – Und dann ist er direkt los?«

»Ja, was soll er noch lange rumstehen?«

»Und Sie haben Ihren Chef nach dem Anlegen ununterbrochen gesehen?«

Dupin hatte sich an die beiden Vasallen gewandt.

»Ja«, es war synchron gekommen, aber es war nicht so bestimmt gewesen wie das Nicken eben. Und bedeutete nichts.

Dupin rechnete es durch.

»Sie hätten es nach dem Anlegen locker schaffen können von hier zum Cholera-Friedhof und zurück.« Roiyous Alibis waren alles andere als überzeugend. »Hat Sie der Tankwagenfahrer gesehen, bevor er los ist?«

»Keine Ahnung. Ich war auf dem Boot beschäftigt. – Jetzt reicht es mir.«

Er stand abrupt auf. Die Stimme harsch, die Züge hart. Die Wucht der Bewegung ließ den Stuhl, auf dem er gesessen hatte, umfallen, das Scheppern war so laut, dass es die ganze Insel gehört haben musste.

Einen Moment lang hatte Dupin nicht ausgeschlossen, dass Roiyou handgreiflich werden würde. Aus dem Gespräch war weit mehr als ein rhetorisches Scharmützel geworden. Und: Dieser Mann machte Dupin wütend.

»Dann bis sehr bald.« Dupin war sitzen geblieben, ihm war keinerlei Regung anzumerken.

Die beiden anderen Männer waren jetzt ebenso aufgestanden.

Sie folgten Roiyou auf den Quai, Richtung Hafen.

Dupin schnappte sein Handy.

»Riwal, hören Sie. Sie schicken augenblicklich mehrere Männer auf das Boot von Thomas Roiyou. Sie sollen es sich überaus penibel angucken. Falls sich Roiyou beschwert, sagen Sie, dass er mich anrufen soll. Fragen Sie am Hafen und in den Kneipen am Quai Nord, ob ihn jemand heute früh an oder auf seinem Boot gesehen hat. Und wann genau das Boot angekommen ist. Ach ja, und lassen Sie sich von dem Mann, der den Tankwagen fährt, die Zeiten bestätigen: wann er nach dem ersten Volltanken losgefahren ist und wann er wieder zurück war. Und ob er Roiyou vor dem Abfahren gesehen hat.«

»Verstanden, Chef. Passen Sie bloß auf, Roiyou soll direkt von den Wikingern abstammen, einer der Polizisten kennt seine Familie …«

»Nolwenn soll rausfinden, ob er schon einmal Ärger mit der Polizei hatte.«

»Sie wissen ja, dass sie«, Riwal zögerte, »von Lannion aus arbeitet?«

»Weiß ich.«

Dupin seufzte und legte auf.

Schon während der letzten Wortwechsel mit dem Ölbootchef hatte er ungewöhnliche dumpfe Geräusche gehört, sie schienen weit weg, waren dann aber schnell näher gekommen.

Der Helikopter.

Dupin suchte den Himmel Richtung Festland ab, das in der Ferne gut zu sehen war: La France. Und entdeckte ihn, ein Fleckchen am Himmel, wie ein Insekt.

Der Lärm wurde lauter und lauter, der Helikopter hielt genau auf die Insel zu.

Sie holten die Tote.

Eben erst war die junge Frau an diesem traumhaften Morgen auf der Insel aufgewacht und hatte einen Tag mit ihren Delfinen vor sich gehabt – und nun, nur ein paar Stunden später, lag sie tot in einem Sack und wurde zur Obduktion in das gerichtsmedizinische Labor von Brest geflogen. Es war seltsam, manchmal machte eine Begebenheit in der Folge eines Mordes die Tat viel realer als die Nachricht des Mordes selbst. So war es für Dupin in diesem Moment. Den ganzen Morgen über hatte alles einen seltsamen Grad von Abstraktheit gehabt. Selbst der Anblick der Leichen, komischerweise war das zumeist sogar der abstrakteste Moment.

Dupin folgte dem Hubschrauber mit den Augen, er hatte die Insel nun erreicht und donnerte in geringer Höhe über den Hafen hinweg, der Lärm war ohrenbetäubend. Der Pilot würde direkt neben dem Friedhof auf dem Stoppelgras landen.

Dupin verlor sich eine Weile in Gedanken, dann klingelte sein Handy. Kadeg.

»Ja?«

»Sind Sie es, Commissaire?«

Wer sonst sollte es sein, diese Marotte Kadegs war zum Verrücktwerden.

»Der Fischer hat sich das Boot von Céline Kerkrom angesehen.«

Kadeg ließ eine blödsinnige Pause entstehen.

»Und?«

»*Morwreg* heißt es, *Meerjungfrau*. Neun Meter dreißig. Sie fischte mit Leinen- und Stellnetzen.« Das wusste Dupin schon. »Seewolf, Rotbarben, Steinbutt, Glattbutt, Wittling, Seehecht. – Ihre Leinen sind nicht länger als siebzig Meter.«

Erneut eine unnötige Pause.

»Ihm ist nichts Ungewöhnliches aufgefallen. Er sagt, das Boot sei alt, aber noch außerordentlich in Schuss. Eins der guten alten Holzboote. Sie hat in letzter Zeit einen neuen Transportarm installieren lassen. Für die Netze. Der Arm kann richtig was heben, sagt der Fischer.«

»Noch was?«

»Ich habe mit dem Exmann von Kerkrom telefoniert. – Er hat vier Kinder, lebt auf Guadeloupe und scheint ein glücklicher Mensch zu sein, er hat seit acht Jahren keinen Kontakt mehr zu ihr gehabt.«

Céline Kerkroms Vergangenheit schien somit kein Ansatzpunkt zu sein.

»Haben Sie sich Madame Gochat vorgenommen, Commissaire?«

»Ich will sie vor mir sehen, wenn ich mit ihr spreche.«

»Denken Sie nicht, es wäre angezeigt, einem Hinweis dieser Brisanz *unverzüglich* nachzugehen?«

Wenn er derart gestelzt sprach, war Kadeg besonders unerträglich.

»Bis später, Kadeg.«

Dupin legte auf und lehnte sich zurück.

Er sollte sich tatsächlich bald mit der Hafenchefin unterhalten. Riwal würde die Insel übernehmen: die Gespräche, die nun zu führen waren, auch das mit dem Fischer, zu dem Kerkrom anscheinend einen Draht gehabt hatte.

Dupin hatte das Telefon noch in der Hand, er wählte die Nummer seines Inspektors:

»Riwal, Besprechung!« Dupin hatte ein Restaurant ganz am Ende des Quais gesehen, da wären sie am ehesten unter sich. »Wir setzen uns ins«, er versuchte den Namen auf die Entfernung zu erkennen, »Le Tatoon«, irgendjemand hatte es eben schon erwähnt. »Am Ende vom Quai Sud. Und sagen Sie Goulch Bescheid, dass wir sein Boot bald brauchen werden. Ich will zur Île Tristan, den Wissenschaftlichen Leiter des Parcs sprechen«, er dachte kurz nach. »Wissen Sie was, bringen Sie Goulch einfach mit.«

Er hatte volles Vertrauen in den jungen Polizisten.

»Goulch hat das Boot der Delfinforscherin inspiziert. Und war äußerst beeindruckt. Es verfügt über eine sehr teure, sehr leistungsfähige Sonaranlage«, Riwal schien nicht minder beeindruckt, »und über eine Reihe anderer Hochleistungs-Technologien. Ein Trackersystem für Fische und Meeressäuger mit einem Programm, das ihr die stetige Überwachung der Tiere erlaubt. Damit ...«

»Etwas Verdächtiges?«

»Nein. Aber ...«

»Wir sehen uns im Le Tatoon, Riwal.«

»Eines noch: Die Gerichtsmedizinerin hat Antoine Manets Annahme zum Todeszeitpunkt bestätigt.«

»Habe ich mir gedacht.«

Dupin verließ die Terrasse von Chez Bruno und lief an einer weiteren Kneipe vorbei, auch sie sah wundervoll aus. Es gab mehrere am Quai. Sie waren Café, Bistro, Restaurant und Kneipe in einem. Alles wirkte beschaulich, entspannt.

Auch das gehörte zu den Eindrücken, die die Insel ausmachten, das »andere Reich«, in das man gelangte, wenn man sie betrat: das Tempo und der Rhythmus waren verlangsamt. Alles geschah in einer – für Außenstehende – kontemplativen Ruhe. Es schien eine Verfassung im Innersten. Der Gang der Dinge war ein anderer. Und Dupin konnte erstaunlich gut damit umgehen. Eigentlich machte ihn Ruhe nervös. Es kursierten Gerüchte, er hätte schon einmal fast seine Waffe gezogen, als man ihn auf Geheiß der Präfektur zu einem Seminar für Entspannungsübungen hatte anmelden wollen. Gerüchte, die nicht vollständig aus der Luft gegriffen waren.

Das *Le Tatoon* war famos.

Ein altes weißes Steinhaus mit einem bretonisch spitzen Dach und hellgrün gestrichenen Fensterläden. Eine hübsche Terrasse, große Keramikkübel mit Olivenbäumen davor, die Tische und Stühle aus naturbelassenem Holz, das mit der Zeit die typische Patina gewonnen hatte. Ein paar Tische mehr als bei *Chez Bruno*, aber immer noch sehr überschaubar, schmale Schiefertafeln rechts und links vom Eingang, auf denen die Menüs standen – das hieß vor allem: was die Fischer der Insel vor ein paar Stunden aus dem Meer geholt hatten.

Dupin hatte den Tisch ganz außen in der ersten Reihe der Terrasse gewählt. Er hatte seine Jacke ausgezogen und über einen Stuhl gelegt, die Temperaturen waren jetzt, kurz vor Mittag, auf sicherlich achtundzwanzig Grad geklettert. Es ging ein leichter Wind. Aus dem kühlen Morgen war wie erwartet ein lupenreiner Hochsommertag geworden.

Bevor er sich gesetzt hatte, war er rasch reingegangen, um sich einen *café* zu bestellen.

Riwal und der junge schlaksige Polizist kamen den Quai entlang.

»Goulch!«

Dupin freute sich, ihn zu sehen.

Sie sahen einander nur zwei-, dreimal im Jahr. Auf einem Polizeifest oder dem *Festival des Filets Bleus*, einem Fest-Noz.

»Commissaire!«

Ein besonders fester Händedruck. Freundschaftlich.

»Üble Geschichte.«

»Richtig übel.«

»So eine Ausrüstung wie die Delfinforscherin hätte ich gerne auf meinem Polizeiboot«, Goulch lächelte. »Riwal hat Ihnen ja schon berichtet. Es sieht nicht so aus, als sei jemand anderes auf dem Boot gewesen. Der Täter wäre auch ein hohes Risiko eingegangen, das Boot liegt am Ende des Quai Nord, kurz vor den Verschlägen. Da ist schon frühmorgens was los.«

Riwal und Goulch setzten sich.

»Kennen Sie die Geschichte dieses Restaurants?« Riwal fragte betont beiläufig. Natürlich hatte auch das *Le Tatoon* eine Geschichte, wie in der Bretagne alles und jedes eine Geschichte hatte. Und natürlich kannte Riwal sie.

»Der Koch führte ein Zwei-Sterne-Restaurant in Monaco, besuchte eines Tages seinen Freund in Brest, mit dem er einen Ausflug auf die Île de Sein unternahm. Der Koch verliebte sich in den Quai Sud, sah dieses Haus hier, das zum Verkauf stand, löste innerhalb eines Monats alles in Monaco auf, zog hierher und eröffnete das *Le Tatoon*. Jetzt zaubert er hier die köstlichsten Menüs. Er arbeitet mit den«, Riwal stockte, »den beiden Fischern der Insel zusammen, bis gestern auch mit Céline Kerkrom.«

»Bitte sehr«, die Bedienung, eine freundliche Blondine mit komplizierter Hochsteckfrisur, brachte den Kaffee und stellte ihn vor Dupin auf den Tisch, der Kommissar reagierte unverzüglich: »Ich denke, die Kollegen nehmen auch einen.« Er ließ den Blick zu Riwal und Goulch schweifen, die einvernehmlich nickten.

Er trank den – wundervollen – *café* in zwei Schlucken.

»*Netra ne blij din-me, 'vel ur banne kafe!*«

Seit Wochen hatte Dupin vorgehabt, diesen Satz einmal an Riwal auszuprobieren. Ihn in Staunen zu versetzen – und das war ihm anscheinend gelungen, der Inspektor blickte ihn mit offenem Mund an. Paul Girard, der Chef des *Amiral*, hatte Dupin ein Buch über die Bretagne und den Kaffee geschenkt, in dem Dupin ein paar hinreißende Texte alter Chansons gefunden hatte. Und diesen einen hatte er sich gemerkt: »Nichts macht mich so glücklich wie ein Schluck Kaffee«.

Goulch grinste, Riwal brauchte einen Moment, seiner Verwirrung Herr zu werden – Zitate und Exkurse waren eigentlich ihm vorbehalten. Wie in einer Art Übersprungshandlung legte der Inspektor wortlos sein Notizheft auf den Tisch und schlug es auf.

Man sah eine Doppelseite in vorbildlicher Ordnung, er begann mechanisch zu berichten:

»Das sind alle, die wir erfassen konnten. Alle Boote, die gestern oder heute Morgen im Hafen angelegt oder abgelegt haben. Wie gesagt: Auch an der Mole am Ende des Dorfes kann man an- und ablegen. Zudem kommt man mit einem Beiboot natürlich überall auf der Insel an Land.«

Das brachte sie nicht weiter.

»Ach ja, die Kollegen haben sich eben umgehend das Boot von Roiyou vorgenommen. Da war nichts. Obwohl sie extra penibel waren.«

»Schade«, grummelte Dupin.

»Wir haben auch mit den Technikern des Leuchtturms und der Versorgungsanlagen gesprochen: Sie haben keine verdächtigen Boote gesehen, nichts Ungewöhnliches bemerkt.«

Die Bedienung kam mit den *cafés* für Riwal und Goulch und

einer kleinen Schiefertafel, auf der die Empfehlung des Tages zu lesen war: *Fricassé de praires au piment d'espelette, Filet de lieu jaune et purée de pommes de terre maison* – das war, wovon die Museumsleiterin geschwärmt hatte, der sensationelle Fisch mit dem Kartoffelpüree –, und zum Nachtisch *Soupe de fraises à la menthe.*

Dupin hatte gar nicht ans Essen gedacht, als er das *Le Tatoon* vorgeschlagen hatte – auch wenn er mittlerweile bereits seit sieben Stunden auf den Beinen war.

»Ich nehme noch einen *café.*«

Dupin beugte sich über die Liste der Boote, die länger war, als er vermutet hatte.

Riwal erläuterte: »Die meisten sind Privatleute. Davon neun Inselbewohner. Wir überpüfen sie bereits. Über die Anzahl der Boote, die über Nacht in den Hafen kamen und direkt heute Morgen wieder fuhren, haben wir ganz unterschiedliche Angaben. Zwischen drei und acht Boote, vermutlich. Für die Segler hat die Feriensaison längst begonnen. – Das wird am schwierigsten, niemand weiß, woher die Boote kamen und wohin sie fuhren.«

»Wir müssen es dennoch versuchen.«

»Wir haben«, Riwal setzte seine Erläuterungen fort, »mit dem Kapitän des Lebensmittelbootes gesprochen, seine Mannschaft besteht aus drei Männern.«

Dupin hatte es ganz vergessen.

»Sie haben gestern tagsüber die Bestellungen für die Inseln besorgt, in der *Metro* vor allem. Sie haben bis spätabends gearbeitet, bis rund 23 Uhr 30, mithilfe von einigen Packern, wir haben es uns von zweien bezeugen lassen. Das Boot hat Camaret dann heute Morgen um sieben verlassen, der dortige Hafenchef hat es bestätigt. Sie können nicht vor acht Uhr auf der Insel gewesen sein.«

Das Lebensmittelboot schied also aus.

»Sie hatten für das *Le Tatoon* hier ein halbes Charolaisrind dabei.«

116

Dupin ging nicht darauf ein. Er war wieder bei der Liste. Bei einem Namen blieb er hängen.

»Vaillant?« Madame Coquil hatte ihn erwähnt, »Capitaine Vaillant? Das ist doch der Pirat.«

Goulch grinste. »Er ist ja noch berühmter, als ich dachte. Ein Haudegen und Anarchist. Ein Lebemann. Er hat gestern Abend hier im *Le Tatoon* gesessen, mit seiner Mannschaft.«

Dupin konnte sich nicht helfen, alles an der Figur klang nach Abenteuergeschichten und klassischem Seemannsgarn. Er stellte sich einen Verwandten von Kapitän Haddock vor.

»Wann sind sie hier angekommen?«

»Spät. Nach elf Uhr.«

»Woher?«

»Aus Douarnenez.«

»Wie lange braucht man mit ihrem Schiff hierher?«

»Siebzig, achtzig Minuten vielleicht.«

Das käme im Hinblick auf den Mord an Céline Kerkrom nur knapp hin. Aber unmöglich wäre es nicht.

»Mit der ganzen Mannschaft?«

»Einer fehlte. Wir haben schon jemanden auf ihn angesetzt.«

Die freundliche Bedienung brachte Dupins zweiten *café*.

»Gut. – Wo wohnt dieser Vaillant?«

Dupin trank auch den zweiten Kaffee in wenigen Schlucken.

»Auf der Île d'Ouessant, da wohnen sie alle, sie haben drei Häuser in Le Stiff, einem Nest am Ostende der Insel, nicht weit vom Leuchtturm und von der großen Mole.«

»Das Piratengeschäft scheint nicht schlecht zu laufen.«

Sobald die Kellnerin außer Hörweite war, gab Riwal zu bedenken: »Sie bekommen hier ein komplettes Menü für zwanzig Euro. Und es hört sich ausgezeichnet an.«

Das Restaurant sah in der Tat genauso aus, wie Dupin es liebte, bodenständig, gemütlich und kein bisschen schick.

»Und das mit dem Schmuggel, ist da was dran, denken Sie?«

Dupin hatte Riwals Einwand ignoriert und sich an Goulch gewandt.

»Ich hatte selbst ab und an mit Vaillant zu tun, er taucht überall an der Küste auf, vor ein paar Jahren haben wir mit der Zollbehörde sein Boot durchsucht, als er in französische Gewässer kam. Zigaretten haben wir keine finden können, aber Alkohol. Verschiedene hochwertige *Eaux de vie* in Kanistern. In Mengen, die zwar über den erlaubten lagen, aber nicht erheblich. Wir haben allerdings auch eine Anzahl leerer Kanister gefunden, wir vermuten, dass er sie ausgekippt hat, bevor wir an Bord kamen. Ich denke, er betreibt Schmuggel. Aber in einigermaßen moderatem Stil.«

»Wer patrouilliert hier im Parc? Welche Behörden?«

»Die Boote der *Affaires maritimes*, der Seebehörde, die Zollbehörde, wir von der *Gendarmerie maritime* und die Boote des Parc Iroise selbst.«

»Ist Vaillant schon einmal belangt worden?«

»Kleinere Geldstrafen nur.«

»Aber er fischt auch? Ich meine, tatsächlich?«

»Ja. Aber nicht jeden Tag. Mit langen Leinen. Die teuren Fische. Barsche, *Lieus jaunes*, wie es mittlerweile viele tun im Parc.«

»Sind sie nach dem Essen gestern Abend noch zurück nach Ouessant?«

»Sie lagen über Nacht hier im Hafen. Einer der Wirte am Quai Nord hat sie auslaufen gesehen. Gegen sieben.«

Das käme zeitlich ziemlich genau hin.

Goulch verstand sofort.

»Sie behaupten, heute Morgen gar nicht mehr von Bord gegangen zu sein. Und bisher haben wir keine Zeugen, die das Gegenteil aussagen. – Was natürlich nichts heißt.«

So war es.

»Das ist ein schöner Zufall«, Dupin sprach eher zu sich selbst. »So häufig werden sie nicht zum Abendessen auf die Île de Sein kommen.«

»Die Wirte der Hafenkneipen sagen, sie seien ungefähr einmal im Monat auf der Insel. – So selten also auch wieder nicht«, präzisierte Goulch trocken.

»Gut. Weiter«, Dupin würde auch ihn treffen müssen. Die Liste wurde immer länger. Er beugte sich über Riwals Notizen, der Inspektor führte weiter aus:

»Gestern kamen zwei Boote aus dem Parc. Eines am Morgen, eines am Abend, gegen neunzehn Uhr. Routinen.«

»Und was tun sie genau?«

»Sie patrouillieren regelmäßig, vor allem, um die Einhaltung der Fischerei- und Umweltvorschriften zu überwachen. Sie machen Stichproben und schauen, ob ihnen etwas verdächtig vorkommt. Kontrollieren einzelne Boote, die Netze, den Fang.«

»Wir haben schon mit den Kapitänen der beiden Boote gesprochen«, ergänzte Goulch. »Ihnen ist gestern nichts Ungewöhnliches aufgefallen, sie haben auch bei ihren Kollegen nachgefragt. Für die gilt dasselbe. Für die Boote der anderen Behörden übrigens auch. Nirgendwo wurde etwas Besonderes gemeldet, das mit den Morden zu tun haben könnte.«

»Haben Sie sich entschieden?«

Die blonde Kellnerin stand erneut vor ihnen:

»Heute – heute Mittag leider nicht.« Dupin wollte bald los.

Er spürte eine nagende Ungeduld.

»Sie machen einen großen Fehler«, lächelnd wandte sie sich ab. Riwal sah ihr betrübt hinterher.

»Hat jemand von den Patrouillenbooten mit Laetitia Darot zu tun gehabt?«

»Niemand. Die wissenschaftliche Abteilung des Parcs arbeitet ganz unabhängig und ist in die Überwachung nicht eingebunden. Ihr Leiter ist Pierre Leblanc.«

Den Manet, der Inselarzt, für außerordentlich kompetent hielt und der auf der Liste der Personen stand, die Dupin hoffentlich bald sprechen würde. Vielleicht hätte er nicht so schnell Nein sagen sollen zu der freundlichen Kellnerin. Wenn er jetzt gleich von hier aufbräche, bekäme er in den nächsten Stunden mit Sicherheit nichts mehr zu essen.

»Und Darots Beziehungen zu ihren Kollegen?«

»Es gibt insgesamt sechs Wissenschaftler. – Leblanc wird Ihnen mehr darüber sagen können.«

Dupin lehnte sich zurück.

Die Kollegen hatten ganze Arbeit geleistet. Die faktischen Ermittlungen gingen rasch voran, auch wenn sie bisher zu nichts Konkretem geführt hatten. Aber wer weiß, vielleicht war schon ein Goldklümpchen im Sieb hängen geblieben, noch von Schlamm und Sand verdeckt, das sie erst später erkennen würden?

»Goulch, haben Sie bei der *Gendarmerie maritime* etwas von Wasserverschmutzungen im Parc gehört, zu denen es in letzter Zeit gekommen ist?«

»Nein.«

»Hatten Sie schon Gelegenheit, mit den beiden Fischern der Insel zu sprechen, Riwal?«

Ihre Namen standen auch auf der Liste.

»Ich habe mit beiden gesprochen, wenn auch nicht sehr lange. Sie sind auf See. Sie haben weder gestern Abend noch heute Morgen etwas Auffälliges bemerkt.«

»Und die beiden selbst, wo waren sie gestern Abend und heute früh?«

»Marteau, so heißt der ältere Fischer, war gestern Abend auf einer kleinen Geburtstagsfeier hier auf der Insel – bis Mitternacht. Dafür gibt es Zeugen. Und er hatte heute Morgen bereits um sechs Uhr einen Termin bei einer Werft in Douarnenez. Auch das wurde bestätigt.«

Damit schied er wohl aus.

»Jumeau sagt, er sei gestern um 17 Uhr 30 zurück im Hafen gewesen. Er hat dem *Le Tatoon* sechs große Barsche gebracht, ein Bier getrunken und etwas gegessen. Dafür gibt es Zeugen. Er sei dann um einundzwanzig Uhr zu Hause gewesen und so-

120

fort ins Bett gegangen, weil er im Moment noch früher raus-
fährt als sonst. Um 4 Uhr 30 heute. – Er lebt allein. Jungge-
selle.«

»Er kann gestern Nacht also alles Mögliche verbrochen haben«, brummte Dupin, »und ebenso heute Morgen. Der Junge,
der die Delfinforscherin entdeckt hat, hat ihn gesehen, nördlich
von der Insel, in Sichtweite, er hätte jederzeit für eine halbe
Stunde an Land kommen können.«

»Volkommen richtig«, bestätigte der Inspektor.

»Der Pirat und der Fischer«, Dupin faltete die Hände und
legte sie hinter den Kopf, »waren beide gestern Abend hier im
Restaurant.«

Er hatte eher mit sich selbst gesprochen. Ohne Kraft in der
Stimme.

»Vielleicht«, Dupin hatte den Satz zögerlich begonnen, »vielleicht sollten wir doch etwas essen«, er beeilte sich hinzuzufügen, »nur eine Kleinigkeit.«

Auf Riwals Gesicht zeigte sich tiefe Erleichterung. Er schien
auf eine solche Entwicklung gehofft zu haben. Auch Goulch
blickte sehr einverstanden.

»Das ist absolut vernünftig«, Riwal nickte heftig. »Es wird
bis heute Abend unsere einzige Chance sein. – Außerdem müssen Sie die Austern probieren, Chef. Schon wegen Ihres Ma-
gens«, seine Augen blitzten schelmisch, »Docteur Garreg wird
sehr zufrieden sein mit Ihnen.«

Ein geschicktes Manöver, in mehrfacher Hinsicht. Im letzten
großen Fall hatte Dupin ausgiebig mit Austern zu tun gehabt,
die er bis dahin verschmäht hatte – auf ärztliche Anweisung hin
und aufgrund besonderer Umstände hatte er dann jedoch begonnen, sie zu essen, und sie waren, trotz seiner anfänglichen
Skepsis, tatsächlich zu einem wirksamen Therapeutikum für
seinen empfindlichen Magen geworden. Und zu einer neuen
Köstlichkeit in seinem Leben. Seitdem aß er – medizinisch in-
diziert – jeden Abend drei Stück. Seinem Magen ging es seit-

dem viel besser, er war die leidige »Gastritis Typ C« losgeworden, was auch hieß: Er konnte wieder so viel Kaffee trinken, wie er wollte. Wieder er selbst sein.

»Austern von der Insel! Ein junges Paar hat erst kürzlich hier eine Austernzucht begonnen, *L'huître de Sein*, ein Gedicht. Das Phytoplankton um die Insel herum«, Riwals Blick verklärte sich, »weist außerordentliche Aromen auf. Starke, raue, wilde Aromen, wunderbar. Wobei das Jod dennoch nicht alles dominiert!«

Dupin hatte gelernt, dass es stimmte: Aß man eine Auster, aß man das reine Meer – und zwar exakt das, aus dem sie kamen.

Dupin machte der Kellnerin ein Zeichen.

Ja, sie würden etwas essen. Und auch das junge Paar unterstützen.

Riwal strahlte. Goulch nicht minder.

»Wissen Sie, wer hier gestern Abend auch noch vorbeikam? Und alleine eine Flasche Rotwein getrunken hat?« Riwal schien illustrieren zu wollen, dass sie ja auch beim Essen weiterarbeiten könnten. »Dieser Frédéric Carrière. Der *Bolincheur*, der für Morin fischt.«

Dupin wurde hellhörig.

»Hier im *Le Tatoon*?«

»Hier im *Le Tatoon*. Spät erst, fast um Mitternacht.«

Noch so ein Zufall. Andererseits stand hier das Haus seiner Mutter. Wahrscheinlich kannte er einige Leute. Es war eine sehr überschaubare Welt.

»War jemand bei ihm?«

»Nein.«

»Hm.«

»Sie haben Ihre Meinung geändert? Da bin ich ja froh«, die Kellnerin stand vor ihnen und konnte ihre Genugtuung nicht verbergen.

»Das *Menu du jour*, bitte. Und ein paar Austern vorab. Achtzehn.«

Riwal und Goulch nickten zustimmend.

»Drei Mal das Menü, Austern vorab«, bestätigte die Kellnerin. »Vielleicht ein Fläschchen Muscadet dazu, Monsieur?«

Die Versuchung war unzumutbar groß, hier in der Sonne, zu dem unendlich schmackhaften weißen Fleisch des *Lieu jaune*.

»Nein danke. Nur Wasser«, grummelte Dupin.

Er riss sich zusammen und wandte sich wieder Goulch und Riwal zu: »Und besitzen wir ein Alibi von diesem Carrière? Was hat er gestern Abend auf der Insel gewollt?«

»Wir haben noch nicht mit ihm gesprochen.«

»Tun Sie das. – Wo liegt sein Boot, ich meine, was ist sein Hafen?«

»Douarnenez. Da wohnt er auch. – Wir kümmern uns um ihn.«

»Gut.«

»Das ist alles, was wir bislang zu der Liste sagen können, Chef.«

Das Dumme war, dieses Spiel, mühsam in Erfahrung zu bringen, wer wann die Insel angelaufen oder verlassen hatte, konnten sie eine lange Zeit spielen, und die ganze Zeit wäre es vielleicht das falsche Vorgehen. Sie mussten die Geschichte hinter allem aufspüren, einen ersten Anhaltspunkt zumindest.

Die Austern, die Muscheln in Piment und auch der *Lieu jaune* hatten im Handumdrehen auf dem Tisch gestanden – und keine der Schwärmereien für das Restaurant war übertrieben gewesen, alles war schlicht sensationell. Ein perfekter Ort.

Die Farben hatten sich derweil in surreale Intensitäten gesteigert: das Opalblau des Himmels, das Dunkelblau des Meeres, das Grellgrün des Tangs und der Algen am Rande der Hafenbucht, die vor ihnen lag, das blendende Weiß der Sandbank

gegenüber, das Orange und Rot der sanft tänzelnden Holzboote – alle Farben gingen in die Vollen, es gab keine schwachen, gedämpften Töne, keine Abstufungen mehr.

Sie hatten vor dem Essen noch ein paar Gedanken ausge-
tauscht, Riwal, Goulch und der Kommissar, keine, die die Welt
oder den Fall in irgendeiner Weise bewegt hätten, alle drei hatten sie in regelmäßigen, immer kürzer werdenden Abständen
zur Tür des Restaurants geschaut. Dupin hatte regelrecht der
Magen geknurrt.

Mit der ersten Auster hatte dann ein konzentriertes, ver-
zücktes Schweigen begonnen.

Es war, seit sie hier saßen, noch wärmer geworden, zudem
hatte sich das letzte bisschen Wind gelegt. Die Sonne besaß nun
eine kolossale Kraft. Dupin lief der Schweiß über die Stirn, er
hätte eine Kappe gebrauchen können, die er selbstredend nie
trug.

Dupins Blicke schweiften unbestimmt über den hübschen
Quai und die Bucht. Dabei war er mit mehreren Gedanken
gleichzeitig beschäftigt.

»Eine sehr gute Entscheidung – einen so vorzüglichen
Fisch haben Sie in Ihrem Leben noch nicht gegessen, habe ich
recht?«

Antoine Manet hatte die Terrasse betreten, hinter ihm Madame Coquil. Sie mussten von dem Weg an der Meerseite gekommen sein, nicht über den Quai.

»Wissen Sie schon mehr? War es jemand von uns?«, die Museumsleiterin konnte nicht an sich halten, wieder klang sie eher
neugierig als besorgt.

Dupin musste unwillkürlich schmunzeln. Er steckte sich das
letzte Stückchen Baguette in den Mund, mit dem er die Reste
des himmlisch cremigen Kartoffelpürees vom Teller geputzt
hatte.

»Im Moment könnte es noch jeder gewesen sein«, er zögerte,
»fast jeder. Fast jeder von der Insel, fast jeder von anderswo.«

124

Antoine Manet zog zwei Stühle vom Nebentisch heran, Madame Coquil und er setzten sich.

»Wir haben ein paar Neuigkeiten«, Manets Gesichtsausdruck war ernst. »Man sagt, die Delfinforscherin hat sich mit Luc Jumeau getroffen, dem jungen Fischer. Sie sind vor zwei Wochen beim Spazierengehen gesehen worden, bei den Dolmen, so gegen einundzwanzig Uhr. Und das war wohl nicht das erste Mal.«

Natürlich hatten die Insulaner die beiden Mordfälle unter sich diskutiert. Dabei würde ihnen dies und jenes eingefallen sein, das »man sagt« war vermutlich das Destillat aus allem, was dem Inselarzt bei seinen Besuchen und den Begegnungen auf seinen Wegen heute Morgen zugetragen worden war.

»Sie meinen, sie hatten eine – *Beziehung?*«

»Möglich.«

»Der Landschaftsgärtner meint das durchaus«, Madame Coquil sprach resolut.

»Der Landschaftsgärtner?«

Manet erläuterte:

»Die Region beschäftigt auf den Inseln seit Neuestem je einen Landschaftsgärtner. Unserer ist seit zwei Jahren da, ein fabelhafter Mann, seitdem wachsen die *Arméries maritimes* wieder, eine seltene Art der Grasnelke. Sie haben sie sicher schon gesehen, die kleinen rosa Blumen. – Und eine wundervolle Frau hat er.«

»Wann kommt dieser Jumeau für gewöhnlich vom Meer zurück?«

»Gegen siebzehn Uhr.«

»Das ist zu spät. Rufen Sie ihn an. – Wir müssen mit ihm sprechen.«

Sie hätten es schon längst tun sollen. Jetzt war es umso akuter. Natürlich, es konnte auch um eine tragische Liebesgeschichte gehen. Die Region war ja anscheinend bekannt dafür. Weltbekannt.

Riwal schaute den Kommissar an, um zu ermessen, wie dringlich es war. Dann stand er auf, das Handy schon in der Hand.

»Der Mann von Nathalie«, auch Madame Coquil hatte etwas zu berichten, »ihnen beiden gehört das Restaurant am Quai Nord, direkt vor der Hauptmole, hat vor zwei Wochen gesehen, wie Laetitia Darot in dem kleinen Garten neben ihrem Haus ein merkwürdiges Fischernetz ausgelegt hat.«

»Warum merkwürdig?«

»Es hatte kleine Apparate an den Rändern, hat er gesagt, mehrere.«

»Was soll das heißen?«

»Genau das wusste er ja eben selbst nicht«, sie schaute Dupin mit einem unverhohlenen Vorwurf an.

»Was könnte das sein?«, Dupins Frage war an Goulch gerichtet, der mit den Schultern zuckte.

»Das sollten wir mit einem Experten besprechen.«

»Ich frage den Leiter des Parcs, wenn ich ihn gleich sehe. – Hat die Spurensicherung ein solches Netz erwähnt?«

»Nein. Im Haus von Laetitia Darot hat man keinerlei Ausrüstung gefunden. Sie scheint alles in ihrem Verschlag aufbewahrt zu haben. Ich habe keine Ahnung, wofür sie ein Netz braucht. – Auf dem Boot war auf alle Fälle keins.«

Riwal kam zum Tisch zurück.

»Ich habe Jumeau nicht erreicht, aber einen Kollegen gebeten, ihn anzufunken.«

»Gut. – Noch weitere Neuigkeiten?« Dupin blickte die beiden Insulaner erwartungsvoll an.

Madame Coquils Miene wurde grimmig. »Es hat wohl eine Sichtung Dahuts gegeben, vor drei Tagen erst. Das ist immer ein ganz schlechtes Zeichen. Unsere Älteste hat sie gesehen, Annie. Da, wo man sie immer sieht. Nicht weit von dem zerstörten Hügelgrab.«

Manet sah sich zu einer Erklärung genötigt: »Die Tochter von König Gradlon, die zur Sirene wurde.« Zur Sichtung selbst verhielt er sich nicht weiter, ganz so, als hätte Madame Coquil von der Sichtung eines Delfins oder Orcas berichtet.

»Sie wird alle paar Jahre gesehen. Und immer passiert etwas Schlimmes in der Folge«, Madame Coquil warf Dupin einen schwer zu deutenden Blick zu. »Viele dieser Ereignisse sind bezeugt. – Nicht, dass Sie denken, wir spinnen hier. 1892 hat sie sogar ein Pfarrer gesehen, der zur Messe auf die Insel kam. Inmitten der Wellen nahe am Ufer hat er eine wunderschöne Frau mit langen Haaren und Fischschwanz entdeckt. Sie suchte seinen Blick. Glücklicherweise hat er ihn verweigert, es wäre sein Tod gewesen. Dahut schwimmt rastlos umher, sie will alles zurück. Die glanzvollen Bälle und Feste, die Ausschweifungen, die teuren Kleider.«

Dupin hatte beim besten Willen keine Ahnung, was er dazu sagen sollte.

»Und damit nicht genug«, Madame Coquils Augenbrauen zogen sich noch sorgenvoller zusammen, »das *Bag Noz* wurde gesehen! Das Boot der Nacht. Am Westende der Insel, nicht weit von der Kapelle.«

Wieder assistierte Manet:

»Die maritime Entsprechung des *Garrig an Ankou*, des *Karren des Todes*.«

Dupin kannte die Geschichten vom Sensenmann, der mit seinem Karren die Todgeweihten holte.

»Das Boot der Nacht zeigt sich«, fuhr Madame Coquil fort, »wenn düstere Dinge vor sich gehen. Man kann es mit den Augen nie richtig fixieren, es bleibt immer unscharf, und wenn man sich nähert, entfernt es sich. Ab und zu sind herzzerreißende Schreie aus dem Boot zu hören. – Der erste Ertrunkene eines Jahres ist jeweils dazu verdammt, das Boot als Geist zu steuern.«

Dem Satz folgte längeres Schweigen. Riwal rutschte nervös auf seinem Stuhl hin und her.

»Und gibt es noch weitere – Neuigkeiten?«

»So einige«, Manet blickte Dupin vielsagend an, »aber das waren die wichtigsten. – Die Dame und den Herrn von der Presse habe ich übrigens in eine der Kneipen am Quai Nord gesetzt, so weit weg vom Geschehen wie nur möglich. Ich habe ihnen gesagt, da kämen Sie sicher einmal vorbei.«

»Dann werde ich jetzt zurück aufs Festland ...«

Dupins Telefon.

Eine unterdrückte Nummer.

»Ja?«, er hatte den Stuhl etwas nach hinten gerückt und die Stimme gedämpft.

»Charles Morin am Apparat. Spreche ich mit Commissaire Georges Dupin?«

Ein geradezu höflicher Tonfall.

Dupin wusste selbst nicht, warum, aber er war nicht überrascht über den Anruf.

»Der bin ich.«

»Ihre Assistentin hat sich bei mir gemeldet. – Sie wollen mich sprechen?«

»So ist es.«

»Sechzehn Uhr passt mir gut. – Ich bin, sagen wir es so«, eine gemächliche Pause, »äußerst neugierig, zu erfahren, wie es um Ihre Ermittlungen steht.«

In Morins Tonfall lag trotz der überaus entgegenkommenden Wortwahl keinerlei Unterwürfigkeit oder Ironie. Dupin hatte von Morin einen ganz anderen Ton, eine ganz andere Art erwartet. Sich überhaupt einen anderen Charakter vorgestellt. Eher eine Art Roiyou, nur in einer höheren Potenz sozusagen.

»Weil es sich bei Laetitia Darot um Ihre Tochter handelt«, entgegnete Dupin aus heiterem Himmel.

Selbst die nun folgende Antwort besaß keinen aggressiven Beiklang, sie wirkte souverän, abgeklärt, selbstsicher, ohne den Kommissar damit provozieren zu wollen:

»Beschäftigen wir uns nicht mit so etwas, Monsieur le Commissaire. Ich fühle mich verantwortlich. Ich lebe und arbeite hier, seit vielen Jahrzehnten. Das Meer, der Parc, die Menschen – das ist mein Zuhause.«

»Ihr Reich, meinen Sie?«

Auch Dupin hatte ganz aufgeräumt gesprochen.

»In gewisser Weise schon. Ja. – Sie verstehen sicher, dass es mich interessiert«, er verlangsamte sein Sprechtempo, »wenn hier zwei junge Frauen Opfer eines Verbrechens werden, bei dem es nicht so aussieht, als wäre es von einem Fremden verübt worden. – Ich mache mir Sorgen. Große Sorgen.«

»Sechzehn Uhr, Monsieur Morin.«

»Ihre Assistentin sagte, Sie kommen zu mir nach Douarnenez.«

»Mit Vergnügen.«

Das hatte Nolwenn vergessen zu erwähnen. Aber genau so war es richtig.

»Ich freue mich auf unsere Begegnung.«

Morin hatte aufgelegt.

Dupin erhob sich.

Charles Morin machte einem jegliche Interpretation schwer. Eine beachtliche Fähigkeit.

»Wir brechen auf.«

»Viel Glück«, eine Ermutigung Manets, die zugleich volles Verständnis für den abrupten Aufbruch signalisierte.

»Wir sind da, wenn Sie uns brauchen, Monsieur le Commissaire. Und das werden Sie«, Madame Coquil lächelte, dabei war es kein Angebot gewesen, sondern eher eine Mahnung.

»So ist es, Madame Coquil, wir brauchen Sie. Ganz ohne Zweifel.«

»Und vergessen Sie nie, was auf dem Denkmal in der Nähe des Cholera-Friedhofs steht: ›Der Soldat, der niemals aufgibt, hat immer recht‹.«

Goulch und Riwal hatten sich ebenfalls erhoben.

Dupin verschwand ins Innere des *Le Tatoon*, um die Rechnung zu begleichen.

Kurze Zeit später stand er wieder auf der Terrasse. Er verabschiedete sich von Monsieur Manet und Madame Coquil. Riwal und Goulch warteten bereits auf dem Quai.

»Riwal, Sie halten die Stellung hier auf der Insel. Kadeg weiterhin in Douarnenez. – Melden Sie sich regelmäßig, wann immer Sie etwas Neues haben.« Riwal nickte routiniert. »Und rufen Sie noch einmal Nolwenn an. Ich will das mit der möglichen Vaterschaft von Morin wissen. Sie soll auf jede denkbare Weise versuchen, es herauszufinden.«

»Mache ich, Chef.«

Riwal schickte sich an, nach links in das Gewimmel der Gässchen abzubiegen. Er machte den Eindruck, den Ort wie seine Westentasche zu kennen.

»Eine Sache noch, Riwal. Nur kurz«, Dupin trat ein paar Schritte auf den Inspektor zu.

»Dieser Metzger aus Le Conquet, der«, ohne es beabsichtigt zu haben, sprach Dupin leise, »diese sieben Gräber gesehen hat, ich meine die fünf in der einen Reihe statt der vier«, er bemühte sich um eine feste Stimme, »was ist mit ihm passiert?«

Riwal musterte ihn einen Moment sorgenvoll. Dupin bedauerte seine Frage schon jetzt.

»Er ist bei schönstem Wetter und ruhigster See von einem Boot gefallen, mit dem er zum Angeln rausgefahren war. Tot. Das Herz, obgleich es keinerlei Vorgeschichten oder Anzeichen gab, einfach so.«

Dupins Augen hatten sich geweitet, sosehr er sich auch angestrengt hatte, seine Reaktionen zu kontrollieren.

Er schüttelte sich.

Es war abstrus. Jetzt beschäftigte er sich schon mit Schauergeschichten. Fantastischen Fabeln eines wilden Aberglaubens.

»Sie – ich meine«, Riwal druckste herum, »Sie sollten auf sich aufpassen, Chef, ich meine: besonders gut auf sich aufpassen, doppelt und dreifach gut, wenn Sie jetzt zur Île Tristan fahren.«

Dupin starrte ihn an.

»Sie haben es ja gerade gehört, Dahut, die Tochter von König Gradlon, geistert noch heute als Sirene durch die Bucht von Douarnenez. Wenn Sie etwas Merkwürdiges in oder auf den Wogen zu sehen meinen, eine komische Erscheinung in der Gischt, schauen Sie auf keinen Fall genauer hin. Ihr Blick zwingt Sie, ihr in die Tiefe zu folgen.«

Noch bevor Dupin etwas sagen konnte, war Riwal zwischen den Häusern verschwunden.

»Das Boot liegt ganz vorne am Quai Nord.«

Goulch ging entschlossenen Schrittes voraus. Sie liefen auf den Hafenbereich zwischen den beiden Quais zu, wo sich die Verschläge von Céline Kerkrom und Laetitia Darot befanden.

»Wissen Sie …«

Wieder Dupins Handy.

Eine Nummer aus Rennes.

»Ja?«

»Xavier Controc. *Affaires maritimes.* Chef der Abteilung Fischerei. Commissaire Dupin?«

»Worum geht es?«

»Ich möchte Sie in eine hochvertrauliche Angelegenheit einweihen. Ich denke, das ist angezeigt, auch wenn es ansonsten gar nicht unserem Vorgehen entspricht.«

Dupin war unwillkürlich stehen geblieben.

»Zunächst möchte ich, dass Sie mir versichern, bei niemandem ein Wort darüber zu verlieren – tun Sie das?«

»Erzählen Sie.«

»Wir werden heute Nachmittag eine große *konzertierte Aktion* im Parc Iroise durchführen. Kontrollen auf See. Neben einer Einheit der *Gendarmerie maritime* werden der Parc Iroise,

Ifremer – das *Institut français de recherche pour l'exploitation de la mer* – und wir beteiligt sein. Es geht um wahrscheinliche Verstöße gegen das Fangverbot der Roten Languste. Sagt Ihnen dieses Sujet irgendetwas?«

Dupin hatte heute schon von allen möglichen Sujets im Zusammenhang mit der Fischerei gehört, aber nicht davon.

»Eine lokale Langustenart, die vor allem in der *Chaussée de Sein* vorkommt und die 2006 durch Überfischung fast ausgestorben wäre. Damals wurde ein totales Fangverbot verhängt, nun haben sich die Bestände ein Stück weit erholt. Das Verbot hingegen besteht immer noch, aber einige meinen, sich nicht mehr daran halten zu müssen.«

»Haben Sie bei der Aktion jemand Bestimmtes im Visier?«

»Im Prinzip nicht, es gibt ein paar, von denen wir vermuten, dass sie das Verbot ignorieren. Einige Boote haben in den letzten Wochen bei sporadischen Kontrollen auf See den Inspektoren den Zugang verweigert.«

»Boote von Charles Morin?«

Er zögerte. »Es geht auch um mehrere seiner Boote. Ja.«

Sie meinten es anscheinend ernst. Selbst der Polizeichef von Douarnenez, mit dem Nolwenn telefoniert hatte, schien es nicht zu wissen, zumindest hatte er ihr nichts davon gesagt.

Dupin hatte sich noch immer nicht vom Fleck gerührt.

»Und wer weiß von dieser Aktion?«

»Nur wenige Mitarbeiter der beteiligten Institutionen. Und seit gestern Nachmittag notwendigerweise die Kontrollboote und ihre Mannschaften.«

»Und was passiert bei einem nachgewiesenen Zuwiderhandeln gegen das Fangverbot? Ich meine, was steht hier auf dem Spiel?«

»Ein paar sind schon letztes Jahr erwischt worden. In diesen Wiederholungsfällen könnte es um Geldstrafen bis zu fünfzehntausend Euro gehen, im extremen Fall auch um Gefängnis. Bis zu sechs Monate. – Da wird es richtig ernst.«

»Und bei dieser Aktion heute sind die Boote autorisiert, die Kontrollen gegen den Willen der Kapitäne durchzusetzen?«

»Exakt. Wir haben einen gerichtlichen Beschluss erwirkt.«

Die Aktion könnte Morin, wenn Dupin es richtig verstand, einen empfindlichen Schlag versetzen.

»Könnte Laetitia Darot von dieser Aktion gewusst haben?«

»Die tote Delfinforscherin?«

»Die ermordete Delfinforscherin.«

»Eigentlich unmöglich. Das hat mit der wissenschaftlichen Abteilung des Parcs nichts zu tun.«

In dem »eigentlich« steckten, so war das Leben, so waren die Menschen, dennoch die möglichen Geschichten.

»Darots Chef, Pierre Leblanc? Weiß er davon?«

»Er ist eingeweiht.«

Nicht, dass Dupin einen bestimmten Gedanken gefasst hätte, eine klare Idee verfolgen würde – dennoch war das Ganze natürlich hochinteressant.

»Wie auch immer, da Sie nun im Parc ermitteln, hielt ich es für angemessen, Sie zu informieren.«

»Ich bin Ihnen sehr dankbar, Monsieur –«

Er hatte den Namen natürlich bereits vergessen.

»Controc. Sehen Sie«, Controc hielt einen Moment inne. »Sehen Sie beim jetzigen Stand der Ermittlungen Anlass, einen möglichen Zusammenhang zwischen dieser Aktion und den Morden in Erwägung zu ziehen?«

»Ich kann es Ihnen nicht sagen«, antwortete Dupin ehrlich.

»Hier sind alle einigermaßen aufgeregt.«

»Hier ebenso, Monsieur Controc. Ich schlage vor, wir informieren einander unverzüglich, wenn es neue Entwicklungen gibt.«

»Einverstanden.«

Dupin legte auf.

Goulch hatte ein paar Meter weiter gewartet.

Dupin trat zu ihm. Er weihte ihn ein.

»Da müssen sie einen sehr dringenden Verdacht haben. Ich erinnere mich an keine Aktion dieser Dimension in den letzten Jahren.«

Goulch hatte sich wieder in Bewegung gesetzt, Dupin ebenso. Sie liefen das letzte Stück Quai entlang. Alle paar Meter Berge bunter Fischernetze in großen Holzboxen.

Rechts führte eine betonierte breite Rampe hinunter ins Meer. Geradeaus begann der Hafenbereich, hier lag eine Handvoll lang gezogener, flacher Gebäude. Die Verschläge.

»Auf dem Boot von Darot«, Dupin kam zu einem Punkt zurück, der ihn beschäftigte, »haben Sie bestimmt kein Netz gesehen – keines mit kleinen Apparaten?«

»Ganz sicher nicht.«

Die Verschläge waren von der Witterung und dem Meer gezeichnet. Nur ein paar waren weiß gestrichen, die meisten in nacktem Beton belassen, der sich mit den Jahren gelblich oder grünlich verfärbt hatte. Grellorange Flechtenflecken überall. Schmale Türen. Daneben kleine Fenster. Die Umrandungen der Türen und Fenster in bunten Farben gestrichen: Türkis, Hellblau, Petrolgrün, Sonnengelb. Zwischen den Baracken Bojen, Ankerketten, ausrangierter, verrosteter Kram.

Vor einer der Baracken standen zwei Polizisten, *Gendarmerie maritime.*

Hier mussten die Verschläge von Darot und Kerkrom sein.

Dupin verlangsamte seinen Schritt.

»Ich will nur schnell nachschauen, ob wir dieses Netz hier finden.« Aus irgendeinem Grund ließ ihm das seltsame Netz keine Ruhe.

Ohne eine Reaktion Goulchs abzuwarten, ging Dupin auf die Polizisten zu.

»Welcher ist der Verschlag von Laetitia Darot?«

»Dieser hier, Monsieur le Commissaire.«

Eine besonders akkurat gestrichene Tür, rötlich-ockerfarben. Die Rahmen der drei schmalen Fenster in tiefem Blau. Eine kleine Holzbank davor, darauf zwei leere Plastikboxen. Zwei alte Blumenkästen mit einzelnen sturmgebeugten, trotzig blühenden Pflänzchen.

»Der direkt daneben«, der Polizist zeigte auf eine Tür ein paar Meter weiter, »ist der von Céline Kerkrom. Die Spurensicherung hat bereits alles dokumentiert.«

»Und sie liegen zufällig direkt nebeneinander? Der von Darot und der von Kerkrom?«

»Anscheinend.«

Was sollte der arme Polizist auch sagen?

Goulch war Dupin gefolgt. »Ich hake noch mal bei den Kollegen nach, die sich die Häuser angesehen haben. Wegen dem Netz, nur vorsichtshalber.«

»Gut.«

Dupin steuerte auf die ockerfarbene Tür zu, die halb offen stand.

Er öffnete sie ganz.

Und trat ein.

Die verstaubten Fenster gaben dem Raum nur wenig Licht, die an der Decke angebrachte Glühbirne auch nicht viel mehr. Dupins Augen brauchten einen Moment. Es roch etwas modrig, aber nicht unangenehm. Rechts in der Ecke – der Raum war vielleicht fünf Meter lang, zweieinhalb breit – lagen Bojen. In mehreren Formen. Vor allem länglich orangefarbene, die für Dupin aussahen wie Taucherbojen. Bestimmt ein Dutzend.

Dann in halbhohen Metallregalen Tauchutensilien – die den meisten Platz einnahmen –, mehrere Flaschen in verschiedenen Größen, Atemgeräte, Tauchermasken, Neoprenanzüge. Eine Handvoll Messer.

Den hinteren Teil des Verschlags nahm ein großer Tisch ein, auf dem sich ein originelles Sammelsurium befand. Treibholzstücke, rostige Metallteile, eine größere Schiffsschraube, Dinge, die Laetitia Darot wahrscheinlich vom Meeresboden mitgebracht

135

hatte. Große, hübsche Muscheln in verschiedensten Formen, getrocknete Algen, besondere Steine.

Keine Netze.

Kein einziges.

Dupin verließ den Schuppen.

Goulch schien weiterhin zu telefonieren.

Er würde sich schnell noch den zweiten Verschlag ansehen. Vielleicht war es Kerkroms Netz gewesen. Und sie hatte es, aus welchen Gründen auch immer, bei Darot gelagert.

Außerdem: wenn er schon einmal hier war.

Der Raum hatte die gleichen Maße. Aber der Eindruck war ein vollkommen anderer. Es war nicht zu sagen, ob es ein einziges wahlloses Durcheinander war oder das Ergebnis eines doch irgendwie systematischen Sammelns, Ablegens und Stapelns über viele Jahre – was am Ende für Außenstehende denselben Anschein machte.

Ein alter, verrosteter Kühlschrank direkt rechts von der Tür, daneben, an der Wand gestapelt, Hummerkäfige, Fischboxen in mehreren Größen und Farben, Paddel. Dann Bojen, viel größere als bei Darot, in Signalrot zumeist, und, bis in die andere Ecke: Berge von Netzen. Dupin bahnte sich einen Weg. Es waren Dutzende. Mit Maschen in unterschiedlichen Größen und Farben, Dupin wühlte ein wenig herum. Sie sahen nicht so aus, als würden sie noch benutzt. Dazwischen Leinen, viele lange Leinen, um Holzscheite gewickelt. Ein Eimer mit großen Angelhaken, ein Eimer mit Bleigewichten.

Aber nirgends ein Netz mit kleinen Apparaten.

Alles, was er sah, schien hierherzugehören, unverdächtig zu sein.

Dupin drehte sich um und verließ den Schuppen.

Er musste die Hände vor die Augen halten, so sehr blendete das Licht.

»Wir sind schon einen Schritt weiter«, sagte Goulch, der direkt vor ihm stand, »die Spurensicherung hat sich das Haus der Delfinforscherin nun ausführlich angeschaut, gerade sind sie bei der Fischerin. Bei Darot haben sie definitiv kein Netz gefunden. Bei Kerkrom ein paar. Aber keines mit irgendwelchen Apparaten. – Sie haben übrigens auch auf Darots Boot kein Handy gefunden. Und nirgends einen Computer, ein Notebook. Nur ein Ladegerät. – Auch bei Kerkrom fehlt das Notebook, ein großes 15-Zoll-Notebook, von dem wir mittlerweile wissen.«

Dann war der Mörder höchstwahrscheinlich doch in den Häusern gewesen. Vielleicht wusste er von Hinweisen, die sich auf den Geräten befanden, zumindest schien er Angst davor gehabt zu haben. Und vielleicht hatte er dann auch noch anderes mitgenommen.

»Jemand soll sich sofort um die E-Mail-Accounts kümmern.«

»Das ist kompliziert, wie Sie wissen. Aber wir sind dran.«

»Gut. Also los. Fahren wir.«

Dupin hatte sich in Bewegung gesetzt, es hatte unwirsch geklungen.

Er war unzufrieden. Und nervös.

Nicht mehr lange und die See-Razzia würde beginnen, die »konzertierte Aktion«. Das würde einiges aufwirbeln. Vielleicht ja auch Dinge anstoßen, beschleunigen, zuspitzen, die mit ihrem Fall zu tun hatten.

Auch diese Bootsfahrt war eine Tortur gewesen, daran hatten weder die ruhige See, das formidable Wetter noch Dupins volles Vertrauen in Goulch und dessen Mannschaft etwas ändern können. Dennoch, seine Rechnung war aufgegangen, es war deutlich weniger schlimm gewesen als heute Morgen.

Eben hatten sie das Kap vor Quillouarn in der Bucht von Douarnenez umschifft. Und mit einem Mal war sie aufgetaucht, von der strahlenden Sonne in Szene gesetzt: die Île Tristan. Eine Erscheinung. Eine geheimnisvolle Abenteuerinsel, eine Pirateninsel wie im Bilderbuch. Ein Mythos.

Einen halben Kilometer lang, halb so breit, lang gezogen, gleichmäßig, oval beinahe. Im Westen hoch aufragende, schroffe Felsen, unten pechschwarz, weiter oben in Dunkelgrau und zartes Hellgrau übergehend. Eine üppig sprießende Vegetation, als würde die Insel überquellen, zu klein sein für die Fülle. Hohe, ausgreifende Bäume, Grün in allen Nuancen; irgendein Adliger hatte im letzten Jahrhundert seltene und auch exotische Bäume und Pflanzen hergebracht, einen botanischen Garten angelegt, der ausgewildert war. Verschiedenste Bambusarten, Araukarien, Myrten. Auch Obstbäume – Quitten, Pflaumen, Äpfel, Birnen, Mispeln.

Uralte Steinmäuerchen, die Wiesen und Heideland umschlossen, das Überbleibsel einer trotzigen Burgfestung, eine stimmungsvolle Ruine. Ein zerfallenes Haus nahe einer ebenso zerfallenen Mole. Ein kleiner, verwitterter Leuchtturm. Es gab zahlreiche unglaubliche Geschichten, die sich um die Insel rankten – Nolwenn erzählte gerne von einem schrecklichen Teufelspiraten –, selbst für bretonische Verhältnisse war die Legenden- und Geschichtendichte außergewöhnlich.

»Wir fahren um die Insel herum und legen direkt vor der alten Fisch-Konserverie an, wo jetzt die wissenschaftliche Abteilung des Parc Iroise untergebracht ist. Wir sind in zwei Minuten da. Leblanc weiß Bescheid, er erwartet Sie in seinem Büro.«

Goulchs präzise Mitteilung in seinem typisch rationalen Ton brachte Dupin in die Realität zurück.

Der Kommissar hatte noch vom Boot aus mehrere Anrufe getätigt. Riwal, Kadeg und dann Nolwenn.

Man hatte den jungen Fischer erreicht, Jumeau, der murrend, aber dann doch ohne größere Querelen seinen Fang abgebrochen hatte und zur Île de Sein zurückgekehrt war. Dupin hatte sich, wie es seine Art war, haarklein berichten lassen. Eigentlich hatte er ihn ja selbst sehen wollen, das würde er auch noch. Ein junger Kerl, nicht unfreundlich, aber wortkarg. Riwal hatte nicht allzu viel aus ihm herausbekommen. Mit Céline Kerkrom habe er ab und zu ein Bier getrunken – »so einmal im Monat vielleicht« hatte seine Präzisierung gelautet – und über dies und jenes geredet. »Nichts Besonderes.« Natürlich seien sie sich regelmäßig am Hafen begegnet und hätten ein paar Worte gewechselt, ihre Boote lagen nicht weit auseinander. Laetitia Darot habe er manchmal zufällig getroffen, auch das meistens am Hafen, dann sei er hin und wieder, Riwal hatte ihn natürlich auf den »Spaziergang« angesprochen, ein paar Schritte mit ihr gegangen, in Richtung ihres Hauses. Wobei sie über »alles Mögliche« geredet hätten. Er habe keine Ahnung, was vorgefallen sein, was zu dem Mord an den beiden geführt haben könnte, es gab niemanden, der ihm verdächtig schien. Dupin war sich sicher, dass Riwal alles versucht hatte, ihm Genaueres zu entlocken. Aber er kannte solche Typen. Der Inspektor hatte auch mit Frédéric Carrière gesprochen: Zurzeit übernachtete der *Bolincheur* häufiger auf der Insel, wenn er weit im Westen des Parcs fischte. Er behauptete, gegen einundzwanzig Uhr auf Sein gewesen zu sein, aber bisher gab es keine Zeugen. Er hatte im Haus seiner Mutter gegessen, gesehen hatte man ihn erst im *Le Tatoon*. Heute Morgen war er nach eigener Aussage bereits seit fünf Uhr auf See. Gegen zehn hatte er zu einem kurzen Termin nach Douarnenez gemusst. Im Moment befand er sich auf seinem Boot westlich vom *Phare des Pierres Noires*. Riwal hatte auch nach seiner Auseinandersetzung mit Céline Kerkrom gefragt, Carrière hatte sehr freimütig von seinem Ärger berichtet, es war ihm in keiner Weise unangenehm gewesen. Zu dem heftigen Streit in der Auktionshalle war es im Januar gekommen, Kerkrom hatte ihm und den anderen *Bolincheurs* vorgeworfen, mit ihren Fangmethoden die Existenz der Küstenfischer zu zerstören. Der Konflikt, von dem Manet erzählt hatte.

Riwal hatte sich am Anfang und am Ende des Gesprächs auffällig besorgt nach Dupins »Befinden« erkundigt, ob die Fahrt denn auch »glattgelaufen sei«. Dupin hatte bloß unwirsch »Alles in Ordnung« gebrummelt.

Mit Nolwenn war Dupin noch einmal den Nachmittag durchgegangen, den Plan für die Gespräche. Nolwenn hatte alle Hebel in Bewegung gesetzt, etwas zu der – kolportierten – Vaterschaft von Morin herauszubekommen, eine wahre Informationsbeschaffungsmaschine in Gang gesetzt, über Verwandte, Freundinnen und ihren Mann, die sich alle umhören wollten. Bei solchen, die sich auch selbst wieder umhören würden. Konzentriert auf die Bucht von Douarnenez und darüber hinaus auf das westliche Finistère. Mehr konnte man nicht tun, eine maximale Maßnahme. Die bisher immer von Erfolg gekrönt gewesen war. Nolwenn war selbstverständlich auch an den Namen des *Bolincheurs* gekommen, der mit den zwei Tonnen Rosa Doraden erwischt worden war – tatsächlich war es eines der Boote von Morin gewesen. Allerdings nicht Frédéric Carrière. Es würde eine empfindliche Geldstrafe geben. Aber mehr nicht. Nach dem Verlauf der Protestaktivitäten in Lannion hatte Dupin nicht weiter gefragt, es wäre das Beste, alles einfach auf sich beruhen zu lassen.

Natürlich hatte der Kommissar allen drei von der Razzia auf See berichtet, sie mussten Bescheid wissen.

Riwal hatte den Friseur und den Ölbootmann an Kadeg abgegeben. Der mit dem »Freund« des Friseurs gesprochen hatte, mit dem der Friseur den gestrigen Abend verbracht hatte. Es hatte sich, es war zu komisch, herausgestellt, dass es sich bei »dem Freund« um den Bürgermeister von Camaret handelte, was die Frage aufwarf, warum der Friseur es nicht gleich gesagt hatte. Es hätte die Autorität der Aussage erheblich erhöht. Kadeg hatte ein paar Erkundigungen eingeholt: Der Bürgermeister genoss höchstes Ansehen auf der Halbinsel und in Quimper – damit schien der Friseur nicht infrage zu kommen. Der Ruf des

Ölbootmanns, Thomas Roiyou, dagegen war übel, Kadeg hatte unschöne Geschichten gehört. Roiyou war in den letzten Jahren in ein paar ernsthaftere Schlägereien verwickelt gewesen, einmal war es zu einer Anzeige gekommen, die ein paar Tage später »seltsamerweise« wieder zurückgenommen worden war, ohne Angabe von Gründen. Tatsächlich schien niemand auf der Insel das Boot vor 7 Uhr 5 gesehen zu haben, was jedoch nicht viel hieß, da es schon früher unbemerkt an der Nordseite der Insel hätte anlegen können, zum Beispiel an der Mole unweit des Cholera-Friedhofes. Zudem verfügte es über ein Beiboot. Zwei Insulaner hatten allerdings bestätigt, die gesamte Mannschaft – einschließlich des Chefs – zwischen den beiden Fahrten des Tankwagens an ihrem Boot gesehen zu haben. Das hatte auch der Fahrer des Tankwagens ausgesagt. Also kam nur die Zeit vor ihrem Anlegen im Hafen infrage – aber das war ja ohnehin die Zeit, um die es nach der Einschätzung Manets und der Gerichtsmedizinerin vermutlich ginge. Was wahrscheinlich unüberprüfbar bliebe, war seine Aussage, gestern Abend früh geschlafen zu haben.

Die Douarnenez zugewandte Seite der Insel kam in den Blick, sie waren mit unvermindertem Tempo an der Längsseite der Insel vorbeigefahren, erst jetzt hatte das Boot abgebremst.

Man sah das lang gezogene weiß getünchte Gebäude der ehemaligen Fisch-Konserverie, ein spitzes Schieferdach mit weißen Erkern und Schornsteinen, schräg dahinter ein zweites lang gezogenes Haus aus Stein. Ein Stück entfernt, von Bäumen und Sträuchern teilweise verdeckt, ein etwas baufälliges, dabei immer noch nobles Herrenhaus, ein regelrechtes Anwesen. Alle Häuser lagen bloß einen Steinwurf vom Wasser entfernt, ein Betonquai zog sich die ganze Westseite der Insel entlang. An beiden Enden streckte sich je eine Mole dem Festland entgegen, zweihundert, dreihundert Meter, mehr waren es nicht bis dorthin. Eine Handvoll müder Möwen döste vor sich hin. Zwischen den Häusern führten Wege in einen dichten Wald. Überall gab es einladenden Schatten unter hohen Kiefern. Ein kleines Paradies.

Die Insel besaß bei diesem Wetter ein lichtes, prächtiges, überaus beschauliches Flair, sie strahlte eine helle Kraft aus, nichts verriet die finsteren Sphären, von denen die Sagen erzählten; von einer dunklen Aura war heute nichts zu spüren, im Gegenteil. Dupin war erleichtert.

Das Boot steuerte auf die erste Mole zu.

»Ich möchte, dass Sie die Aktion im Parc genauestens verfolgen, Goulch. Nehmen Sie Kontakt zum operativen Chef der Unternehmung auf. Natürlich ganz vertraulich. Er soll Sie stetig auf dem Laufenden halten.«

»Mache ich. Ansonsten warten wir hier auf Sie. Es ist schon zu spät, um zu Fuß nach Douarnenez gehen zu können. Die Flut kommt.«

Dupin hatte nicht daran gedacht.

Eines der jungen Mannschaftsmitglieder von Goulch – keiner aus seinem Team war älter als dreißig – hatte sich in den Bug gestellt und führte das Boot beim Anlegen gekonnt mit einem Haken, bis es parallel zur Mole lag.

Kurze Zeit später stand Dupin auf festem Boden; er war, musste er zugeben, beim Aussteigen besonders umsichtig gewesen, er hatte – gegen seinen Willen – an die blödsinnige Geschichte mit dem Metzger denken müssen.

Er lief über den nachlässig gepflegten Rasen und stand umgehend vor dem anscheinend erst kürzlich neu gebauten Eingang an der Seite des Gebäudes. Ein weißes Schild mit der Aufschrift: *PI – Antenne sud du Parc naturel marin d'Iroise.*

Dupin öffnete die Eingangstür.

»Sie müssen der Commissaire sein«, flötete ihm eine muntere, junge Stimme entgegen. Sie gehörte zu einer besonders hübschen Frau, lange kastanienbraune Haare, feine Gesichtszüge. Legere Jeans und ein dunkelblaues T-Shirt. Sie schien ihn erwartet zu haben.

142

»Ich bin Pierre Leblancs Assistentin. Wir haben Sie anlegen sehen. Kommen Sie.«

In die ursprüngliche fabrikhallenartige Architektur des Gebäudes hatte man eine kleinteilige, durch und durch funktionelle Gestaltung hineingezwängt, um möglichst viele Büros zu gewinnen.

Die junge Frau war schon auf einer Wendeltreppe, die vom Eingang in die oberen Stockwerke führte, sie flog förmlich hinauf.

Oben, im dritten Stock, angekommen, standen sie unmittelbar in einem Arbeitszimmer, an der einen Seite aneinandergereihte Schreibtische und darauf mehrere großformatige Bildschirme, auf der anderen Seite eine professionelle Seekarte des Parc Iroise.

»Kommen Sie!«, eine tiefe, dynamische Stimme. »Wir müssen dringend sprechen.« Ein beinahe freundschaftlicher Tonfall.

Ein braun gebrannter Mann, Anfang vierzig, schätzte Dupin, kam mit ausgestreckter Hand auf ihn zu. Kurze, wuschelige Haare, fast schwarz, ein schlichtes schwarzes T-Shirt mit V-Ausschnitt, ausgewaschene Jeans, ein Surfertyp. Das Hervorstechendste – so sehr, dass es auf bestimmte Weise die ganze Person ausmachte – waren seine strahlend hellblauen Augen.

Er schüttelte Dupins Hand, verbindlich, fest.

»Sie war unsere beste Wissenschaftlerin. Schon in ihrem jungen Alter eine internationale Koryphäe. Keine war den Delfinen so nah. Sie war eine von ihnen, haben manche gesagt«, echte Trauer, aber auch tiefe Begeisterung schwangen in seinen Worten mit.

»Was sicher stimmt: Sie gehörte weniger zu uns, zu den Menschen, als zu den Delfinen.« Leblanc hielt inne. »Wir können es alle nicht fassen. Es ist schrecklich.«

Sie waren in den Nebenraum gegangen, ein einfaches, beeindruckend unaufgeräumtes Büro, stickig, klein, ein grauer Teppichboden, weiße Wände, an denen wild verteilt Grafiken, Karten und Bilder hingen. In der hinteren Ecke ein Schreibtisch mit einem Computer und einem überdimensionierten Bildschirm. An der Wand gegenüber dem Eingang ein kleiner Tisch mit vier Stühlen. Auch der Tisch übervoll mit Papieren. Das Besondere des Raums war der außergewöhnlich prachtvolle Ausblick aus dem Erkerfenster.

»Woran hat Laetitia Darot gearbeitet, Monsieur Leblanc?«

»An mehreren Dingen. Anders als man allgemein wohl annehmen würde, stehen wir bei der Delfinforschung erst am Anfang. Laetitia hat sich insbesondere mit den exzeptionellen kognitiven und sozialen Fertigkeiten der Delfine befasst. Hauptsächlich mit den Großen Tümmlern, die im Parc leben, *Tursiops truncatus*, aber nicht nur. Sie sind zum Beispiel in der Lage, einfache Symbolsprachen zu erlernen, Laetitia hat sich mit einzelnen Individuen der beiden Populationen im Parc richtiggehend angefreundet. Die Delfine haben ihr sogar einen eigenen Namen gegeben. Sie erkennen sich an ihren individuellen Namenspfiffen, müssen Sie wissen, noch nach zwanzig, dreißig Jahren übrigens, ihr Gedächtnis arbeitet exzellent.«

Dupin war neidisch, sein Namensgedächtnis reichte für keine zwei Minuten.

»Laetitia hat das alles in einem groß angelegten Projekt dokumentiert.«

»Und dieses Projekt liegt vollständig auf Ihren Computern und Servern?«

»Natürlich.«

Leblanc warf Dupin einen fragenden Blick zu.

»Ich nehme an, sie hat ein eigenes Notebook gehabt, einen eigenen Computer?«

»Selbstverständlich. Wir statten alle Forscher mit Notebooks aus.«

»Und die verfügen über eigene lokale Festplatten?«

»Ja. Auf denen eine spezielle Software läuft, Programme, die

die Daten automatisch mit unserer Cloud synchronisieren. So auch alle Aufzeichnungen ihres Projektes.«

Dupin hatte sein Clairefontaine herausgeholt und mit Notizen begonnen.

»Auf ihrem Notebook könnten sich aber auch Dateien befunden haben, auf die nur sie Zugriff hatte. Auf einem Schreibprogramm zum Beispiel?«

»Absolut. Die meisten Forscher benutzen das Notebook auch für private Zwecke, das ist ausdrücklich gestattet.«

»Was ist mit E-Mails?«

»Die Mails laufen über unsere Server. Das Programm ist allerdings streng auf die professionelle Nutzung beschränkt. Private Kommunikationen müssen über private Accounts laufen.«

»Wissen Sie, ob sie einen privaten Account besaß?«

»Das weiß ich leider nicht.«

»Wir haben weder in ihrem Haus noch auf ihrem Schiff ein Notebook gefunden – könnte es vielleicht hier irgendwo sein?«

»Ganz sicher nicht. Das Notebook ist ihr tägliches Arbeitsgerät.«

»Hatte sie hier ein Büro?«

»Sie wollte kein Büro. – Und sie hat auch keines gebraucht.«

Also hatte der Täter das Notebook mitgenommen. Oder verschwinden lassen.

»Erzählen Sie mir Genaueres über Darots Forschungsarbeiten.«

Auch wenn es speziell war, Dupin wollte mehr erfahren. Man wusste nie, was sich ergab, er hatte schon bei den entlegensten Themen entscheidende Punkte aufgetan.

»Ihr ging es darum, zu zeigen, dass wir es bei jedem Delfin mit einer eigenen Persönlichkeit zu tun haben, mit einzigartigen Individuen, differenzierten geistigen wie emotionalen Qualitäten. Die noch höher zu bewerten und dem Menschen noch ähnlicher sind als bei Schimpansen. Delfine sind, abgesehen vom Menschen, die intelligentesten Wesen auf unserem Planeten. Das beweist auch die Neuroanatomie: Das Gehirn des Delfins ist dem des Menschen von allen Tieren rein anatomisch und physiognomisch gesehen am ähnlichsten«, er geriet nun regelrecht ins Schwärmen, »auch wenn es einen völlig anderen evolutionären Gang genommen hat. Laetitia hat sich dem nicht neurologisch genähert, sondern über minutiöse Verhaltensstudien einzelner Delfine, die völlig konsistente, komplexe Persönlichkeitsbilder zeigten, ein ausgeprägtes Ich-Gefühl und Bewusstsein, sogar ein Bewusstsein der Zukunft, das gezielte nach vorn gerichtete Planungen erlaubt. Vor allem auch hoch nuancierte Emotionen, die dazu führen, dass sie sich in Gruppen ähnlich verhalten wie Menschen. – Das war ihr zweiter Schwerpunkt neben der Individualitätsfrage: das soziale Leben der Delfine. Sie beschäftigte sich mit den hochkomplexen Strukturen, in denen Delfine miteinander leben. Sie vermögen zu lernen und, auch damit hat sie sich beschäftigt, das Gelernte untereinander weiterzugeben, einander regelrecht zu unterrichten. In die Ozeane entlassene Tiere haben ihren wilden Artgenossen beispielsweise die artistischen Tricks beigebracht, die sie in den fürchterlichen Delfinarien gelernt hatten – in einem abgelegenen Teil der Karibik haben plötzlich ganze Populationen begonnen, auf ihren Schwanzflossen zu laufen. Andere Delfine benutzen Schwämme als Werkzeuge, mit denen sie auf felsigem Boden kleine Meerestiere aufscheuchen – ein erlerntes Verhalten, das von Delfinmüttern an die Kinder weitergegeben wird.«

Dupin war zutiefst beeindruckt. Aber es ging um die Delfinforscherin, nicht um die Delfine.

»Wie sah Darots Arbeitstag konkret aus? Wie muss ich mir das vorstellen?«

Leblanc war an das Erkerfenster getreten, Dupin folgte ihm.

»Sie war entweder auf ihrem Boot oder im Wasser. In jedem Fall bei den Delfinen. – Das war ihre tägliche Arbeit. Wie gesagt, Menschen waren nicht so ihre Sache. Alle zwei Wochen kam sie zu mir, und wir haben ihre neuesten Ergebnisse diskutiert.«

»War sie die einzige Delfinforscherin im Parc Iroise?«

»Ja.«

»Und Sie? – Welches sind Ihre Forschungsgebiete, Monsieur Leblanc?«

Leblanc schien erfreut über Dupins Frage.

»Meeresökologie. Ich betreibe hauptsächlich Langzeitstudien auf zwei Gebieten: Überdüngung und Übersäuerung. Der Parc Iroise leidet wie alle Meere unter der Eutrophierung durch Phosphate und Nitrate, welche durch die intensive Landwirtschaft ins Meer gespült werden und zur Produktion von giftigem Phytoplankton und zum exzessiven Wachstum der Grünalgen führen. Nur«, seine Miene verdüsterte sich, »als ein Beispiel für die Konsequenzen: In der Bucht von Douarnenez konnten letztes Jahr an hundertfünfzig Tagen bestimmte Muschelarten wegen einer überhöhten Konzentration an toxischem Plankton nicht gefischt werden. Von den Folgen der Grünalgen wissen Sie sicher.«

Der Kommissar nickte.

»Durch den exzessiven CO_2-Ausstoß der Menschen übersäuern die Ozeane, was bereits jetzt tödliche Folgen hat: Ein Drittel des gesamten Meereslebens ist akut bedroht, zahllose Arten sind schon ausgestorben. Das ist kein alarmistisches Zukunftsszenario, sondern längst Realität. Genau wie die Folgen der deutlichen Erwärmung des Atlantiks, nehmen Sie nur einmal den beliebten Kabeljau: Die Temperatur ist so weit gestiegen, dass die Fische ihre Eier immer weiter im Norden legen, da sie kühleres Wasser benötigen. Dort aber kommt die Nahrung nicht vor, die sie brauchen, sodass sie direkt nach dem Schlüpfen sterben.«

Leblanc setzte ab.

»Entschuldigung«, er sprach jetzt wieder ruhig und tief, »wir hatten gerade gestern ein Treffen mit Politikern, ich bin noch in Rage. Die aktuelle Reform der EU-Fischereipolitik geht schon nicht weit genug, jetzt kommen auch noch fatale Quoten-Entscheidungen hinzu. Eigentlich sollte es um deutliche Reduktion der Fangkapazitäten und Unterstützung der küstennahen Kleinfischerei gehen, das, was auch im Zentrum unserer Idee hier im Parc steht. Die Quoten wurden jedoch nach dem altbekannten Muster verteilt: Die Fischereibarone, ihre Flotten und ihre zerstörerische Schleppnetzfischerei bekommen den Löwenanteil, während die kleinen Fischereibetriebe und unabhängigen Fischer massiv benachteiligt und weiter in den Ruin getrieben werden. Schauen Sie sich nur die von uns heftig kritisierten Quoten zur Grundschleppnetz-Fischerei von Seezungen im Ärmelkanal an, der nordöstlich von Ouessant beginnt, die ganze Nordbretagne betrifft und neben der verheerenden Überfischung gewaltigen Beifang zur Folge hat.«

»War Laetitia Darot bei diesem Treffen dabei?«

»Nein, das war sie nie. Sie hasste so etwas.«

»Meinen Sie …« – das monotone Piepen seines Handys unterbrach Dupin.

Paris.

Seine Mutter. Es konnte nicht wahr sein. Es wäre vollkommen sinnlos ranzugehen, was sollte er im Augenblick sagen, außer dass es immer unwahrscheinlicher wurde, dass er kommen könnte.

»Meinen Sie«, Dupin nahm den Satz wieder auf, er ließ es klingeln, »der Mord an Darot könnte etwas mit ihrer Arbeit zu tun haben? Direkt, indirekt?«

»Was meinen Sie damit?«

»In den letzten Wochen wurden mehrere Delfine tot angeschwemmt.«

»Glücklicherweise keine aus unseren Populationen, aber dennoch, Laetitia war außer sich. Vor Wut und vor Verzweiflung. Vermutlich ein Beifang von einem dieser Seezungen-Fischer nördlich des Parcs. Die Delfine waren nicht länger als einen Tag tot, haben die Untersuchungen gezeigt; sie müssen also in der Nähe umgekommen sein.«

»Hatte Darot etwas mit den Untersuchungen zu tun?«

»Nein. Das war ein Tiermediziner der *Gendarmerie maritime*.«

»Und was geschieht jetzt?«

»Nichts.«

»Könnte sie«, es war eine simple Spekulation, dennoch, »den Schuldigen auf irgendeine Weise auf die Schliche gekommen sein?«

»Unwahrscheinlich. – Und selbst wenn. Es passiert ja nichts, die Täter müssen nichts befürchten. Alleine in diesem Jahr sind schon beinahe dreitausend massakrierte Delfine an französischen Küsten angespült worden. Im Nordostatlantik, auf unserer Seite des Atlantiks, sind Delfine vom Aussterben bedroht.«

»Welche Netzarten sind im Parc verboten?«

»Im Parc werden sechs verschiedene Arten der Fischerei praktiziert. Treibnetze sind verboten, Schleppnetze und Stellnetze nur bis zu bestimmten Größen erlaubt. Zudem ist der Fang durch strenge Quoten für die verschiedenen Fischarten reguliert. Wir vom Parc sind lediglich an der Formulierung der Empfehlungen beteiligt, entschieden werden die verbindlichen Vorschriften dann von der Politik, erlassen von der Präfektur. Seit Jahren versuchen wir, mit einem speziellen Programm den Beifang der Schlepp- und Stellnetze erheblich zu verringern. Mit ersten Erfolgen.«

»Wenn es auch keine strafrechtlichen Folgen hat, der Nachweis, dass die toten Delfine der letzten Wochen Beifangopfer eines der lokalen Großfischer waren, würde dessen Reputation doch sicherlich empfindlich beschädigen? Und vielleicht auch seine Geschäfte?«

»Sie meinen Morin, den *Fischerkönig*?« Leblanc wartete nicht auf eine Antwort. »Das denke ich schon. Aber Laetitia war eigentlich nie so weit draußen. Außerdem hätte sie es filmen oder fotografieren müssen, sie hätte ganz nahe rankommen müssen.«

»Vielleicht war es ja auch gar nicht Laetitia Darot, die es beobachtet hat. Vielleicht war es einer der Fischer? Der es ihr dann erzählt hat. Vielleicht Céline Kerkrom? Die beiden waren befreundet.«

»Auch das ist äußerst unwahrscheinlich.«

Aber möglich. Natürlich war es reine Spekulation.

»Oder«, Dupin überlegte weiter, »jemand hat die verbotenen Treibnetze sogar innerhalb des Parcs eingesetzt, nördlich von Ouessant. Nicht nur ein Mal. Oder die Quoten missachtet, verbotene Arten gefischt … Und vielleicht hat ihm jemand systematisch nachgesetzt, es dokumentiert – über Wochen, Monate?«

»Sie denken, dass die beiden Frauen Morin nachspioniert haben?«

Dupin antwortete nicht. Ihm fiel ein Punkt ein, den er noch hatte ansprechen wollen:

»Was könnte es mit einem besonderen Netz auf sich haben, das bei Laetitia Darot gesehen wurde – ein Netz, an dem kleine Apparate befestigt waren?«

Die Antwort kam prompt.

»Das war eines ihrer aktuellen Projekte. Bei den kleinen Apparaten handelt es sich um Sonden, die Ultraschall-Signale abgeben, um Delfine und andere Säugetiere zu warnen. Es soll verhindern, dass sie überhaupt in die Netze geraten. Der Parc ist beauftragt, eine wissenschaftliche Bewertung ihrer Wirksamkeit abzugeben. In manchen Teilen der Welt, in denen es auf den Meeren noch weitaus schlimmer zugeht, hat man bereits positive Erfahrungen damit gesammelt.«

Womit das Mysterium der »kleinen Apparate« gelöst wäre. Nicht aber der Verbleib des Netzes und was es damit noch auf sich haben könnte.

»Und das – Probenetz befindet sich zurzeit bei Ihnen im Parc?«

»Ich denke schon, ich kann nachfragen, ist das wichtig?«

»Ich würde es gerne wissen.«

»Der Parc hat mit mehreren Fischern zusammengearbeitet«, Leblanc machte eine nachdenkliche Pause. »Ich weiß nicht, ob Kerkrom auch dabei war«, es klang, als machte er sich einen Vorwurf, nicht selbst darauf gekommen zu sein. »Ich werde es sofort herausfinden«, er ging zum Telefon – das gleiche alte Behördenmodell, das auch im Kommissariat stand, das gleiche hässliche Grün – und drückte auf eine Taste mit der gespeicherten Nummer: »Matthieu, nur kurz, bei Laetitias Programm mit den Sendern an den Netzen, war da die junge Fischerin von der Île de Sein dabei, Céline Kerkrom?«

Er hörte einen Augenblick zu, nickte:

»Ja, schrecklich.«

Er hörte wieder zu.

»Ah, gut. Danke, Matthieu. Weißt du etwas über die Zusammenarbeit, hat Laetitia dir je davon erzählt?«

Noch eine kurze Antwort.

»Danke! Ist das Netz bei dir? … Gut. – Und schick mir doch eine Liste, wer noch dabei war.«

Er legte auf.

»Der technische Assistent der Wissenschaftsabteilung. – Also, sie war dabei. Ja. Und drei andere Fischer. Aus dem Norden des Parcs, da, wo die größere Delfinpopulation lebt. Bei Molène und Ouessant. Sie haben die Liste gleich.«

»Danke.«

Das war doch etwas. Eine echte, eine faktische Verbindung der beiden Frauen über ihre Freundschaft hinaus.

»Die Testnetze sind im Moment übrigens bei uns. Alle vier. – Über das Projekt selbst wusste mein Mitarbeiter nichts Genaueres, es hat auch erst vor Kurzem begonnen.«

»Glauben Sie, dass solche Netze bei den Fischern Akzeptanz finden?«

»Ganz unterschiedlich. Wie immer. Das Gros der Fischer arbeitet abgesehen von kleineren Scharmützeln hier und dort wunderbar mit uns zusammen, weil sie wissen, dass es in ihrem eigenen Interesse ist, dass das Meer intakt bleibt. Aber eben nicht alle.«

»Gab es schon Auseinandersetzungen wegen der Netze?«

»Nein.«

Dupin schaute aus dem Fenster.

Der Ausblick war prächtig. Das silbern blitzende Meer, rechter Hand Douarnenez, das bei diesem Licht besonders pittoresk aussah. Die Luft war so klar, dass er sogar den breiten Strand von Quillien sehen konnte, ganz am Ende der Bucht – er wirkte so nah, als könnte man rüberschwimmen. Er sah die Mole, Goulchs Boot. Die Möwen, die immer noch vor sich hin dösten. Er drehte sich wieder zu Leblanc um.

»Wenn ich es richtig verstehe, hatten Sie von allen Mitarbeitern als einziger regelmäßigen Kontakt zu Laetitia Darot?«

Leblanc war um den Schreibtisch herum zu seinem Computer gegangen, machte ein paar Klicks, bis der Drucker ansprang.

»Ich denke schon. Nicht, dass Laetitia unfreundlich zu den anderen gewesen wäre, überhaupt nicht, im Gegenteil, sie besaß ein warmherziges, sympathisches Wesen. Sie hat einfach nur keinen Kontakt gesucht, die Gesellschaft von Menschen war nicht ihre Sache. – Aber privat weiß ich praktisch nichts von ihr. Wir hatten eine rein professionelle Beziehung, sie hat nie etwas von sich erzählt.«

Leblanc holte ein Blatt aus dem Drucker und reichte es Dupin.

»Die Liste der vier Fischer.«

Dupin steckte sie ein.

»Von den Gerüchten, Charles Morin sei ihr leiblicher Vater, haben Sie gehört?«

»Irgendjemand hat es mir einmal erzählt. Ich gebe nichts auf Gerüchte, sie sind mir gleichgültig. Sie sagen nur etwas über die Menschen aus, die sie in die Welt setzen.«

So sah es Dupin auch.

»Sie hat sich nie selbst dazu geäußert?«

»Das hätte sie nie getan.«

»Sie wissen dann auch nichts über ihre familiäre Situation?«

»Nein. Ich habe schon in ihren Personalunterlagen nachschauen lassen, welche Informationen wir haben. Die beschränken sich auf Geburtsdatum, Geburtsort, Schullaufbahn. Ausführlichere Unterlagen besitzen wir nur über das Studium und die wissenschaftlichen Stationen danach. Sie hat in Vancouver Meeresbiologie studiert, an der *University of British Columbia*, hat alles mit den höchsten Auszeichnungen absolviert, besitzt exzellente wissenschaftliche Referenzen. Sie hat dann zwei Jahre dort gearbeitet und war anschließend drei Jahre in Halifax, im berühmten *Bedford Institute of Oceanography*. Bei uns war sie seit drei Jahren angestellt, auch schon, als sie noch in Brest gelebt hat. Viel Zeit für Privatleben kann sie da kaum gehabt haben, sie war auch damals schon nur bei ihren Delfinen. – Das ist alles, was wir wissen. Über ihre Zeit in Kanada kann ich Ihnen nichts sagen. Aber ich kann Ihnen von allen Unterlagen eine Kopie zusenden.«

»Das wäre gut. Wissen Sie, warum sie von Brest auf die Île de Sein gezogen ist?«

»So war sie ihren Delfinen näher. Um Sein herum lebt eine ganze Population Große Tümmler, wenn sie Glück hatte, konnte sie sie schon morgens aus ihrem Fenster sehen. Und – es gibt weniger Menschen auf der Île de Sein, ich vermute, das war auch ein Grund.«

»Und warum ist sie überhaupt wieder zurück in die Bretagne gekommen?«

»Ihre Stelle in Halifax lief aus, und hier hatte sie alle wissenschaftlichen Freiheiten. Vielleicht war es auch Heimweh? Ehrlich gesagt, ich weiß es nicht.«

Zum ersten Mal in dem Gespräch entstand eine Pause.

»Von der großen *konzertierten Aktion*, die heute im Parc stattfindet, wissen Sie ja.«

Dupin hatte den Satz einfach in den Raum gestellt.

Leblanc nickte. »Wir zählen sehr darauf, den einen oder anderen Übeltäter dieses Mal dingfest zu machen. Die regulären Patrouillen und Kontrollen reichen nicht. Es lässt sich leicht feststellen, dass die Mengen auf dem Markt größer sind als die erlaubten Fangmengen.«

»Haben Sie Vermutungen, wer es ist, der sich nicht an die Quoten hält?«

»Es ist kein Geheimnis – wir sprechen von Morins Booten. Aber nicht nur, es stehen noch zwei kleinere Fischer im Verdacht.«

»Es könnte um viel gehen, oder?«

»Das hoffe ich.«

Dupin warf einen Blick auf die Uhr.

»Das waren sehr wertvolle Informationen, Monsieur Leblanc.«

»Sagen Sie mir, wenn ich helfen kann. – Ich hoffe«, er zögerte, sprach dann aber mit fester Stimme, »dass der Mord nicht in irgendeiner Weise mit Laetitias Arbeit zu tun hatte. Ich meine, diese Verbindung der beiden Frauen bei dem Netz-Projekt.« Er brach ab.

»Wie könnte eine mögliche Geschichte denn aussehen – wie würden Sie sich das vorstellen?«

Die Frage war, wie eine so gewaltige Energie in die Sache hätte gelangen können, dass es zum Mord kam – zu zwei Morden.

»Ich bin Wissenschaftler«, er lächelte mit einem traurigen Zug um den Mund. »Ich benötige Fakten, die Empirie. Meine Fantasie ist nicht allzu stark ausgebildet.«

154

»Melden Sie sich, wenn Ihnen noch etwas einfällt.«

»Das werde ich. Sie können auf mich zählen.«

»Danke.«

Dupin wandte sich ab. Verließ Leblancs Büro und durchquerte raschen Schrittes den Vorraum. Der Arbeitsplatz der Assistentin war verwaist.

Er fand den Weg auch alleine.

Eine Minute später war Dupin aus dem Gebäude heraus, froh, an der frischen Luft zu sein.

Er lief auf die Mole zu. Goulch winkte ihm.

Mit einem Mal blieb Dupin stehen und drehte sich um. Er ließ den Blick über die sagenumwobene Insel schweifen. Man hatte den seltsamen Eindruck, dass sie, so hell und schön sie sich auch präsentierte, zugleich irgendwo anders hingehörte. In andere, dunklere Sphären.

Ein diffuses Unbehagen überkam den Kommissar, er begriff selbst nicht, warum.

Es war eine sehr kurze Fahrt gewesen. Harmlos. Ein schnelles Übersetzen. Dupin hatte sich in den Bug gestellt und Douarnenez, den Hafen, auf sich zukommen sehen.

Es hatte Dupin an die kleine Stadtfähre in Concarneau erinnert, wenn man am Ende der *Ville Close*, der mittelalterlichen Altstadt auf der befestigten Insel in der Mündung des Moros, zum östlichen Teil der Stadt übersetzte, ein Katzensprung, hundert Meter vielleicht. Eine gemütliche Tour mit einem grünen Bötchen, es ging durch den geschützten Hafen und hatte rein gar nichts mit einer Fahrt auf dem Meer zu tun. Manchmal, wenn er nachdenken musste, spazierte der Kommissar über die Festungsmauern der Altstadt bis zu dem wilden Garten beim Hügel und der Kirche, nahm dort

das Bötchen und setzte über. Nicht, um am anderen Ufer aus-
zusteigen, er blieb auf dem Boot und fuhr einfach wieder mit
zurück. Es bot sich der malerischste Blick auf die Festung,
den Hafen, die Stadt und war ein wenig wie Busfahren, wie
früher, mit den offenen Bussen. Eines der vielen – lustvol-
len – Rituale des Kommissars, dessen gesamtes Leben und Arbeiten, wenn man ehrlich war, wesentlich aus einem äußerst
reichen Gefüge äußerst zahlreicher Rituale bestand. Auch aus
solchen, die für manche unter die Rubrik Spleens, Ticks oder
Marotten fallen würden.

Dupin hatte Goulch von dem Gespräch mit Leblanc berichtet. Langsam entstand trotz der spärlichen Informationen ein
Bild der Person Laetitia Darot. Dupin bekam eine Ahnung davon, wer sie gewesen war, diese wunderliche Delfinforscherin.

Goulchs Schnellboot, die *Bir*, hatte am Quai direkt vor der
Auktionshalle angelegt, zwischen zwei größeren Schiffen mit
spanischer Flagge. Dupin und Goulch – der aus dem Kapitänshäuschen gekommen war – standen schon backbord, wo Dupin
an Land gehen würde.

»Hier die Liste der anderen Fischer, die an dem Netz-Projekt
mitwirken. Sprechen Sie mit ihnen! Mich interessiert alles. Be-
sonderheiten des Projektes, irgendwelche Vorfälle. Fragen Sie
auch, was sie über Darot und Kerkrom wissen. Worüber sie mit
ihnen gesprochen haben.«

Goulch nahm die Liste und warf einen Blick darauf.

»Denken Sie, dass der Fall damit zu tun haben könnte?«

Dupin wusste es nicht, aber er merkte, dass es ihn umtrieb.
Und vor allem: In dieser Phase des Falls mussten sie die Fühler
in alle Richtungen ausstrecken. Auch aufs Geratewohl.

»Wir müssen allem nachgehen, Goulch. – Und wir dürfen
Céline Kerkrom nicht vernachlässigen«, der Satz war vor allem
an ihn selbst gerichtet gewesen.

»Gerade eben kam übrigens der Funkspruch rein. Die Aktion
›Rote Languste‹ verläuft planmäßig. Sämtliche zurzeit im Parc

fischenden Boote wurden angewiesen, an Ort und Stelle zu verbleiben. Ich habe kurz mit dem Einsatzleiter gesprochen.«

»Gut. Wir werden sehen. – Nachrichten von Kadeg, Riwal oder Nolwenn? Etwas Neues von der Insel?«

»Im Moment nicht.«

»Dann bis später. Ich werde mich bis auf Weiteres auf dem Festland aufhalten.«

Dupin machte einen beherzten Satz an Land.

Goulch ging zurück zum Kapitänsstand.

Dupin blickte sich um. Er stand fast genau vor dem Eingang der Auktionshalle, da, wo er heute am frühen Morgen schon gestanden hatte. Auch jetzt herrschte reges Treiben. Er sah das hohe Eissilo, daneben ein funktionales Bürogebäude, in dem auch Gochats Büro liegen musste. Die Sonne schien mit unverminderter Kraft, kein Lüftchen ging. Ein starker Geruch nach Fisch, Tang, Salz, Öl und Rost lag in der Luft – Hafengeruch.

Dupin war im Begriff, auf das Bürogebäude zuzusteuern, als er aus dem Augenwinkel sah, wie eine Frau resoluten Schrittes aus der Halle trat und in seine Richtung abbog. Madame Gochat.

Er blieb stehen.

Ihr Blick war auf den Boden gerichtet.

Er wartete.

Sie würde schnurstracks an ihm vorbeilaufen.

»Madame Gochat!«

Die Hafenchefin fuhr zusammen. Im nächsten Augenblick hatte sie sich wieder gefasst.

»Ah, Monsieur le Commissaire.«

Ihre Blicke kreuzten sich.

»Ich war auf dem Weg zu Ihnen, Madame.«

»Gerade passt es leider gar nicht. Wir …«

»Sie haben einen Fischer gebeten, Céline Kerkrom zu folgen. Zu beobachten, wo sie sich auf dem Meer aufhält, wo sie fischt. – Was Sie in unseren Augen natürlich verdächtig werden lässt, das können Sie sich sicher denken. So verdächtig wie gegenwärtig niemand sonst – das wird der Grund sein, warum Sie es heute Morgen in unserem Gespräch verschwiegen haben.«

Sie antwortete prompt, ohne die leisesten Anzeichen einer Irritation.

»Ich hatte meine Gründe.«

»Die würde ich gerne kennen, Madame Gochat.«

Ein winziges Zögern nur, dann:

»Ich schaue gerne nach dem Rechten. Überall. Das ist nun mal meine Art. Und mein Job.«

»Das müssen Sie mir genauer erklären.«

Sie schien nachzudenken.

»Sie wissen, Céline Kerkrom fischte mit kleineren Stellnetzen, hauptsächlich aber mit der Schnur nach Seebarschen und *Lieus jaunes*. Das heißt, sie bewegte sich meistens in drei Gebieten: in der Gegend des Ouessant-Grabens, der *Pierres Noires* im Westen des Molène-Archipels und in der *Chaussée de Sein*. Nie in der Bucht von Douarnenez, da sind ganz andere Fischer mit ganz anderen Netzen und Booten unterwegs. Aber genau dort, in der Bucht, habe ich sie mit ihrem Boot in der letzten Zeit gesehen, vor vier Wochen einmal und vor drei«, sie klang jetzt beinahe schnippisch: »Und ich hätte gerne gewusst, warum. Daher habe ich einen der Fischer aus der Bucht gefragt, ob er mal – ein Auge auf sie hat. Völlig harmlos.«

»Haben Sie etwas Bestimmtes geargwöhnt?«

»Nein, nichts Bestimmtes.«

Madame Gochat würde nicht mehr sagen.

»Was könnte denn theoretisch der Grund dafür gewesen sein?«

»Ich kann es Ihnen nicht sagen.«

Oder sie wollte es nicht.

»Und wie kommt es, dass Sie Céline Kerkrom dort gesehen haben?«

»Mein Mann hat ein Boot. Ab und zu machen wir einen Ausflug. Vor allem freitagnachmittags, da habe ich frei.«

»Wie groß ist das Boot Ihres Mannes?«

»Acht Meter neunzig.«

»Damit kommt man überall hin.«

An jeden Punkt im Parc. Auch auf die Île de Sein.

Die Hafenchefin bedachte Dupin mit einem bohrenden Blick.

»Wissen Sie von dem Versuchsprojekt des Parcs mit den neuen Netzen? Die Netze mit den Signalgebern, um Delfine und andere Tiere zu warnen?«

»Ich habe davon gehört. Aber nur am Rande. – Das ist Sache des Parcs. Ich«, erneut der demonstrativ neutrale Tonfall, den Dupin schon von heute früh kannte, »unterstütze alles, was die Erfordernisse der professionellen Fischerei sowie des Umwelt- und Tierschutzes vereint.«

»Eigentlich«, Dupin mimte ein Grübeln, »ist der Parc doch Ihr Feind, Madame Gochat? In einer ohnehin ökonomisch bedrängten Situation erschwert er die Dinge nur weiter, beschert Ihnen immer neue Bestimmungen, Regulierungen, Restriktionen.«

»Sie sehen das ganz falsch, Monsieur le Commissaire«, sie machte ihre Sache gut, »der Weg, den der Parc aufzeigt, ist langfristig der einzige, um wirtschaftlich zu überleben. Nicht nur für uns hier, sondern für die Fischerei ganz allgemein.«

Dupin konnte beim besten Willen nicht sagen, ob sie ihm etwas vormachte. Es hatte wie ihre tiefste Überzeugung geklungen. Es konnte aber auch reine Show sein.

»Sie unterstützen also auch größere – Kontrollen der verschiedenen Behörden?«

»Wir unterstützen alle Behörden.«

Auch bei dem Wort »Kontrollen« war ihr keinerlei Regung anzumerken gewesen. Aber das hieß nichts, vielleicht wusste sie dennoch von der großen Aktion, Dupin traute ihr jedes Maß an Beherrschung zu.

Sie hatten sich keinen Zentimeter bewegt, es war eine äußerst angespannte Unterredung.

»Ich muss wieder ins Büro, Monsieur le Commissaire. Man erwartet mich.«

»Etwas Bestimmtes?«

Sie schüttelte den Kopf.

»Ist die Auktionshalle«, die Art, wie Dupin sprach, machte klar, dass er ihren letzten Satz einfach ignorierte, »eigentlich haftbar zu machen, wenn darin Fische verkauft werden, die durch illegale Praktiken gefangen wurden? Oder wenn die Fangquoten missachtet wurden?«

»Nein. Und zu Recht nicht. Wir verfügen über keinerlei Möglichkeiten, zu überprüfen, woher die Fische kommen. Die Fischer zeichnen sie aus. Sie alleine verantworten die Angaben. – Außerhalb des Parcs gelten zudem andere Bestimmungen, sie können auch dorther kommen. Zudem geht mittlerweile der Großteil des Fangs an der Auktion vorbei, wir haben bereits darüber gesprochen. Oder die Boote fahren zu anderen Häfen außerhalb des Parcs. – Wenn Sie illegale Aktivitäten stoppen wollen, müssen Sie die Fischer in flagranti erwischen. Das können nicht die Häfen leisten.«

Eine bequeme Position. So war es immer bei solchen Themen. Aber das war eine Diskussion, die nicht Dupin zu führen hatte.

»Was haben Sie gerade hier unten in der Halle gemacht, Madame Gochat?«

»Ich wollte sehen, ob nach der Aufregung heute Morgen wieder alles seinen geordneten Gang geht.«

»Ich …«

Ein Anruf.

Dupin holte sein Telefon aus der Hosentasche. »Einen Moment bitte«, er trat ein paar deutliche Schritte zur Seite, auf das

Wasser zu, heftiger Unwille stand Madame Gochat ins Gesicht geschrieben.

Es war Goulch.

»Sie werden es nicht glauben«, der abgeklärte Kireg Goulch war in Aufregung. »Die ersten Boote, die sie kontrolliert haben, waren die von Morin. – Sie haben nichts gefunden, nichts, gar nichts. Nicht eine einzige Rote Languste, nicht einmal als zufälligen Beifang. – Vollkommen sauber, alle Schiffe, was eigentlich unmöglich ist. Dafür haben sie auf Booten zweier anderer Fischer eine größere Menge sichergestellt, das sind …«

»Morin wurde gewarnt. Das hat ihm jemand gesteckt.«

Dupin hatte Mühe, seine Stimme zu dämpfen.

»Der Einsatzleiter hält es für ausgeschlossen.«

»Humbug.«

Dupin merkte, dass er nicht wirklich überrascht war.

»Sollen wir uns mit diesen beiden Fischern unterhalten?«

»Lassen Sie sich die Namen geben. Das reicht für den Augenblick. – Aber sprechen Sie mit dem Mann von den *Affaires maritimes*, der mich angerufen hat. Sagen Sie ihm, dass es irgendwo eine undichte Stelle gibt.«

Wenn auch nur halbwegs stimmte, was Dupin über Morins patenhaften Status gehört hatte, wäre es natürlich kein Wunder. Im Gegenteil.

»Er wird es dementieren.«

»Noch etwas, Goulch?«

»Im Moment nicht, die Aktion läuft noch. Aber Morins Boote sind durch.«

Dupin legte auf und ging zu Madame Gochat zurück, die immer noch exakt auf derselben Stelle verharrte.

Er hatte den Faden verloren. Es war egal.

»Ich werde jetzt leider …«, begann die Hafenchefin, doch Dupin ging dazwischen:

»Sie haben heute Morgen noch ein paar andere wichtige Dinge unerwähnt gelassen, Madame Gochat.«

Sie schaute, als hätte sie keine Ahnung, was Dupin meinte.

»Nehmen wir einmal die *tatsächlich* erfolgten Anzeigen gegen Charles Morin – wegen krimineller Rückwürfe, dem Highgrading. Oder wegen Überschreitung der erlaubten Mengen an *Ormeaux*-Muscheln.«

»Ich wiederhole, was ich heute Morgen gesagt habe: Bisher ist Monsieur Morin noch nie verurteilt worden. Und mit den zahlreichen Vorwürfen beschäftige ich mich nicht.«

»Einer seiner *Bolincheurs* wird eine empfindliche Geldstrafe bekommen, er wurde letztens mit Rosa Doraden erwischt.«

»Das geschieht leider ab und an. Dagegen müssen die Behörden mit äußerster Strenge vorgehen, da gibt es kein Vertun. Die Frage ist, ob Morin dies angewiesen hat.«

Ihr war nicht beizukommen.

»Und der heftige Streit zwischen diesem Frédéric Carrière und Kerkrom – auch der schien Ihnen keiner Erwähnung wert?«

»Wissen Sie, wie lange wir beschäftigt wären, wenn wir jeden Streit besprächen, den Céline Kerkrom mit irgendjemandem hatte? Ich nahm an, Ihre Frage nach besonderen Vorkommnissen zielte auf Dinge von Belang.«

Abgebrühter ging es kaum. Alles perlte an ihr ab.

»Das war es für den Moment, Madame Gochat.« Die weitere Unterredung war müßig, Dupin hatte die Geduld verloren. »Wir werden uns wieder bei Ihnen melden. Sehr bald.«

Auch dieses barsche Ende des Gespräches brachte Madame Gochat in keiner Weise aus dem Konzept, sie simulierte ein Lächeln und setzte sich im nächsten Moment – gleichzeitig mit Dupin – in Bewegung. Sie steuerte schnurstracks auf den Eingang des Bürogebäudes zu.

Dupin ging in die entgegengesetzte Richtung.

Er musste ein Stück die Hafenstraße hoch. Wo sein alter Citroën stand.

Er war früh dran. Er würde nach Tréboul fahren und dort ein

wenig umherlaufen, sich sammeln, in Ruhe nachdenken. Die Ereignisse hatten sich überschlagen.

Er holte sein Handy hervor und wählte Nolwenns Nummer.

»Nolwenn, ich werde …«

»Ich hatte gerade das Handy in der Hand, um Sie anzurufen. Es ist wirklich wie verhext, ich kriege einfach nichts raus über die eventuelle Vaterschaft Morins.« Ihr war anzuhören, dass es empfindlich an ihrer Ehre kratzte. »Immerhin bin ich jetzt im Besitz eines Scans der Geburtsurkunde von Laetitia Darot, ausgestellt von der Klinik in Douarnenez. Da sind die Eltern verzeichnet – ich meine, der Name der Mutter und des Vaters, die als leibliche Eltern eingetragen wurden. Francine und Lucas Darot.«

»Sehr gut.«

»Es wäre allerdings nicht das erste Mal, dass eine Geburtsurkunde gefälscht worden wäre. Es ist noch nicht lange her, aber es waren andere Zeiten. Natürlich hätte Morin eine folgenschwere Affäre mit Francine Darot haben können. Der Urkunde nach war Darots Vater siebenundvierzig und Darots Mutter siebenunddreißig, als ihre Tochter auf die Welt kam. Sie wohnten in Douarnenez, ein bisschen außerhalb. Die Mutter ist vor zwei Jahren gestorben, der Vater bereits vor zwölf. Auch in Douarnenez. – Ich versuche, mehr über die beiden herauszufinden. – Bei Geschwistern stand zum Zeitpunkt der Geburt Laetitia Darots ›keine‹, es wird dann vermutlich dabei geblieben sein.«

Nolwenn war, ungeachtet ihrer Verzagtheit zu Beginn des Telefonates, in Hochform, Dupin selbst hatte das alles eben noch umständlich über Dritte herauszufinden versucht.

Der Kommissar war an seinem Auto unweit von Connétable – der famosen Konserverie – angekommen.

Er hatte etwas von Nolwenn gewollt. Der Grund, warum er zum Handy gegriffen hatte. Ihm fiel es aber nicht mehr ein. Was ihm in letzter Zeit immer häufiger passierte, er hätte es beinahe schon bei Docteur Garreg angesprochen – wenn er nicht zu große Angst vor dessen strengen therapeutischen Empfehlungen gehabt hätte.

»Und Sie – halten Sie sich noch in Lannion auf?«

Vielleicht würde es ihm noch einfallen; manchmal half es, über etwas anderes zu sprechen, und es kam von alleine wieder.

»Wir sind jetzt bei meiner Tante zu Hause. Ihr Wohnzimmer ist eine voll ausgestattete Hightech-Kommunikationszentrale. Eine sagenhafte Breitbandleitung, ein rasend schnelles Netzwerk, zwei Computer, Hochleistungsscanner und -drucker. Was man so braucht für solche Aktionen.«

»Ich verstehe. – Ich«, Dupin verkniff sich eine Nachfrage, »ich fahre jetzt zu Charles Morin.«

»Haben Sie schon mit Madame Gochat gesprochen?«

»Gerade eben.«

»Sie scheint ja ein strenges Regiment im Hafen zu führen. Eine typische *Douarneniste!* Die Frauen von Douarnenez haben den Ruf, besonders stark, tatkräftig und durchsetzungsfähig zu sein – die bretonischen Frauen allgemein natürlich, aber die Frauen aus Douarnenez in besonderem Maße. Dort herrscht das Matriarchat«, eine trockene Feststellung. »Es geht auf die Fischerfrauen im 19. Jahrhundert zurück, die in den Fischfabriken arbeiteten. Die ›filles de fritures‹. Ihre Männer waren Wochen und Monate auf See und haben doch zumeist nicht für das Auskommen der Familie sorgen können, die Frauen haben das Geld verdient, den Haushalt geschmissen, die Kinder erzogen, die Gemeinde und die Stadt organisiert. Alles. ›*Rien* ne fait sans elle, *tout* se fait par elle‹ – ›Nichts geschieht *ohne* sie und alles, was geschieht, nur *durch* sie‹ heißt die stolze Parole der *Douarnenistes*. Eigentlich natürlich eine Parole aller Frauen!«

Sicher war, dass Nolwenn diesen Frauen in nichts nachstand. Und dass – so gesehen – auch im Kommissariat ein klares Matriarchat herrschte.

»Sie werden ja nun sogar ein wenig zu früh in Tréboul sein. – Für Ihren *café* würde ich Ihnen das *Ty Mad* empfehlen – nur ein Katzensprung von Morins Haus entfernt. Ein ungewöhnlich schönes Hotel und Restaurant vom Ende des 19. Jahrhunderts, mit einer paradiesischen Terrasse. Da sind Sie völlig ungestört. Max Jacob, Picasso, Dior waren in den Dreißigern da, ein Ort, der eine außergewöhnliche Seele besitzt. Auch das *Ty Mad* wird übrigens von einer Frau geführt.«

Ein schneller *café* hatte durchaus zu Dupins Idee des In-Ruhe-Nachdenkens gehört, und natürlich war ihm bewusst, dass Nolwenn ihn sehr gut kannte – dennoch, er fühlte sich ertappt.

»Dann bis später, Nolwenn.«

Dupin war mithilfe seines Navigationsgerätes – des hanebüchen winzigen Displays, das mitunter mehr Verwirrung stiftete, als es Orientierung schuf – bis zur Chapelle Saint-Jean gelangt und hatte den Wagen dort stehen lassen.

Ein schmaler Weg führte von der Kapelle zu einer Bucht mit makellos weißem Sand, das Meer hellblau kristallin schimmernd, an beiden Seiten von spitzen Felsen eingerahmt. Die Kapelle, die engen Sträßchen, die alten Häuser wirkten wie aus der Zeit gefallen, eine verschwenderische Vegetation, elegante Bäume, üppige Sträucher, die wohltuenden Schatten spendeten, Palmen mit wuscheligen Köpfen. Ein verwehter Charme. Ein kleines, hübsches, aber nicht übertrieben herausgeputztes Seebad vom Ende des 19. Jahrhunderts. Die Fischer hier fuhren einst bis nach Andalusien, nach Marokko und Mauretanien, um Langusten zu fangen, sie hatten ihrem Viertel den Namen »petit Maroc« eingebracht.

Auf der anderen Seite der Kapelle musste, der Karte nach, Morins Haus stehen. Am Meer, oberhalb des kleinen Strandes, führte ein wunderschöner Spazierweg entlang, der sich an den Felsen und an einem großen Friedhof vorbei Richtung der Innenstadt von Douarnenez schlängelte. Auch von hier war die Île Tristan zu sehen, ihr südwestlicher Teil, keinen halben Kilometer entfernt. Die Flut musste ihren Höhepunkt erreicht haben, von dem Schwarz der Felsen war nichts mehr zu sehen.

Dupin entschied sich, zuerst den *café* zu trinken und dann etwas zu gehen. Er drehte um und lief das Sträßchen zurück, zum *Ty Mad*.

Grober weißer Kies bedeckte den versteckten Innenhof, der die Atmosphäre eines herrlichen Gartens besaß. Links das alte, steinerne Haus, mit wildem Wein bewachsen, dunkelgraue Fensterläden, hoch gebaut für die Verhältnisse hier, drei Stockwerke und ein ausgebautes Dach.

Auf der Terrasse blühte ein Meer von Blumen in verschiedensten Farben, betörende, wild vermischte Düfte, kleine Reihen zartgrüner Bambus, filigrane, hochwachsende Gräser, verschwenderische, blendend weiße Rhododendren, dunkelgrüne Kübel mit Olivenbäumchen. Tische, Stühle und gemütliche Sonnenliegen inmitten des Grüns überall im Garten verteilt.

Ein verzauberter Ort.

Eine Oase.

An zwei halb verborgenen Tischchen verliebte Pärchen, die nur Blicke für einander hatten.

Dupin wählte einen Tisch vor einem hohen Bambus.

Er saß noch nicht ganz, als eine zierliche Frau aus dem Haus kam, die steinerne Treppe herunter, direkt auf ihn zu. Vielleicht Anfang fünfzig, von besonderer, eigensinniger Schönheit, wilde, dunkle Locken, zu einem Knoten gesteckt, aus dem sich einzelne Strähnen gelöst hatten, kluge, samtige, dunkle Augen, ein aparter Teint. Eine Leinenbluse in hellem Rosa, ein Rock in einem tiefen Rot, eine lange Kette mit ungleich großen Glasperlen.

Ein Lächeln, das tief aus dem Innern kam, strahlte ihm entgegen.

»Nolwenn sagte, Sie würden kommen.«

Nolwenn hatte nicht erwähnt, dass sie die Besitzerin kannte. Erst jetzt bemerkte Dupin, dass sie ein Espresso-Tässchen in der Hand trug, das sie mit einer beiläufigen Geste vor ihn auf den Tisch stellte.

»Danke«, Dupin war ein wenig verlegen. Vor allem aber begeistert.

»Ich kannte Céline Kerkrom. Ein wenig«, die Stimme sanft, aber kraftvoll. »Sie hat uns hin und wieder Wolfsbarsche gebracht. Mit der Leine gefangen. Unglaubliche Fische. Mein Koch sagt, es seien die besten. Sie war eine außergewöhnliche Frau.«

»Wann war sie das letzte Mal hier?«

»Vor zwei Wochen hat sie uns noch beliefert. Wir haben ein großes Fest gefeiert. Einen Geburtstag. Mit einem besonderen Menü.«

»Kennen Sie Monsieur Morin, Madame? Ich meine persönlich?«

Sie waren schließlich fast Nachbarn.

Die Besitzerin des *Ty Mad* nahm einen Stuhl und setzte sich, alles ohne Eile.

»Es gibt Menschen, die ein Missverhältnis in die Welt bringen. Die sie beschädigen, vergiften«, sie formulierte völlig in sich ruhend. »Ich habe bewusst nie etwas mit ihm zu tun gehabt. Ich habe ihn immer gemieden.«

Dupin trank den *café* in kleinen Schlucken, er war stark und verströmte ein unwiderstehliches Aroma.

»Die Familie Morin tyrannisiert die Bucht seit vielen Generationen. Die ganze Gegend. Es sind herrische Menschen, schon immer gewesen. Morins Vater war Richter, er war für seine Härte berüchtigt. Der Familie hat früher einmal die Île Tristan gehört, Mitte des 20. Jahrhunderts. Bevor sie an einen Dichter ging und sie später der Staat gekauft hat. – Kennen Sie die Insel?«

»Nur den Teil vorne bei der Mole. Das Gebäude des Parc Iroise.«

»Sie hat zwei Gesichter. Wenn Sie sie heute bei herrlicher Sonne sehen, sehen Sie nur die lichte Seite. Das ist die Aura der im Grab vereinten Liebenden«, die Besitzerin des *Ty Mad* erzählte ohne den leisesten Anflug von Dramatik. »Aber es gibt auch eine andere Seite. So war die Insel im 16. Jahrhundert die Bastion eines grausamen Piraten und Bandenführers«, das musste der Schreckensmann sein, von dem Nolwenn ab und an erzählte, »Guy Éder de La Fontenelle, genannt ›der Wolf‹«, sie ließ eine längere Pause entstehen, auch dies wirkte nicht wie ein kalkulierter Effekt. »Der Wolf hat aus einer kleinen Bande von Dieben und Halunken eine Garnison mit fast tausend kriegslüsternen Männern geformt, mit denen er unter dem Vorwand der Religionskriege die Gegend terrorisierte. Sie massakrierten Tausende Menschen, friedliche Bauern, Fischer, gewöhnliche Stadt- und Dorfbewohner, auch Frauen und Kinder, und verwüsteten ganze Landstriche. Sie tobten wie Stürme der Vernichtung. In Douarnenez zwang der Wolf die Einwohner, ihre eigenen Häuser niederzureißen und ihm die Steine zum Ausbau seiner Festung auf die Insel zu tragen, dann ließ er sie umbringen«, sie strich sich eine Haarsträhne aus dem Gesicht. »Er erbeutete immense Schätze bei seinen Raubzügen, vor allem Gold. Er war besessen von Gold und häufte es in verborgenen Höhlen auf der Insel, wo es heute noch liegt. Irgendwo an den Klippen ganz im Westen, bei der halb zerfallenen Mole, bei den Grotten, da ist der Eingang. – Bald war es so viel Gold, dass er es in weitere Höhlen entlang der Bucht bringen musste.« Sie warf Dupin einen schwer zu deutenden Blick zu. »Die Menschen hier erinnern sich an alles. Das Gestern ist noch ganz und gar heute.«

Dupin kannte das. Ein grundlegender Zug der Bretagne und ihrer Bewohner. So war es. Und man musste es wissen.

Er wischte sich ein paar Schweißperlen von der Stirn, die Hitze war mittlerweile unglaublich.

»Hinter Tréboul liegt ein winziger Ort«, es war ganz und gar unmöglich, ihr nicht gebannt zuzuhören, »in dem sich die Einwohner bis heute von der Landung mehrerer Wikingerschiffe erzählen. Sie behaupteten, exakt den Ort bezeichnen zu können, an dem die Wikinger ihren Thingplatz errichtet haben, als wäre es eine Begebenheit von letzter Woche. Vor ein paar Jahren dann hat ein archäologisches Team Ausgrabungen durchgeführt. Sie haben den Thingplatz tatsächlich gefunden. Zahlreiche Überreste. Und zwar präzise an der bezeichneten Stelle. Die Menschen erzählen es sich von einer zur anderen Generation weiter, da sind tausend Jahre nichts, eine Kette von zwanzig, dreißig Menschenleben. So ist es auch bei dem Wolf, es gibt Einwohner, die Ihnen alles über ihn erzählen können, welche Wege er auf der Insel nahm, wer seine Liebschaften waren. Alles.«

Dupin glaubte auch das aufs Wort.

»Und ist je nach diesen Schätzen«, die Frage hatte ihm auf der Zunge gelegen, jetzt war sie ihm ein wenig unangenehm, »… ist je nach diesen Schätzen gesucht worden?«

»Es wird fortwährend danach gesucht«, sie hatte verächtlich geklungen. »Für Reichtum tun manche Menschen alles. Begehen sie jeden Mord.«

Es war die traurige Wahrheit.

»Von Zeit zu Zeit tritt diese dunkle Energie der Insel hervor und treibt einen finsteren Spuk. Doch glauben Sie mir, sie macht den Ort nicht aus.« Jetzt lächelte sie wieder hell und klar.

Der Satz war gerade verklungen, als sich Dupins Handy meldete.

»Es tut mir sehr leid, Madame, ich muss annehmen.«

»Ich bitte Sie.«

Dupin zog das Gerät aus seiner Jackentasche hervor.

Eine unbekannte Nummer.

»Dupin. Mit wem spreche ich?«

»Antoine Manet hier«, er klang ernst. »Jumeau war eben bei mir. Er hat mir gestanden, dass er ein Verhältnis hatte. Ein Verhältnis mit beiden Frauen. Wenn auch ein, wie er sagte, loses. Irgendwie nacheinander, vielleicht auch nicht ganz nacheinander. Ich kann es Ihnen nicht genau sagen.«

Dupin war schon bei den ersten Sätzen hochgefahren.

Er musste sich zusammenreißen, um nicht zu laut zu sprechen.

»Mit beiden? Ein Verhältnis mit beiden Frauen? Wie lange?«

»Wenn ich es richtig verstanden habe, war das mit Céline eigentlich beendet, aber dann haben sie sich im März noch einmal – gesehen. Da hatte es wohl schon mit Laetitia Darot begonnen. Aber auch eher locker. Es seien nicht mehr als drei Treffen gewesen, hat er gesagt.«

Die Folgen dieser Nachricht waren erheblich.

»Das macht Jumeau zu unserem dringendsten Verdächtigen.«

»Ich weiß.« Es lag offene Resignation in Manets Worten. »Ich habe ihm gesagt, dass ich es Ihnen mitteilen werde. Und dass Sie ihn dann sicher selbst sprechen wollen. Er hat es mit einem Achselzucken hingenommen, beides.«

»Warum hat er es nicht bereits meinem Inspektor erzählt?«

»Er habe etwas Zeit gebraucht, um nachzudenken, ob er das überhaupt erzählen wolle.«

Nach Manets Tonfall zu urteilen, hielt er die Antwort für glaubwürdig.

»Hat er etwas von einem Streit oder Verwerfungen erzählt? Von Eifersucht?«

»Das mit Céline sei friedlich auseinandergegangen, sie seien Freunde geblieben, wie sie es davor gewesen seien. Und Darot habe von allem gewusst. Auch von dem einen Mal später. Es habe nie irgendwelche Probleme gegeben. Für niemanden, sagt er.«

170

Eine Ménage-à-trois, irgendwie. Es wäre das erste Mal, dass so etwas nicht kompliziert geworden wäre.

»War er nervös, als er mit Ihnen gesprochen hat?«

»Jumeau ist nie nervös.«

»Sagen Sie ihm, dass ihn ein Polizeiboot abholen wird.«

»Mache ich.«

»Er soll zu Hause warten. – Ich gebe meinem Inspektor Bescheid.«

»Gut.«

Antoine Manet hatte schneller aufgelegt als Dupin.

Die Besitzerin des Hotels hatte während des Telefonates entspannt dagesessen. Sie ließ sich nicht anmerken, dass sie das gesamte Gespräch mitgehört hatte.

Sie legte den Kopf leicht zur Seite, blickte Dupin direkt in die Augen.

»Ich halte Sie auf. Sie müssen los. Und ich auch. Ich hole meine beiden Töchter am Flughafen ab, sie bleiben den ganzen Sommer, zwei Monate«, sie strahlte voller Wärme, die düsteren Geschichten, die sie gerade noch erzählt hatte, schienen nun unendlich weit entfernt. »Die Saison beginnt, meine Töchter helfen mir hier. Und meine beste Freundin. – Kommen Sie demnächst einmal abends zum Essen. Es wird Ihnen gefallen.«

Dupin hatte den Speisesaal – ein gusseiserner Anbau im Art-déco-Stil, dunkelgrün gestrichen – schon eben entdeckt. Dort würde man großartig sitzen, durch das Grün des Gartens das Blau des Atlantiks schimmern sehen. Claire würde es lieben.

»Das werde ich.«

Die Besitzerin des *Ty Mad* stand auf und wandte sich um. Einen Augenblick später war sie entschwunden. Dupin hatte nicht einmal ihre leichtfüßigen Schritte im Kies gehört.

Für eine Weile saß er einfach still da.

Dann – er hatte das Handy noch in der Hand – drückte er Riwals Nummer.

»Chef?«

»Verfrachten Sie Jumeau in eines der Schnellboote.«

Dupin berichtete von Manets Anruf.

»Ich will ihn sehen. Am besten«, Dupin dachte kurz nach, »am besten im *Ty Mad* in Tréboul.« Warum nicht? Ein ruhigerer Ort wäre schwer zu finden. »Ich habe einen kleinen Quai gesehen, nicht weit von der Chapelle Saint-Jean. Da kann das Boot anlegen.«

Außerdem würde er keine Zeit mit Fahrereien verlieren.

»Sie sitzen im *Ty Mad*, Chef?«

»Ich bin auf dem Weg zu Morin.«

»Aha. Ansonsten«, Riwal druckste ein wenig herum, »ansonsten geht es Ihnen gut?«

Es dauerte, bis Dupin verstand. »Mir geht es gut. Hervorragend. Und ich denke, ich habe wahrscheinlich doch schon beim ersten Hinsehen vier Gräber gesehen. Ich war nur etwas müde. Es besteht also nicht der geringste Grund zur Sorge.«

Er musste das Thema aus der Welt schaffen, ein für alle Mal.

»Wenn Sie meinen, Chef«, Riwal wirkte alles andere als überzeugt.

Die spektakuläre Nachricht von Jumeaus mehrfachen Affären hatte Dupin auf dem Weg zu Morins Haus weiter umgetrieben. Diese Neuigkeit und überhaupt die sich überstürzenden Ereignisse, die Gespräche. Dupin machte sich nichts vor. Er befand sich mitten im nervösen Wirbel der Geschehnisse und wurde selbst mit umhergewirbelt. Seine Gedanken sprangen rastlos von einem Gegenstand zum anderen. Was er unbedingt benötigte, war Distanz. Aber natürlich war der Spaziergang viel zu kurz gewesen, um auch nur ein wenig davon zu gewinnen. Im Handumdrehen hatte er vor Morins Haus gestanden.

Eine Belle-Époque-Villa. Man hatte sie schon von Weitem sehen können. Aus der glänzenden Zeit der Aristokratie. Kein Protz, eher diskrete Noblesse. Ein elegant schmales Haus aus fein gefugtem rötlichem Stein in L-Form, das obligatorische spitze Dach in Naturschiefer dezent geschwungen. Um die hohen, zahlreichen Fenster eine Verzierung aus dunkelbraunen Backsteinen, ein Balkon voller Ornamente auf der ersten Etage, von dem aus man einen überwältigenden Blick auf die Bucht haben musste. Das Auffälligste: ein Wintergarten in aufwendiger Holzkonstruktion, ein verwittertes Rosa. Vor dem Balkon eine einzelne hoch aufragende Palme, ansonsten hier und dort uralte, verwachsene Pinien auf tiefgrünem Rasen. Alles machte einen gepflegten Eindruck, wirkte aber auch nicht übertrieben.

Dupin musste um das weitläufige, von einer Mauer umfasste Grundstück herumlaufen, die mit einem gusseisernen Tor versehene Einfahrt lag auf der meerabgewandten Seite. Ein schwarzer Volvo-Geländewagen stand in der Einfahrt. Kein Name an der Klingel, einer dieser altmodischen schwarzen Knöpfe auf einem gewölbten, glänzenden Messingbeschlag.

Dupin drückte den Knopf. Einmal. Und noch einmal. Rasch hintereinander.

Es dauerte nicht lange, und das Tor öffnete sich. Fast gleichzeitig trat ein Mann durch die schwere Holztür des Hauses.

Morin ließ ihn nicht warten.

»Wie laufen die Ermittlungen, Commissaire? Haben Sie schon etwas zutage gefördert?«

Derselbe väterliche, fürsorgliche Tonfall, den Dupin bereits vom Telefon kannte. Aber auch drängend. Wieder hielt sich Morin nicht mit Höflichkeiten auf, sondern kam direkt zur Sache.

»Sagen Sie, wie ich behilflich sein kann. Sie wissen, es ist mir ein tiefes Bedürfnis.«

»Mit der Wahrheit würden Sie mir sehr helfen.«

Morin war Dupin ein paar Schritte entgegengegangen, hatte nun aber, als Dupin ihn erreicht hatte, mit einem kurzen Nicken kehrtgemacht und lief wieder auf die Eingangstür seiner Villa zu.

Eine robuste, gedrungene, vierschrötige Gestalt, ein überaus kräftiger Nacken, der aus einem weißen Hemd mit beigen Längsstreifen herausragte, eine schwarze Stoffhose und schwarze Hosenträger. Schwarzes Haar, zwei buschige Riegel Augenbrauen, eine dunkle Sonnenbrille nach oben ins Haar geschoben, die, wie alles, was er anhatte, aussah, als hätte sie nicht mehr als ein paar Euro gekostet. Ganz im Kontrast zum Grobschlächtigen seiner Erscheinung standen die feinen Gesichtszüge.

»Ihnen wird klar sein, dass ich über nicht wenige und nicht unbedeutende Kontakte verfüge. Ich weiß, welche Hebel hier wo und wie in Bewegung zu setzen sind, um etwas zu erfahren. Oder zu erreichen. Ich kenne Mittel und Wege. – Wir sollten uns zusammentun, Commissaire.«

Die Sätze, so wie Morin sie gesprochen hatte, sollten weniger eine Drohung als ein Angebot zur Kooperation darstellen.

»Jemand hat Sie vor der Kontrollaktion heute gewarnt, Monsieur, Ihre Boote waren informiert.« Dupin hatte ohne erkennbaren Affekt gesprochen, besonnen, bedächtig beinahe.

Morin reagierte in keiner Weise. Er hielt Dupin lediglich die Tür auf und geleitete ihn durch einen lang gezogenen Flur in ein helles, großzügiges Wohnzimmer, eingerichtet – so schien es – im Stile derselben Epoche, aus der die Villa stammte. Exquisite Möbel, ein hochglänzend polierter dunkelbrauner Tisch mit geschwungenen Beinen, Stühle mit hohen, dezent verzierten Lehnen. Es roch nach Bohnerwachs, Staub und Mottenkugeln, eine eigentümliche Mischung, die Dupin von früher kannte, aus dem herrschaftlichen Haus seiner Pariser Großeltern, die zuletzt nur noch die untersten beiden Etagen genutzt hatten. Morin würde sich hier nicht häufig aufhalten. Auch jetzt schienen sie alleine in dem Haus zu sein.

Morin steuerte auf zwei tiefe Sessel direkt vor einem der Fenster zu, die einen grandiosen Blick boten. Das tiefe Blau des Meeres, ein grelles bewegtes Blitzen auf der Oberfläche.

Morin setzte sich und wartete, bis Dupin ebenfalls Platz genommen hatte.

»Es ist lächerlich. Der Aufwand. Die Kosten. – Kindereien.«

Es lag nichts Gehässiges in seinen Äußerungen. Die Sätze hatten sich ohne Weiteres als ein Geständnis verstehen lassen. Dass er natürlich von der Aktion gewusst hatte. Es machte ihm nichts aus.

»Ich will wissen, wer Laetitia Darot umgebracht hat.«

Zum ersten Mal war eine Härte in Morins Ausdruck zu spüren gewesen.

»Sie könnte Zeugin einer Ihrer zahlreichen illegalen Aktivitäten im Parc geworden sein, und Sie mussten sie loswerden. – Vielleicht hatte sie auch zusammen mit Céline Kerkrom begonnen, Sie und Ihre Boote systematisch zu beobachten.«

»Ich werde darauf nicht antworten, Commissaire.«

»Am Ende, Monsieur Morin, am Ende werden wir alles herausfinden. Nichts wird im Dunkeln bleiben. Ich versichere es Ihnen.«

Dupin hatte sich mit diesem Satz betont ungezwungen in dem Sessel zurückgelehnt, Morins Gesicht nicht einen Augenblick aus den Augen verlierend. Auf dem ruhige Souveränität zu sehen war.

»Wir *wissen*«, Dupin ließ ein paar Sekunden verstreichen, natürlich musste er es noch einmal versuchen, »wir wissen, dass sie Ihre Tochter war.«

Morin zeigte auch dieses Mal nicht den Anflug einer Regung.

»Ich habe gehört, dass die beiden Frauen Freundinnen waren. Und dass sie gemeinsam an einem Forschungsprojekt gearbeitet haben. An dem noch andere Fischer beteiligt gewesen sind. Ich kenne sie.«

Morin hatte seine Beziehungen. Selbstverständlich. Das war nicht verwunderlich. Dupin würde einen Teufel tun und darauf eingehen.

»In den Schlepp- und Treibnetzen Ihrer Trawler verenden Hunderte, Tausende der Tiere, denen Ihre Tochter ihr Leben gewidmet hat. Für deren Schutz sie gekämpft hat.«

Morins Blick war zum Fenster hinausgewandert.

Er schwieg.

»Wir wissen von den Doraden, die Sie trotz der strengen Verbote fangen lassen, von den gewaltigen Rückwürfen, von den *Ormeaux*. Auch, dass Ihre Boote die Roten Langusten fischen, selbst wenn sie heute nicht damit erwischt worden sind. Dass Sie in großem Stil unerlaubte Netze und Fangmethoden einsetzen. Wir wissen das alles.«

Es war sinnlos, all das aufzuzählen – und es war sicher nur ein kleiner Teil der Vergehen –, aber Dupin hatte das Bedürfnis gehabt, es zu tun.

»Wie ich sagte: lächerlich. Aber darum geht es jetzt nicht, Commissaire. Ich habe gehört, Sie seien ein vernünftiger Mann. Ein kluger Mann. Ich hoffe es. Ich hoffe es sehr.«

Er blickte immer noch in die Ferne.

»Wo waren Sie gestern Abend, Monsieur Morin? Gestern Abend und heute früh?«

»Ist das wirklich nötig, ja?«

»Das ist es.«

Morin stöhnte.

»Ich war gegen 19 Uhr 30 zu Hause. In Morgat. Meine Frau und ich haben gegessen, geredet, ferngesehen und sind gegen 22 Uhr 30 schlafen gegangen. Heute früh hatte ich um zehn Uhr eine Besprechung mit einem meiner Fischer.«

In aller Seelenruhe nestelte Dupin sein rotes Clairefontaine hervor. Öffnete die Seite mit seinem Personen-Tableau:

176

»Mit – Frédéric Carrière, vermute ich. Wo haben Sie sich getroffen?«

Morin blieb unbeeindruckt.

»Hier in Douarnenez. Am Hafen.«

Morin hätte problemlos sowohl gestern Abend in den Auktionshallen wie auch heute früh auf der Île de Sein sein können. Es war trivial, aber so war es. Und: Je vertrackter, verzwickter ein Fall wurde, desto wichtiger war es, die einfachen Dinge zu wissen. Die banalen Fakten.

»Das heißt, Sie besitzen keinerlei Alibi, Monsieur Morin.«

»Lassen Sie uns nicht von mir sprechen, sondern uns darauf konzentrieren, was die beiden Toten miteinander zu tun hatten, ja?« Morins Stirn lag in tiefen Falten. »Man hat sie gemeinsam im Eingang der Bucht von Douarnenez auf dem Boot von Laetitia Darot gesehen. Und auf dem von Céline Kerkrom.«

»Das wissen wir.« Dupin hatte sofort reagiert. Dabei stimmte es nicht. Sie hatten es nicht gewusst. Und es war eine interessante Nachricht. Die sich aber vielleicht schon durch das Projekt mit den aufgerüsteten Netzen erklären ließ.

»Warum waren sie zusammen auf einem Boot? Was haben sie gemacht?« Morin sprach leise vor sich hin, nicht unbedingt an den Kommissar gerichtet.

»Die Signalgeber für die Spezialnetze ausprobiert zum Beispiel. Die Ihnen ein Dorn im Auge sind, nehme ich an, sie würden Ihnen mit Sicherheit erhebliche Kosten bescheren.«

»Ich habe alle Fischer überprüfen lassen, die noch an dem Projekt beteiligt waren. Da steckt nichts weiter dahinter. Sie können sich die Zeit sparen, Commissaire.«

Morin führte sie vor. Und es war nicht einmal seine Absicht. Er handelte auf eigene Faust.

»Madame Gochat«, fuhr er ruhig fort, »hat Céline Kerkrom beobachten lassen. Auch hier müssen wir fragen: Warum? Und das Boot dieses Hippie-Piraten Vaillant«, Morins Lippen waren schmal geworden, »hielt sich, so hörte ich, ebenso ein paarmal nicht weit von Laetitia Darots Boot auf. Der Teufel weiß, was er in der Einfahrt zur Bucht von Douarnenez zu suchen hatte.«

Es war verblüffend. Und deprimierend. Wieder hätte Dupin zu gerne erfahren, woher Morin das alles wusste – und vor allem: ob er noch mehr wusste. Wieder fragte er nicht.

»Und ausgerechnet gestern Abend war er auf Sein«, Morin blickte düster.

Dupin ging auch darauf nicht ein. Auch wenn es ihm schwerfiel.

»Bisher sind Sie immer davongekommen. Aber kein Mensch hat dauerhaft so viel Glück.«

Ein merkwürdig mildes Lächeln umspielte Morins Lippen. Er suchte Dupins Blick. Dann lehnte er sich langsam in seinem Sessel zurück. Entspannt. Völlig Herr der Lage.

»Junge Menschen verstehen das große Ganze der Welt noch nicht. Sie sind notwendigerweise naiv. Ich war es auch. Die Welt ist kompliziert. Das Leben ist kompliziert. Sie halten es für einfach.«

Er beeindruckte Dupin damit nicht im Geringsten.

»Das Komplizierte ist eine der beliebtesten Ausreden, vor allem vor sich selbst«, entgegnete der Kommissar.

»Sie sollten meine Hilfe annehmen, Commissaire. Wir sollten unsere Informationen teilen und zusammenarbeiten.«

»Sie gehören zu den Verdächtigen, Monsieur Morin. Und befinden sich weit oben auf der Liste«, Dupins Ausdruck war unwirsch geworden.

Es kostete Morin keine Mühe, erneut das milde Lächeln aufzusetzen:

»Commissaire, unsere Welt hat ihre eigenen Regeln. – Einige halten sich offenkundig nicht daran.« Morin erhob sich langsam. »Aber damit werde ich mich beschäftigen, das verspreche ich Ihnen. Und wenn nicht gemeinsam mit Ihnen, dann alleine.«

Er war aufgestanden.

Das Gespräch war zu Ende.

Auch Dupin stand auf. Ohne Eile.

»Auf Wiedersehen, Monsieur Morin.«

Dupin setzte sich in Bewegung und stand schon kurz darauf wieder auf dem Küstenweg.

Das silberne Glitzern der Bucht durch das Fenster der Villa war nur ein Abklatsch des unendlichen Glitzerns hier draußen.

»Jumeau hat darauf bestanden, mit seinem eigenen Boot zu kommen. Zwei Kollegen sind mit ihm unterwegs.«

Es war unorthodox, aber warum nicht? Dupin war so etwas wie die Verkörperung des unorthodoxen Vorgehens, er würde Riwals Entscheidung nicht kritisieren.

»Er muss jeden Moment ankommen, die Kollegen haben sich gerade eben gemeldet.«

»Gut«, Dupin wäre in wenigen Minuten da – er sah schon die Kapelle –, aber er zögerte. »Wir machen es anders, Riwal. Ich will Jumeau auf seinem Boot treffen, nicht im *Ty Mad*. Ich gehe zum Quai.«

»Ich – auch gut, Chef, ich sage Bescheid. – Thomas Roiyou, den Kapitän des Ölbootes, können wir übrigens von unserer Liste streichen. Er ist von zwei Fischerbooten beim Auslaufen aus dem langen Hafenschlauch von Audierne gesehen worden, ein paar Minuten nach sechs. Er muss immer an der Auktionshalle vorbei, sein kleines Öldepot liegt noch weiter hinten.«

»Verstehe.«

Es war fast schade – zumindest hätte man ihm ruhig noch etwas länger zusetzen können, fand Dupin.

»Eine Sache noch, Riwal. Bitten Sie Nolwenn, ein Treffen mit diesem Vaillant zu vereinbaren. Am Abend.« Dupin beeilte sich, sicherheitshalber hinzuzufügen: »Hier irgendwo auf dem Festland.«

»Wird erledigt.«

Dupin hatte die Kapelle erreicht, links der kleine, mediterran anmutende Strand.

Ihm war etwas in den Sinn gekommen. Ein wichtiger Punkt.

Er suchte nach den Nummern, die Nolwenn geschickt hatte.

Fand, was er suchte.

»Hallo? Monsieur Leblanc? Commissaire Dupin hier.«

Vielleicht konnte sich der Wissenschaftler einen Reim darauf machen.

»Einen Augenblick.«

Dumpfe Geräusche waren zu hören.

»Ich war gerade in der Technik. – Da bin ich. Ganz Ohr.«

»Laetitia Darot und Céline Kerkrom haben sich auf Darots Boot in der Einfahrt zur Bucht von Douarnenez aufgehalten. War das eines von Darots Gebieten? Was könnte sie da gewollt haben?«

Es gab zwei Fragen, war Dupin klar geworden: Warum waren die beiden Frauen zusammen auf einem Boot gewesen? Und: Warum hatten sie sich dort aufgehalten, genau dort? Was hatten sie in diesem Gebiet zu tun gehabt? Wenn er es richtig verstanden hatte, gehörte es nicht zu ihren üblichen Routen.

»Wirklich, in der Bucht?«

»In der Einfahrt zur Bucht, ja. Sie hatten gesagt, dass Darots Delfine bei Sein, Molène und Ouessant leben, oder?«

»In letzter Zeit? War das in letzter Zeit?«

»In den letzten Wochen, ja.«

»Was mir natürlich einfällt, sind die Rundkopfdelfine. Sie folgen den Kopffüßlern und Weichtieren, Sepien, Kalamares und Kraken, ihre bevorzugte Nahrung. Im Sommer ziehen diese in die felsigen Küstenabschnitte der Bucht, die Delfine folgen ihnen. Darot hat sie im letzten Sommer beobachtet, das weiß ich. In diesem Jahr hatte sie noch nichts davon erzählt. Aber das heißt nichts.«

Riwal hatte heute Morgen kurz von Rundkopfdelfinen gesprochen, glaubte sich Dupin zu erinnern, aber ansonsten bisher niemand.

»Handelt es sich um eine seltene Art?«

»In unserer Gegend gibt es sie nur im Sommer. Die Rundkopfdelfine werden bis zu vier Meter groß. Einzelne Exemplare bis zu sechshundertfünfzig Kilogramm schwer. Sie haben eine voluminöse, beinahe vertikal abfallende Stirn, eine breite, kurze Schnauze, eine sichelförmige Flosse und …«

»Was könnte es Brisantes mit diesen Delfinen auf sich haben?«, unterbrach ihn Dupin.

»Das weiß ich nicht. Ich weiß nur, dass Laetitia sie im letzten Jahr für einige Wochen beobachtet hat. Es ist immer etwas sehr Besonderes, wenn sie kommen.«

»Ich danke Ihnen, Monsieur Leblanc.«

Einzelne hohe Kiefern säumten den geschwungenen Weg am Meer. Rechts der Friedhof hinter einer alten Mauer, links die Île Tristan. Es sah aus, als wäre man mit einem einzigen großen Satz drüben.

Dupin konnte die Mole bereits sehen. Und am Ende der Mole ein Boot, das gerade anlegte.

Schneeweiß, ein hellblauer Rumpf, vorne abgerundet. Um das Boot herum eine paprikarote Umrandung. Ein ab Hüfthöhe verglaster Kapitänsstand mit orange-gelb gestrichenen Kanten, auf dem Dach die obligatorischen Antennen und Sender. Dupin schätzte das Boot auf acht, neun Meter. Im Bug eine große rote Box, zwei pinkfarbene Bojen, ein Turm von Plastikboxen.

Dupin erreichte die Mole. Obwohl die Flut immer noch hoch stand, waren es sicher zwei Meter Differenz bis zur Wasserlinie.

Jetzt konnte er an Bord zwei Polizisten erkennen und einen

jungen schlaksigen Kerl mit kinnlangen Haaren. Ein schwarzes Sweatshirt unter der knallgelben Öl-Latzhose. Es musste Jumeau sein.

Dupin steuerte auf die verrostete schmale Leiter am Ende der Mole zu, überall an der Küste sahen sie gleich aus. Die Polizisten hatten den Commissaire bemerkt und gegrüßt, Jumeau hatte es dabei belassen, ihm einen flüchtigen Blick zuzuwerfen.

Das Klettern an diesen Leitern war eine heikle Angelegenheit. Seufzend machte Dupin sich an den Abstieg.

»Ist alles regulär verlaufen?«

Dupin schob sich an den beiden zwischen den Boxen und Bojen stehenden Kollegen vorbei. Jumeau hatte es nicht für nötig befunden, in den Bug zu kommen.

»Alles in Ordnung.«

Als Dupin um das Kapitänshäuschen herum war, war Jumeau gerade damit beschäftigt, zwei Boxen an die Seite zu räumen, als wäre er zum Arbeiten hier. Dann stellte er sich mit dem Rücken an die Reling, beide Ellenbogen abgestützt. Eine lässige Pose.

»Eine der beiden wird eifersüchtig gewesen sein. Vermutlich beide«, sagte Dupin übergangslos.

Interessiert blickte der Fischer ihn an.

»Es waren kleine Geschichten. Mehr nicht.« Er hätte fast mit den Schultern gezuckt, zumindest wirkte es so. Dabei meinte Jumeau es nicht abschätzig, das merkte man.

»Wir haben manchmal eine Nacht zusammen verbracht. Meistens nicht einmal eine ganze Nacht. Ein paar Stunden nur.«

Dupin fixierte ihn.

»Ich habe sie sehr gemocht. Beide.«

Seine Augen hatten das Wasser gesucht.

Er war ohne Frage ein gut aussehender Kerl. Ein schönes Gesicht, wenn auch ein wenig hager, harmonische Züge, sanftmütig, zart, jungenhaft, mit melancholisch dunkelgrünen Augen. Sehnige, feingliedrige Finger und Hände.

»Ist es zum Streit gekommen? Zwischen Ihnen und den Frauen? Zwischen Kerkrom und Darot?«

»Nie.«

Schwer zu glauben.

»Es hat sich alles irgendwie von selbst gefügt, en passant.«

»Haben Sie es ihnen gesagt? Dass Sie auch mit der jeweils anderen eine Art – Beziehung hatten?«

»Sie haben es beide gewusst, ja. Das mit Céline war auch schnell wieder vorbei. Im März eigentlich schon.«

»Haben Sie eine mehr gemocht? Laetitia?«

Es dauerte, ehe er antwortete.

»Vielleicht, ja.« Er wirkt mit einem Mal tieftraurig.

»Sie wissen, dass diese kleinen Geschichten Sie akut verdächtig machen?«

Seine Augenbrauen hoben sich minimal.

»Die – Treffen mit Laetitia Darot, wann haben sie begonnen?«

Jumeau blinzelte und schaute den Kommissar zum ersten Mal direkt an.

»Im März. Dann haben wir uns vor ein paar Wochen wiedergesehen. Und gestern Nacht.«

Dupin horchte auf. Das war unglaublich. Davon hatte Manet nichts gesagt.

»Gestern Nacht? Sie waren gestern Nacht mit Laetitia Darot zusammen?«

»Ja.«

»In der Nacht, bevor sie ermordet wurde?«

Ein kaum erkennbares Nicken.

»Von wann bis wann?«

»Von elf bis zwei, ungefähr.«

»Das war nur wenige Stunden vor ihrem Tod.«

Er schwieg.

»Wo haben Sie sich getroffen, bei Ihnen?«

»Bei ihr.«

»Und dann – wohin sind Sie danach gegangen?«

»Zu mir. Schlafen.«

»Und hat Sie zufällig jemand gesehen, als Sie zurückgegangen sind?«

»Ich denke nicht.«

Dupin überlegte.

»Hat sie Ihnen etwas von einer Verabredung am nächsten Morgen gesagt? Etwas angedeutet?«

»Kein Wort.«

»Wirkte sie verändert auf Sie gestern Nacht? In irgendeiner Weise? Ist Ihnen etwas aufgefallen?«

»Sie war wie immer.«

Es war mühselig. Er musste mit dem Fischer um jedes einzelne Wort ringen.

Dupin stellte sich neben Jumeau. Schaute aufs Wasser. Über die Bucht. Folgte einem gemächlichen Segelboot nahe der Île Tristan mit den Augen.

»Gestern Abend, vor dreiundzwanzig Uhr, was haben Sie da getan?«

»Ich war bei mir. Alleine.«

»Davor haben Sie im *Le Tatoon* gegessen.«

»Ja.«

Objektiv gesehen besaß Jumeau nicht die Spur eines Alibis. Er hätte es am Abend auch ohne Probleme nach Douarnenez schaffen können.

»Ich bin«, es war das erste Mal, dass Jumeau von sich aus zu sprechen begann, »dann noch einmal rausgegangen. Ich konnte nicht schlafen. Da habe ich Laetitia zufällig getroffen. An ihrem Verschlag. Wir waren nicht verabredet oder so.«

Dupin wurde hellhörig.

»Was hat sie an ihrem Verschlag gemacht?«

»Ich weiß es nicht. Sie stand vor der Tür.«

»Hatte sie etwas bei sich?«

»Nein.«

»Haben Sie«, das war Dupin gerade wieder eingefallen, »ein Notebook bei Laetitia Darot gesehen, als Sie im Haus waren?«

»Nein.«

»Aber Sie haben schon einmal eines bei ihr gesehen?«

Jumeau schien angestrengt nachzudenken.

»Auf dem Tisch im Wohnzimmer.«

»Und gestern Abend nicht?«

»Wir waren nicht im Wohnzimmer.«

Dupin seufzte hörbar.

»Hat sie etwas von ihrer Arbeit erzählt? Von ihren Projekten?«

»Viel von den Delfinen.«

»Auch von den toten Delfinen der letzten Wochen?«

»Sie war so zornig.«

Es war sicherlich das präzise Wort.

»Aber sie hat nicht lange darüber gesprochen. Sie wollte nicht.«

»Hatte sie eine Theorie, wie sie getötet wurden? Von wem?«

»Sie hat die ganze industrielle Fischerei gehasst.«

»Hat sie das gesagt?«

»Ja.«

»Hat sie Charles Morin mit den toten Delfinen in Verbindung gebracht?«

»Nein, Morin hat sie nicht erwähnt. Aber natürlich hat er zahllose Delfine auf dem Gewissen.«

Dupin ging zur gegenüberliegenden Reling. Jumeau schien keine Notiz davon zu nehmen.

Hier blickte man auf den Jachthafen.

»Was denken Sie, war Morin ihr Vater?«

»Ein Vater ist kein Vater, nur weil er ein Kind gezeugt hat.«

Für einen Moment war Jumeau deutliche innere Erregung anzumerken.

»War er ihr Vater?«

»Ich weiß es nicht.«

Es war sinnlos.

»Hat sie etwas beschäftigt? Wirkte sie aufgeregt? War etwas anders als sonst?«

»Nein«, er schaute Dupin an und schien trotzdem durch ihn hindurchzublicken. »Sie war wie immer.«

»Wovon hat sie gestern noch gesprochen?«

»Sie hat mir von Delfinen im Rausch erzählt.«

»Im Rausch?«

»Wie eine Gruppe junger Delfine sich am Gift eines Kugelfisches berauscht hat. Sie haben ihn herumgereicht wie einen Joint. Einer nach dem anderen hat ihn ins Maul genommen und vorsichtig gedrückt, sodass der Fisch sein Gift in geringen Dosen abgegeben hat. Davon werden sie vollkommen high. Machen die verrücktesten Kunststücke. Salti und so.«

Die Anekdote war zu kurios.

»Hat sie etwas von dem Projekt mit den Signalgebern an den Netzen erzählt?«

»Ich habe das Netz einmal am Hafen gesehen. Sie hat es erwähnt, als wir uns vor drei Wochen getroffen haben. Dass man sofort sämtliche Fischerboote dieser Welt damit ausstatten müsse. Dass sich die kleinen Fischer die Netze aber nicht leisten können und die großen sich einen Dreck darum scheren.«

»Sonst nichts dazu?«

»Nein.«

»Auch nicht ...«

Der penetrante Ton von Dupins Handy fuhr in seinen Satz.

»Riwal, ich rufe gleich zurück, ich ...«

»Chef – wir«, der Inspektor war nur schwer zu verstehen, die Stimme war dünn. »Wir haben«, er stockte wieder, »wir haben noch einen Mord. Eine weitere durchgeschnittene Kehle.«

Dupin erstarrte.

»Auf der Presqu'île de Crozon. Am Strand von Lostmarc'h. Der schroffe südliche Zipfel, der in die Bucht von Douarnenez hineinragt«, langsam berappelte sich Riwal, »auf der anderen Seite von Morgat, eine vollkommen einsame ...«

»Wer ist es?«

Dupin schob sich an dem Kapitänsstand vorbei und lief bis in den äußersten Bug.

In den Blicken der beiden Polizisten, die Jumeau begleitet hatten, lag sichtbare Beunruhigung. Dupin hatte beinahe geschrien.

»Ein emeritierter Professor, fünfundsiebzig, alleinstehend, er ...«

»Ein alter Professor?«

»Ein Pariser wie Sie. Ebenso seit ungefähr fünf Jahren in der Bretagne, hat ein Haus oberhalb des Strandes. Eine Nachbarin hat ihn gefunden, als sie mit ihrem Hund unterwegs war. In einer Düne. Sie kannte ihn. Er war ein außerordentlich belesener Mann, sagt sie, er ...«

»Eine durchgeschnittene Kehle?«

»So haben es die Kollegen beschrieben.«

»Wer ist vor Ort?«

»Vier Polizisten aus Crozon. Ich kenne zwei davon. Gute Leute.«

Das war haarsträubend. Verrückt.

»Ich breche sofort auf. Wir treffen uns dort. Kadeg soll kommen und Sie auch, ich ...«, Dupin dachte nach. »Oder nein. Sie bleiben auf der Île de Sein, Riwal. Kadeg soll alles stehen und liegen lassen. Ich rufe Nolwenn an.«

Der Fall nahm gewaltige Ausmaße an. Ganz und gar unbeeindruckt von ihren Ermittlungen. Jetzt waren es drei. Drei Morde innerhalb von weniger als vierundzwanzig Stunden. Das würde riesige Wellen schlagen.

»Chef – meinen Sie, wir haben es nun doch mit einem Serienmörder zu tun?«

»Nein. Das meine ich nicht.«

»Ich weiß, sie machen in der Statistik nur einen ganz kleinen Teil aus. Aber trotzdem gibt es sie. Denken Sie nur an den Serientäter letztes Jahr in der Normandie. Auch da hat es niemand für möglich gehalten.«

»Es bleibt ausgesprochen unwahrscheinlich, Riwal.«

Eine wenig überzeugende Entgegnung, das merkte er selbst.

»Wir hecheln schon den ganzen Tag den Toten hinterher, die der Täter um uns herum platziert.«

Das war eine aberwitzige Unterhaltung.

»In welchem Fach hatte der Tote eine Professur?«

»Virologie. – Professeur Philippe Lapointe.«

»Ein Mediziner?«

»Die Virologie bewegt sich an der Schnittstelle zwischen der Medizin und der Biologie.«

»Wir brauchen so schnell wie möglich den Todeszeitpunkt.«

Es stimmte natürlich, was Riwal gesagt hatte, der Täter machte eine regelrechte Tour. Douarnenez gestern Abend, die Île de Sein heute früh und – vielleicht, wahrscheinlich – die Presqu'île de Crozon danach. Und auch das war richtig: die Mischung der Opfer wurde mit diesem Mord kurios, zumindest auf den ersten Blick. Eine junge Fischerin, eine Delfinforscherin – bei denen es immerhin eine Reihe von Gemeinsamkeiten und Überschneidungen gab –, jetzt ein Pariser Virologieprofessor im Ruhestand. Was konnte sie verbinden?

»Die Gerichtsmedizinerin ist unterwegs. Dieselbe wie heute Morgen auf Sein.«

»Wissen wir etwas über die Kontakte des Professors?«

»Bisher gab es nur den Anruf der aufgeregten Nachbarin bei der Gendarmerie. Mit den paar wenigen Informationen, die ich Ihnen genannt habe.«

»Bis später, Riwal.«

Dupin steckte das Handy in die Hosentasche.

Die beiden Polizisten hatten ihn ununterbrochen angestarrt.

»Sagen Sie Luc Jumeau, dass ich mich wieder bei ihm melde.«

Dupin war schon an der rostigen Leiter.

Der Kommissar hatte während der – trotz halsbrecherischem Tempo – annähernd einstündigen Fahrt um die weite Bucht gleich dreimal mit Nolwenn telefoniert.

Nolwenn hatte den Namen des Toten noch nie gehört, aber während sie sprachen bereits recherchiert und prompt eine Reihe von Informationen erhalten. Professor Philippe Lapointe war Virologe und Immunologe, besaß offenkundig ein beachtliches nationales und auch internationales Renommee, hatte zuletzt an der Université Paris Descartes gearbeitet, am Institut für Molekulare Virologie. Seit Jahren waren keine neuen Publikationen mehr verzeichnet, er schien tatsächlich im Ruhestand, die Liste früherer Publikationen umfasste mehrere Seiten. Über die Person selbst war nichts zu erfahren – nur dass er im März fünfundsiebzig Jahre alt geworden war –, die Einträge, die es gab, hatten ausschließlich mit seiner wissenschaftlichen Arbeit zu tun. Nolwenn hatte beim dritten Anruf – sie schien weiterhin in der »Zentrale« ihrer Tante zu sitzen – eine Assistentin seines ehemaligen Pariser Fachbereichs aufgetan, die versuchte, ihnen weitere Informationen zu beschaffen.

Zwischen dem ersten und dem zweiten Anruf hatte Nolwenn mit dem Präfekten telefoniert. Der »seinem Commissaire« hatte ausrichten lassen, dass »Ihnen beiden in diesen Tagen *bedeutende* Aufgaben gestellt seien«. Dass er an den Ermittlungen selbstverständlich teilhabe, auch aus der Ferne, und er volles Vertrauen in ihre »durchweg so erfolgreiche gemeinsame Ermittlungsarbeit« besitze.

Nolwenn war weiterhin Nachbarn, Freunden und Bekannten von Laetitia Darots Mutter auf der Spur. Weiterhin vergeblich. Es blieb aber ein wichtiger Punkt.

Goulch hatte es bei Dupin versucht und war bei Nolwenn gelandet, er hatte die Fischer überprüft, die an dem Netzprojekt beteiligt waren. Sie hatten das Netz alle erst wenige Male eingesetzt, ihr Ansprechpartner im Parc war die Technikabteilung, nicht Laetitia Darot. Es gab keine Hinweise, dass sie überhaupt untereinander kommuniziert hatten, und auch keine, die einen von ihnen in irgendeiner Weise verdächtig machten: Goulch war zu demselben Ergebnis gekommen wie Morin.

Dupin war – streng dem Navigationssystem folgend – über holprige Sträßchen auf das einsame, hohe Kap zugefahren. Zuletzt war es ein unasphaltierter, staubiger Weg gewesen, Schlaglöcher, spitze Felsen und tiefe Sandpassagen wechselten sich ab, das Wanken des Wagens erinnerte Dupin an die Fähre heute Morgen. Der Weg endete jäh vor meterhohem Gestrüpp, mehr eine Sackgasse als ein Parkplatz, ab und zu hatte man einen Blick auf die Bucht erhaschen können, es konnte nicht weit sein bis zum Strand. Dupin hatte nirgendwo ein Auto gesehen, es musste also noch einen anderen Weg geben, wahrscheinlich vom Norden, vom Dorf aus.

Dupin ließ den Wagen stehen.

Über einen sandigen, stark abschüssigen Pfad schlug er sich durch einen Dschungel von dornigen Brombeerbüschen. Plötzlich, ganz unerwartet, gaben sie eine atemberaubende Aussicht frei.

Gerade noch – in Tréboul – hatte er sich in einer sanften, mediterran-verträumten Bucht mit türkis plätscherndem Wasser und ein paar dekorativen Felsen befunden, jetzt stand er oberhalb eines von mächtig schroffen Klippen eingerahmten kilometerweiten wilden Strandes, der an Nordwestschottland oder Irland erinnerte. Zu beiden Seiten zogen sich die Klippenlandschaften endlos dahin, tiefes, leuchtendes Grün auf den Kuppen.

Überwältigend. Er war zu sehen, zu hören, zu spüren, zu riechen: der offene Atlantik. Der ungestüm gegen den Strand anlief. Seit Jahrmillionen. Hier trafen die peitschenden, tosenden Winde und Wassermassen nach Tausenden Kilometern auf Land. Auf den alten Kontinent. Der Atlantik mit all seiner Macht, seiner Gewalt, seiner Größe. Das bretonische Urgefühl, an diesen Orten war es zu spüren. Dupin dachte immer, dass es an einer solchen Stelle gewesen sein musste, an der ein Römer einst gestanden und festgestellt hatte: Hier ist es zu Ende – das ist es, das Ende der Welt.

War in Douarnenez nicht die leiseste Brise gegangen, blies hier ein steifer Wind ohne Unterlass, und immer trug er Gischt mit sich. Nirgendwo, fand Dupin, roch der Atlantik so gut, so weit und frei wie in diesem Meereswind. Sofort legte sich die Gischt aufs Gesicht, man schmeckte sie.

Und Wellen – richtige Wellen –, auch sie gab es hier selbst an den allerschönsten, ruhigsten Tagen. Von weit draußen kamen sie herein. Lange, ruhige, stattliche Wellen. Meterhoch.

Auch die Sonne und der Himmel wirkten anders, ursprünglicher, wie am Anbeginn der Welt. Man hatte das Gefühl, dass eine tagelange Reise hinter einem liegen musste, so entfernt kam einem diese Landschaft hier vor im Vergleich zu Tréboul.

Am Ende des Strandes war eine Gruppe Menschen zu sehen, winzig und verloren wirkten sie. Dort, wo der Strand in lang gezogene Dünen überging, die sich – dicht bewachsen – ins Inland zogen.

In zügigem Tempo lief Dupin zum Strand hinunter, der, war man einmal unten, noch größer wirkte, und stapfte durch den schweren Sand.

Kadeg, der geschickter geparkt haben musste als er – schneller konnte er nicht gefahren sein –, hatte ihn entdeckt und kam auf ihn zu.

»Brutal. Der gleiche Schnitt. Hier agiert jemand eiskalt.« Kadeg liebte plakative Sätze, die aus einem effektvollen Drehbuch stammen könnten.

»Ist die Gerichtsmedizinerin schon da?« Es waren acht Leute, die Dupin ausgemacht hatte.

»Ja.«

»Hat sie etwas zum Todeszeitpunkt gesagt?«

»Sie ist nur kurz vor mir angekommen. Sie hätten übrigens auch besser hier am Nordende der Bucht geparkt, da …«

»Und die Dame, die ihn gefunden hat?«

»Die ist wieder oben, zu Hause.«

»Das ist die Nachbarin?«

»Exakt.«

Dupin überlegte kurz, ob er sie kommen lassen sollte. Aber er würde ohnehin gleich ins Dorf gehen. Und sich das Haus des Professors ansehen.

»Wie groß ist der Ort?«

»Zehn, fünfzehn Häuser, mehr nicht. – Hier unten haben wir bereits alles abgesucht«, Kadeg trat auf, als hätte er es höchstpersönlich getan, dabei mussten es die Kollegen aus Morgat oder Crozon gewesen sein. »Wir haben nichts gefunden. Auch nicht die beiden Kollegen von der Spurensicherung. Nichts um die Leiche herum, in der Düne oder auf dem Strand, nichts auf dem Weg, der von oben kommt. Es muss im losen Dünensand passiert sein. Es sind nur ganz diffuse Fußspuren zu sehen, Kuhlen eher. Von zwei Personen höchstwahrscheinlich.«

Sie waren jetzt fast bei der Gruppe angekommen. Dupin grüßte in die Runde.

»Kadeg, nehmen Sie sich die Polizisten und klappern Sie jedes Haus oben ab. Ich möchte alles über den Professor erfahren, was die Leute über ihn wissen. Zu wem er Kontakt hatte. Wie er hier seine Tage verbracht hat. Alles.«

»Soll ich nicht warten, bis …«

»Umgehend. – Sie fangen umgehend mit den Befragungen an. Und ich werde auch gleich hochkommen.«

So würde er auch die unnötig große Menschenansammlung hier am Tatort loswerden.

Kadeg wandte sich mit einem kindisch beleidigten Ausdruck ab und machte den Polizisten ein zackiges Zeichen. Sie eilten auf ihn zu. Gemeinsam stapften sie die Düne hinauf. Nur einer blieb zurück.

»In das Haus des Professors gehen wir zusammen«, Dupin rief so laut, dass Kadeg und seine Leute es auf jeden Fall noch hören würden. »Keiner setzt einen Fuß da rein, bevor ich da bin.«

Dupin ging die letzten Meter bis zur Leiche.

Es war ein grausamer Anblick.

Philippe Lapointe lag auf dem Rücken, anders als bei Laetitia Darot war eine große Menge Blut über den Körper gelaufen. In den hellblauen Pullover, der sich vollgesogen hatte, und unter der Kleidung offenbar noch bis zu den Jeans. Viel Blut. Der Kopf war brutal nach hinten abgeknickt, er war tief in den losen Sand gedrückt – wahrscheinlich hatte der Professor in seiner Agonie mit letzter Kraft versucht, doch noch Luft zu bekommen. Ihm war die grausame Qual anzusehen, die dieser Tod bedeutet hatte. Die Augen weit aufgerissen, leer in den Himmel gerichtet. Die Arme merkwürdig eng an den Körper gedrückt, fast gerade, die Beine dagegen wild abgewinkelt.

Der Virologe war von durchschnittlicher Größe, nicht dick, nicht dünn. Ein distinguiertes Gesicht – auch, wenn es sich fürchterlich verzerrt hatte –, schmale Lippen, kurz geschnittene, noch sehr dichte weiße Haare, eine hohe, markante Stirn.

Dupin hatte sich direkt vor die Leiche gestellt, nur ein paar Zentimeter von den schwarzen Sportschuhen entfernt, die der Tote trug.

»Die Körpertemperatur liegt bei achtundzwanzig Grad«, eine angenehme Stimme, Dupin wandte sich um, eine junge Frau – Ende dreißig, nicht älter – stand neben ihm, hellblonder Pferdeschwanz, ungeschminkt; er hatte sie eben nur aus dem Augenwinkel gesehen, sie hatte mit dem Rücken zu ihm an einem silbernen Koffer hantiert. »Da wir es heute mit freundlichen Temperaturen zu tun haben, wird die Körpertemperatur pro Stunde circa ein Grad abgenommen haben. Dann wären wir bei ungefähr zehn Uhr. Plus/minus eine Stunde«, sie sprach routiniert, aber doch dem Ernst der Situation angemessen. »Der Pupillentest bestätigt es. Die Pupillen haben auf die Tropfen kaum noch wahrnehmbar reagiert, aber doch ein klein wenig, auch da wären wir bei rund acht Stunden. – Und mein Gefühl sagt mir dasselbe«, die Gerichtsmedizinerin klang abgeklärt, als blickte sie bereits auf zahllose Leichen in ihrem Berufsleben zurück.

»Gut«, Dupin war angetan. »Das hilft uns sehr. Es passt – perfekt in unser Szenario.«

Das hatte unfreiwillig komisch geklungen. Der Täter war, so sah es bislang aus, von der Île de Sein ohne große Umwege direkt hierhergekommen. Und entweder war er von der Île de Sein mit dem Boot zum Festland und dann mit dem Wagen hierhergefahren – oder direkt mit dem Boot gekommen.

»Da haben wir es mit einem fleißigen Mörder zu tun«, sie lächelte betrübt.

»Sie denken, es ist ein und dieselbe Person?«

»Vom Schnitt her würde ich auf den ersten Blick sagen, dass es durchaus möglich ist. Aber das muss ich mir im Labor ansehen. Die Schnitte vergleichen. – Bei der Delfinforscherin haben wir bisher im Übrigen nichts weiter Interessantes gefunden.«

»Ist Ihnen hier noch etwas Besonderes aufgefallen?«

»Am rechten Handgelenk ist ein Hämatom zu sehen. Vielleicht hat der Täter ihn überwältigt und festgehalten, viel Widerstand hat er sicher nicht leisten können.«

»Denken Sie, es ist genau hier geschehen?«

»Er wird direkt niedergesunken sein. Ja.«

Auch das würde zum Vorgehen des Täters passen. Er hatte seine Opfer an einsamen Orten getroffen, auf der Stelle ermordet und dort liegen lassen, ohne großes Aufheben. Alles musste genauestens durchdacht gewesen sein. Einem peniblen Plan folgend. Was Darot und den Professor betraf, so musste der Mörder sich mit den Opfern verabredet haben, er konnte ihnen nicht aufgelauert haben, das wäre viel zu unsicher gewesen. Eigentlich galt es auch für Céline Kerkrom: Auch sie musste einen Grund gehabt haben, zu dem abgelegenen Raum mit den

Abfalltonnen zu kommen. Der Täter kannte die Orte, die er gewählt hatte. Und zwar sehr gut. Die ganze Gegend.

»Hat der Professor etwas in den Hosentaschen? Ein Mobiltelefon?«

»Nichts. – Wir nehmen die Leiche jetzt mit. Ich lasse den Wagen kommen, das dauert ohnehin noch etwas. Er kann nur vom anderen Ende der Bucht auf den Strand gelangen.«

»Ich – danke«, Dupin lächelte, die Gerichtsmedizinerin erwiderte das Lächeln mit einem freundlichen, professionellen Blick. »Und sagen Sie Bescheid, wenn Ihnen noch etwas auffällt.«

»Das werde ich.« Sie holte ein Telefon aus der Tasche und trat zur Seite.

Dupin machte dem Polizisten, der geblieben war, ein beeindruckend beleibter Mann mit kugelrundem Kopf, der neugierig alles verfolgt hatte, ein Zeichen: »Sie bleiben hier und markieren die Stelle, wo die Leiche gelegen hat. Deutlich.«

Vielleicht würden sie es noch brauchen. Auch wenn Wind und Sand die ohnehin undeutlichen Abdrücke rasch verweht haben würden.

»Wird erledigt.«

Dupin schaute sich um. Stieg das Gelände in Richtung des Inneren der Halbinsel nur allmählich an, so türmten sich am Rand des Strandes mächtige Klippen mit gefährlichen Überhängen. Dupins Blick blieb an ihnen hängen.

Der Polizist hatte es beobachtet.

»Da oben liegt eine keltische Wehranlage. Da sind die Gallier vor den Römern hingeflohen.«

Dupin seufzte leise.

Kein Ort ohne Geschichten und Geschichte. Kein Ort, an dem nicht etwas Bedeutendes stattgefunden hatte. Das war die Bretagne.

Er setzte sich in Bewegung.

Er hatte einen nahen Fußweg in den Dünen ausgemacht.

195

Auch das hatte der Polizist bemerkt:

»Dieser Weg ist der beste ins Dorf, Monsieur le Commissaire.«

Dem Mann würde hier unten am Tatort nichts entgehen, zweifellos war er der Richtige für die Wache.

Dupin lief los.

»Madame Lapointe, ja, ich habe bereits mit ihr telefoniert. Sie lebt in Paris. Im Marais. Sie haben sich vor fünfzehn Jahren getrennt. Sind seit zwölf Jahren geschieden.«

Nolwenn hatte ganze Arbeit geleistet, die Idee mit dem Institut, der Assistentin, war goldrichtig gewesen. So war Nolwenn auch auf Philippe Lapointes ehemalige Ehefrau gestoßen.

»Sie haben sich in Frieden getrennt, keine Kabale. Und sich gelegentlich gesehen. Sind zusammen essen gewesen. Seit über einem Jahr aber nicht mehr. – Sie war sehr mitgenommen von der Nachricht.«

»Hat er noch gearbeitet, noch mit seinem Fachgebiet zu tun gehabt? In irgendeiner Weise?«

Der Weg hoch zum Dorf war weiter gewesen, als Dupin geschätzt hatte. Jetzt sah er die ersten Häuser, ab hier war die Straße asphaltiert. Am Straßenrand standen vier Polizeiwagen, er erkannte den Wagen von Kadeg.

Das Harsche, Raue des Atlantiks reichte bis hier oben. Es begrenzte die Vegetation auf karge Büsche, Sträucher, Gräser, Moose, Heide. Nichts war hier lieblich. Bei Stürmen würde die Gischt durch Lostmarc'h wirbeln, als läge der Ort nur ein paar Meter vom Meer entfernt.

»Das konnte sie nicht sagen. Sie wusste nicht, was er in seinem ›Exil‹, wie sie es nannte, so getrieben hat, ob er überhaupt noch etwas mit seiner Forschungsarbeit zu schaffen hatte, er verfügte über kein Labor mehr. Er hat sehr viel gelesen, meinte sie, er hat seine gesamte Bibliothek mit in die Bretagne genommen, die großen literarischen und philosophischen Klassiker. Das sei sein Steckenpferd gewesen.«

Was Dupin im Moment nur am Rande interessierte. Sie mussten herausbekommen, womit sich Lapointe in letzter Zeit beschäftigt hatte. Dupin hatte bereits auf der Autofahrt darüber nachgedacht. Hatte er, der Virologe – Biologe, Mediziner –, etwas Ungewöhnliches im Parc bemerkt, irgendwo an der Küste? Hatte er etwas mitbekommen, das ihm zum Verhängnis geworden war? Das nur er hatte wahrnehmen können? Es waren noch sehr undeutliche Gedanken. Dennoch. Irgendeine Verbindung zu den beiden Frauen musste es gegeben haben, einen entscheidenden – tödlichen – Zusammenhang. Welche Geschichte konnte es sein, in der diese drei Menschen eine Rolle gespielt hatten? Jeder einzeln oder sie zusammen, wissentlich oder vielleicht auch ganz ohne ihr Wissen? Bisher hatten sie lediglich ein paar lose Fährten, eigentlich noch weniger: ein paar Themen, um die es gehen könnte. Die Fischerei, mögliche Vergehen und illegale Praktiken, die toten Delfine, Wasserverschmutzungen, Schmuggel, verschlungene Affären, vertrackte Familienverhältnisse beziehungsweise eine mögliche, äußerst spannungsreiche Vaterschaft. Aber keines der Themen war richtig dringend geworden. Sie konnten allesamt ebenso gut völlig unerheblich sein, alle in die falsche Richtung weisen. Es war verflixt. Und was sich bisher noch gar nicht gezeigt hatte, war Dupins Spürsinn. Auf den er sich in verfahrenen Situationen immer verlassen konnte. Eigentlich.

»Befand er sich in einer neuen Beziehung?«

»Auch davon wusste sie nichts. Sie selbst hat wieder geheiratet«, es klang wie: zu Recht.

»Und weiß sie, ob er Freunde hatte, hier in der Bretagne?«

»Sein bester Freund ist vor zwei Jahren gestorben, darüber haben sie bei ihrem letzten Treffen gesprochen. Von neuen

Freunden hat er nichts erzählt. – Was sie noch sagte: In welch guter Verfassung er sich befunden habe, dass er sehr fit gewesen sei, viel spazieren ging. Spazieren und laufen. – Es hat ihm nicht geholfen.«

Dupin war weiter die Straße entlanggegangen. Er war keinem Menschen begegnet.

»Und nur, damit Sie Bescheid wissen: Die Presse hat schon Wind bekommen vom Mord am Professor. Ich erspare Ihnen die ersten Schlagzeilen«, dem Ton nach zu urteilen ließen sie Nolwenn kalt. »Selbstredend geht jetzt das Gespenst des Serienmörders um. Ein gefundenes Fressen.«

Natürlich, Riwal war nicht der Einzige mit einer infizierten Fantasie.

»Das war es für den Moment, Monsieur le Commissaire. – Wir bereiten jetzt den großen Aktionstag morgen vor. Ich melde mich, wenn ich wieder etwas habe. – Bis später.«

Nolwenn hatte aufgelegt.

Der »große Aktionstag«. Ein wenig unruhig machte ihn die Sache immer noch. Dupin lenkte seine Gedanken schnell wieder auf den Fall, auf den Professor.

»Commissaire!«

Kadegs Stimme.

Dupin blickte sich um. Ohne ihn zu entdecken.

»Hier.«

Er stand im Türrahmen eines alten, flachen Steinhauses, reetgedeckt, wie man sie in den Weilern noch häufig fand. Ein ganzes Stück entfernt, er hatte laut gerufen.

Dupin ging schnellen Schrittes auf ihn zu.

»Das ist das Haus von Madame Corsaire. Der Nachbarin. Hier hinten«, Kadeg machte eine vage Geste, »liegt Lapointes Haus.«

Noch ehe Dupin das alte Steinhaus erreicht hatte, tauchte mit einem Mal ein Kopf mit beeindruckenden grauen Locken neben Kadeg im Türrahmen auf. Eine zierliche Dame in einer rosa Kittelschürze gehörte dazu. Neugierig blinzelte sie zu Dupin, der jetzt fast vor ihnen stand. Auf einem schmalen Stück zwischen der Straße und dem Haus, ähnlich stoppeliges, buschiges Gras wie auf den Klippen.

»Das ist Madame Corsaire. Sie …«

»Er ist häufiger weg gewesen in letzter Zeit. In Brest und in Rennes. In Bibliotheken. Er hatte eine Vorliebe für alte Bücher, alte Karten, alte Dokumente. All so was. Sein ganzes Haus ist voll davon. Eine Marotte, wenn Sie mich fragen. – Wissen Sie, was das für einen Staub produziert?«

Sie war an Kadeg vorbei und einen Schritt auf den Kommissar zugetreten.

Dupin war froh, dass es keinen großen Prolog gab: »Als Sie ihn eben unten am Strand gefunden haben – haben Sie da noch jemanden gesehen? Überhaupt während Ihres Spaziergangs?«

»Liegt er immer noch da unten, der Ärmste? Da zieht es noch schlimmer als hier oben«, sie schüttelte den Kopf. »Niemand, nein, nicht eine Menschenseele.«

»Ist Ihnen ansonsten etwas Ungewöhnliches aufgefallen, Madame Corsaire?«

»Noch ungewöhnlicher als eine Leiche?«

»Sie haben also nichts Besonderes bemerkt heute am Strand oder in den Dünen.«

»Nein. Und das alles ausgerechnet heute, wo mein Mann doch in Roscoff ist! Und ich ganz alleine bin!«

»Ein Auto auf einem Parkplatz, das Sie nicht kannten, zum Beispiel?«

»Nein. Hierher kommt doch niemand.«

Der Mörder war da gewesen.

»Wissen Sie, ob Monsieur Lapointe in letzter Zeit etwas beschäftigt hat, ein besonderes Vorkommnis? Hier im Parc Iroise? Im Wasser? Oder an der Küste?«

Auf dem Gesicht der rüstigen Dame zeigte sich tiefe Skepsis.

»Was bitte sollte das sein?«

»Irgendetwas, das er einmal erwähnt hat, das ihm Sorgen bereitete? Verschmutzungen? Verletzte, tote Tiere? Delfine? Was auch immer.«

»Er ist jeden Tag lange spazieren gegangen. Immer am Meer. Er hat es geliebt, deswegen ist er hierhergezogen, hat er gesagt. Am Strand entlang oder oben auf den Klippen. Manchmal hat er auch ›Spazierausflüge‹ gemacht, so hat er es genannt. Zu Küstenwanderwegen an der *Pointe du Raz* oder in der Bucht von Douarnenez. Da ist er dann mit dem Wagen hin.«

»Haben Sie ihn oft gesehen?«

»Nicht jeden Tag, aber zwei-, dreimal die Woche. Und immer haben wir etwas geplaudert.«

Dupin würde es noch einmal versuchen, »Professor Lapointe hat also nichts erwähnt, was ihn in letzter Zeit beschäftigt hat?«

»Er machte einen heiteren Eindruck in den letzten Wochen. Er war gut gelaunt.«

»Nichts also.«

»Ich glaube nicht ...«

Der penetrante Ton von Dupins Telefon unterbrach sie.

Mit einer raschen Bewegung hatte der Kommissar es in der Hand.

Seine Mutter.

Er hatte sich ehrlich gesagt auch schon gewundert – der letzte Versuch lag Stunden zurück. Für gewöhnlich war sie beharrlicher.

Die alte Dame blickte ihn fragend an.

»Sie sagten«, Dupin steckte das Handy in die Hosentasche zurück, »*Sie glauben nicht ...*«

Sie war augenblicklich wieder ganz bei der Sache. »Ich wollte sagen, dass ich nicht glaube, dass ihm etwas auf der Seele lag«, sie schüttelte energisch den Kopf. »Dass er irgendwelche Sorgen hatte. Oder noch Schlimmeres.«

»Hatte er noch mit der Virologie in irgendeiner Weise zu tun, wissen Sie das?«

»Davon hat er mir nicht erzählt.«

»Hatte er Freunde, Bekannte? Hat er manchmal Besuch bekommen?«

»Nicht viel. Ein älterer Herr kam ab und zu vorbei, ich kenne ihn nicht.«

Dupin zog sein Heft hervor.

»Er kam mit einem winzigen Auto, der Professor hat mir nie gesagt, wer das war. Er kam vielleicht einmal im Monat. Dann gingen sie zusammen spazieren und waren anschließend im Haus des Professors. Ich weiß aber nicht, was sie da getan haben.«

»Sie haben keine Idee, wer das gewesen sein könnte?«

»Nein. Ein weißer Citroën C2. Aus dem Finistère.«

Dupin machte sich eine Notiz.

Er wandte sich an Kadeg: »Lassen Sie die Kollegen im Dorf nachfragen, vielleicht weiß jemand mehr über diesen Mann«, dann wieder an Madame Corsaire: »Ansonsten noch Besuch, Madame?«

»Marie von der Bürgerinitiative. Sie war letzte Woche ein paarmal da.«

»Ja?«

»Die Bürgerinitiative gegen die Chemikalien.«

Dupin wartete. Umsonst.

»Könnten Sie mir dazu mehr sagen, Madame Corsaire?«

»Im Hafen von Camaret werden Boote gereinigt und gegen Fäulnis behandelt. Sie gehören Charles Morin, dem *Fischerkönig*.«

»Wir wissen davon.«

Nur von einem Protest, einer Bürgerbewegung, hatte er noch nichts gehört, dennoch: Das war eine erste mögliche Verbindung. Über – Morin.

»Das geht alles ins Meer. Eine Riesensauerei. Die Politik traut sich da nicht ran. Daher haben sich ein paar Bürger zusammengetan.«

Morin, wieder und wieder Morin.

»Sie sagten eben, dass Professor Lapointe in letzter Zeit nichts beschäftigt habe – diese Verunreinigungen des Wassers ja offensichtlich schon.«

»Es ging um nichts Aktuelles. Das mit den Chemikalien ist ja seit Jahren ein Thema.«

»Aber anscheinend gab es eine akute Entwicklung. Sie sagten, dass die Dame von der Bürgerinitiative letzte Woche ein paarmal da war.«

»Das müssen Sie Marie Andou selbst fragen. Sie ist Grundschullehrerin.«

Eine weitere Notiz. Und noch einmal eine Anweisung an den ungewohnt stillen Kadeg:

»Gehen Sie bei der Lehrerin vorbei und sprechen Sie mit ihr.« Das mussten sie klären.

»Weitere Besucher?«

»Der Inselarzt von Sein hat ihn zweimal besucht, er …«

»Antoine Manet?«

Das war unerwartet.

»Dann kennen Sie ihn?« Es hieß so viel wie: Das hätte ich Ihnen nicht zugetraut.

»Was wollte er von Professor Lapointe?«

»Woher soll ich das wissen?« Madame Corsaire war indigniert.

Dupin immer noch perplex.

»Wann war das?«

»Einmal im April und einmal im Mai, denke ich. Ich weiß es nicht genau.«

Kadeg schaltete sich ein:

»Ich übernehme ihn«, seine Augen funkelten.

»Ich spreche selbst mit Manet, Kadeg.«

»Das …« Kadeg schluckte es hinunter.

»Wie lange war Antoine Manet da?«

»Vielleicht eine Stunde. Nicht länger.«

»Und woher kannten die beiden sich, wissen Sie das zufällig?«

»Woher *sollte* ich das wissen?«

Er musste dringend mit dem Inselarzt sprechen.

»Besitzen Sie die Schlüssel zum Haus des Professors?«

Triumphierend hielt sie einen einzelnen schmalen Schlüssel hoch, sie musste ihn die ganze Zeit in der Hand gehabt haben.

»Ich gebe den Kollegen von der Spurensicherung Bescheid, sie warten schon«, Kadeg holte sein Handy heraus.

»Hat der Professor sein Haus immer abgeschlossen?«

»Ja, sicher eine alte Gewohnheit aus der Hauptstadt.« Es klang zutiefst mitleidig.

Das Komische war: In den Taschen des Professors war kein Hausschlüssel gefunden worden.

»Gut. Das war es erst einmal, Madame Corsaire. Wir danken Ihnen sehr.«

Mit diesen Worten setzte sich Dupin in Bewegung.

»Bringen Sie mir den Schlüssel gleich zurück?«

»Ich denke, er bleibt vorerst bei der Polizei.«

Dupin steuerte auf den schmalen, unasphaltierten Weg zu, der neben dem Haus abging.

Er hatte das Telefon schon in der Hand.

Da war sie, die Nummer. Antoine Manet.

Es dauerte eine Weile, bis der Anruf angenommen wurde.

»Hallo?«

»Dupin hier.«

»Oh, Commissaire, ich habe es gerade eben gehört. Ich kannte Monsieur Lapointe. Die Sache wird ja immer wilder.«

In Manets Ausdruck lag tiefe Sorge.

»Sie haben ihn zweimal besucht in den letzten Monaten.«

Dupin ließ den Satz mit Absicht in der Luft hängen. Manet war in keiner Weise irritiert.

»Ja. Wir gehören dem Verein *Patrimoine et héritage cul-*

turelle de la Cornouaille an, einem Verein zur Pflege und Bewahrung der kulturellen und historischen Wurzeln der Region.«

Vereine dieser Art gab es zahllose in der Bretagne. In jeder Region, in jedem Ort. Und die unterschiedlichsten Menschen engagierten sich leidenschaftlich in ihnen.

»Diese beiden Besuche, was hatten sie für einen Grund?«

»Ich wollte, dass er der neue Vorsitzende wird. Er besaß ein großes Wissen. Und viel Zeit.«

»Und?«

Dupin war am Ende des Weges angekommen, rechter Hand lag ein einfaches Haus mit Hochparterre im Stil des prosaischen »nouveau bretonisme« aus den Siebzigern, Achtzigern, schmal, sehr spitzes Dach, es sah frisch gestrichen aus, das Weiß strahlte makellos.

»Er wollte es sich überlegen, ich denke, er hätte Ja gesagt. Er war ein Verrückter wie ich. Und viele andere hier. Er hat sich für alles Lokale und Regionale interessiert. Er kannte auf der Crozon-Halbinsel jeden Weg, jeden Baum, jeden Stein, jedes Gebäude und vor allem: jede Geschichte zu jedem Baum, jedem Stein und jedem Gebäude. Welcher Zwerg, welche Fee wo hausten und was sie anstellten. Wir haben uns gut verstanden. Er hat mir einiges Material zugespielt.«

»Material?«

»Ich sammle alles zu unserer Insel hier. Es soll eine große Dokumentation werden.«

Dupin schwieg eine Weile. Es machte – so kauzig es auch klang – insgesamt einen plausiblen Eindruck. Für die Bretagne: einen völlig plausiblen Eindruck.

»Seit wann kennen Sie sich?«

»Seit ungefähr fünf Jahren. Seit er auf der Presqu'île wohnt.«

»Und Sie haben ihn ab und zu alleine getroffen, ich meine, nicht nur bei den Vereinstreffen?«

»Abgesehen von den beiden Treffen der letzten Monate vielleicht zwei-, dreimal. Nicht häufiger.«

»Kam er Ihnen irgendwie verändert vor, als Sie sich zuletzt getroffen haben?«

»In keiner Weise. Nein.«

»Nichts, das Ihnen irgendwie relevant erscheint, jetzt, im Nachhinein? Etwas, das ihn beschäftigt haben könnte?«

»Nein.«

»Wissen Sie, ob er noch geforscht hat? Für sich, im Stillen?«

»Ich denke nicht. Zumindest hat er nichts davon erwähnt. Ich habe ihn letztes Jahr um Rat gefragt bei einer langwierigen viralen Erkrankung einer Insulanerin. – Er war eine echte Koryphäe auf seinem Gebiet.«

»Ich habe es gehört.«

»Mein Gefühl ist, dass er einen Schlussstrich unter seine Vergangenheit gezogen hat, als er in die Bretagne kam. Er hat nicht einmal mehr einen Computer gehabt. Nur ein Mobiltelefon.«

»Er besaß ein Mobiltelefon – das wissen Sie mit Sicherheit?«

Dupin hatte vergessen, die Nachbarin danach zu fragen.

»Ich schicke Ihnen die Nummer, wenn Sie wollen.«

»Gerne.«

»Was denken Sie, hatte der Professor mit den beiden Frauen zu tun?«

Das war die Frage. Und Dupin hatte sie eigentlich dem Inselarzt stellen wollen.

»Ich hatte gehofft, Sie könnten mir etwas dazu sagen. Zumindest, ob die drei sich kannten.«

»Sehr unwahrscheinlich, denke ich. Aber ich weiß es nicht. Ich frage auf der Insel herum. – Es gibt im Augenblick viel Geld zu verteilen im Verein, wir haben von der Region eine größere Summe erhalten. Der Vorsitzende hat einigen Einfluss darauf, wohin die Gelder gehen.«

Es dauerte einen Moment, ehe Dupin reagierte.

»Sie denken, es könnte um irgendwelche kulturellen oder historischen Projekte gehen? Um Zuwendungen, Gelder?«

»Ich habe keine bestimmte Idee.«

»Gab es im Verein Streit um irgendetwas? Differenzen? Verwerfungen?«

»Eigentlich nicht. Aber man kann natürlich nicht in die Leute hineinschauen. In Bretonen am allerwenigsten.«

Dupin war ratlos. An sich war es ein interessanter Punkt. Aber wie ließe sich ein Zusammenhang mit Kerkrom und Darot denken?

»Ich komme bestimmt darauf zurück. Danke, Monsieur Manet.«

»Und ich melde mich, wenn ich etwas zu einer möglichen Verbindung der drei höre.«

»Gut.«

Dupin legte auf.

Er beeilte sich. Gleich würde Kadeg mit den Männern der Spurensicherung auftauchen.

Er erklomm die steilen Stufen zum Eingang des Hauses.

Der Schlüssel hatte gesteckt, und die Tür war nicht abgeschlossen gewesen. Das erklärte natürlich, warum man den Schlüssel nicht beim Professor gefunden hatte. Der Täter war also hier gewesen. Bei Lapointe zu Hause. Wie höchstwahrscheinlich auch bei Kerkrom und Darot. Sie würden den Schlüssel genauestens auf Spuren und Fingerabdrücke untersuchen, aber Dupin erwartete nicht, dass der Täter ihnen ein Geschenk gemacht hatte.

Dupin war ein erstes Mal durch das ganze Haus gegangen. Er hatte nichts Auffälliges entdecken können. Die Räume waren mit Ausnahme von Küche und Bad mit Regalen vom Boden bis zur Decke gesäumt, diese wiederum mit Büchern voll-gestopft. Bücher, Bücher, Bücher, es mussten Tausende sein, die Regale waren in die Räume eingepasst worden, jeder Zentime-ter konsequent genutzt. Und zwar überall, im Esszimmer, dem angrenzenden Wohnzimmer sowie in den drei Räumen oben: einem Schlafzimmer, einem winzigen Zimmer mit einer Liege und einem Arbeitszimmer.

Als die beiden Männer von der Spurensicherung eingetrof-fen waren – Kadeg stand telefonierend vor dem Haus –, hatte Dupin seinen Rundgang bereits abgeschlossen.

Er setzte die Kollegen sofort auf den Schlüssel an.

»Das haben wir gleich.« Der ältere der beiden Männer stellte den Koffer mit den Arbeitsutensilien ab. Eine pragmatische Einstellung, eine Klärung direkt vor Ort, das gefiel Dupin. »Ich bin oben, wenn Sie mich brauchen.«

Dupin nahm die Treppe.

Er wollte sich in Lapointes Arbeitszimmer noch einmal gründlicher umschauen. In aller Ruhe. Ein übermäßig gro-ßer Schreibtisch vor dem Fenster, ein herrlicher Blick auf den Strand, die Klippen, die Bucht. Auch der Schreibtisch diente vor allem der Ablage von Büchern. Ein einfacher Holzstuhl, davor, auf der Tischplatte, eine kleine freie Fläche. Keine Hefte, keine Papiere. Nichts. Auch kein Telefon. Eine leere Stelle, die einem schon deshalb seltsam vorkam, weil es die einzige im ganzen Raum war.

Bei den Büchern auf dem Schreibtisch handelte es sich um eine Mischung verschiedenster Gattungen und Genres. Ro-mane, viele historische Bücher, Biografien (»Karl der Große« obenauf), aber kein einziges medizinisches oder biologisches Fachbuch, auch keine naturwissenschaftlichen Zeitschriften.

Zwei Stapel mit Magazinen, historischen, philosophischen, kulturellen. Mehrere besonders hohe mit – deutlich gelesen aussehenden – Büchern über bretonische und regionale The-men. Ein Stapel befand sich in einer wackligen Schieflage, alle anderen waren solide aufgetürmt. Dupin trat noch näher heran – ohne etwas zu berühren –, legte den Kopf zur Seite und las ein paar der Titel auf den Buchrücken. »Keltische Mythen und Legenden des Finistère«, »Armorique Antique. Die Bretagne in der Antike«, »Frühes bretonisches Mittelalter«, »Migrationswellen in der Bretagne«, »Die Revolution in der Bretagne«, »Die Christianisierung des Finistère«, »Das Mer d'Iroise als Kulturraum«.

Dupins Blick wanderte zu den Regalen. Mallarmé, Flaubert, Apollinaire, Maupassant, Baudelaire, hier stand das französische 19. Jahrhundert.

Zwischen zwei Stapeln auf dem Tisch, er sah es erst jetzt, lag ein Buch quer, »Das Leben der Meeressäuger in der Bretagne«.

Das war interessant. Dupin zog es behutsam hervor. Er blätterte darin. Zuerst kamen die Wale, viele Arten, auch Orcas, dann die Delfine. Er blätterte noch langsamer. Auf der Suche nach irgendetwas: Anstreichungen, Unterstreichungen, Kommentaren. Was auch immer. Beeindruckende Delfinaufnahmen waren zu sehen. Er legte das Buch zurück. Ganz sicher war es kein Buch für Experten, sondern für Laien.

Er hatte keinen Schimmer, ob eines der Bücher oder eine dieser Zeitschriften unter Umständen etwas verrieten. Sie waren bei ihren Ermittlungen jetzt ganz und gar auf einen Zufall angewiesen – in Kombination mit einer Eingebung. Sie brauchten etwas Glück. Aber natürlich würde der Täter mitgenommen haben, was augenfällig verräterisch gewesen wäre. Das Offensichtliche. Auch Notizen. Aber vielleicht gab es noch etwas auf den zweiten Blick. Der Mörder hatte keine Zeit für eine umfassende Durchsuchung gehabt. Er konnte etwas übersehen haben.

»Commissaire? Wo sind Sie?«

Kadeg polterte die Treppe hinauf:

»Madame Corsaire will Sie noch einmal sehen«, schon stand er im Arbeitszimmer. »Und ich habe gerade mit der Dame von der Bürgerinitiative gesprochen, der Grundschullehrerin. Der Professor war wohl so etwas wie der wissenschaftliche *Consultant* der Bürgerinitiative«, eine neue Marotte von Kadeg, er hielt es für schick, englische Fachausdrücke einzustreuen. Glücklicherweise kannte er nicht viele. »Er hat unter anderem geholfen, Wasserproben aus dem Hafengebiet von Camaret an ein Labor zu schicken und die Ergebnisse zu bewerten.«

»Und?«

»Man fand regelmäßig nachweisbare Konzentrationen bestimmter toxischer Stoffe. Immer ungefähr in der gleichen Höhe. Der Einsatz der schädlichen Stoffe wurde folglich nicht reduziert.«

»Und?«

»Die Bürgerinitiative wird den Behörden erneut eine Dokumentation vorlegen. Der Parc Iroise unterstützt sie dabei. Mitarbeiter von dort haben eigene Proben genommen, die dasselbe belegen.«

»Gab es irgendwelche Eskalationen?«

»Was meinen Sie?«

»Auseinandersetzungen mit Leuten von der Anlage, wo die Boote behandelt werden? Mit den Bootseigentümern? Mit Charles Morin?«

»Davon hat die Grundschullehrerin nichts erzählt. Nur, dass es Berichterstattungen in der Lokalpresse gab.«

»War es öffentlich bekannt, dass Professor Lapointe der Initiative half?«

»Ja. Er war im letzten Artikel auch mit einem Zitat vertreten. Wie verheerend diese Stoffe seien, irgend so was«, Kadeg brachte eine Art Räuspern hervor. »Ich habe ebenfalls nach wie auch immer gearteten Verbindungen der Bürgerinitiative zu Kerkrom und Darot gefragt – Fehlanzeige. Die Grundschullehrerin kannte Kerkrom nur vom Namen her. Von der Delfinforscherin hatte sie noch nie gehört.«

»Und hat sie etwas über Morin gesagt?«

»Nur, dass einige der Boote ihm gehören.«

»Etwas Genaueres?«

»Nein. Ihr Zorn scheint sich vor allem gegen den Betreiber der Anlage zu richten.«

»Und was will die Nachbarin von mir?«

»Ich weiß es nicht.«

Sie mussten etwas unternehmen, endlich etwas Konkretes finden. »Kadeg, ich will von ein paar Leuten wissen, wo sie sich heute Morgen aufgehalten haben. Lassen Sie sich alle eventuellen Zeugen nennen und prüfen Sie alles nach. Penibel genau. Ziehen Sie Riwal zu Hilfe. So viele Leute, wie Sie benötigen.«

Der Auftrag klang wichtig und so, als wäre im Zweifelsfall rabiat vorzugehen – genau nach Kadegs Geschmack.

»Über wen sprechen wir?«

»Die Hafenchefin, Madame Gochat, behauptet, den ganzen Morgen über im Büro gewesen zu sein und ab und an in der Fischhalle, dann muss sie jemand gesehen haben; Jumeau, der Fischer von der Île de Sein, war nach seiner eigenen Aussage seit halb fünf heute Morgen auf See«, für den Mann mit den losen Affären wäre es ein Leichtes gewesen, einen Abstecher zur Presqu'île zu machen. Dupin blätterte in seinem Clairefontaine. »Der Junge, der die Delfinforscherin gefunden hat, hat Jumeau um 7 Uhr 24 nicht weit von Sein gesehen, das ist das Einzige, was wir bisher sicher wissen.«

»Er hätte davor den Mord an Darot begehen können und danach den an Professor Lapointe.«

So war es.

»Und sprechen Sie auch mit Pierre Leblanc, dem Wissenschaftlichen Leiter des Parcs«, Dupin hatte ihn gegen zwei Uhr gesehen, davor wäre zu allem Zeit gewesen.

»Mit dem Piraten, der gestern Abend auch auf Sein war, spreche ich gleich selbst. Kapitän Vaillant.«

So pauschal angewandt, hatte die Aktion etwas Vages, dessen war sich der Kommissar bewusst, es scherte ihn nicht.

Morins Angaben besaß er schon. Angeblich hatte er sich um zehn Uhr mit seinem Chef-*Bolincheur* am Hafen in Douarnenez getroffen. Eine Bestätigung dafür besaßen sie nicht.

»Und ganz wichtig, fragen Sie diesen Carrière, ob es einen Zeugen gibt. Jemanden, der ihn und Morin heute Morgen am Hafen gesehen hat. Ansonsten ist ihr Alibi hinfällig. Und auch: wie lange sie behaupten, dort gewesen zu sein.«

»Notiert«, Kadeg war zufrieden. »Wir werden ihnen empfindlich auf den Zahn fühlen.«

»Und finden Sie diesen Mann, der den Professor einmal im Monat besucht hat.« Dupin war noch etwas in den Sinn gekommen: »Die Spurensicherung soll eine Auflistung aller Buchtitel und Themen der Zeitschriften hier auf dem Schreibtisch und im Arbeitszimmer erstellen.«

»Suchen Sie nach etwas Bestimmtem, Commissaire?«

Dupin ging nicht darauf ein.

»Professor Lapointe besaß ein Handy. Wir brauchen schnellstmöglich sämtliche Verbindungsnachweise. Und finden Sie heraus, ob er mit dem Handy gemailt hat. Ob er einen Account hatte.«

»Auch notiert.« Es hatte nicht mehr ganz so euphorisch geklungen.

»Und haken Sie auch noch mal wegen der Accounts von Kerkrom und Darot nach!«

»Jawohl.«

»Wartet Madame Corsaire in ihrem Haus auf mich?«

»Sie ist draußen, vor dem Eingang.«

Dupin verließ das Arbeitszimmer ohne ein weiteres Wort.

Im Nu stand er vor Madame Corsaire. Sie suchte Dupins Blick mit einem schwer zu deutenden Gesichtsausdruck. Die alte Dame zögerte, dann schien sie sich einen Ruck zu geben.

»Ich habe mit meinem Mann telefoniert«, sie wirkte zutiefst aufgewühlt. »Er meinte, ich *muss* Ihnen noch etwas sagen. Etwas Privates. Zum Professor.«

»Sie sollten mir alles erzählen, Madame Corsaire.«

»Er hatte seit ein paar Monaten ab und zu Besuch von einer jungen Dame. Abends. Einer sehr jungen Dame.«

Es lag kein Vorwurf, keine Verurteilung, keine Empörung in ihrer Stimme, im Gegenteil. Was sie zu bewegen schien, war einzig die Sorge, indiskret zu sein.

»Kannten Sie die Frau? Wissen Sie, wer sie war?«

»Wir hatten sie zuvor noch nie gesehen.«

»Können Sie sie beschreiben?«

»Lange Haare, mehr nicht. Und jung. – Was denken Sie! Wir haben ihn schließlich nicht bespitzelt. Und so nahe liegen die Häuser nun auch nicht beieinander. Mein Mann dachte nur, Sie sollten im Bilde sein. Vielleicht weiß die junge Frau ja etwas.«

»Sie würden uns mit ein paar weiteren Details zum Aussehen ungemein helfen, Madame.«

»Eher dunkle Haare, nicht so groß. Hübsch, denke ich. Ich habe sie immer nur kurz gesehen. Sie hatte längere Jacken an, meistens mit Kapuze.«

Davon half nichts weiter.

»Meinen Sie, sie wollte nicht gesehen werden? Deswegen die Kapuze?«

»Diesen Eindruck machte es.«

»Seit wann kam sie den Professor besuchen?«

»Das haben mein Mann und ich uns eben auch gefragt. Seit Ende April, denke ich. Mein Mann sagt, erst im Mai.«

»Und wie oft war sie da?«

»Wir denken, fünf Mal. Ungefähr. Wie lange, können wir nicht genau sagen. – Aber kurze Besuche waren es nicht.«

»Haben Sie ihren Wagen gesehen?«

»Nein.«

Dupin wurde hellhörig.

»Was heißt das?«

»Da war kein Wagen. Einmal habe ich sie alleine an unserem Haus vorbeilaufen gesehen. Einmal mit dem Professor zusammen.«

»Wie kam sie her?«

»Vielleicht hat sie jemand abgesetzt. Oder sie fuhr mit dem Bus bis Saint-Hernot und ist dann zu Fuß weiter. Das machen wir auch manchmal. Obwohl mein Mann eigentlich noch fährt.«

»Oder ...«, Dupin brach ab.

Oder – sie war mit dem Boot gekommen.

Ihm war plötzlich etwas eingefallen. »Ich muss nur kurz etwas überprüfen. Ich bin gleich wieder da.«

Madame Corsaire starrte ihn ratlos an.

Dupin ging ein paar Schritte auf dem grasigen Weg mit unzähligen Kaninchenlöchern.

Er nahm das Telefon zur Hand. Nolwenn hätte es innerhalb einer Minute erledigt.

Und so war es.

Als er zurückkam, sah er, dass Madame Corsaire seinen kleinen Spaziergang neugierig verfolgt hatte.

Gerade war die Mail von Nolwenn auf seinem Telefon eingegangen. Im Anhang das, worum es Dupin gegangen war: ein Foto.

»Ist sie das?«, Dupin hielt Madame Corsaire das Handy vors Gesicht, »die junge Frau mit den langen Haaren, die den Professor besucht hat?«

Die Forensik in Brest hatte das Foto gemacht. Laetitia Darots Züge waren nicht entstellt gewesen – auf dem Bild würde man sie gut erkennen können.

Madame Corsaires Augen weiteten sich.

»O mein Gott. Das ist sie.«

»Sind Sie sich sicher?«

»Ja.«

Laetitia Darot hatte Philippe Lapointe gekannt. Sie hatte ihm mehrere Besuche abgestattet, in Lostmarc'h, bei ihm zu Hause. Allein, wie es aussah. Abends.

Das war es, was sie gebraucht hatten. *Jetzt* besaßen sie eine direkte Verbindung – zumindest zwischen einer der Frauen und dem Professor. Auch wenn sie noch nicht wussten, welcher Art diese Beziehung gewesen war.

Das Problem war: Wer konnte – wer würde das wissen? Wer wusste überhaupt von diesen Treffen? Und würde ihnen von den Hintergründen erzählen? Die Person, die am ehesten infrage gekommen wäre, Céline Kerkrom, war tot. Aber sie mussten alles daransetzen, es trotzdem herauszufinden.

Dupin hatte nach dem Gespräch mit der Nachbarin noch ein paar Worte mit Kadeg gewechselt. Bei den Überprüfungen der Verbindungsnachweise des Professors interessierten nun natürlich auch die möglichen Telefonate mit Darot. Hatten Darot und er schon länger in Kontakt gestanden? Hatten sie häufiger telefoniert? Es wären weitere Anhaltspunkte, um sich dem Charakter der Beziehung zu nähern.

Dupin war von Lapointes Haus nicht nach links auf das Sträßchen gegangen, sondern auf den Weg, den er gerade schon zum Telefonieren genommen hatte. Richtung Bucht und Strand. Dann würde er sich irgendwann links halten müssen und käme zu seinem Wagen.

Ihm waren spontan nur wenige Personen eingefallen, bei denen sie es versuchen konnten.

Er würde es einfach probieren.

Dupin hatte die erste Nummer schon gewählt.

»Monsieur Jumeau? – Commissaire Dupin am Apparat.«

Es dauerte, bis eine Antwort kam.

»Ja.« Ein überaus schleppendes Ja.

»Ich habe noch eine wichtige Frage. Wussten Sie«, es sollte eine möglichst neutrale Formulierung sein, vor allem nichts suggerieren, »dass Laetitia Darot ab und zu einen gewissen Professor Lapointe in Lostmarc'h besuchte?«

Ein längeres Schweigen.

»Wir haben keine feste Beziehung geführt. Sie konnte tun und lassen, was sie wollte.«

»Mich interessiert nur, ob Sie davon wussten. Hat sie Ihnen etwas davon erzählt? Vielleicht hat sie den Professor wegen etwas Bestimmtem konsultiert?«

»Konsultiert?«

»Sie haben von diesem Kontakt nichts gewusst?«

»Nein.«

»Haben Sie ...«, Dupin ließ ab. Es war müßig. »Danke. – Mein Kollege wird sich in Kürze noch einmal bei Ihnen melden.«

Der Weg endete abrupt vor einem schulterhohen, dornigen Gestrüpp, er würde an dessen Rand entlanglaufen müssen.

Er musste es weiter versuchen, vielleicht hatte er Glück.

Dupin hatte das Telefon erneut am Ohr. Der Wissenschaftler war sofort am Apparat.

»Pierre Leblanc hier.«

»Commissaire Dupin«, bei Leblanc brauchte es keine Vorreden, der Kommissar kam direkt zur Sache. »Wissen Sie von einem Kontakt zwischen Laetitia Darot und einem gewissen Professor Lapointe? Philippe Lapointe. Er wohnt auf der Presqu'île de Crozon. Ein emeritierter Virologe von einer Pariser Universität.«

»Mir sagt der Name gar nichts. – Ist das der dritte Tote? Ich habe es eben in den Nachrichten gehört.«

»So ist es.«

»Das ist ja fürchterlich«, die Reaktion war ohne Verzögerung gekommen, ein tiefes Entsetzen in der Stimme. »Schrecklich. – Ich frage die Kollegen hier am Institut, ob jemand von einem solchen Kontakt wusste. Was allerdings äußerst unwahrscheinlich ist.«

»Das wäre gut, Monsieur Leblanc.«

»Ich melde mich, wenn ich etwas höre. – Der Fall nimmt ja ungeheure Dimensionen an.«

»Das tut er«, Dupin überlegte kurz. »Hat Laetitia Darot etwas von einer Krankheit erzählt, einem Infekt, der sich unter den Delfinen ausbreitet? Gab es angeschlagene Tiere?«

»Nein. Und das hätte sie. Ganz sicher.«

Es wäre eine plausible Möglichkeit gewesen.

»Eine Frage noch, Monsieur Leblanc: Wo waren Sie heute früh, sagen wir, zwischen sechs und elf Uhr?«

Die Antwort kam klar und ruhig:

»Im Büro. Hier. Ab neun Uhr. Dann bin ich um halb zehn zur *Pointe Saint-Mathieu*, wo wir eine neue Messstation bauen, die wir Ende des Jahres in Betrieb nehmen wollen. Was Laetitia übrigens sehr wichtig war, da sich dort die Delfine häufig aufhalten. Ich war um zwölf Uhr wieder zurück.«

»Und vor neun Uhr?«

»Zu Hause. Ich wohne in Tréboul, allerdings alleine. Ich weiß, das ist für Sie natürlich schwer zu kontrollieren«, Leblanc hatte es mit beinahe wissenschaftlicher Sorge formuliert. »Ich überlege, ob mich nicht jemand gesehen haben könnte. Vielleicht auf dem Weg.«

»Waren Sie bei Ihrer Fahrt alleine auf dem Boot?«

»Nur ich. Ja.«

»Wie lange fährt man da?«

»Eine Stunde von hier.«

»Und auch dort hat Sie niemand gesehen?«

»Vermutlich nicht. Die Station entsteht auf einem zerklüfteten Vorsprung. Der ist vom Festland aus nur schwer zugänglich.«

»Und nachdem Sie wieder zurück waren? Gegen Mittag dann?«

»Meine Assistentin. Sie hatte mich schon wegen einer Besprechung erwartet.«

»Und Ihre Assistentin hat Sie auch um neun gesehen?«

»Da war sie noch nicht da. Der Techniker aber auf alle Fälle. Sicher auch noch jemand. Ich war kurz hier oben, bevor ich zum Boot bin.«

»Und gestern Abend, zwischen einundzwanzig und dreiundzwanzig Uhr?«

»Ich war lange hier. Im Institut. Vielleicht bis Mitternacht.«

»Und sind Sie da jemandem begegnet, der dies bezeugen könnte?«

»Auch wenn es misslich ist, ich denke nicht. Ich bin meistens der Letzte.«

Eine vollends sachliche Mitteilung.

Leblancs Alibis waren ebenso schwammig wie die anderen.

»Danke, Monsieur Leblanc. Einer meiner Inspektoren wird sich noch einmal dazu melden. Er wird sicher auch mit Ihrer Assistentin sprechen.«

Dupin hatte das Ende des dornigen Gestrüpps erreicht. Ein kleiner Trampelpfad führte nun geradewegs zum Strand hinunter. Ein anderer verlief parallel zum Strand, theoretisch müsste er so auf den Weg treffen, der zu seinem Auto führte.

Eigentlich waren es diese beiden gewesen – soviel Dupin im Augenblick sagen konnte –, bei denen seinem Gefühl nach eine Chance bestanden hatte, etwas über die Treffen zwischen Darot und dem Professor in Erfahrung zu bringen.

Jetzt fiel ihm nur noch Manet ein.

Er drückte auf sein Handy.

»Hallo?«

»Commissaire Dupin hier«, auch beim Inselarzt brauchte er keine Präliminarien: »Laetitia Darot hatte Kontakt zu Professor Lapointe – sie hat ihn in den letzten Monaten ein paarmal bei ihm zu Hause in Lostmarc'h besucht.«

Dupin verzichtete auf eine Frage.

»Das ist interessant. Warum?«

»Genau das will ich gerne wissen. Ihnen war das nicht bekannt?«

»Nein. – Ich hätte es eben erwähnt.«

Er schien nicht irritiert, dass Dupin dennoch nachgefragt hatte.

»Haben Sie irgendeine Idee, worum es bei diesen Treffen gegangen sein könnte? Oder überhaupt: welcher Art diese Beziehung gewesen sein könnte?«

»Überhaupt keine. Nein.«

»Fällt Ihnen jemand ein, der etwas wissen könnte?«

»Céline. Sonst niemand.«

»Ja.«

Das war das Problem.

»Zwei Dinge noch, Monsieur Dupin. Morgen wird die Flut besonders hoch stehen. Koeffizient 116. Da schlägt das Wetter gerne mal um. Wir müssen die Boote vorsichtshalber in den hintersten Teil des Hafens bringen. Auch das von Darot. Nur damit Sie Bescheid wissen. Und: Mit der Fähre heute Morgen kam wie immer die Post. Es gibt ein Einschreiben für Céline Kerkrom. Die Dame von der Post war eben bei mir, um nachzufragen, was sie damit tun soll. Eigentlich kann es nur persönlich abgeholt werden.«

»Inspektor Riwal wird es abholen, ich spreche mit ihm. Danke.«

»Dann bis später.«

Manet hatte aufgelegt.

Das waren sie gewesen, die Personen, die vielleicht hätten helfen können. Dupin fluchte kaum hörbar.

Sein Orientierungssinn hatte ihn nicht im Stich gelassen. Er war auf den Pfad gestoßen, der zu seinem Auto führte, es ging erstaunlich steil hinauf, es war ihm eben nicht aufgefallen.

Er warf einen Blick auf die Uhr.

Viertel nach acht. Während eines Falles verlor er jegliches Zeitgefühl. Er sollte sich unbedingt bei Claire melden, er hatte es den ganzen Tag über vorgehabt. Und, es ging nicht anders, bei seiner Mutter.

Er spürte, wie abgekämpft und erschöpft er war. Die Nacht war schon vor fünf Uhr vorbei gewesen, seitdem war der Tag ein stetiger turbulenter Dauerlauf. Und er war noch längst nicht zu Ende. Er benötigte einen *café*. Dringend.

»Eine außerordentliche Nachricht, Chef«, platzte es aus Riwal heraus.

Dupin hatte das Telefon bereits am Ohr gehabt, um Claire anzurufen, als es geklingelt hatte. Er wäre gleich endlich bei seinem Wagen.

»Raten Sie, wer dem Professor die Haare schneidet?«

Riwal ließ eine rhetorische Pause entstehen und fuhr dann aufgeregt fort:

»Yan Lapal.«

Eine abermalige Pause.

»Der Friseur mit dem Boot – der auch Darot und Kerkrom die Haare geschnitten hat. Er hat seinen Salon ja in Camaret. Dort ging Professor Lapointe hin. – Lapal hat allen dreien die Haare geschnitten!«

»Ja?«

Der Friseur besaß, Kadeg hatte es geklärt, zumindest für gestern Abend, ein wirklich stichhaltiges Alibi.

»Das ist ein Katzensprung zum neuen Tatort. Und er braucht nur fünf Minuten von seinem Haus zu seinem Boot im Hafen von Camaret, ich habe es mir auf der Karte angesehen. Von dort aus ist er überall innerhalb einer Stunde. Auch auf den Inseln.«

Es war alles richtig. Und ja, es war ein komischer Zufall, dass alle drei bei ihm gewesen waren. Aber er kam nicht infrage, wenn sie – und es gab keinen Anlass, die Hypothese zu verändern – weiterhin von einem einzelnen Täter ausgingen, was auch die Gerichtsmedizinerin für wahrscheinlich hielt.

»Überlegen Sie einmal! Ein Friseur, der mit seinem Boot zu den abgeschiedensten Orten fährt und dort ungestört mordet. Niemand würde ihn je verdächtigen.«

Das liefe nicht nur auf den Friseur, sondern auch auf den Serienmörder hinaus – Dupin hätte es wissen sollen.

»Noch etwas, Riwal?«

»Ich habe«, Riwals Stimme hatte sich augenblicklich normalisiert, »mit ein paar Männern von der Insel gesprochen, die sich gerne an den beiden Quais aufhalten. In den Kneipen. Und das Treiben am Hafen beobachten, das Anlegen und Ablegen der Boote.«

»Und?«

»Sie sagen, dass Kerkrom in letzter Zeit häufiger draußen war als gewöhnlich. Dass sie früher einmal die Woche einen Ruhetag eingelegt hat. Zuletzt nicht mehr.«

Dupin dachte nach.

»Wir sollten beim Hafen in Douarnenez nachfragen. Vielleicht können sie …«

»Habe ich schon. Ein Mitarbeiter von Madame Gochat ist beauftragt, uns eine Aufstellung ab März zu schicken, an welchen Tagen Céline Kerkrom ihren Fang zur Auktion gebracht hat. Nur das ist registriert. Nicht, ob sie im Hafen von Douarnenez angelegt hat. Aber immerhin.«

»Ausgezeichnet, Riwal.«

Auf diese Idee hätte Dupin selbst kommen können, und zwar schon unmittelbar heute Morgen.

»Sie hat zuweilen ja auch direkt für einzelne Restaurants gefischt, Barsche und *Lieus jaunes,* an diesen Tagen ist sie bei der Auktion natürlich nicht registriert gewesen.«

Es war kompliziert.

»Der beste Beobachter ist übrigens der kleine Junge, mit dem Sie heute Morgen am Cholera-Friedhof gesprochen haben,

Chef. Und er treibt sich häufig am Hafen herum. Er kennt die Fischer sehr gut. Auch er hat gesagt, Kerkrom sei zuletzt ›immer‹ draußen gewesen. Darot ebenso. Und ab und zu gemeinsam auf einem Boot.«

»Was genau hat er gesagt?« Dupin war plötzlich angespannt.

»Dass er sie früher nie gemeinsam auf einem Boot gesehen habe, nur in der letzten Zeit. Er konnte nicht genau sagen, ab wann.«

»Auf welchem?«

»Auf beiden. Auf dem von Darot und auf dem von Kerkrom.«

»Wie oft?«

»›Manchmal‹, hat er gesagt. Ich konnte es nicht genauer aus ihm herauskriegen.«

»Und warum sind sie zusammen rausgefahren – hat er dazu etwas gesagt?«

»Er glaubt, dass sie zusammen angeln waren. Aber er weiß es nicht.«

»Haben die beiden ihm das gesagt – das mit dem Angeln?«

»Nein. Das hat er sich gedacht.«

»Und hat er etwas dazu gesagt, wo genau sie hingefahren sind?«

Weiterhin eine der entscheidenden Fragen.

»Nein.«

Dupin lief um eine enge Biegung. Er konnte sich nicht erinnern, dass der Weg vom Wagen zum Strand so weit gewesen war.

»Sonst noch etwas?«

»Er hat von Kerkrom manchmal einen Fisch oder Krebs bekommen, wenn sie zurückkam. Ebenso von den anderen Fischern, er hat ihnen beim Netzesortieren geholfen, bei den Verschlägen. Und wenn die Fischer etwas auf dem Meeresboden gefunden haben, hat er es ins Museum gebracht. Dort gibt es einen Raum, wo die Fundstücke gesammelt werden. Madame Coquil hat ihn mir gezeigt, da wird alles aufbewahrt. Auch richtig alte Sachen«, Riwal klang beeindruckt, »Kanonenkugeln, zwei riesengroße Anker, Teile von Booten, sogar ein paar römische Münzen und Keramiken. Erstaunliche Dinge, Überreste von Schiffsunglücken und den Besiedlungen aus sechstausend Jahren, Sie sollten ...«

»War's das, Riwal?«

Dupin musste das Abschweifen im Keim ersticken. Zu wichtig waren die Dinge, um die es gerade ging.

»Ja.«

Der Kommissar hätte zu gerne selbst mit dem Jungen gesprochen. Das mit der Insel war verflucht.

»Gut, Riwal, wir sprechen gleich wieder.«

»Ich soll Ihnen noch etwas von Goulch ausrichten. Die Behörden haben eine abschließende Bilanz zu der ›konzertierten Aktion‹ gezogen. Es bleibt dabei: Bei keinem der Boote von Morin war etwas zu beanstanden. Bei zwei anderen Fischern, die mit Morin nichts zu tun haben, wurden, wie Sie wissen, Rote Langusten gefunden. In dem einen Fall handelt es sich wahrscheinlich doch nur um Beifang, in dem anderen tatsächlich um einen Verstoß, der nun geahndet wird. Alle gehen mittlerweile davon aus, dass jemand Morin die Aktion gesteckt hat. Es laufen Gespräche dazu, Xavier Controc von den *Affaires maritimes* ist außer sich.«

Müßige Gespräche ganz gewiss.

Dupin fielen noch zwei Punkte ein, er hätte es fast vergessen:

»Sie müssen bei der Post vorbeigehen und ein Einschreiben für Céline Kerkrom abholen. Und ich will, dass jemand von uns dabei ist, wenn sie Darots Boot im Hafen verlegen. Antoine Manet sagte ...«

»Der Wetterwechsel morgen.«

»Wie gesagt: Das muss jemand im Auge haben.«

»Wird gemacht, Chef. – Ansonsten«, Riwals Ton veränderte sich merkwürdig, »geht es Ihnen gut, ich meine körperlich?«

Dieses Mal verstand der Kommissar sofort.

»Mir geht es sehr gut, Riwal. Und jetzt Schluss damit!«

Er würde kein einziges Mal mehr darüber sprechen.

Dupin steckte sein Handy zurück in die Tasche.

Eine Möwe flog tollkühn über seinen Kopf hinweg. Das hatte sie schon ein paarmal getan, seit er an dem Brombeergestrüpp entlanggegangen war. Fast so, als hätte sie es auf ihn abgesehen. Kreischend. Vielleicht hatte sie Junge und ihr Nest war in der Nähe.

Endlich sah Dupin seinen Wagen.

Aber nicht nur seinen.

Ein paar Meter hinter dem Citroën stand ein zweiter Wagen. Schwarz. Groß. Glänzend.

Charles Morin lehnte an der Tür des Citroëns und blickte Dupin entgegen. Seelenruhig. Als wäre es das Selbstverständlichste der Welt, dass er hier stand.

Er wartete, bis Dupin nur noch ein paar Schritte entfernt war.

»Der Piraten-Clown hat die beiden regelrecht verfolgt, wissen wir jetzt. Vaillant hat sich über Tage auf dem Meer in ihrer Nähe aufgehalten. Als sie zusammen auf Kerkroms Boot waren. Offenbar, ohne dass sie es bemerkt haben. Am Eingang zur Bucht von Douarnenez.«

Der gleiche souverän aufgeräumte Tonfall und Gestus wie vorhin im Gespräch.

»Woher wissen Sie, wo ich mich aufhalte, Monsieur Morin?«

»Ich denke, Sie sollten sich um Vaillant kümmern. – Ich jedenfalls werde es tun.«

»Wie kommen Sie hierher, Monsieur Morin?«

Dupin wollte es wirklich wissen.

»Ich war auf dem Weg nach Hause. Meine Frau wartet mit dem Essen.«

»Das ist keine Antwort.«

Das Unheimliche war nicht, dass sich Morin in der Nähe des Tatortes aufhielt, die Medien hatten bereits von dem Mord berichtet, sondern hier, an Dupins Wagen, im Nichts. Es war eine Machtdemonstration.

»Der Mörder«, Morin sprach bedächtig, »hatte es offenbar eilig. Er wollte verhindern, dass die Opfer sich untereinander warnen konnten.«

Das war ein Aspekt. Ohne Zweifel. Aber Dupin würde auch jetzt auf keine »ermittlerische« Erwägung Morins eingehen.

»Professor Lapointe hat sich in einer Bürgerinitiative gegen den Einsatz giftiger Chemikalien engagiert, die bei Arbeiten an Ihren Schiffen eingesetzt werden. Sie hatten einen Grund, etwas gegen ihn zu unternehmen. Wer weiß, was er wusste.«

»Sie denken, ich bringe jemanden aufgrund eines lächerlichen Vorwurfes gegen mich um? Bei dem es um Putzmittel geht?« Morin klang plötzlich niedergeschlagen. »Und warum Madame Gochat die beiden hat verfolgen lassen, liegt ebenso noch völlig im Dunkeln. – Wir sollten uns unbedingt auf diese Fragen konzentrieren, Commissaire. Glauben Sie mir.«

Mit diesen Worten löste er sich von der Autotür und ging zu seinem Wagen. Ohne sich noch einmal umzusehen.

Dupin öffnete die Tür des Citroëns, stieg ein und ließ den Motor an.

Noch bevor Morin seinen Wagen gestartet hatte, fuhr Dupin bereits an.

Der Kommissar hatte Vaillant ohnehin sehen wollen. Aber natürlich hatte Morins Äußerung diesen Wunsch noch zwingender werden lassen, auch wenn es Dupin heftig gegen den Strich ging, einem »Hinweis« Morins zu folgen. Mochte er noch so sehr den Ermittler geben – für Dupin rangierte er unverändert dringlich unter den Verdächtigen, Morin besaß ohne Zweifel eine listige Intelligenz. Aber natürlich stellte es eine drängende Frage dar – wenn es denn stimmte: Aus welchem Grund hatte Vaillant die beiden Frauen mit seinem Boot verfolgt? Was hatte er gewollt? Kapitän Vaillant wäre bereits der Zweite, der sie verfolgt hätte. Und immer ging es um die Bucht von Douarnenez.

Dupin würde Vaillant in Le Conquet am Fischereihafen treffen, Nolwenn hatte alles arrangiert.

Kadeg hatte Frédéric Carrière erreicht: Das Treffen mit Morin hatte bei dessen Hochseetrawlern stattgefunden, in dem nicht öffentlichen Bereich des Hafens. Weil sie sich einen Defekt an einem der Boote hatten ansehen müssen. Selbstverständlich waren sie nur von einem weiteren Angestellten Morins gesehen worden, niemand sonst konnte die Aussagen bestätigen. Carrière behauptete, er sei um elf Uhr wieder ausgelaufen. Kadeg hatte keinen Hehl daraus gemacht, dass ihm dieses ganze Treffen suspekt vorkam. Und das war es.

Auch sämtliche andere Alibis waren, wie konnte es anders sein, äußerst schwammig: Gochat war sicher um zwölf Uhr gesehen worden, am Morgen um halb zehn das letzte Mal, dazwischen hatte sie sich in ihr Büro »zurückgezogen«. Jumeau gab an, sich, abgesehen von dem Gespräch mit Dupin, bis achtzehn Uhr durchgehend auf dem Meer befunden zu haben, man würde es nicht nachprüfen können.

Im Anschluss hatte Dupin mit Riwal gesprochen. Die Post war natürlich längst geschlossen gewesen.

Dupin hatte einmal um die Rade de Brest herumgemusst, insgesamt war es eine gute Stunde Fahrt gewesen. Vaillant würde ebenso eine Stunde brauchen, hatte er gesagt. In ein paar Minuten wäre Dupin da.

Er hatte Le Conquet und dieses Stück der äußersten Westküste erst letztes Jahr für sich entdeckt. Sie hatten mit dem gesamten Kommissariat einen, von Nolwenn organisierten, »Betriebsausflug« zum westlichsten Punkt der Bretagne und Frankreichs unternommen, zur *Pointe de Corsen*, ein Ausflug, der trotz Dupins tiefer Skepsis gegenüber derartigen Aktionen sehr nett geworden war, sie waren erst um Mitternacht zurück gewesen, und das äußerst beschwingt. Es war nicht nur der westlichste Punkt Frankreichs, sondern, abgesehen von dem kleinen Stückchen portugiesischer und spanischer Küste, das westliche Ende des europäischen Kontinents, mehr noch, der gewaltigen eurasischen Kontinentalplatte, die sich siebentausend Kilometer entfernt – mit Sibirien und China – aus dem Pazifik erhob. Das war ein angemessener bretonischer Superlativ. Jeder anständige Bretone pilgerte zur *Pointe de Corsen*, und natürlich war das Nolwenns Hintersinn bei der Wahl des Ausflugszieles gewesen, ein weiterer symbolischer Akt von Dupins Bretonisierung. Sie hatten die Exkursion bei strahlendem Sonnenschein in Saint-Mathieu begonnen – ein magischer Ort unzähliger Legenden, hohe, von Wind und Meer umtoste Felsen, auf denen neben einem bildhübschen Leuchtturm die auratischen Ruinen einer alten Abtei aus dem 6. Jahrhundert standen –, hatten in Le Conquet ausgiebig zu Mittag gegessen und waren von dort weiter über die *Pointe de Corsen* und das hübsche Städtchen Porspoder bis zu den beinahe überirdisch schönen Stränden von Lampaul-Ploudalmézeau gefahren. Vielleicht war es das Stück bretonische Küste, das Dupin am stärksten beeindruckt hatte – er wusste, es war ein dummer Satz; wie oft hatte er ihn schon gesagt. Auf alle Fälle war es das abgeschiedenste, einsamste, das rauste und wildeste Stück. Im »Süden«, in »seiner« Gegend, zog sich das Land – die Felder, Wälder, Wiesen – zumeist bis unmittelbar an die Küste, dann kam abrupt das Meer, bis dahin war es eindeutig Land. Hier war es anders. Hier formten die ungeheuren Kräfte des tosenden Atlantiks und der peitschenden Winde sowie die unendlich feine, salzhaltige Gischt, die kilometerweit getragen wurde, die Natur bis tief ins Land hinein. Was vor allem hieß: Alles blieb, von wenigen Eichen oder Pinienwäldchen abgesehen, karg, die Vegetation spärlich. Das typische stoppelige Gras, Farne, Sträucher, Gestrüpp, Sand, Steine, Felsen, Klippen. Wobei es schien, als ob die Überfülle an unterschiedlichen Grüntönen das Fehlen anderer Pracht wettmachen wollte, von dunkelstem Schwarzgrün bis hellstem Gelbgrün. Starke, mächtige, großartige Landschaften waren es, am eindrucksvollsten vielleicht auf der Straße direkt am Wasser von Penfoul nach Trémazan zu sehen, noch besser natürlich auf den endlosen Schmugglerwegen die Küste entlang.

Auch die Häuser wirkten solider, massiver als bei ihnen an der Südküste, der Granit dunkler, jedes eine kleine Trutzburg, die sagen wollte: Ich widerstehe, jahrhundertelang. Genau wie auf der Île de Sein standen sie eng zusammengerückt.

Dupin hatte Le Conquet erreicht, er steuerte durch die engen Sträßchen Richtung Zentrum, dann weiter zum modernen Fischereihafen, wo auch die Fähren nach Ouessant und Molène ablegten.

Mit einem Mal sah man die schlauchartige Bucht, den Beginn des schmalen Meeresarmes, der einen bestens geschützten natürlichen Hafen abgab, gegenüber eine felsige Halbinsel, mit einer grünen Kappe bedeckt. Vom Quai des Hafens waren es vielleicht zweihundert Meter bis zur Halbinsel, so war genug Platz zum Manövrieren, auch für größere Boote. Eine lange Mole erstreckte sich am Eingang des Beckens. Am Ende des Meeresarmes lag der *Vieux Port*, direkt am pittoresken Zentrum.

Dupin stellte den Wagen auf dem großen Platz hinter dem Quai ab, auf dem auch die Tagesausflügler parkten, die zu den Inseln übersetzen.

Er ging nah am Wasser entlang. Niemand zu sehen. Auf dem ganzen Pier nicht. An der langen Mole hatten zwei Fähren festgemacht; *Penn-Ar-Bed* war in stolzen Lettern zu lesen, dieselbe Gesellschaft, zu der auch die *Enez Sun III* von heute Morgen gehörte. Im Hafenbecken an bunten Bojen verteilt lagen einige Fischerboote.

Vaillant – Kapitän Vaillant – würde nur hier vorne an der Mole anlegen können.

Er war noch nicht da.

Auch auf dem Stück Meer, das man am Ausgang des Hafens sehen konnte, war kein Boot zu entdecken. Richtung Nordwesten, Richtung Ouessant, versperrte die Halbinsel den Blick. Die Sonne hingegen stand – auch jetzt um kurz vor zehn – noch hoch genug, um mit ihrem milden, milchigen Licht darüberzukommen und Dupin ins Gesicht zu scheinen. Immer noch war es erstaunlich warm. Gewiss über zwanzig Grad.

Ein großzügiger Sommerabend.

Zu dem Restaurant, es war Dupin schon beim Abstellen des Wagens durch den Kopf gegangen, wo sie mit der gesamten Truppe des Kommissariats gesessen hatten, konnte es nicht weit sein. Sie waren nach dem Essen gemeinsam hier zum Hafen spaziert.

Er wäre in einer Viertelstunde wieder zurück. Dafür ein ganzes Stück wacher, aufmerksamer.

Dupin überlegte nicht lange, im Zweifel musste Vaillant warten.

Fünf Minuten später stand er vor dem *Relais du Port*, unten am alten Hafen. Ein altes steinernes Haus mit viel Flair, ein einfaches Restaurant, eines für jeden Tag, wie Dupin es liebte. Beim Essen blickte man auf den *Vieux Port*, besser ging es nicht. Im Augenblick hieß das: auf den Meeresboden und die auf dem Sand zur Seite gekippten Boote, sehr viele davon, was immer – sogar an einem solch schönen Sommerabend – etwas Melancholisches besaß. Große, von der Sonne zum Leuchten gebrachte grellgrüne Algenflächen auf dem Sand, direkt vorne ein knallblauer Holzkahn, weiter hinten ein orangener, ein türkiser, ein roter – ein verrücktes Farbspiel.

Dupin wählte einen Tisch in der ersten Reihe der gemütlichen überdachten Terrasse.

Perfekt.

Im Nu hatte er seinen *café* getrunken. Dabei war sein Blick – ohne dass er es vorgehabt hatte – auf die Tageskarte gefallen. *Steak Tartare, frites, salade.* Ein Lieblingsgericht Dupins, es rangierte nur wenig hinter dem Entrecôte. Für ein gutes Tatar tat der Kommissar einiges.

Er griff nach seinem Handy.

»Nolwenn?«

»Monsieur le Commissaire?«

Nolwenn machte einen aufgeräumten Eindruck.

»Ich bin – aufgehalten worden«, Dupin bemühte sich um einen ausgesprochen seriösen Ton. »Sagen Sie Vaillant, ich bin in – sagen wir, zwanzig Minuten, da.«

Ein Tatar wäre rasch serviert. Und er musste etwas essen. Der letzte Bissen, den er bekommen hatte, lag Ewigkeiten zurück. Zudem: Das *Amiral* würde voraussichtlich geschlossen sein, wenn er nach Concarneau zurückkäme. Das gab den Ausschlag.

»Sie sitzen im *Relais du Port*, vermute ich. Sehr richtig, Monsieur le Commissaire!« Nolwenn sprach mit vollkommener Selbstverständlichkeit. »Der Pirat wird eben ein wenig warten müssen.«

Dupin war zu häufig Zeuge von Nolwenns übersinnlicher Fähigkeit geworden, seinen Aufenthaltsort zu erraten, um noch verblüfft zu sein.

»Sie sind sich bestimmt gewahr«, Nolwenns Tonfall hatte sich verändert und auch die Wortwahl zeigte an, dass sie nicht amüsiert war, »dass Ihre Mutter einige Male versucht hat, Sie zu erreichen. Sie ist jedes Mal bei mir gelandet.«

Für Madame Dupin waren alle Menschen außerhalb der Metropole, auch Nolwenn, Provinzler, vor allem natürlich Menschen solch abgelegener Regionen wie der Bretagne, dem Inbegriff der Provinz. Und das gab sie ihnen auch zu verstehen. Nolwenn hatte ihre eigene Art, dem zu begegnen. Sie vermied die Kollision, ließ seine Mutter aber seelenruhig und mitleidslos am ausgestreckten Arm verhungern.

»Sie müssen mit ihr reden!«

Das hieß vor allem auch: *Sie* würde es nicht mehr tun.

»Ich spreche mit ihr, Nolwenn. Gleich morgen früh.«

»Gut«, schon klang sie wieder fröhlich. »Apropos – weil Sie sich gerade in der Gegend von Ys aufhalten: Wissen Sie, wann Ys wieder aus den Fluten auftauchen wird? Wenn Paris in den Fluten versinkt! So erzählen es sich die Bretonen seit Jahrhunderten. Par-Is! Es bedeutet ›wie Ys‹.«

Dupin schmunzelte.

»Wir löschen jetzt gleich hier die Lichter, Monsieur le Commissaire. Die Vorbereitungen für morgen sind abgeschlossen, und wir werden versuchen, etwas Schlaf zu bekommen. Um morgen bei Kräften zu sein. – Aber Sie wissen ja, ich habe das Handy immer bei mir. Riwal wird übrigens auf der Insel übernachten. Wir haben ihm ein Zimmer in dem einzigen Hotel besorgt, einfach, aber sauber, das wird wahrscheinlich die erste Nacht, die er durchschläft, seit Maclou-Brioc auf der Welt ist. – Kadeg hat entschieden, zurückzukommen. Wie steht es mit Ihnen? Es sind gut eineinhalb Stunden Fahrt. Ich habe …«

»Ich komme ebenso zurück.«

Es war ein Reflex gewesen.

»Eineinhalb Stunden.«

»Kein Problem, Nolwenn.«

»Wie Sie meinen.«

»Noch etwas«, Dupin massierte sich die Schläfe, schon ein paarmal war er unwillkürlich auf eine der Geschichten zurückgekommen, die ihm die Dame vom Kaffeestand in der Auktionshalle heute Morgen erzählt hatte, auf eines der Gerüchte, »dieses Boot von Morin, das man der Schmuggelei verdächtigte – man erzählt sich, der Zoll habe es tatsächlich verfolgt und in die Enge getrieben, die Mannschaft habe es dann, auf Morins Anweisung hin, selbst versenkt. Um die Beweise zu vernichten.«

»Ich habe keinerlei Hinweise auf eine solche Geschichte erhalten. Der leitende Zollbeamte, mit dem ich heute Morgen über Morin gesprochen habe, hat davon nichts erwähnt. Aber ich hake nach.«

»Das wäre gut, Nolwenn. Und fragen Sie, in welchem Gebiet man die Geschichte verortet.«

»Mach ich. Also – *bonne nuit*, Monsieur le Commissaire.«

»*Bonne nuit*, Nolwenn.«

Dupin lehnte sich zurück und machte der sympathischen Kellnerin, die gerade am Nebentisch etwas auftrug, ein Zeichen.

»Ich hätte gern das Tatar. Und ein Glas Cornas. Der *Empreintes* von 2009.«

Dupin besaß für vieles ein miserables, bisweilen hundsmiserables Gedächtnis, Weine, ihre Namen und Herkünfte aber konnte er sich ohne Mühe merken. Sie hatten den Cornas auf dem Betriebsausflug getrunken.

»Gerne, Monsieur.«

Dupin musste gestehen, dass ihn Nolwenns »Aktionstag« immer noch nervös machte, er hätte zu gerne gewusst, was es damit genau auf sich hatte. Warum es wichtig wäre, bei Kräften zu sein. Aber wahrscheinlich sollte er weiterhin seinem Instinkt vertrauen, der ihm sagte, dass es das Beste für alle wäre, so wenig wie möglich darüber zu reden. Noch eine andere Sache war ihm durch den Kopf gegangen. Auch wenn es aufwendig war, er sollte es tun.

Er griff noch einmal zum Telefon.

»Riwal?«

»Chef, ich wollte Sie gerade …«

»Ich will selbst noch einmal mit dem Jungen sprechen«, Dupin hatte die Stimme gesenkt, »dem von der Insel. Der sich immer am Hafen herumtreibt, ich werde …«

»Ich habe das Einschreiben«, Riwal konnte nicht an sich halten. »Ich habe Antoine Manet im *Le Tatoon* getroffen. Er wusste, dass die Dame von der Post heute Abend zum Essen eingeladen war. Er wusste auch, wo, und hat sie gebeten, mir das Einschreiben noch schnell zu holen. Manet ist ...«

»Riwal, was ist es?«

»Eine Mahnung. Von einem Labor in Paris. Eine offene Rechnung.«

Riwal ließ eine unnötige Pause entstehen.

»Und?«

»Ein Speziallabor, das chemische, physikalische und biologische Analysen von jedweden Materialien, Stoffen und Flüssigkeiten erstellt.«

»Was?«

Das war unerwartet.

»*Sci-Analyses* heißt die Firma.«

»Und worum geht es genau?«

»Wie gesagt, ein Mahnschreiben. Und eine Kopie der Rechnung. Es steht nur drauf: ›RfS-Analyse‹.«

»Sonst nichts?«

»Sonst nichts. Ich habe schon im Internet nachgeschaut. Ich finde nur eine FRS-Analyse.«

»Und was heißt das? Ich meine das, was Sie gefunden haben?«

»Fernröntgenseiten-Analyse. Wird in der Kieferorthopädie eingesetzt.«

»Kieferorthopädie?«

Die Kellnerin stellte das Glas Wein, einen Brotkorb und Butter vor Dupin ab.

»Exakt.«

»Von wann ist die Rechnung?«

»Vom 27.4.«

»Und über welchen Betrag?«

»1479,57 Euro.«

Eine kostspielige Unternehmung.

»Haben Sie schon versucht, die Firma anzurufen?«

»Um diese Uhrzeit läuft nur ein Band.«

Natürlich.

Riwal fuhr fort:

»Ich habe unten auf der Seite nach den Geschäftsführern geschaut. Um sie direkt anzurufen. Beide sind nicht im Telefonbuch gelistet. Wir werden bis morgen früh warten müssen. Ich klemme mich dahinter.«

Riwal war schon weit gegangen. Er wusste, dass Dupin in solchen Situationen keinen Aufwand scheute, dass es ihm für gewöhnlich egal war, wie verrückt und kompliziert etwas war. Aber: Wenn sie noch diese Nacht in Kontakt zu jemandem von der Firma hätten treten wollen, hätten sie bei den Kollegen in der Hauptstadt äußerst schwere Geschütze auffahren müssen. Ohne zu wissen, ob die Sache auch nur im Ansatz etwas mit ihrem Fall zu tun hatte.

»Gut. – Und wie gesagt, ich will noch einmal mit dem Jungen sprechen.«

»Da werden Sie früh kommen müssen, Monsieur le Commissaire. Ab halb neun ist er in der Schule.«

»Ich«, Dupin setzte ab. Er war intuitiv, ohne überhaupt darüber nachzudenken, von einem Treffen auf dem Festland ausgegangen. Aber das würde natürlich schwer zu vermitteln sein: den Jungen einen Vormittag aus der Schule zu nehmen und ihn extra mit einem Polizeiboot nach Douarnenez bringen zu lassen. Für ein völlig unkonkretes Gespräch.

Dann aber würde er selbst wieder aufs Boot müssen.

»Goulch fährt Sie, Chef. Sie müssen ihm nur Bescheid geben.«

»Ich werde sehen«, vielleicht war es ja auch eine verrückte Idee, das mit dem Jungen.

»Die Gerichtsmedizinerin aus Brest hat sich eben gemeldet. Sie hat die beiden Schnitte verglichen. Und sich die Fotos der Untersuchung von Kerkrom schicken lassen. Es könnte grundsätzlich dasselbe Messer gewesen sein, absolut. Eine spezifische

Spur, die zum Beispiel auf eine individuelle Beschädigung der Klinge hinweist, hat sie aber nicht gefunden.«

»Hm«, eine Pause. »Sonst noch etwas, Riwal?«

»Im Augenblick nicht. – Die Nachrichten berichten schon jetzt vom ›Großen Aktionstag‹ morgen. Das wird Schlagzeilen machen.« Der Inspektor war begeistert. »So muss es sein!«

»Was genau meint …«

Dupin führte den Satz nicht zu Ende.

»Bis dann, Riwal.«

Der Kommissar legte das Handy zurück auf den Tisch. Und nahm das Weinglas in die Hand.

Was hatte es bloß mit dieser wissenschaftlichen Analyse auf sich, die Kerkrom in Auftrag gegeben hatte? Bei einem Speziallabor in Paris?

Der Wein war schwer und samtig. So wie Dupin ihn liebte.

Er nahm von dem Baguette, ein größeres Stück der gesalzenen Butter. Es tat gut.

Es war ein harter Tag gewesen, ein Tag, wie ihn Dupin in seiner Laufbahn noch nicht erlebt hatte. Drei Morde. Eiskalt, abgebrüht. Schnell hintereinander begangen. An drei Orten, jeweils ungefähr eine Stunde voneinander entfernt. Es war unmöglich, konzentriert zu ermitteln. Immer wieder hatten sie aufbrechen müssen, neu ansetzen müssen, nirgends die Ermittlungen wirklich vertiefen können, graben können.

Die Kellnerin kam mit dem Essen. Schenkte Wein nach.

Das Tatar sah fantastisch aus. Und genauso schmeckte es. Mit Kapern, Zwiebeln, Senf, Piment d'Espelette und Estragon. Auch die Pommes frites waren exzellent. Dupin hatte sie schon als Kind geliebt, sein Patenonkel war irgendwann nach Brüssel gezogen; bei jedem Besuch hatten sie *Frites* in großen randvollen Papiertüten gegessen, die vor ihren Augen im Handumdrehen kunstvoll aus mehreren Blättern gedreht wurden, einem Zaubertrick gleich. Die köstlichsten Soßen dazu. Ein großes Glück. Außen ganz knusprig, innen butterweich. An einer ordinären

Bude auf einem schäbigen Platz, im Stehen, seine bourgeoise Mutter war jedes Mal entrüstet gewesen, sein Vater hatte es genossen – wie er.

Dupin hatte sich nicht allzu sehr beeilt.

Es war Viertel vor elf, als er wieder den Quai erreichte.

Hinter den beiden Fähren lag nun ein weiteres Boot an der langen Mole. Ein auffälliges Boot. In einem hellen, verblichenen Blau, mit einem schmalen weißen Streifen unter der Reling um das ganze Schiff herum. Das Boot war ganz aus Holz, vorne außergewöhnlich hoch und schwungvoll aufragend, wie ein Pottwal. Eine Bugform, die Dupin noch nie gesehen hatte. Bestimmt fünfzehn Meter in der Länge, insgesamt beachtlich breit gebaut, satt und schwerfällig lag es im Wasser, eine Kapitänskabine, darauf die übliche Elektronik. Ein ulkiges Schiff. Wie aus einer Jules-Verne-Verfilmung. Am Bug stand *Pebezh abadenn*. Es musste Vaillants Boot sein.

Auch am längsten Tag des Jahres geschah es irgendwann: die Bretagne hatte sich von der Sonne weggedreht – die Sonne war untergegangen, wie man sagte. Sie hatte das Meer dort, wo sie eingetaucht war, wild orange entflammt, und auch der Himmel schien förmlich zu brennen. Als hätte sich eine kosmische Katastrophe ereignet. Der gesamte Horizont schien zu brennen, ein verrücktes Rotorange. Nur an seinen Rändern wurde es plötzlich blauschwarz. Einzig, dass man es – als Bretone – schon kannte, gab einem die Gelassenheit, ruhig zu bleiben und nicht den Weltuntergang zu erwarten.

An Deck der *Pebezh abadenn* war eine Gruppe von Männern zu sehen. Einer war damit beschäftigt, das Boot zu vertäuen, lange würden sie also auch noch nicht da sein.

Dupin hielt auf die Mole zu. Lief sie entlang bis zur letzten der drei Betonrampen, die ins Wasser hinunterführten, sodass man – wie auf der Île de Sein und überall an der Küste – bei jedem Tidenstand anlegen und die Boote betreten oder verlassen konnte.

»Da kommt der Bulle.«

Dupin hatte es ebenso klar und deutlich gehört wie alle anderen. Es hatte nicht einmal feindlich geklungen.

Er war auf der Höhe der Reling angekommen.

Einer der Männer setzte sich wortlos in Bewegung. Ein dürrer Kerl mit tiefgebräuntem Gesicht, deutliche Ringe unter den Augen, leicht verquollene Augenlider, eine stolze, wild gewachsene schwarze Haarpracht, die die ganze Erscheinung dominierte und Dupin an Rockbands der Siebziger erinnerte. Der Widerschein des grellen Orange auf den lockigen Haaren verstärkte den Eindruck. Ein dunkelgrünes Leinenhemd, die obersten Knöpfe geöffnet, Jeans, schwarze Gummistiefel. Dupin schätzte ihn auf Mitte vierzig.

»Wir konnten nicht widerstehen, unter uns war ein riesiger Makrelenschwarm, da mussten wir schnell ein paar Leinen auswerfen.«

Vaillant deutete mit dem Kopf auf ein paar Plastikwannen voller schillernder, zappelnder Fische. Es sollte als Erklärung für die Verspätung gemeint sein – was auch bedeutete: Dupin hätte, wäre er nicht noch im *Relais du Port* gewesen, eine geschlagene Dreiviertelstunde am Quai gewartet.

»Ich packe Ihnen gleich ein paar ein. Sie sind gerade besonders köstlich.«

Es war ernst gemeint.

Erst jetzt sah man, dass ein Türchen in die dickwandige Holzreling eingearbeitet war.

Kapitän Vaillant öffnete es und war im Begriff, einen großen Schritt hinüber auf die Rampe zu tun.

Dupin kam ihm zuvor:

»Ich komme zu Ihnen.«

236

»Natürlich«, Vaillant trat zurück, er wirkte völlig entspannt. »Inspizieren Sie, so viel Sie mögen«, der Tonfall besaß keinerlei Aggressivität oder Sarkasmus. »Schauen Sie sich alles an. Wir haben nichts zu verbergen.«

Dupin machte einen weit ausholenden Schritt, fast einen kleinen Sprung, und war an Bord der *Pebezh abadenn*.

»Sie haben Céline Kerkroms Boot verfolgt und beobachtet, Monsieur Vaillant. Auf dem sich an einigen Tagen zudem Laetitia Darot aufhielt. Im Eingang zur Bucht von Douarnenez. – Die beiden Frauen, die gestern Abend und heute Morgen umgebracht worden sind. Warum?«

Die anderen Männer hatten sich auf dem Boot verstreut, waren in den Bug oder in den Aufbau verschwunden.

»Finden Sie sie nicht auch außerordentlich gut aussehend? Ich für meinen Teil halte mich gerne in der Nähe schöner Frauen auf.«

Er hatte es nicht unangenehm gesagt, nicht herablassend.

Er lachte. Ein raues, tiefes Lachen.

»Warum sind Sie Céline Kerkrom gefolgt? Was haben Sie von ihr gewollt?«, Dupin sprach ruppig.

»Sie wurde von Gochats Fischer verfolgt. Er hat sich mehrere Tage an ihre Fersen geheftet, bewegte sich mit seinem Boot gerade so weit von ihr entfernt, dass es nicht zu auffällig war.«

»Das ist keine Antwort.« Aber Vaillant hatte es damit unumwunden zugegeben. Dupin setzte nach:

»Aus welchem Grund haben *Sie* sie beobachtet?«

»Vielleicht war ich ja etwas besorgt. Und habe nur den Fischer beobachtet, der sie beobachtet hat.«

Vaillants Augen blitzten.

»Oder ich war einfach, sagen wir, neugierig. Neugierig, was die beiden so treiben.«

Er tat spitzbübisch.

»Nein, im Ernst, im Sommer, an ruhigen Tagen, sind wir

gerne vorne in der Bucht und holen uns die fetten Calamares. Die auch die Delfine anlocken. – Wir haben niemanden verfolgt. Obwohl die Schönheit dieser Frauen alleine ein guter Grund gewesen wäre.«

Vaillant würde nichts preisgeben. Er log. Natürlich. Er war ihnen gefolgt. Das war kein Zufall.

»Wie gut kannten Sie Céline Kerkrom und Laetitia Darot?«

»Die Meerjungfrau kannte niemand. Ich auch nicht. So mysteriös wie die Tiefen des Atlantiks selbst. Und Céline: Wir haben hin und wieder nett geplaudert. Ich gebe zu, von mir aus hätten wir häufiger plaudern können«, das erste Mal blickte er ernst. »Sie – sie hat nicht gewollt. Ich war ihr nicht gram. Ich denke, sie hatte ihr Herz an diesen Fischer von der Insel verschenkt.«

»Jumeau?«

»Genau, Jumeau heißt der Jüngling.«

Dupin war hellwach.

»Hat Ihnen jemand das mit Kerkrom und Jumeau erzählt?«

»Das muss mir niemand erzählen, ich spüre so etwas.«

»Und was haben Sie – gespürt?«

»Na, dass sie hinter ihm her war.«

»Wann haben Sie das letzte Mal mit Céline Kerkrom gesprochen?«

»Diese Woche, am Montag. Im Hafen von Douarnenez. Bei der Auktion. Wir bringen eigentlich selten einen Fang dahin. Aber wir hatten eine große Menge Rotbarben.«

»Und worüber haben Sie da gesprochen?«

»Über die große Menge Rotbarben.«

Dupin musterte ihn.

»Hat sie etwas Bestimmtes gesagt?«

»Sie hat mir von Laetitias Projekt erzählt. Mit den Signalgebern.«

»Hat sie Morin erwähnt?«

Er zögerte einen kurzen Moment.

238

»Nein.«

»Hat sie …«

Dupin brach ab. Ein kleiner Schwindelanfall hatte ihn überkommen. Schon auf dem Weg vom *Relais du Port* zum Quai hatte er es gespürt. Er kannte das. Die Müdigkeit. Mehr noch, eine tiefe Erschöpfung. Gegen die auch das Essen und selbst die beiden *cafés* nichts hatten ausrichten können.

»Kannten Sie«, Dupin setzte neu an, »Professor Philippe Lapointe, Monsieur Vaillant?«

Er blickte Dupin fragend an.

»Den dritten Toten. Er wurde am Strand bei Lostmarc'h gefunden.«

»Ach ja. Die Nachrichten haben es gemeldet.«

»Und?«

»Nein. Ich wusste nicht einmal, dass es diesen Professor überhaupt gibt.«

Dupin ging um die Fischboxen, Bojen und Netze herum, auf dem Boot herrschte ein heilloses Durcheinander. »Neben der gelegentlichen Fischerei betätigen Sie sich gerne als altmodischer Schmuggler, habe ich gehört«, Dupin schaute sich demonstrativ um.

»Wir schlagen uns durch. Aber selbstverständlich bewegen wir uns bei allem in den Grenzen unserer ehrwürdigen Gesetze.«

Vaillant kokettierte unverhohlen.

»So penibel genau, dass Sie bereits zu einer Reihe von Geldstrafen verurteilt worden sind, wie ich hörte. Aufgrund unerlaubt großer Mengen an Alkohol.«

»Petitessen. Wir trinken gerne. Und wir rauchen auch, ja. Das gilt ja heute beides als verabscheuungswürdiger als die meisten Kapitalverbrechen. Wie gesagt: Schauen Sie sich ruhig alles genauestens an, wir haben Zeit, und Sie werden nichts finden.«

»Und Morin, schmuggelt er auch? Zigaretten – im größeren Stil?«

Der Punkt ließ Dupin irgendwie keine Ruhe.

»*Ich* schmuggle nicht«, Vaillant tat übertrieben empört. »Und ich habe keinen Schimmer, ob Morin in diesem lukrativen Geschäft drinsteckt. Ich wäre jedoch nicht überrascht.«

»Céline Kerkrom oder Laetitia Darot«, Dupin war nun direkt vor Vaillant stehen geblieben, »haben etwas gesehen. Vielleicht sogar etwas dokumentiert, sodass sie Beweise besaßen«, Dupin runzelte die Stirn, »oder – oder etwas gefunden. Wie auch immer: etwas im Zusammenhang mit illegalen Aktivitäten Morins«, er blickte Vaillant direkt in die Augen. »Etwas so Handfestes und Stichhaltiges, dass er sich nicht mehr wie bisher hätte herauswinden können. Und Sie wiederum wussten es. Sie haben es irgendwie mitbekommen. So war es. Und nun sind Sie selbst in Gefahr.«

Dupin musste es versuchen. Vermutungen anstellen, aufs Geratewohl. Kühne Schneisen schlagen durch das Dickicht. Denn: Wenn es tatsächlich so gewesen wäre – wenn die beiden tatsächlich einen Beweis gehabt hätten und andere dies gewusst, geahnt oder auch nur spekuliert hätten – wäre die Brisanz so enorm, dass es nicht nur Morin, sondern die ganze Gegend in Aufregung versetzt hätte. In diesem Szenario würde Morin in Wahrheit nicht nach dem Mörder suchen – sondern nach weiteren möglichen Mitwissern. Ein offener Punkt bei alledem bliebe natürlich: Welche Rolle hätte der Professor gespielt?

»Wenn ich wirklich irgendetwas wüsste, hätte ich längst dafür gesorgt, dass Morin in den Knast geht.«

»Ich glaube Ihnen kein Wort.«

»Fragen Sie doch die eiserne Lady Gochat, warum sie ihren Fischerspion auf Céline angesetzt hat.«

Es hatte bitter geklungen.

»Es wird Ihnen bewusst sein, dass Sie für uns zu den ersten Verdächtigen gehören, Monsieur Vaillant. Sie haben zwei der Opfer verfolgt. Sie waren gestern Abend auf der Île de Sein. Sie könnten zuvor Céline Kerkrom in Douarnenez ermordet haben und Laetitia Darot heute früh auf der Insel ...«

»Wir kommen regelmäßig auf die Insel. Und dann sitzen wir meistens im *Le Tatoon*. Uns war bisher nicht klar, dass dies das Misstrauen der Polizei erregt.«

»Und heute Morgen? Sie haben die Insel um sieben Uhr verlassen – wo sind Sie hin? Wo haben Sie sich zwischen sieben und elf aufgehalten?«

»Wir haben Barsche gefischt. Bis zum Mittag. Bei den *Pierres Noires*, im Westen von Molène«, eine der Stellen, an denen Kerkrom ebenso nach Barschen gefischt hatte, Madame Gochat hatte es erzählt. »Die Barsche haben wir mittags an zwei Restaurants auf Ouessant verkauft. Und zugegebenermaßen ein paar davon selbst verspeist. – Sie können ruhig bei den Restaurants nachfragen.«

»Ich nehme an, es gibt keine Zeugen für die vier, fünf Stunden Leinenauswerfen.«

»Nein.«

Vaillant setzte einen ironisch zerknirschten Gesichtsausdruck auf.

Dupin ließ ab.

Er war es leid.

Er mochte nicht mehr. Und er konnte nicht mehr. Außerdem stand es sowieso fest: Vaillant besaß nicht die Spur eines Alibis. Dupin hatte vorgehabt, sich das Boot noch genauer anzusehen. Doch auch davon ließ er ab.

»Das war's für heute Abend, Monsieur Vaillant.«

Er wandte sich abrupt ab und ging zum Türchen in der Reling zurück. »Aber ich denke, dass wir uns schon bald wiedersehen werden.«

»Und Sie wollen wirklich nicht ein paar Makrelen mitnehmen? Nirgends sind sie so gut wie im Mer d'Iroise«, rief Vaillant ihm hinterher.

Dupin tat einen ähnlich beherzten Schritt wie eben.

Und war wieder an Land.

Dann lief er die Rampe hoch. Er reagierte nicht. Auch nicht auf den nächsten Satz.

»Ich wünsche Ihnen noch einen schönen Abend, Monsieur le Commissaire.«

Zwei Minuten später stand er neben seinem Wagen.

Das Gespräch mit dem verrückten Piraten hatte ihm die allerletzten Kräfte geraubt. Er ärgerte sich, er hatte das Gefühl, er war nicht gut gewesen. Nicht gewieft genug. Aber aus dem Kerl hätte er womöglich auch in Hochform nicht mehr herausbekommen.

Er lehnte sich für einen Moment an die Wagentür. Atmete tief durch.

Nolwenn hatte recht gehabt: Es war kein Katzensprung zurück nach Concarneau. Mit heftigem Widerwillen dachte er an die eineinhalbstündige Fahrt. Und wenn er morgen früh tatsächlich auf die Insel wollte, um mit dem Jungen zu sprechen, dann müsste er spätestens um sieben wieder bei Goulchs Boot sein, das hieß: vor sechs aufstehen, wenn er noch einen *café* trinken wollte. Er würde also wieder sehr wenig Schlaf bekommen. Und Claire würde er heute ohnehin nicht sehen, sie war in Rennes. Wahrscheinlich wäre es zu spät, um noch etwas zu organisieren.

Er suchte nach seinem Telefon.

»Nolwenn?«

»Monsieur le Commissaire!« Sie wirkte hellwach.

»Vielleicht sollte ich doch hierbleiben. Ich meine, über Nacht. – Übernachten.«

Nolwenn wusste von jeder Pension, jedem Hotel, jedem Chambre d'hôtes.

»*Château de Sable*. Porspoder. Zwanzig Minuten von Ihnen. Sie erwarten Sie. Die Inhaber sind Freunde von Alain Trifin«, der Besitzer des *Ar Men Du*. »Im netten *La Vinotière* in Le Conquet war nichts mehr frei. – Sie bringen Ihnen ein Set mit Zahnbürste und so weiter aufs Zimmer.«

Es war unglaublich. Nolwenn war unglaublich.

»Danke.«

»Ich hatte es mir gedacht.«

»Morgen früh fahre ich als Erstes auf die Insel. – Riwal wird vielleicht Ihre Hilfe brauchen. So eine Sache mit einem Labor in Paris. Wir brauchen dringend Auskünfte.« Nicht, dass er Riwal den Job nicht zutraute, aber Nolwenn konnte zaubern.

»Wir haben schon telefoniert.«

»Ich …«

Er war zu abgekämpft, zu ausgelaugt.

»Sie brauchen Schlaf, Monsieur le Commissaire. Wir alle.«

»Ja.«

Ein seltenes Geständnis.

»Bis morgen früh.«

Nolwenn hatte aufgelegt.

Es war großartig. Der Ort, das Hotel, das Zimmer. Auch wenn Dupin alles bloß durch einen Schleier tiefer Mattigkeit wahrnahm.

Das *Château de Sable* lag in einer rauen Dünenlandschaft, der Sand war bewachsen mit dem allgegenwärtigen stoppeligen Grün und durchsetzt von schroff aufragenden Felsformationen, die Erde sah aus wie aufgeplatzt. Eine große Holzterrasse Richtung Atlantik. Zwei zerklüftete Landvorsprünge rechts und links hatten das bereitwillige Meer zu einer sanften Bucht eingefangen. Der Betriebsausflug hatte sie auch nach Porspoder geführt, wenn auch nur kurz, das hieß, vor allem zur »Route Mandarine«, zu Nolwenns Freundin, die aus den Aromen der Erde, der Pflanzen, der Algen und des Meeres luxuriöse Naturseifen schuf. Dupin hatte – er übertrieb in solchen Momenten gerne – das komplette Sortiment für Claire gekauft, die Seifen trugen poetische Namen wie »Ciel d'orage sur Ouessant«, »Avis de Tempête«, »Envie d'ailleurs«. Eine hieß wie sein Lieblingssong von Serge Gainsbourg, »Sous le soleil exactement«.

Dupin öffnete die große Terrassentür und trat hinaus. Um noch einmal die wundervolle Luft einzuatmen, vielleicht doch einen Augenblick innerer Ruhe zu erlangen nach diesem Tag.

Dann würde er sich hinlegen. Und sofort eingeschlafen sein. Das Bett sah vielversprechend aus.

Der Himmel gegen Westen schimmerte noch, wenn auch nur schwach. Das letzte Licht. Ein dunkles Glimmen, ein Schwarzblau, noch kein Schwarz. Das Meer aber war ungleich heller als der Himmel. Auch wenn es eigentlich nicht sein konnte. Dupin hatte das Phänomen schon ein paarmal beobachtet in den letzten Jahren, hingegen noch nie so ausgeprägt wie heute. Das Wasser in der Bucht strahlte, leuchtete. Das Licht kam von unten, eindeutig. Als wäre das Meer selbst eine Lichtquelle. Als hätte es das Licht des Tages gespeichert. Ein helles Schimmern und Glänzen. Ocker-silbern, metallisch, eine außerirdische Farbe. Eine glatte magische Fläche, kein Kräuseln, keine Wellen.

Es schien immer noch heller zu werden. Es verkehrte, so Dupins sonderbare Empfindung, die elementare Ordnung der Dinge: Nicht der Himmel beleuchtete das Meer, sondern das Meer den Himmel – den Himmel und die ganze Welt. Mit der sonderbaren Empfindung kamen sonderbare Gedanken und Bilder. Bilder von der ersten Bootsfahrt heute, eigenartig verfremdet, verschoben, Bilder von den tiefen Schatten der Île Tristan, Gedanken an die sieben Gräber. Dupin musste aufpassen, dass er sich nicht verlor. Er hielt sich mit beiden Händen am Geländer der Terrasse fest.

Plötzlich war Lärm zu hören.

Dupin fuhr zusammen. Und war zunächst fast erleichtert, verscheuchte der Krach doch die bizarren Eindrücke.

244

Ein Lärm von oben. Von weit oben, irgendwo vor ihm. Eine Art Donner, grollend, dann heftiger anschwellend.

Dupin reckte den Kopf, suchte mit den Augen den Himmel ab.

Der Lärm wurde lauter und lauter, immer bedrohlicher. Er schien jetzt von überall zu kommen. Es tat regelrecht weh in den Ohren. Dupin suchte nach einem Flugzeug, Positionslichtern, einem Kondensstreifen. Nichts.

Mit einem Mal, Dupin wäre fast herumgewirbelt, kam der Lärm von deutlich hinter ihm. Er drehte sich bewusst langsam um. Aber auch hier war nichts zu sehen. Für ein paar Augenblicke wurde der Lärm schwächer. Es war keine Einbildung. Erheblich schwächer. Dann wieder stärker. Und ertönte wieder von überallher. Auch die Art des Geräusches war seltsam: technisch, künstlich, und zugleich völlig natürlich. An Gewitter oder einen Vulkan erinnernd, tief aus der Erde kommend.

Die irren Ortswechsel und Schwankungen des Schalls wiederholten sich. Dann, so plötzlich wie es aufgekommen war, endete es.

Dupin blieb noch einen Moment stehen.

Er schüttelte sich kräftig. Fuhr sich durch die Haare.

Was war das gewesen? Brachte sein Erschöpfungszustand diese Wahrnehmungen hervor? Spielten ihm seine Sinne einen Streich?

Er drehte sich um, ging zurück ins Zimmer und ließ sich auf das Bett fallen. Nur mit Mühe noch gelang es ihm, die Schuhe abzustreifen. Nicht einen einzigen klaren Gedanken konnte er mehr fassen.

DER ZWEITE TAG

Wieder hatte das Telefon Dupin zur Unzeit aus dem Schlaf befördert. Aus einem ausgesprochen unruhigen, getriebenen Schlaf. Zwar war er gestern Nacht umgehend weggesackt, aber schon bald darauf wieder aufgeschreckt, um anschließend im Halbschlaf konfuse Gedanken zu wälzen und letztlich doch wieder wegzudämmern. Erst kurz vor Kadegs Anruf – um 5 Uhr 7 – war er in einen tieferen Schlaf gefallen, für eine halbe Stunde höchstens.

»Und wir können nicht, ich meine, wir haben keine Möglichkeit«, es war ein Stammeln, »die E-Mail zu verfolgen – herauszubekommen, wer der Absender ist?«

»Im Moment sieht es nicht so aus. Wir haben die Mail zu den Experten nach Rennes weitergeleitet.«

»Gochats Gartenhaus? Wir sollen das Gartenhaus der Hafenchefin durchsuchen?«

Dupin saß im Bett. Mit dem Rücken ans Kopfende gelehnt, nur mit Mühe war er in diese Haltung gelangt. Er war noch nicht einmal in der Verfassung, schlecht gelaunt zu sein.

»Exakt«, Kadeg klang bereits ein wenig verzweifelt, »es steht ein einziger Satz da: ›Durchsuchen Sie das Gartenhaus von Gaétane Gochat‹. Kein Betreff, kein Adressat, nichts.«

»Und kein Hinweis, was wir da finden werden?«

»Es gibt nur diesen einen Satz.«

Kadeg hatte es bereits mehrfach gesagt.

»Wir sollten die Aktion sofort starten«, dem Inspektor war eine unerträgliche Tatkraft anzuhören. »Ich bin in einer Stunde da. Wo sind Sie eigentlich?«

»Porspoder.«

»Was machen Sie in Porspoder?«

Dupin überging die Frage.

»Es könnte ein Witz sein. Irgendein Idiot, der das lustig findet. – Oder es war der Täter selbst. Der ablenken oder Verwirrung stiften will. Falsche Fährten legen.«

»Es könnte den Fall augenblicklich lösen.«

Vielleicht.

»Und weiteres Morden stoppen.«

Kadeg genoss die Dramatik in seinem Tonfall. Auch das stimmte. Es war nicht ausgeschlossen, dass sich das verhängnisvolle Treiben fortsetzte.

»Gut. Wir untersuchen das Gartenhaus, Kadeg.«

»Sie müssen sich um den Durchsuchungsbefehl kümmern, Monsieur le Commissaire.«

»*Gefahr im Verzug*«, knurrte Dupin.

Auch wenn es jedes Mal heikel war – und Dupin schon des Öfteren Ärger eingebracht hatte, was ihn jedoch nicht kümmerte; die Maxime lautete: lieber im Nachhinein Ärger, als nicht rechtzeitig zu handeln. Im Notfall konnten auch der Staatsanwalt oder ein Kommissar selbst eine Durchsuchung anordnen – wenn sie nachweisen konnten, dass sie sich an einen Richter gewandt hatten. Nolwenn würde sich darum kümmern.

»Ich mache mich sofort auf den Weg«, Kadeg befand sich im Dynamik-Modus. »Wir sehen uns vor Ort. Ich kümmere mich um Unterstützung in Douarnenez, wir werden ein paar Kollegen benötigen.«

Dupin musste nicht lange überlegen. »Sie erledigen das alleine, Kadeg«, rasch schob er hinterher: »Ich meine, hiermit mache ich Sie zum Leiter dieser wichtigen Operation, Inspektor.«

Kurz herrschte Stille. Dupin konnte förmlich spüren, wie es in Kadeg arbeitete, wie er hin und her gerissen war zwischen dem Impuls, zu protestieren, weil der Kommissar nicht selbst kommen würde und der Aktion offenbar nicht die hinreichende Wichtigkeit beimaß, und dem Stolz darüber, Leiter dieser eventuell entscheidenden Maßnahme zu sein.

»Gut«, der Stolz hatte gesiegt. »Ich halte Sie beständig auf dem Laufenden.«

»Tun Sie das, Kadeg.« Dupin legte auf.

Es war nicht so, dass er die anonyme E-Mail als bedeutungslos abtat, ganz und gar nicht. Doch seine ursprünglichen Pläne für den heutigen Vormittag schienen ihm auch jetzt noch die richtigen zu sein.

Dupin saß immer noch im Bett.

Jetzt erst spürte er, dass er Kopfschmerzen hatte, hinter der Stirn, den Augen. Er hasste das. Überhaupt fühlte er sich gerädert. Eine großartige Voraussetzung für einen weiteren aufreibenden Tag.

Diese E-Mail. Was bedeutete sie und wer hatte sie geschickt? Natürlich lag es nahe, an Morin zu denken. An dessen eigenmächtige Ermittlungen.

Er blickte auf die Uhr. 5 Uhr 15.

Das Wichtigste war: Wo würde er um diese nachtschlafende Zeit einen *café* herbekommen?

Er gab sich einen Ruck und erhob sich.

Dupin hatte eine Hoffnung gehabt – und es hatte geklappt, wenn auch nur halb. Der kleine Fischereihafen von Le Conquet, wo er Kapitän Vaillant am Vorabend getroffen hatte. Und wo ihn Goulch abholen würde, um ihn auf die Insel zu bringen. Auch hier würden die Fischer schon sehr früh am Morgen unterwegs sein, ihrer Arbeit nachgehen, hatte Dupin gedacht. Auch hier würden sie Kaffee brauchen. Und den bekamen sie auch, allerdings nicht an einem Kaffeestand, sondern bloß aus einem Automaten. Aber besser als nichts.

Im Hotel war so früh noch niemand zu sehen gewesen, Dupin hatte rasch geduscht und war dann einfach aufgebrochen, er hatte schon beim Einchecken letzte Nacht seine Daten hinterlegt. Noch vom Zimmer aus hatte er Nolwenn angerufen, die – voller Energie – selbstverständlich bereits im Bilde war und von der anonymen Mail wusste. Sie hatte Goulch verständigt. Und würde es jetzt beim Richter versuchen.

Dupin hatte – zwei braune Plastikbecher mit jeweils einem doppelten Espresso in den Händen – eine Bank in der Nähe der Fischhalle entdeckt, direkt am Wasser. Der Kaffee schmeckte nach Plastik, aber er war heiß und lieferte das ersehnte Koffein.

Es dämmerte längst kräftig, nicht mehr lange, und die Sonne würde aufgehen. Die Flut reichte gefährlich hoch, zehn, fünfzehn Zentimeter mehr, und das Wasser würde auf den Quai schwappen. Koeffizient 116, hatte Antoine Manet gesagt. Das war enorm, 120 war das Maximum, und nur eine totale Sonnenfinsternis hob das Meer aufs Äußerste an, ein Wunder, das in diesem Jahrhundert nur drei Mal vorkommen würde.

In der kleinen Fischhalle, die zum Quai hin offen stand, herrschte bereits ein munteres Treiben. Fischer in gelben Öl-Kombinationen, bunte Plastikboxen auf dem Boden verteilt, im hinteren Teil der Halle war ein stattliches Wasserbecken zu sehen, für Krebse, Seespinnen und Hummer, vermutete Dupin. Drei bunte Fischerboote – Küstenfischer – schienen sich auf das Auslaufen vorzubereiten, die schweren Dieselmotoren brummten bereits.

Es war ungewöhnlich mild geblieben über Nacht, die Luft war feucht und roch besonders stark nach Salz und Jod.

Angestrengt versuchte Dupin, erste klare Gedanken zu fassen, sich zu besinnen. Mit kläglichem Erfolg.

Als Goulchs Boot zwanzig Minuten später in den Hafen einlief, war er auf der Bank fast eingeschlafen. Erst der dritte doppelte Espresso, den er sich daraufhin holte, zeigte etwas Wirkung.

Mit mechanischen Schritten lief Dupin über die Mole, bis ganz nach vorne. Bei dem Wasserstand brauchte man die Betonrampen nicht.

Goulch, der noch müde aussah – Dupin war froh, um diese Uhrzeit auch einmal einem anderen müden Menschen zu begegnen –, nahm den Kommissar mit einem kurzen Gruß in Empfang.

Im Nu hatte er das Boot aus dem Hafen manövriert, und schon kurze Zeit später hatten sie den letzten Schutz der vorgelagerten Halbinsel hinter sich gelassen.

Goulch gab Vollgas.

Das einzig Gute daran war der heftige Fahrtwind, dessen Wirkung erstaunlicherweise belebender wirkte als die – einzeln gezählt – sechs *cafés*. Dupin hatte sich, wie immer, ins Heck gestellt. Die jungen Polizisten von Goulchs Mannschaft kannten es schon, sie ließen ihn in Ruhe.

Richtung Westen und Nordwesten erstreckte sich ein ganzes Band von Inseln, so weit das Auge reichte. Mit weißen Sandstränden und weiten Lagunen. Ohne Mühe konnte man Molène erkennen, die zweitgrößte der Inseln, und dahinter: Ouessant. Die hohen Klippen am östlichen Ende der Insel, den mächtigen Leuchtturm, in dessen Nähe Vaillant und seine Mannschaft hausten. Trotz Flut ragten neben den größeren Inseln – die teils nur ein paar Hundert Meter voneinander entfernt lagen – zahlreiche kleinere Inselchen und Felsen hervor. Da mussten die Kolonien von Robben wohnen, von denen Nolwenn und Riwal gerne erzählten und die man auf vielen Postkarten sah. Es war, Dupin kam langsam zu sich, ein atemberaubender Anblick. Man sah und spürte, wie sehr das Mer d'Iroise hier fast rundherum von Land umgeben war. Eingefasst, geschützt. Alles schien friedlich. Mild wie die Luft. Das Wasser war spiegelglatt, es glänzte silberblau im ersten Sonnenlicht. Das Boot glitt sanft und schnurgerade hindurch, von Wellen, von Schlägen keine Spur. Fast ein Schweben. Das beschauliche, geruhsame Meer hier machte Dupin keine Angst.

Er hatte eine Weile beinahe regungslos verharrt, als ihn der penetrante Ton seines Telefons aus den Gedanken riss. Er war wie selbstverständlich davon ausgegangen, keinen Empfang zu haben. Er sah fünf Balken. Und Riwals Nummer.

»Chef. Ich hatte Sie noch gestern Nacht versucht zu erreichen, aber da sind Sie nicht rangegangen.«

Dupin hatte heute Morgen keinen Hinweis auf einen entgangenen Anruf auf seinem Handy gesehen, aber er hatte auch noch halb geschlafen.

Der Inspektor ließ eine unmotivierte Pause entstehen.

»Weiter, Riwal.«

»Die Experten in Rennes haben sich mit den Konten und Kontobewegungen der drei Toten beschäftigt. Es gab eine Überweisung von zehntausend Euro von Laetitia Darot an Luc Jumeau vom 2.6. dieses Jahres. Beide haben ihre Konten beim *Crédit Agricole* in Douarnenez.«

Riwal war bei dem Fahrtwind und dem Maschinenlärm nicht leicht zu verstehen.

»Mit irgendwelchen Angaben?«

»Nein. Unter dem Verwendungszweck ist nichts vermerkt.«

Davon hatte Jumeau nichts gesagt. Was nicht sehr klug war, selbst wenn es harmlos wäre. Er hätte wissen müssen, dass so etwas über kurz oder lang rauskam.

»Ich bin schon auf dem Weg nach Sein.«

»Ich weiß.«

»Ich werde selbst mit Jumeau sprechen.«

Schon die zweite unvermutete Nachricht am frühen Morgen.

»Er ist bereits wieder auf dem Meer.«

»Melden Sie sich bei ihm. Er soll nach Sein zurückfahren.«

»Gut, Chef.«

»Haben wir schon die Verbindungsnachweise von den Telefonen der Toten? Und was ist mit den E-Mail-Accounts?«

»Die Experten sind dran. Es ist kompliziert, sie …«

»Sie sollen uns umgehend informieren, wenn sie so weit sind.«

»Das werden sie.«

Dupin warf einen Blick auf die Uhr. »Wir werden gegen Viertel nach sieben da sein. – Sagen Sie der Mutter des Jungen Bescheid?«

»Mache ich, Chef. – Haben Sie«, Riwal gab sich größte Mühe, unverdächtig zu klingen, es gelang ihm nicht, »denn gut geschlafen? Und fühlen sich wohl heute Morgen?«

Dupin legte einfach auf.

Er fragte sich, welche – wie sollte man es nennen – Inkubationszeit der »Fluch« nach Riwals Dafürhalten besitzen mochte. Wie lange er noch anhalten könnte, maximal.

Dann besann er sich auf die Neuigkeit. Zehntausend Euro, das war eine stattliche Summe. Er war schon gespannt auf Jumeaus Erklärung.

Die Durchsuchungsaktion bei Gochat müsste bald beginnen, Kadeg in Kürze in Douarnenez eintreffen. Dupin spürte, dass ihn die Sache doch ein wenig nervös machte. Er wählte die Nummer seines Inspektors.

»Wo sind Sie, Kadeg?«

Ein Motor in hohen Drehzahlbereichen war zu hören.

»Ich bin in zehn Minuten da. Vier Kollegen aus Douarnenez sind schon in der Straße, wo Gochat wohnt, warten aber auf mich«, die Stimme vibrierte.

Es würde einen Eklat geben, ohne Zweifel. Dupin stellte sich vor, wie Gochat die Tür öffnete und die Polizeitruppe sich trotz heftigen Protestes der Hafenchefin Einlass verschaffte.

»Sie informieren mich über alles, hören Sie? Und versuchen Sie, keine zu große Szene zu veranstalten.«

Eine sinnlose Anweisung.

»Ich werde angemessen verfahren.«

Dupin steckte das Handy in die Jeanstasche.

Sein Blick wanderte über das wild glitzernde Meer.

»Hallo Chef.«

Riwal stand auf der Mole, dort, wo gestern die Museumsleiterin das Empfangskomitee gegeben hatte. Es fühlte sich an, als wäre es Tage her.

»Wie war die Fahrt?«

Immerhin klang Riwals Frage dieses Mal so, als würde er nur genau das meinen. Vorsichtshalber ging Dupin dennoch darüber hinweg.

»Wann sehe ich den Jungen?«

»Um halb acht. An den Verschlägen von Darot und Kerkrom.«

In zwanzig Minuten also.

»Sehr gut«, brummte Dupin.

Dann bliebe ihm etwas Zeit.

»Sie waren schnell hier«, ein anerkennendes Nicken Riwals.

Tatsächlich waren sie durchgehend mit maximaler Geschwindigkeit gefahren. Das Meer war auch weiter draußen, noch auf der letzten »offenen« Strecke, glatt geblieben, hatte träge und schwer dagelegen. »Wie Öl«, sagten die Bretonen dazu, und es war ein präzises Bild. An solchen Tagen hätte man geschworen, dass es wirklich kein Wasser war.

Auch hier auf der Insel stand die Luft, war es bereits warm

und feucht. Auch hier war der Geruch des Meeres stark. Dupin hatte gelernt, dass das Meer jeden Tag unterschiedlich roch, und nicht nur unterschiedlich stark, sondern auch unterschiedlich stark im »Aroma«, wie man in der Bretagne sagte, »les aromes de la mer«. Von intensiv und schwer – wie heute – bis leicht und luftig, von salzig und bitter bis süßlich und mild, das ganze Spektrum. Bretonen beschrieben die Aromen des Meeres wie Parfüm. Mit komplexen Duftnoten. Heute dominierte der Tang.

»Jumeau wird auch bald eintreffen. Er hat es klaglos hingenommen.«

Dupin konnte es sich genau vorstellen.

»Prima.«

Er steuerte zielstrebig an Riwal vorbei und war schon ein paar Meter von ihm entfernt, als er sich noch einmal umdrehte:

»Kommen Sie, Riwal.«

Fünf Minuten später saßen sie auf der Terrasse des *Le Tatoon*, und zum ersten Mal am heutigen Morgen war der Kommissar beinahe guter Laune. Er fühlte sich am Quai Sud schon fast wie zu Hause, ein Gefühl, das für Dupin nicht durch die Häufigkeit von Besuchen entstand, sondern nur durch eines: seine innere Beziehung zu einem Ort.

Eine Reihe von Insulanern war schon auf den Beinen, die Insel machte sich für den neuen Tag bereit, eine Stimmung, die Dupin sehr mochte, auch morgens im *Amiral*, in Concarneau, wo er – mit wenigen Ausnahmen – seine Tage begann. Eine alte Dame mit leuchtend weißem Haar, Holzschuhen und blauer Schürze lief mit zwei langen Baguettes in den Händen am Quai entlang, ein älterer Mann mit verblichener Kappe und weiten Hosen zog einen Bollerwagen hinter sich her, bis oben mit Holz beladen. Ein lässiger junger Kerl in Jeans und T-Shirt fuhr mit abgespreizten Beinen pfeifend auf einem rostigen, viel zu kleinen Fahrrad vorbei. Irgendwo auf der Insel war ein einsames Klopfen zu hören, dumpf nur. Es verlor sich wie alle Geräusche hier sofort wieder ins Nichts, verebbte, als gäbe es plötzlich keine Atmosphäre, die den Schall weitertrug.

Es war ein großer atlantischer Tag, einer dieser Tage der reinen, strahlenden Farben, die Dupin immer ein wenig trunken machten. Jeder Ton war intensiv, eindringlich, verschwenderisch. Glanzvoll und luxuriös. Ein regelrechter Farbenrausch.

Dupin hatte sich das schönste Sonnenplätzchen auf der Terrasse ausgesucht, ganz vorne am Quai, Riwal hatte sich neben ihn gesetzt, nicht gegenüber, so genoss auch er die Sonne.

»Haben Sie«, begann Dupin, »noch irgendetwas zu der Verbindung von Darot und dem Professor gehört?«

»Nein. Keiner wusste davon. Manet hat die Frage zum Inselthema gemacht.«

Dupin verstand sofort, was der Inspektor meinte.

»Aber es kam nichts dabei herum.«

Das wäre auch zu schön gewesen.

»Dafür haben wir den älteren Herren in dem Citroën C2 ausfindig gemacht, der Professor Lapointe einmal im Monat besucht hat. Ein emeritierter Literaturprofessor. Sie haben sich vor drei Jahren zufällig im *Tabac-Presse* von Crozon kennengelernt. Und sich zusammen den Klassikern hingegeben, vor allem Maupassant. Die Kollegen haben alles überprüft. Er ist vollkommen unverdächtig.«

»Gibt es Neues von der Spurensicherung? Was ist mit der Auflistung der Bücher?«

»Im Haus war alles unauffällig. Und die Liste liegt vor.«

»Und?«

»Viel Maupassant. Überhaupt Klassiker. Viele Bücher über die Region. Geschichte, Kultur, Flora, Fauna, alles, was das Herz begehrt. Aber tatsächlich kein einziges Buch zur Virologie oder anderen Naturwissenschaften, kein Fachbuch. Auch keine Fachzeitschriften. – Ich habe die Liste hier.«

Er reichte Dupin sein Smartphone.

Dupin schaute sich die Liste an. Im Augenblick ließ sich daraus nichts Aufschlussreiches ablesen.

Es war dieselbe sympathische Kellnerin wie gestern, Dupin hatte zwei *cafés* bestellt, zwei *pains au chocolat* dazu, Riwal einen *café* und zwei Croissants, mit einem charmanten Lächeln stellte sie alles vor ihnen auf den Tisch.

Es tat gut. Und war köstlich. Der starke Kaffee, ein veritabler *Torré*, spülte den bitteren Plastikgeschmack von vorhin weg.

»Frankreich«, das Festland, war heute gut zu sehen, die *Pointe du Raz*, die hohen, mächtigen, unwirtlichen Granitklippen; trotz der fast stehenden Luft war die Sicht seltsamerweise erstklassig. Dennoch schien es unendlich weit weg. Ein Grundgefühl, das einen auf der Insel sofort überkam: Man war weit weg von allem. Viel weiter als die neun Kilometer, die es in Wirklichkeit waren.

Mit dem ersten Schluck hatten sie – obgleich es selbstverständlich viele Dinge zu erörtern gab – das Reden einvernehmlich eingestellt. Hatten sich in den Genuss des Kaffees und der malerischen Szenerie verloren.

Jäh zerstörte der Klingelton von Dupins Telefon die angenehme Stille.

Kadeg.

»Ja?«

»Madame Gochat wünscht, Sie persönlich zu sprechen«, bellte Kadeg. »Wir haben sie formell gebeten, ihr Gartenhaus in Augenschein nehmen zu dürfen«, Gochat musste nahe bei Kadeg stehen, sie war der eigentliche Adressat seiner Rede, »sie hat die polizeiliche Aufforderung abschlägig beschieden. Wir werden uns nun auf Ihre Anweisung hin dennoch Zutritt verschaffen.«

Dupin zögerte.

»Geben Sie sie mir.«

Es musste sein, es ging nicht anders.

»Wenn Sie die Güte hätten«, der Ton der Hafenchefin war schneidend, sarkastisch, sie hatte Mühe, an sich zu halten, »mir zu erklären, was Sie mit alldem bezwecken? Ich habe gerade meinen Anwalt informiert, der umgehend Anzeige erstatten wird. Das stellt einen schwerwiegenden Hausfriedensbruch dar.«

Dupin war klar gewesen, dass diese Aktion Ärger mit sich bringen würde.

»Wir haben einen substanziellen Hinweis erhalten, dass Sie etwas Relevantes in Ihrem Gartenhaus verbergen. Ich habe keine Wahl, Madame Gochat.« Dupins kühler Tonfall hatte keine Entschuldigung beinhaltet.

»Verfügen Sie über einen Durchsuchungsbefehl?«

»Der Richter ist benachrichtigt«, oder würde es bald werden, »damit besitze ich die Befugnis, die Durchsuchung anzuordnen. Was ich hiermit offiziell tue. – Keine Sorge, es geht alles mit rechten Dingen zu, Madame Gochat. Ihr Anwalt wird es Ihnen bestätigen. – Und wenn wir gerade sprechen, haben Sie eine Erklärung abzugeben? Überlegen Sie gut. Falls Sie etwas zu sagen haben, wäre es besser für Sie, es jetzt zu tun und nicht später.«

»Ich habe Ihnen weder jetzt noch später etwas zu sagen.«

Sie hatte aufgelegt.

Eigentlich hatte er sich die Reaktion noch drastischer vorgestellt.

Auf Riwals Gesicht lag fragende Neugier.

Dupin lehnte sich zurück und aß den letzten Bissen des zweiten *pain au chocolat*.

»Madame Gochat ist nicht begeistert.«

Dupin erhob sich, immer noch kauend.

»Ich muss zu dem Jungen. – Melden Sie sich, sobald Sie etwas von der Firma in Paris wissen.«

Er legte einen Schein auf den Tisch, verließ die Terrasse und lief den Quai Sud entlang, in Richtung der Verschläge.

Nach ein paar Metern nahm er sein Telefon wieder zur Hand. Er sollte vielleicht doch noch einmal nachfragen.

»Nolwenn?«, er eilte weiter. »Haben wir das Okay für die Durchsuchung bei Madame Gochat?«

»Es müsste jeden Moment kommen. Ich gehe davon aus, dass Richter Erdeven uns keine Probleme bereiten wird. Ich habe eingehend mit seiner Assistentin gesprochen, die ihn gut im Griff hat. Sie sprach von einer reinen Formalität.«

»Gut. Das war es schon für den Moment.«

»Haben Sie Ihre Mutter angerufen?«

»Mache ich gleich.«

»Ich werde die Anrufe nicht mehr annehmen.«

»Ich verstehe.«

»Noch wichtiger, ich habe eben schon mit der Zollbehörde gesprochen. Mit verschiedenen Leuten. Das mit dieser Geschichte vom versenkten Boot ist kompliziert. Sie …«

»Also nicht bloß ein Gerücht?«, unterbrach Dupin sie – vielleicht war sein Spürsinn doch wieder einigermaßen intakt.

»Alles geht auf einen mittlerweile pensionierten Kapitän zurück. Auf einen Bericht von ihm. Vom 23. Mai 2012. Die Zollbehörde hatte damals ja den Verdacht, dass der Zigarettenschmuggel über den Wasserweg erfolgte. Woraufhin sie die Kontrollen verstärkte. Der Kapitän hat ausgesagt, dass sie bei ziemlich heftiger See und schlechtem Wetter in der Dämmerung ein Fischerboot gesehen hätten. Einen *Bolincheur*. Vor der Einfahrt in die Bucht von Douarnenez. Dabei waren gar keine Fischer ausgelaufen. Er behauptete, die typischen Farben von Morins Flotte erkannt zu haben. Hellblau, Orange, Gelb. Ein weiteres Besatzungsmitglied hat das Gleiche ausgesagt, zwei andere konnten es nicht bestätigen. Dem Kapitän kam es verdächtig vor, und er versuchte, sich dem *Bolincheur* zu nähern. Woraufhin das Fischerboot alle Lichter gelöscht hat und mit hoher Geschwindigkeit davongefahren ist. Sie haben es zwanzig Minuten auf dem Radar mit einer

True-Trail-Function verfolgt. Bis es auf einmal verschwand. Sie ...«

»Wo haben Sie es verloren? Was war die letzte bekannte Position?«

»Hinter dem Eingang zur Bucht, auf der Nordseite, da, wo der Landzipfel von der Presqu'île de Crozon herunterkommt, das Kap von Rostudel.«

Dupin war abrupt stehen geblieben. »Das ist ungefähr dort, wo Kerkrom mit ihrem Boot gesehen worden ist. Beide Frauen.«

»Etwas weiter im Süden, so wie ich es verstanden habe.«

Dupin ging nicht darauf ein.

»Und der Kapitän nahm nach vergeblicher Suche schließlich an, dass sie das Boot selbst versenkt hatten?«

»Genau so war es. Und dass sie mit dem Beiboot an Land gekommen sind. Das Wetter hatte sich zwischenzeitlich noch weiter verschlechtert – auch das kann natürlich der Grund dafür gewesen sein, dass sie das Boot verloren haben. So stand es in einer Stellungnahme zu dem Bericht. Oder, auch das ist möglich, der *Bolincheur* hielt sich in einer Bucht versteckt. Der Kapitän konnte das Gebiet bei den Witterungsverhältnissen natürlich nicht systematisch absuchen.«

»Haben Sie in den Folgetagen nach dem Boot gesucht?«

»Zwei Tage lang. Aber ohne Ergebnis. Sie haben ja über keine exakte letzte Position verfügt. So wurde die Suche eingestellt. Dann kam auch bald die Auskunft, dass die möglichen Schmuggelwege über Wasser gar nicht mehr von Bedeutung seien. Sie hatten haufenweise Zigaretten in Kühllastern entdeckt, die durch den Kanaltunnel fuhren. Die Schachteln waren in tiefgefrorenen geschlachteten Tieren versteckt.«

»Gab es irgendeinen Hinweis, dass sie das Fischerboot selbst versenkt haben? Außer der Vermutung des Kapitäns? Irgendetwas Konkretes?«

»Nein. Und außer dem auffälligen Verhalten des Bootes gab es kein Verdachtsmoment.«

Dupin dachte nach.

»Der Kapitän war der festen Überzeugung, dass sie ihm ein übles Schnippchen geschlagen haben. Dass sie gehörige Mengen geschmuggelter Zigaretten an Bord hatten.«

»Wie ist der Name des Kapitäns?«

»Marcel Deschamps. Ich schicke Ihnen die Nummer aufs Handy. Er ist pensioniert, lebt aber noch.«

»Gut.«

»Dann bis später, Monsieur le Commissaire.«

Dupin setzte sich wieder in Bewegung.

Tief in Gedanken hatte der Kommissar die Verschläge erreicht.

Er hatte erwartet, auch die Mutter des Jungen zu treffen, aber Anthony stand alleine vor Darots Schuppen, der inzwischen mit Polizeiband abgesperrt war. Der Junge wirkte, als hätte er schon eine Weile gewartet. Er trug wieder die schmutzigen Jeans mit den ausgebeulten Taschen, dazu ein sauberes grünes T-Shirt.

»Ich habe Sie schon gesehen, als Sie mit dem Polizeiboot ankamen«, ein stolzes Lächeln. »Ich habe Sie beobachtet.«

Von Aufregung keine Spur, er sprach gelassen.

»Die ganze Zeit? Seit ich an Land gegangen bin?«

»Sie sind mit Ihrem Inspektor von der Mole schnurstracks ins *Le Tatoon*. Sie haben zwei *cafés* getrunken und zwei *pains au chocolat* gegessen. Und mit Ihrem Inspektor geredet. Und mehrere Male telefoniert. Sie sind sich immer wieder mit der Hand durch die Haare gefahren, das sah lustig aus.«

Beachtlich. Dupin hatte Anthony nicht bemerkt. Dabei musste er sich einigermaßen in der Nähe aufgehalten haben, so genau, wie er alles gesehen hatte.

»Du gibst einen erstklassigen Spion ab. Bist du allein gekommen?«

»Ich soll Ihnen von meiner Mutter sagen, dass sie nicht mitkommen kann. Ich habe kleine Geschwister.« Er verdrehte die Augen.

»Mein Inspektor sagte, du beobachtest auch die Fischer, wenn sie in See stechen und wiederkommen. Und wenn sie hier am Hafen arbeiten.«

»Ich helfe ihnen auch.«

»Mit ihrem Fang?«

»Mit allem. Den Fang an Land zu bringen. Die Netze zu ordnen. Die Fische zu sortieren.«

»War der Fang von Céline Kerkrom in letzter Zeit gut?«

»Nicht schlecht. Aber sie bringt ja nur ab und zu Fische mit hierher, meistens verkauft sie sie in Douarnenez«, er schaute Dupin direkt in die Augen. »Warum?«

»Nur so. Sie ist häufiger auf See gewesen als sonst, hast du gesagt.«

»Das sind jetzt echte Polizeifragen, habe ich recht?«

»Absolut echte Polizeifragen.«

»Ja. Häufiger.«

»Noch jemand? Ist ein anderer der Fischer auch häufiger als sonst draußen gewesen? Jumeau vielleicht?«

»Nein. Bei dem war alles wie immer.«

»Wann hast du Céline Kerkrom das letzte Mal geholfen?«

»Letzte Woche. Ich weiß nicht mehr, an welchem Tag.«

»Hast du dich mit ihr unterhalten, wenn du ihr geholfen hast?«

»O ja. Sie hat mir vom Meer erzählt, von ihren Fahrten. Sie kannte tolle Geschichten.«

»Was für Geschichten?«

»Von geheimen Stellen.«

Dupin spitzte die Ohren.

»Geheime Stellen?«

261

»Wo man die besten Fische fängt.«

»Die hat sie dir verraten?«

Eine Bank aus groben Holzplanken auf Betonverstrebungen stand ein paar Meter entfernt, direkt am Wasser, Dupin ging auf sie zu, der Junge folgte ihm.

»Ja. Aber ich sage nicht, wo.«

Anthony setzte sich neben Dupin.

»Sag mir nur, wo ungefähr. In welchem Gebiet?«

»Vielleicht«, er druckste herum, »vielleicht in der Nähe der Hexe.«

Dupin brauchte einen Moment.

»Du meinst den Leuchtturm?«

Der Junge blickte ihn verständnislos an.

»Was sonst? *Ar Groac'h.*«

Sie hatten ihn gestern früh auf der Überfahrt gesehen. Wenn Dupin es richtig verstanden hatte, lag der Leuchtturm mit dem klingenden Namen nicht in der *Chaussée de Sein,* sondern ein Stück weiter im Norden. Was auch hieße: fast im Eingang zur Bucht von Douarnenez.

»Da ist eine geheime Stelle?«

»Da gibt es Unterwasserhöhlen und besonders starke Strömungen. Mit riesigen Schwärmen kleiner Fische. Deswegen jagen dort die größten Barsche und *Lieus jaunes.* Über einen Meter groß. Unter der Wasseroberfläche gibt es zuerst ganz viele Algen. Deswegen angelt dort niemand. Wenn man aber ein schweres Blei nimmt«, die Augen des Jungen glänzten, »kommt man runter und fängt sie. Man muss es nur wissen.«

Anthony blickte den Kommissar triumphierend an.

»Wie lange fährt sie schon zu dieser Stelle, weißt du das?«

»Erst seit diesem Jahr, glaube ich. Sie war da aber schon ganz früher mal, hat sie gesagt.«

»Gibt es eine solche geheime Stelle auch noch weiter innerhalb der Bucht von Douarnenez? Wo sie auch häufiger war in letzter Zeit?«

»Da gibt es keine Geheimstellen zum Fischen.«

Eine klare Auskunft.

»Abgesehen von den besten Fischstellen – vielleicht war sie in letzter Zeit aus irgendeinem anderen Grund irgendwo in der Bucht unterwegs?«

»Ich glaube nicht. Sie hat mir nichts davon erzählt.«

»Bist du dir sicher?«

Neugierig musterte der Junge Dupin.

»Das ist wichtig, ja?«

»Sehr.«

»Ich weiß von keinem anderen Grund«, sagte Anthony schließlich. Er vermochte seine Enttäuschung nicht zu verbergen, zu gerne hätte er etwas Entscheidendes zu berichten gehabt.

»Und Laetitia. Hast du sie auch beobachtet?«

»Manchmal. Nicht so häufig. Ich wusste nie, wann sie losfährt. Oder wiederkommt. Das war immer anders. Aber sie war sehr nett. Sie hat mir manchmal Delfingeschichten erzählt.«

»Was für Geschichten?«

»Von ihrem Lieblingsdelfin. Einem Weibchen. Darius. Es hat letztes Jahr zwei Junge bekommen. Sie hat mir erzählt, was Darius ihren Jungen alles beibringt. Sie zeigt ihnen die besten Jagdplätze. Sie hat Geheimstellen, so wie Céline.«

»Noch mehr Geschichten?«

»Wie Delfine den Menschen helfen. Letztes Jahr ist ein Extremschwimmer von einem Weißen Hai angegriffen worden. Da kamen zwölf Delfine und haben einen Kreis um ihn gebildet. Sie sind zwanzig Kilometer mit ihm geschwommen. Oder die Geschichte von dem kleinen Jungen, der über Bord gegangen ist im Sturm und von einem Delfin an Land gebracht wurde. Der Delfin heißt Filippo. Aber sie suchen auch unsere Hilfe, sie wissen genau, wer wir sind. Letztens hat sich ein Delfin in einer Angelschnur verheddert, der Haken hatte sich in seine Flosse gebohrt. Da ist er zu zwei Tauchern geschwommen und hat sie auf die Schnur aufmerksam gemacht. Als die Taucher ihn befreit hatten, hat er beiden zum Dank einen Klaps gegeben mit seiner Flosse«, Anthony schaute plötzlich ernst. »Das ist gefilmt worden, ich kann es Ihnen zeigen, wenn Sie es mir nicht glauben.«

»Ich glaube dir jedes Wort.«

Er wirkte zufrieden mit Dupins Antwort.

»Hat sie auch von den toten Delfinen gesprochen?«

»Ja, das ist ganz schlimm«, dem Jungen stand tiefe Bestürzung ins Gesicht geschrieben.

»Hat sie irgendetwas dazu gesagt? Wer an dem Tod der Delfine schuld ist?«

»Die großen Schiffe und Flotten. Das weiß man doch.«

»Hat sie über diesen Großfischer Morin gesprochen, Charles Morin?«

»Nein.«

Ein eindeutiges Nein.

Dupin seufzte. Der Junge war großartig. Aber etwas Neues förderte das Gespräch nicht zutage.

»Jumeau hat mal eine große Kanonenkugel auf dem Meeresgrund gefunden. Antoine sagt, die ist aus dem 17. oder 18. Jahrhundert. Vielleicht von einem echten Piratenboot. – Es gab viele Piraten hier.« Der Junge beobachtete den Kommissar aufmerksam. »Sie liegt jetzt in der Schatzkammer vom Museum. Da sind auch echte Münzen, mehrere aus Silber, glaubt Madame Coquil, auch wenn sie ganz von Kalk bedeckt sind. Waren Sie schon mal im Museum?«

»Noch nicht.«

»Sie müssen sich die Schatzkammer ansehen! Madame Coquil hat mich zum Schatz-Sonderbeauftragten des Museums ernannt. Ich bringe immer alles dorthin, was die Fischer bergen. Letztens …«

Das Telefon.

Wieder Kadeg.

Dupin befürchtete das Schlimmste.

»Ja?«

»Commissaire – wir haben die Tatwaffe.«

Es klang eher komisch als dramatisch, obgleich Kadeg es auf einen dramatischen Effekt angelegt hatte. Und erst einmal nichts weiter sagte. Dupin war aufgesprungen.

»Wiederholen Sie das, Kadeg!«

»Ein Fischermesser, das schwarze Standardmodell, das Sie überall in den bretonischen Häfen finden. Acht-Zentimeter-Klinge, insgesamt 19,4 Zentimeter. Rostfreier Edelstahl, der Griff aus Hartplastik, es …«

»Wie kommen Sie darauf, dass es die Tatwaffe ist?«

»Es sind Blutspuren zu sehen. An der Klinge, am Schaft.«

»Wo haben Sie es gefunden?«

Dupin schossen die verschiedensten Fragen durch den Kopf. Er war ein paar Meter gegangen.

»Das Messer war hinter einer losen Holzplanke versteckt. Ich habe es gefunden, eigentlich war es nicht zu sehen. Nur indem ich …«

»Ich will …«, Dupin brach ab.

Er schaute zu dem Jungen, der auf der Bank sitzen geblieben war und ihn mit weit aufgerissenen Augen ansah. Er hatte alles gehört.

»Ich muss leider los, Anthony.«

Der Junge nickte. Er wirkte nicht betrübt, im Gegenteil, eher fasziniert von der plötzlichen Aufregung.

»Commissaire? Sind Sie noch da?« Kadeg klang beleidigt.

Dupin lief auf den Quai zu.

»Die Forensiker sollen sich das Messer, so schnell es geht, ansehen. Ich will mit zweifelsfreier Sicherheit wissen, ob es sich tatsächlich um das Blut von einem der Opfer handelt. Und ob sich weitere Spuren am Messer befinden. Die sollen alles andere liegen lassen!«

»Verstanden.«

»Haben Sie Madame Gochat mit dem Fund konfrontiert?«

»Sie behauptet, das Messer noch nie gesehen zu haben. Dass es nicht ihres sei. Dass sie erst zwei Jahre in diesem Haus wohnen und sie sich das Gartenhaus noch nie so genau von innen angesehen haben«, Kadeg referierte spöttisch. »Die Regale seien schon eingebaut gewesen. Zudem sei das Gartenhaus nie abgeschlossen und von zwei großen Bäumen verdeckt.«

»Wir werden sie erst einmal festnehmen müssen«, murmelte Dupin gedankenverloren. »Sie werden sie nach Quimper bringen, Kadeg.«

»Wie gesagt, eigentlich war das Messer ganz unmöglich zu sehen, es war perfekt versteckt, ich habe es mit Fotos dokumentiert …«

Dupin legte auf.

Intuitiv war er Richtung Süden gegangen. Um Riwal zu suchen. Der aber nicht auszumachen war, weder auf der Terrasse des *Le Tatoon* noch anderswo am Quai.

Der Fund konnte alles bedeuten. Nicht auszuschließen sogar, dass es sich um eine Farce handelte.

War das nicht alles sehr merkwürdig? Vor allem: zu einfach? Selbst wenn es sich bei dem Messer um die Mordwaffe handelte, wenn sich Spuren von Kerkroms, Darots oder Lapointes Blut an ihm fänden, gäbe es mehrere Möglichkeiten. Jemand könnte es Gochat untergeschoben haben. Um ihr die Morde anzuhängen. Es war nicht schwer, ein Messer in einem Gartenhaus zu verstecken, der Täter hatte viel riskantere Operationen unternommen. Fest stand: Es wäre ein sehr wirksamer Schachzug, auch ohne Fingerabdrücke von Gochat auf dem Messer wäre sie – in Verbindung mit der Tatsache, dass sie Kerkrom hatte nachspionieren lassen – ernsthaft belastet. Es wäre ein primitives Manöver, aber effektiv. Ohne wasserdichte Alibis würde es kompliziert für sie. Und genau diese Art Kaltschnäuzigkeit war dem Täter ohne Weiteres zuzutrauen.

266

Oder, auch das war möglich: Gochat *war* die Täterin. Auch wenn sie noch keinen blassen Schimmer von ihrem Motiv besaßen. Vielleicht hatte jemand eigene Ermittlungen angestellt und es herausgefunden – und ihnen dann den Hinweis gegeben. Morin.

Dupin wusste nicht, was er denken sollte, sein »Gefühl« sagte ihm im Moment nichts. Gar nichts, nicht einmal eine Tendenz. Keine Intuition, keine innere Stimme, kein Ahnen. Wie auch immer es sich verhalten mochte: Er musste ruhig bleiben, sich konzentrieren, den Fäden folgen, sich nicht scheuchen lassen von all den Wendungen.

»Chef!«

Dupin drehte sich um.

»Hier!«

Riwal kam aus einem der abenteuerlich schmalen Gässchen gestürzt.

»Das ist unglaublich, Chef. – Nolwenn hat die Firma erreicht. Sie hat mit dem Chemiker im Labor gesprochen. Mit dem, der die Analyse durchgeführt hat«, er kam ganz knapp vor Dupin zum Stehen, »es ist eine Röntgenfluoreszenz-Analyse, man setzt sie unter anderem zur Bestimmung von Edelmetallen ein, sie beruht auf einem komplizierten …«

»Riwal! Raus damit!«

»Gold!«

»Was meinen Sie mit ›Gold‹?«

»Die Analyse der Materialprobe, die Céline Kerkrom bei *Sci-Analyses* in Auftrag gegeben hat, besagt, dass es sich bei der eingesandten Probe um Gold handelt. Sehr reines Gold. Annähernd 24 Karat.«

»Gold?«

»Es ist unglaublich! Die eine Seite der Probe, eine Art Plättchen, zweieinhalb Zentimeter lang, sehr dünn, war extrem schmutzig, sagt der Mann aus dem Labor. Wie verwittert, mit Ablagerungen, da war in keiner Weise zu erkennen, dass es sich

267

um Gold handelte. Entweder war Kerkrom unsicher, um welches Material es sich gehandelt hat – oder sie wusste, dass es Gold war, und wollte seine Qualität bestimmen lassen.«

»Und was ist daran so unglaublich?«

So außergewöhnlich schien der Vorgang nun nicht.

»Vielleicht hat Céline Kerkrom«, Riwal betonte jede Silbe und ließ sich Zeit dabei, »etwas gesehen oder gefunden – das aus Gold ist. Oder Darot.« Er holte tief Luft. »Alles würde plötzlich einen Sinn ergeben. Alles!«

Dupin verstand. Es wäre ganz nach Riwals Geschmack – ein Schatz.

Dupin war nicht in der Stimmung für Riwals Fantasien: »Oder sie besaß ein altes goldenes Medaillon, einen Armreif, eine Kette. Ein Erbstück, dessen Wert sie bestimmen lassen wollte. Vielleicht hatte sie erwogen, es zu veräußern.«

Riwals Gesichtsausdruck zeigte tiefe Enttäuschung. Und Unverständnis.

»Auf dem Formular, das Kerkrom aus dem Internet ausgedruckt und mitgeschickt hatte, stand ›Probe‹. Es kann«, Riwal gab noch nicht auf, »kein kleiner Gegenstand gewesen sein. Zweieinhalb Zentimeter sind allerhand. Niemand malträtiert ein vererbtes Schmuckstück derart. Niemand gibt wegen einer Kette eine so aufwendige Analyse in Auftrag.«

»Es gibt ja auch andere Gegenstände aus Gold. Teller. Becher. Auch so etwas kann man erben.« Dupin dachte an das Haus seiner Mutter in Paris – und dass er sie unbedingt anrufen musste. »Und sie hat beim Einsenden gar nichts über die Herkunft der Probe vermerkt?«

»Nein. Wir wissen von nichts.«

»Ich muss los, Riwal.«

Eine Unrast hatte ihn ergriffen. Dupin war unzufrieden über das abrupte Ende der Unterhaltung mit dem Jungen. Zuletzt waren sie auf ein Thema gekommen, über das er gerne noch eingehender gesprochen hätte.

268

Er schaute auf die Uhr.

Es müsste klappen, wenn auch knapp. Er würde im Gehen das Telefonat führen und dann den Jungen an der Schule abpassen.

Er steuerte Richtung Quai Nord.

»Monsieur Deschamps?«

»Wer will das wissen?« Ein unwirsches Brummen.

»Georges Dupin. Commissariat de Police Concarneau.«

Dupin hatte bewusst freundlich gesprochen, er war es schließlich, der etwas von diesem Mann wollte.

»Und?«

»Es geht um Charles Morin. Ich ermittle im Falle des dreifachen Mordes ...«

»Ja?«

»Mich interessiert die Geschichte vom Mai 2012. Als Sie ein verdächtiges Boot verfolgt haben, das Sie für einen *Bolincheur* aus der Flotte von ...«

»Vergessen Sie es.«

»Wie meinen Sie das?«

»Diese Geschichte hat mir nur Ärger eingebracht. Wie mir alles immer nur Ärger eingebracht hat. – Ich habe keine Lust, darüber zu sprechen.«

»Haben Sie Ihre Meinung geändert? Haben Sie sich damals geirrt?«

»Was soll das heißen?«

»Sind Sie nicht mehr der Auffassung, dass es eines der Boote von Morin war, das Sie verfolgt haben? Dass es geschmuggelte Zigaretten an Bord hatte und die Mannschaft das Boot selbst versenkt hat, nachdem Sie es in die Enge getrieben hatten?«

Dupin war an der Bank vorbeigelaufen, wo er eben mit dem Jungen gesessen hatte. Er hatte fast schon den Quai Nord erreicht.

»Natürlich war es so. Genau so. Aber es hat niemanden interessiert. Im Gegenteil. Ich war mal wieder ein Querulant. – Ich werde kein Wort mehr dazu sagen. Ich betreibe mit meinem Schwager eine kleine Destillerie, ich bin ein glücklicher Mensch. Ich brauche die alten Geschichten nicht mehr.«

Dupin fand den Mann alles andere als unsympathisch. Aber er ließ sich nicht einwickeln.

»Besaßen Sie Beweise? Konkrete Hinweise?«

Deschamps schwieg.

Dann schien er sich einen Ruck zu geben:

»Das Boot fuhr schneller als unseres – welcher *Bolincheur* verfügt über einen solchen Motor? Für gewöhnlich sind Fischerboote höchstens halb so schnell wie unsere. Das sind speziell für den Schmuggel aufgerüstete Boote, sage ich Ihnen.«

»Deswegen haben Sie es auf dem Radar verloren.«

»Wie gesagt, ich habe keine Lust, weiter über dieses Thema zu sprechen.«

»Hat man Morins Schiffe danach einmal – durchgezählt? Ich meine, jedes Boot seiner Flotte wird eine Registrierung besitzen, und wenn plötzlich eines fehlte, hätte man es bemerken müssen.«

»Ich wünsche dem Pariser Commissaire«, Deschamps sprach süffisant, aber nicht böse, »viel Erfolg bei den weiteren Ermittlungen. Entschuldigen Sie mich jetzt.«

Bevor Dupin überhaupt etwas sagen konnte, hatte Deschamps bereits aufgelegt.

Dupin rieb sich die Schläfe.

Er war vom Quai Nord abgebogen. Das strahlend weiß gestrichene Steinhaus mit dem großen Schild »École primaire« direkt hinter dem Quai war ihm schon gestern aufgefallen.

Zwei Kinder, ein langer, hagerer Junge in Shorts und ein kleines zerzaustes Mädchen in meerfarbenem Kleid, saßen auf den Stufen.

Wie Dupin ihn einschätzte, würde Anthony erst im letzten Moment auftauchen. Und bis dahin umherstreifen.

Dupin hielt sich in einigem Abstand, nahe genug aber, um alles zu überblicken.

Er wählte Riwals Nummer. Der Inspektor war der Experte beim Thema Boote. Und Fischerei.

»Chef?«

Es würde vermutlich eine aufwendige Recherche, aber es war egal. »Das vermeintliche Schmugglerboot, das die Mannschaft vor drei Jahren eventuell selbst versenkt hat, ich habe gerade mit dem pensionierten Kapitän der Zollbehörde gesprochen, ich ...«

»Ich bin im Bilde. Nolwenn hat mir von ihrer Recherche erzählt.«

Dann konnte er sofort zur Sache kommen.

»Wenn sie das Boot damals tatsächlich versenkt haben, muss es anschließend gefehlt haben. Ich meine«, er ordnete die Gedanken während des Redens, »es muss sich doch feststellen lassen, ob ein Boot plötzlich verschwunden ist.«

»Boote sind in der Regel bei mehreren offiziellen Stellen registriert. Aber die kontrollieren natürlich nicht fortwährend, ob es die Boote noch gibt. Nicht einmal, ob sie im Einsatz sind.«

»Sie meinen, es könnte überall noch offiziell existieren, auch wenn es auf dem Meeresgrund liegt?«

»Alle vier Jahre muss ein Fischerboot zur technischen Kontrolle. Zu einer Art TÜV.«

»Und das könnte in diesem Jahr sein.«

Dupin hatte den Satz eher vor sich hin gesprochen. Ohne selbst genau zu wissen, worauf er hinauswollte.

»Sie meinen, ansonsten wäre es schon aufgefallen?«

Das hatte er wahrscheinlich gemeint.

»Nicht unbedingt«, überlegte Riwal, »Morin hätte es einfach abmelden können. Als ›ausgemustert‹, ›stillgelegt‹. Dafür ist keine behördliche Inaugenscheinnahme erforderlich.«

»Wir müssen herausfinden, ob Morin in den letzten drei Jahren einen *Bolincheur* abgemeldet hat.«

Darum ging es.

»Oder er hat ihn mit ein paar Tricks unbemerkt ersetzt.«

»Wie das?«

»Jedes Boot ist durch zwei Nummern zu identifizieren. Die sie auch für die Registrierung brauchen. Die eine ist vorne im Schiffsrumpf eingelassen, eine amtliche Plakette. Die andere ist die Motornummer.«

Dupin wurde hellhörig.

»Sie meinen, anhand dieser beiden Nummern wäre ein Boot, das man auf dem Meeresgrund finden würde, noch jetzt eindeutig zu identifizieren?«

»Sofort. Und zweifelsfrei.«

Ein längeres Schweigen stellte sich ein. Dupins Verstand arbeitete auf Hochtouren.

»Sie vermuten, dass Kerkrom und Darot das Boot gefunden haben?«

»Womöglich«, antwortete Dupin abwesend.

»Und der Professor? Philippe Lapointe – wie kommt der ins Spiel?«

»Ich weiß es nicht.«

Das beschäftigte Dupin ebenfalls. Aber er hatte ja gerade erst begonnen, das Szenario richtig zu denken.

»Wie könnte Morin den Prüfern ein neues Boot als das alte untergeschoben haben, Riwal?«

»Durch Manipulationen bei den beiden Identifikationsnummern.«

»Und wie genau?«

»Das ist aufwendig – aber möglich. Es gibt in jeder Baureihe ja mehrere baugleiche Boote, sie müssten sich dann an den

272

Identifikationsnummern zu schaffen machen. Im Rumpf und am Motor. Schlussendlich kann man alles manipulieren, wenn man – hinreichend motiviert ist.«

Riwal hatte natürlich recht – diese Annahme gehörte zum Kern ihres Berufes.

Dupin hatte den Eingang zur Schule fest im Blick. Die beiden Kinder standen lustlos auf und verschwanden im Gebäude. Der Unterricht würde gleich beginnen.

»Riwal, ich will, dass Sie alles überprüfen. Holen Sie sich Unterstützung!« Der Personalbedarf bei diesem Fall war enorm, aber das war Dupin egal. »Jemand soll alle Boote Morins auflisten, alle *Bolincheurs*, die vor vier Jahren gemeldet waren. Und sie mit der Liste aller heute registrierten Boote vergleichen. Und dann jedes einzelne penibel kontrollieren. Persönlich in Augenschein nehmen. Die beiden Identifikationsnummern. Auf mögliche Manipulationen hin. – Wir müssen auch herausfinden, ob Morin in den letzten drei Jahren einen *Bolincheur* gekauft hat, gebraucht oder neu«, die Aufträge schossen nur so aus Dupin heraus. »Dann müssen wir wissen, welches Boot in den letzten Jahren beim TÜV war und welches noch hinmuss. – Alle Varianten.«

»Wird sofort in die Wege geleitet, Chef.«

Riwal war ganz bei der Sache.

»Gut.«

»Und die Geschichte«, Riwal zögerte, »ginge dann so: Morin hält uns gezielt zum Narren. Er will nicht kooperieren und die Ermittlungen vorantreiben, sondern in Wirklichkeit hat er sich skrupellos der Leute entledigt, die einen Beweis für seine Schmuggelei gefunden haben. Das von seiner Mannschaft selbst versenkte Boot mit der Schmuggelware – den Teil des Rumpfes mit der Identifikationsnummer. Oder den Motor.«

Dupin antwortete nicht. Aber ja, so ungefähr könnte es gewesen sein. So war sie ihm gestern Abend ein erstes Mal –

vage – durch den Kopf gegangen. Eine Geschichte, die unter den Vorzeichen mehrerer kühner »Wenns« stand. Aber so war es am Anfang häufig. Fast immer.

»Wir sprechen später weiter, Riwal.«

Rasch legte er auf. Dupin hatte den Jungen entdeckt.

Anthony kam über die Wiese, vom Meer. Und auch er hatte Dupin schon gesehen.

Er lächelte keck.

Dupin ging auf ihn zu.

»Noch Polizeifragen?«

Dupin lächelte zurück.

»Muss ich den Unterricht verpassen?«, fragte der Junge hoffnungsvoll.

»Nur ein paar Minuten. Aber du kannst deinem Lehrer ...«

»Lehrerin. Madame Chatoux.«

»Dann sagst du Madame Chatoux, dass der Kommissar deine Hilfe benötigt hat.«

Ein verschmitzter Gesichtsausdruck, das schien ihm hinreichend.

Dupin kam direkt zur Sache. »Du hast eben gesagt, dass die Fischer manchmal Dinge mitbringen, die sie auf dem Meeresgrund gefunden haben, die Kanonenkugel, die Münzen, mein Inspektor sprach auch von alten Ankern und Wrackteilen und ...«

»Sie können sich alles im Museum ansehen. Soll ich es Ihnen zeigen?«

»Ich ...«

Eigentlich war es eine gute Idee.

»Einverstanden. Aber dann sollte ich besser kurz persönlich mit deiner Lehrerin sprechen.«

Der Junge strahlte über das ganze Gesicht.

»Warte hier.« Dupin nahm die Steinstufen und betrat das Gebäude.

»Direkt rechts das Zimmer. Es gibt unten nur zwei.«

»Ich finde es«, rief Dupin über die Schulter.

Ein paar Minuten später stand er wieder draußen.

»Erledigt. Du bist für eine halbe Stunde entschuldigt. Zur Unterstützung der polizeilichen Ermittlungsarbeit.«

»Dann sollten wir keine Zeit verlieren.« Der Junge hielt eilig auf den Quai Nord zu, an dessen Ende die Museen lagen.

Dupin hatte Mühe, Schritt zu halten.

»Weißt du, ob Céline Kerkrom oder Laetitia Darot in letzter Zeit eine«, Dupin bemühte sich um Beiläufigkeit, »sagen wir, Entdeckung auf dem Meeresgrund gemacht haben? Auf etwas Besonderes gestoßen sind? Vielleicht sogar mitgebracht haben?«

»Céline hat was gefunden.«

Dupin blieb unvermittelt stehen.

»Mama hat es mir nicht geglaubt. Papa auch nicht. Sie haben gesagt, mit heiligen Symbolen macht man keine Witze. Sie glauben, ich habe es mir bloß ausgedacht.«

»Was meinst du?«

Der Junge war weitergelaufen und machte keine Anstalten, stehen zu bleiben. Dupin setzte sich wieder in Bewegung.

»Ich konnte es nicht genau sehen. Es war eingewickelt. In ein Tuch.«

»Céline Kerkrom hat etwas mitgebracht?«

»Ja. Auf ihrem Boot.«

»Was?«

»Ein großes Kreuz. Ein richtig großes Kreuz.«

»Du hast ein großes Kreuz gesehen?«

Dupin blieb noch einmal stehen. Es klang vollkommen abstrus.

»Ja«, der Junge zögerte das erste Mal. »Es sah auf jeden Fall aus wie ein Kreuz.«

»Wie kommst du auf ein Kreuz?«

»Die Form. So unter dem Tuch sah es aus wie ein Kreuz, das, was darunter war, meine ich.«

»Es war in ein Tuch gewickelt?«

»Ja.«

»Dann hast du den Gegenstand selbst gar nicht gesehen?«

»Nein. Aber ich glaube, es war ein Kreuz.«

Das war ungeheuerlich.

Hatten sie tatsächlich ein Stück von Morins *Bolincheur* geborgen? Das Stück mit der Identifikationsnummer? Den Motor? Nicht auszuschließen, dass er provisorisch zugedeckt oder eingewickelt irgendwie eine kreuzartige Form gehabt haben könnte. Oder auch das Stück vom Rumpf.

»Wann war das, Anthony?«

»Oh … am Anfang des Monats. Ich weiß es, weil ich nämlich schwimmen war an dem Tag. Das erste Mal in diesem Jahr. Da war es ganz warm. Das Wasser auch!«

Dupin erinnerte sich an die kleine Hitzewelle Anfang Juni.

»Mama sagt immer, meine Fantasie geht mit mir durch. Aber das stimmt nicht, Monsieur.«

Dupin war etwas eingefallen: »Hatte ihr Boot da schon den neuen Hebearm?«

»Ja.«

Er musste in den Wochen zuvor montiert worden sein. Vielleicht genau zu diesem Zweck. Das konnte doch kein Zufall sein.

»Und Laetitia war auch da.«

Dupin blickte Anthony prüfend an.

»Sie war auch auf dem Boot?«

»Ja. Sie waren in letzter Zeit ein paarmal zusammen auf dem Boot von Céline unterwegs. Davor auch einmal auf dem von Laetitia. In letzter Zeit aber nur auf dem von Céline.«

Dupin musste sich sammeln.

»Haben sie den Gegenstand an Land gebracht?«

»Das habe ich nicht gesehen. Ich musste nach Hause. Es war schon sehr spät. Am nächsten Tag habe ich sofort in der Schatzkammer nachgeguckt. Noch vor der Schule. Aber da war nichts. Und ich habe Madame Coquil gefragt, ob etwas Neues hinzugekommen ist. Und Antoine. Céline war schon wieder fischen.«

»Und?«

»Sie haben Nein gesagt. Am Abend habe ich dann Céline selbst gefragt.«

»Und was hat sie gesagt?«

»Dass es ein Holzbalken gewesen ist, den sie für ihr Haus braucht. Dass sie ihn aus Frankreich geholt hat. Aber ich glaube, sie hat geflunkert.«

»Ein Holzbalken, hat sie gesagt?«

»Ja.«

»Wo hattest du dich versteckt? Von wo hast du die beiden beobachtet?«

Sie waren beinahe da, sie konnten die Museen schon sehen.

»Bei den Verschlägen. Zwischen den beiden Quais. Wenn man klein ist«, wieder sein schelmisches Lächeln, »kann man sich unbemerkt hinter den Hummerkäfigen verstecken.«

Dupin war selbst Zeuge von Anthonys beeindruckenden Versteck- und Spionagefertigkeiten geworden.

»Ich will, dass du mir das kurz zeigst, bevor wir ins Museum gehen.«

»Dann wird eine halbe Stunde aber nicht reichen. Ich werde mehr Unterricht verpassen.«

Der Junge grinste. Und drehte auf der Stelle um.

Im Nu waren sie an den Verschlägen.

»Hier. Genau hier habe ich mich versteckt.«

Er deutete auf ein Dutzend gestapelter Hummerkäfige, die nicht mehr als drei, vier Meter von der Kante der Quaimauer entfernt standen.

»Dahinter. An dem Tag waren es aber nicht so viele. Und sie haben mich trotzdem nicht gesehen. Und hier«, er lief bis zum Wasser, »hier hat sie angelegt. – Das Kreuz war hinten im Boot zwischen mehreren Fischboxen. Man hat es fast nicht gesehen.

Es war ganz eingekeilt. Ich glaube, sie wollten nicht, dass man es sieht.«

»Wie kommst du darauf?«

»Weil es so gut verborgen war. Und sie erst eingelaufen sind, als es schon dunkel wurde.«

»Aber du hast es dennoch sehen können.«

»Ja.«

Wenn er hinter den Hummerkäfigen gekauert hatte, war er nur ein paar Meter entfernt gewesen.

»Dass es ein Kreuz war, hast du aufgrund der Form vermutet.«

Da waren sie schon einmal gewesen in ihrem Gespräch, aber es war ein wichtiger Punkt.

»Es sah wirklich aus wie ein Kreuz, es hatte genau die Form. Es war richtig groß.«

»Aber etwas von dem, was unter dem Tuch war, hast du nicht erspähen können?«

»Nein.«

Mehr war nicht zu holen.

Und Dupin hatte gesehen, was er sehen wollte.

»Gehen wir.«

Dupin hielt wieder auf den Quai Nord zu. Der Junge blieb eng neben ihm.

»War an dem Abend noch jemand am Quai? Hast du noch jemanden gesehen?«

»Nein.«

»Und davor, hast du davor jemanden in der Nähe gesehen?«

»Die beiden anderen Fischer sind früher reingekommen.«

»Jumeau zuerst?«

»Nein, als Zweiter.«

»Und hat er sich noch länger am Quai aufgehalten, ich meine, nachdem er angelegt hatte?«

»Er war weg, als Célines Boot kam. Er hat sein Boot im Hafen vertäut und ist gegangen.«

278

»Lange davor schon?«

»Nein. Das nicht.«

Dupin hatte sein Heft herausgeholt. Er kritzelte etwas im Gehen.

»Schreiben Sie sich das auf?« Der Junge versuchte, einen Blick auf die Seiten zu erhaschen. »Ist das wichtig, was ich gesagt habe?«

»Unter Umständen schon. Und hast du noch jemanden gesehen, bevor die beiden mit Céline Kerkroms Boot angelegt haben?«

»Antoine Manet ist vorbeigekommen, als Jumeau eingelaufen ist.«

»Was hat er gewollt?«

Dupin wusste, dass er unmögliche Fragen stellte. Aber Kinder kannten so etwas wie unmögliche Fragen nicht.

»Sie haben kurz geredet. Er stand ganz nahe am Boot. Ich habe es nicht hören können. Dann ist er wieder gegangen.«

»Und das war's?«

»Ja. Sonst war niemand da.«

»Und in den Tagen danach, hast du Céline weiter beobachtet?«

»Ja.«

»Aber keinen … Gegenstand mehr gesehen.«

»Nein. Das Kreuz war schon am nächsten Tag weg. Sie haben es bestimmt in ein Versteck gebracht.« Er klang untröstlich. »Aber ich weiß leider nicht, wohin.«

Es entstand eine kleine Pause. Sie wären gleich wieder bei den Museen.

»Du hast vorhin gesagt, der Gegenstand war richtig groß. Wie groß genau?«

»So groß wie ich vielleicht.«

»Bist du dir sicher?«

Dupin schätzte Anthony auf ein Meter vierzig. Konnte, sollte er dem Jungen Glauben schenken?

Dupin hielt es für ausgeschlossen, dass Anthony sich die ganze Geschichte ausgedacht hatte, einfach fabulierte. Ihn auf den Arm nehmen oder Aufmerksamkeit erhaschen wollte. Die Frage war eine andere: Hatte er nicht vielleicht etwas ganz Gewöhnliches gesehen, und *dann* war seine Fantasie mit ihm durchgegangen?

»Ja, ich bin mir ganz sicher. Vielleicht war das Kreuz ganz aus Silber oder Gold, und Céline musste sterben, weil sie einen echten Schatz gefunden hatte. Meinen Sie, so war es?« Der Junge hatte traurig und fasziniert zugleich gesprochen.

Dupin blickte ihn eindringlich an.

»Wie kommst du auf Gold?«

»Nur so. Das ist doch das Kostbarste, oder?«

Dupin seufzte.

»Sehen wir uns die Schatzkammer an.«

Sie waren bereits in den Innenhof der Museen eingebogen.

Dupin erwartete nicht, dass Kerkrom und Darot, was immer sie mitgebracht hatten, hier »versteckt« hatten – trotzdem. Er wollte die Schatzkammer sehen. Vielleicht kam er dort noch auf andere Ideen.

»Hier, der Raum ist im Museum der Seenotrettungsgesellschaft.«

Es waren wunderschöne Gebäude. In Form eines Hufeisens, in der Mitte der malerische Hof. Dass der Seenotrettung ein eigenes Museum gewidmet war, beeindruckte Dupin.

Der Junge steuerte zielsicher durch die Eingangstür, dann sofort links, am imposanten Glaskasten in der Mitte des Gangs vorbei, in dem ein alter Rettungskahn ausgestellt war.

»Ah, da kommen Sie ja doch noch. Es wurde auch höchste Zeit. Ein Besuch auf der Insel ohne einen Besuch der Museen, das ist inakzeptabel.«

Die eiserne – wunderbare – Madame Coquil war wie aus dem Nichts erschienen.

»Jacques de Thézac höchstpersönlich, der Gründer der *Abris*

280

du Marin, der Herbergen für gestrandete Seeleute, hat diese Häuser hier bauen lassen! Die allererste der Herbergen überhaupt! Weil es hier noch schlimmer war für die Menschen als anderswo. Und damals zudem viele Schiffe auf der Durchreise Station bei uns machten.«

Ihre Augen leuchteten nostalgisch.

»Wie auch immer: Ende Juli richten wir auf Sein ein großes Fest zum hundertfünfzigsten Geburtstag der Seenotrettungsgesellschaft aus. Da müssen Sie dabei sein, Monsieur le Commissaire, keine Frage! 219 Stationen hat die SNSM, 259 Posten an den Stränden, 7000 freiwillige Mitarbeiter, und das bei nur 70 Angestellten. Die Gesellschaft wurde zwar in Audierne gegründet, *1865*«, sie betonte die Jahreszahl, als könne sie es selbst kaum glauben, »und dort ist auch das Hauptfest, aber natürlich lassen wir es uns nicht nehmen, auch hier zu feiern. Immerhin war die Station auf Sein eine der ersten überhaupt, sie wurde nur zwei Jahre später gegründet. Die Seenotrettung hat eine große Tradition!«

Sie trat einen Schritt auf Dupin zu, es würde etwas Wichtiges folgen:

»Wissen Sie, wie viele arme Seelen die mutigen Menschen hier über die Jahrhunderte gerettet haben? Zehntausende! Antoine hat eine Auflistung von allen Rettungsaktionen gemacht, die können Sie sich im Internet ansehen! 1762 hat der Duc d'Aiguillon der Insel eine vollständige Umsiedlung angeboten, er wollte uns die allerschönsten Grundstücke auf dem Festland schenken. Die Menschen haben prompt abgelehnt. – Und warum? ›Wer sollte sich um die Seenotopfer kümmern, wenn die Insel verwaist?‹ stand in ihrem offiziellen Brief. Zum Dank hat der Duc uns tonnenweise Biskuits geschickt! Zehntausenden haben wir das Leben gerettet! 1804 sogar zweihundertachtzig Engländern! Bis der Leuchtturm gebaut wurde, ist hier alle zwei, drei Jahre ein großes Schiff gekentert.«

Sie trat wieder einen Schritt zurück und lächelte:

»Also – was darf ich Ihnen zeigen? Was interessiert Sie besonders?«

»Anthony«, beeilte sich Dupin zu sagen, »wollte mir etwas zeigen.«

»Die Schatzkammer. Der Kommissar will die Schatzkammer sehen. Aus polizeilichen Gründen.«

Der Nachsatz sollte höchste Autorität signalisieren.

»Das ist kein öffentlicher Raum, das weißt du. Er gehört nicht zum Museum! Und zurzeit herrscht das reine Chaos. Eigentlich kann man da niemanden reinlassen.«

Ein unmissverständlicher Bescheid.

»Ich denke, das geht in Ordnung, Madame Coquil. Ich will nur einen kurzen Blick hineinwerfen.«

»Und aus welchem Grund, wenn ich fragen darf? Ihr Inspektor war doch schon da.«

Der Junge lief unbekümmert weiter, geradewegs auf die Tür zu.

»Im Augenblick«, Dupin stockte, »gehen wir verschiedensten Spuren nach, ermittlerische Routine.«

»Es ist zugesperrt.«

Anthony rüttelte an der Klinke.

»Ja. Jetzt in der Saison ist abgeschlossen. Anweisung von Antoine Manet.«

»Ich möchte wirklich nur einen kurzen Blick hineinwerfen.«

Dupin mochte Madame Coquil. Und er versuchte, es in seinem Tonfall zu vermitteln.

Es schien bei ihr anzukommen.

»Na gut.«

Sie nestelte in der Tasche ihrer kanarienvogelgelben Strickjacke, die sie heute über einem karmesinroten Kleid trug, und zog einen Schlüssel hervor.

»Früher haben wir auch in der Saison nie abgesperrt«, Anthony schaute immer noch unzufrieden. »Da muss ich ja jetzt immer fragen, wenn ich reinwill.«

»Wer verfügt alles über einen Schlüssel für den Raum?«, fragte Dupin.

»Monsieur Manet und ich. Und einer ist in der Schublade des Tischchens, auf dem die Broschüren liegen, im Eingang zum anderen Museum.« Sie machte eine Geste mit dem Kopf.

Im Handumdrehen hatte Madame Coquil aufgeschlossen.

Sie hielt ihnen die Tür auf.

»Danach müssen Sie im Historischen Museum vorbeikommen. Die Geschichte der Insel sollte Sie mindestens ebenso sehr interessieren wie das hier. Ohne unsere Geschichte sind wir gar nichts. Nur gespenstische Phantome! Vergessen Sie das nie!« Lächelnd fügte sie hinzu: »Für die kompetente Führung durch die Schatzkammer überlasse ich Sie nun dem kundigsten Führer der Insel.«

Mit diesem Satz hatte sie sich abgewandt.

Dupin trat in den Raum hinein.

Er war äußerst schlicht und offenbar länger nicht renoviert worden. Die Wände, früher weiß, hatten ein schmutziges Gelb angenommen, sie rochen übel. Der ganze Raum roch übel. Eine intensive Mischung aus Staub – der an manchen Stellen zentimeterdick auf dem Boden lag –, Schimmel, vermutete Dupin, irgendeinem Kleber und Öl. Es hatte etwas Beißendes. Ein einziges Fenster gab es, dessen verschmutztes Glas trübes Licht in den Raum ließ.

Chaos war tatsächlich die angemessene Bezeichnung für den Zustand. In einem langen L waren schmale Malertische aufgestellt. Darunter, daneben, dazwischen, an den Wänden, überall waren Kartons gestapelt. Mit großen gelben Aufklebern und Kürzeln versehen. Immer nach dem gleichen Muster: »S. – 28. – 29. / Georges Bradou / 05.2002.«

Der Junge hatte beobachtet, wie Dupin mit seinem Blick an den Kartons hängen blieb:

»Auf den Tischen liegen nur die tollsten Stücke. In den Kartons die anderen. Auf den Aufklebern stehen wichtige Angaben: die Koordinaten der Fundstellen, wer sie gefunden hat und so weiter. ›S‹ steht für Sein. Ein System von Antoine. Das aber überall im Finistère gilt. Er ist da in so einem Verein, wissen Sie. Die legen so etwas fest.«

Er würde den Verein meinen, in dem auch Professor Lapointe Mitglied gewesen war.

»Schauen Sie, Monsieur le Commissaire. Die hier sind echt römisch.«

Anthony zeigte in die Mitte der Tische.

»Man sieht den Kaiser Maximian. Das ist meine Lieblingsmünze. Und hier Carausius, dem der Kaiser die Verteidigung der Bretagne gegen die Germanen übertragen hat. Echte Bronze. Und hier«, er deutete auf eine Handvoll anderer Münzen, »das sind die aus Silber.«

Er war in seinem Element.

Dupin lief das L ab.

Es war ein kurioses, großartiges Sammelsurium. Jedes Teil war mit einem feinen Bändchen versehen, das die genauen Angaben zum Fundort, Funddatum und Finder verzeichnete.

Plötzlich, ganz am Ende der Tische, blieb Dupin stehen.

Er hatte etwas gesehen.

Einen Motor. Unter dem Tisch lag zwischen zwei Kartons ein Motor. Ein großer, verrosteter Motor. Sicherlich über einen Meter lang. Er bückte sich.

»Der gehörte zu einem Fischerboot, das an der Westseite von Sein gekentert ist, in einem Sturm, direkt am Strand, nicht weit vom Leuchtturm.«

»Seit wann liegt er hier?«

»Oh, schon ein paar Jahre. Lange.«

»Es gibt kein Schild.« Dupin hatte vergeblich nach der Auszeichnung gesucht.

»Hm.« Der Junge wusste keine Antwort.

»Kannte man das Boot?«

»Ja. Es gehörte einem Küstenfischer aus Douarnenez. Er hat

sich im letzten Moment an Land gebracht, ihm ist nichts passiert.«

»Ich verstehe. Du hast den Motor hier schon, sagen wir, Anfang des Jahres liegen sehen? Und auch davor?«

Der Junge warf Dupin einen fragenden Blick zu.

»Ja.«

»Bist du dir ganz sicher?«

»Hab ich doch schon gesagt.«

Dann konnte er es nicht sein.

Dupin ging in die Hocke. Er hatte noch nie einen ausgebauten Bootsmotor gesehen. An sich war er länglich gebaut, aber: Auf einer Seite ging ein Schaft ab, sicher dreißig, vierzig Zentimeter, ein verrosteter Stab darin, die Verbindung zur Schiffsschraube vermutlich. Und an der anderen Seite, aber deutlich weiter oben, ein Schlauch, der allerdings nach ein paar Zentimetern abgerissen war, vielleicht der Schlauch zum Tank. Wenn man den Motor hochkant stellte, ein Tuch über ihn warf – mit etwas Fantasie hätte man die Umrisse eines Kreuzes erkennen können. Dupin sah noch einmal hin: mit *viel* Fantasie.

Er richtete sich auf.

»Und die Tür zu diesem Raum hier war früher nie abgeschlossen?«

»Nein. Noch nie.«

»Wann warst du das letzte Mal hier?«

Der Junge überlegte.

»Ich weiß es nicht. Vor zwei Wochen vielleicht. Drei. In letzter Zeit gab es keine neuen Fundstücke.«

»Nichts? Gar nichts?«

»Nein. Nur das kleine eiserne Pferd.«

Er zeigte auf das Ende des Tisches. Ein verrostetes Pferd aus Eisen, grob gestaltet.

»Jumeau hat es gefunden.«

»Wohin, glaubst du, könnten die beiden Frauen den großen Gegenstand gebracht haben?«

»Das ist die entscheidende Frage, oder?«

Dupin nickte.

»Nicht hierher. Zu sich nach Hause bestimmt. Oder zuerst in einen der beiden Verschläge. Und dann nach Hause. Tief in der Nacht, wenn niemand unterwegs ist. Oder ganz früh morgens«, wieder schien er gewissenhaft nachzudenken, »so hätte ich es gemacht.«

Dupin ließ den Blick noch einmal durch den Raum wandern. Die Tische entlang. Er fuhr sich mit der Hand über den Hinterkopf.

»Eine fabelhafte Ausstellung. Danke für die Führung. Und überhaupt für deine ausgezeichnete Ermittlungsarbeit. Du hast der Polizei einen großen Dienst erwiesen, Anthony.«

Die Augen des Jungen leuchteten. Dann blickte er mit einem Mal düster drein.

»Muss ich jetzt zur Schule?«

»Ich befürchte schon. Aber dafür hast du nun«, Dupin schaute auf die Uhr, »immerhin schon deutlich länger als eine halbe Stunde gefehlt.«

Das Leuchten war auf Anthonys Gesicht zurückgekehrt.

Dupin ging Richtung Tür.

»Ich denke, wir sehen uns wieder.«

Er streckte dem Jungen die Hand entgegen. Der Junge nahm sie langsam und schüttelte sie dann fest.

»Sie können mich jederzeit aus dem Unterricht herausholen, Sie wissen ja, wo mein Klassenzimmer ist.«

Mit einem breiten Grinsen flitzte er davon.

Dupin musste lächeln.

Er schloss die Tür der Schatzkammer.

Kurz bevor er den Ausgang erreichte, stand Madame Coquil auf einmal vor ihm. Wie eben hatte sie sich scheinbar aus dem Nichts materialisiert.

»Und? Haben Sie gefunden, wonach Sie suchen?«

Dupin zögerte.

»Eine spannende Sammlung. Aber was mich interessiert, sind neuere – Fundstücke. Aus den letzten Wochen.«

Er musterte Madame Coquil mit einem durchdringenden Blick. Was sinnlos war. So wie er sie kennengelernt hatte, wäre ihr selbst dann nichts anzumerken gewesen, wenn sie etwas gewusst hätte.

Sie reagierte in keiner Weise auf seine sibyllinischen Sätze. Dafür starrte sie ihn unverwandt streng an.

»Nun, dann zeige ich Ihnen jetzt ein wenig von der Geschichte der Insel. Wir müssen nur nach nebenan. Und beginnen mit Sein in der Vorzeit …«

»Ich …«

Dupins Telefon. Der Kommissar seufzte erleichtert.

Kadeg.

»Ich muss den Anruf leider annehmen, Madame. Es tut mir leid.«

Er entkam mit ein paar eiligen Schritten in den Innenhof.

»Was gibt's?«

»Auf dem Messer sind keine Fingerabdrücke zu finden. Sie haben es noch vor Ort mit den Abdruckblättern versucht«, Kadegs emsiger Stakkato-Berichtstil. »Aber das Messer ist jetzt unterwegs ins Labor, da untersuchen sie es auf DNA-Spuren. Und analysieren das Blut auf der Klinge. Ein Wagen bringt Madame Gochat in die Zentrale nach Quimper. Ich fahre jetzt auch los. – Natürlich warten wir auf Sie, wenn Sie das Verhör selbst durchführen wollen«, es war eine rein rhetorische Floskel. »Ansonsten würde ich es übernehmen. – Im Übrigen haben sich die IT-Experten aus Rennes zu der anonymen E-Mail gemeldet: Sie können uns bisher nur den Anbieter nennen, über den der E-Mail-Dienst läuft.«

»Wir werden«, Dupin bemühte sich um einen lapidaren Tonfall, »Madame Gochat laufen lassen, Kadeg.«

»Wir … was?!« Kadeg hatte Mühe, sich zu beherrschen. »Das können Sie nicht tun!«

»Wir setzen sie auf freien Fuß. Auf der Stelle. Haben Sie gehört?«

»Wir haben die Tatwaffe bei ihr gefunden. Sie hat keinerlei stichhaltige Alibis. Sie hat Céline Kerkrom verfolgt.«

Noch stand gar nicht fest, ob es wirklich die Tatwaffe war, ein Alibi besaß kaum eine der Personen, mit denen sie es zu tun hatten, und Gochat war auf alle Fälle nicht die Einzige gewesen, die Céline Kerkrom verfolgt hatte. Aber natürlich hätte es gereicht, um die Hafenchefin vorübergehend in Gewahrsam zu nehmen und verhören zu lassen – natürlich hätte man die Sachverhalte auch »stichhaltig« formulieren können, wie Kadeg es getan hatte. Es ging dem Kommissar um etwas anderes.

»Wenn sie es war, ist es interessanter, sie in Freiheit zu beobachten.«

So war es wirklich, davon war Dupin überzeugt.

»Ich will sehen, was sie tut. Und Sie, Kadeg, Sie werden ihr unbemerkt auf Schritt und Tritt folgen. – Vielleicht hat sie ja etwas versteckt«, das war der brisanteste Punkt, »oder weiß, wo etwas versteckt sein könnte«, Dupin sprach weniger zu Kadeg als zu sich selbst. »Oder sie hat zumindest eine Vermutung.«

Kadeg hatte sich wieder gefangen. »Denken Sie an etwas Bestimmtes?«

Es war noch nicht an der Zeit, ohne Not etwas von den vagen und eventuell völlig verrückten Überlegungen preiszugeben.

»Ich meinte es – ganz allgemein.«

»Ich halte es für einen Irrtum, aber gut, Sie geben hier die Befehle.«

»Genau so ist es, Kadeg. Ich gebe hier die Befehle.«

Dupin war gerade noch etwas anderes eingefallen, eine Variante, das war eine hervorragende zusätzliche Idee.

»Kadeg, bevor wir Madame Gochat laufen lassen, will ich sie noch einmal sprechen. Sie werden sie hier auf die Insel bringen. Und zwar umgehend.« Dupin gefiel die Idee immer besser. »Sie fahren jetzt los. Mit Blaulicht und allem. Direkt nach Audierne, direkt auf ein Schnellboot.«

Kadeg war verwirrt.

»Und wenn sie sich weigert? Ich meine, wenn ich ihr sage, dass sie gehen kann und nicht verhört wird, aber doch zuvor noch mit auf die Insel zu einem Verhör kommen soll … Ihr Anwalt …«

»Wenn sie etwas daran auszusetzen hat, sagen Sie ihr, dass sie die Wahl hat: Sie kann gehen – und spricht vorher noch einmal mit mir, oder sie befindet sich schnurstracks in Untersuchungshaft. In zahlreichen Verhören. Es ist ihre Entscheidung.«

Ein kurzes Schweigen. Dann:

»Ich denke, Sie werden uns sehr bald auf der Insel sehen.«

»Das denke ich auch. Ich warte hier auf Sie.«

Dupin legte auf.

Während des Gespräches hatte er sich vorsichtshalber aus dem Museumshof herausgeschlichen.

Eine Sache stand ihm bevor, die ganze Zeit schon. Das Telefonat mit seiner Mutter. Egal wie, er käme nicht länger umhin. Und er wollte auf keinen Fall riskieren, dass sie noch einmal bei Nolwenn landete.

Er behielt das Telefon mutig in der Hand.

»Chef! Chef!«

Wieder war Dupin zum Quai Sud gegangen und wieder war Riwal direkt vor ihm aus einer der schmalen Gassen herausgestürzt.

»Bei Ihnen war besetzt, Chef. Jumeau ist da. Er sitzt im *Chez Bruno.*«

»Dann los.«

Dupin steuerte umstandslos auf die kleine Terrasse der Bar zu.

Das Telefonat mit seiner Mutter war grauenvoll gewesen. Aber recht schnell beendet. Vielleicht hatte es an dem – für ihn glücklichen – Umstand gelegen, dass der Florist gerade gekommen und sie »okkupiert« gewesen war. Er hatte ihr reinen Wein eingeschenkt: dass der Fall seit ihrem letzten Telefonat noch komplizierter geworden war, es einen dritten Toten gegeben hatte, sie bei der Untersuchung noch kein Land sahen und es somit immer unwahrscheinlicher wurde, dass er morgen kommen könnte. Sie hatte diese – ausdrücklich zwei Mal formulierte – Conclusio zwar zu keinem Moment auch nur ansatzweise zur Kenntnis genommen, war aber insgesamt einigermaßen gefasst geblieben. Was jedoch wahrscheinlich nur am gänzlichen Ignorieren seiner Mitteilung lag, eine Technik, die sie brillant beherrschte. Was sie nicht hören wollte, hörte sie nicht, Punkt. Und, darin bestand die gnadenlose Pointe, das existierte auch nicht. Zudem beherrschte sie es formvollendet, einem ein schlechtes Gewissen zu bereiten.

Der junge, hagere Fischer saß vor einem *petit café*, er sah beinahe versonnen aus.

»Ich würde gerne wissen«, begann Dupin, noch bevor er den Tisch ganz erreicht hatte, Jumeau hatte den Kopf gerade erst dem Kommissar zugewandt, »was es mit dem beachtlichen Betrag auf sich hat, den Laetitia Darot Ihnen überwiesen hat.«

Dupin setzte sich auf den Stuhl gegenüber, Riwal neben ihn.

Jumeau schien die Frage in keiner Weise zu beunruhigen.

»Ich stecke in finanziellen Schwierigkeiten. Schon seit zwei, drei Jahren«, er formulierte es ohne Selbstmitleid oder Bedauern, es schien ihm nichts auszumachen, es zuzugeben. »Die Fischerei ist kompliziert geworden, für jemanden wie mich allemal.«

»Und da hat sie Ihnen einfach zehntausend Euro überwiesen? Auf einen Schlag, so eine große Summe?«

»Ja.«

»Und das soll ich Ihnen glauben?«

Jumeau warf Dupin einen gleichmütigen Blick zu.

»War die Summe als Kredit gedacht?«

»Nein.«

Das Dumme war: Dupin hatte selbst keinen Schimmer, worum es bei der Überweisung gegangen sein könnte. Schon gar nicht, inwiefern sie kriminell gewesen sein könnte. Auch im Hinblick auf die – äußerst spekulativen, äußerst luftigen – Erwägungen, die sich in den letzten Stunden ergeben hatten, fiel ihm kein Szenario dazu ein. Dennoch: Zehntausend Euro waren eine verdammt hohe Summe.

»Haben Sie Schulden?«, übernahm Riwal.

»Den Kredit bei der Bank für das Boot. Und ich war im Minus mit meinem Konto. Ich habe sie gar nicht darum gebeten. Sie hat es per Zufall mitbekommen. Und ohne weiteren Kommentar nach meiner Kontonummer gefragt.«

Für Jumeaus Verhältnisse eine verblüffend ausführliche Antwort.

Laetitia Darot hatte ein regelmäßiges Gehalt gehabt, sicher kein allzu schlechtes. Aber: Auch für sie musste es viel Geld gewesen sein. Riwal hätte erwähnt, wenn es auffällige Unregelmäßigkeiten auf ihrem Konto gegeben hätte, größere Einzahlungen beispielsweise.

Riwal fuhr fort: »Was, wenn Laetitia Darot Sie für, sagen wir, bestimmte Aufträge bezahlt hätte? Vielleicht für Ihre Hilfe bei der Bergung von irgendetwas? Oder«, er runzelte die Stirn, »damit Sie Morin und seine Boote bei illegalen Praktiken beobachteten?«

Natürlich, das wäre durchaus denkbar. Wobei Dupin sich mehr und mehr für das erste Thema interessierte.

Jumeau blieb ungerührt, er protestierte nicht einmal im Ansatz.

»Sie hat es mir einfach so gegeben. Um mir zu helfen.«

»Und Sie haben«, setzte Riwal nach, »ihr dafür keinerlei Dienst erwiesen?«

»Gar keinen«, Jumeau schwieg. »Sie war so. Geld hat ihr nichts bedeutet.«

»Anfang Juni, während der Hitzewelle«, Dupin behielt Jumeau fest im Blick, jede kleinste Bewegung seiner Augen, seines Mundes, seiner Gesichtsmuskeln, »da waren die beiden Frauen an einem Tag zusammen mit dem Boot von Céline Kerkrom unterwegs und kamen abends ziemlich spät zurück, es dämmerte bereits.«

»Ich erinnere mich an die heißen Tage. Und weiter?«

Ihm war nichts anzumerken.

»Sie haben mit Ihrem Boot kurz vor den beiden angelegt. Vorne am Quai.«

»Da lege ich immer an.«

Jumeau war nicht einmal Ungeduld anzumerken, was bei Dupins umständlichem Vorgehen durchaus verständlich gewesen wäre – nach Riwals Gesicht zu urteilen, wartete auch er auf die Pointe.

»Erinnern Sie sich an diesen Tag, Monsieur Jumeau?«

»Ich habe nur an einem der Abende mitbekommen, dass Céline spät kam. Da war ich schon mit allem fertig und habe ihr Boot hinten an der ersten Mole gesehen. Ob Laetitia auch mit an Bord war, weiß ich nicht.«

»Hat es bereits gedämmert?«

»Ich denke schon. Ja.«

»Sind Sie später noch einmal zum Anlegeplatz an den Verschlägen zurückgekommen?«

»Nein.«

Dupin dachte nach. Dann entschloss er sich für einen Schuss ins Blaue.

»Wo haben«, er sprach absichtlich forsch, »die beiden ihn hingebracht, Monsieur Jumeau? Wo ist er jetzt? – Wir wissen von dem Fund.«

Auf die überraschende Frage folgte erst einmal nichts. Jumeau hatte auch dieses Mal nicht die allergeringste Regung gezeigt.

Es war Riwal, der als Erster etwas sagte, wenn auch nur halblaut:

»Was?«

»Ich habe keine Ahnung, wovon Sie sprechen.«

Täuschte sich Dupin, oder hatte der Fischer seltsam traurig geklungen?

»Und ich glaube Ihnen kein Wort.«

»Das müssen Sie entscheiden.«

»Wir wissen …« Dupin war im Begriff, es noch einmal zu versuchen – ließ dann aber ab.

So käme er nicht weiter.

Die Mitteilung, dass sie von einem Fund wussten, hatte Jumeau in keiner sichtbaren Weise berührt; vielleicht war es keine gute Idee gewesen, es überhaupt zu erwähnen. Dupin ärgerte sich.

Ohne Vorwarnung stand er auf.

»Ich danke Ihnen.«

Eigentlich wäre es eine gute Gelegenheit gewesen, noch schnell einen *café* zu trinken. Aber Dupin war die Lust vergangen. Er war hochgradig unzufrieden. Mit allem. Und am meisten: mit sich. Der ganze Fall ging ihm gegen den Strich, permanent überschlug sich alles, nie kamen sie dazu, auch nur ansatzweise systematisch zu ermitteln, einem Faden wirklich zu folgen; Figuren wurden an den Rand gedrängt und tauchten plötzlich wieder auf, Aufträge blieben unbesprochen, so vieles kam zu kurz, war sein Gefühl.

Er drehte sich um und verließ wortlos die Terrasse.

Riwal stand unschlüssig auf, schaute zu Jumeau, den auch Dupins jäher Aufbruch nicht sonderlich zu beschäftigen schien, murmelte »*Au revoir*, Monsieur. Wir melden uns« und folgte dem Kommissar.

Am Ende des Quais bog Dupin auf den Weg ab, der direkt am Meer verlief. Und der unweigerlich, wie alle anderen, auf die Route du Phare führte. Neben dem Weg lag eine gigantische Schiffsschraube aus verrostetem Stahl, so wie an manchen Stellen der Insel Teile von Bootswracks wie Skulpturen in einem riesigen Freilichtmuseum emporragten. Und – unter der gewaltigen Schiffsschraube: eine Kaninchenfamilie mit Nachwuchs.

»Haben wir schon etwas zu dem möglicherweise versenkten Schmugglerboot von Morin?«

»Ich habe alle Überprüfungen mit höchster Priorität in Auftrag gegeben, aber es wird noch ein bisschen dauern.«

So war es. Nachforschungen dauerten. Auch wenn es Dupin widerstrebte.

»Nolwenn hilft mit. Sie hat einen guten Draht zu den Verwaltungen.«

»Perfekt.«

Das beruhigte Dupin.

»Denken Sie wirklich«, Riwal machte ein ernstes Gesicht, ihn schien etwas umzutreiben, »dass es um das versenkte Boot geht – dass es Morin ist, hinter dem wir her sind?«

»Ich weiß es nicht.« Das war die Wahrheit. »Wir müssen in jede Richtung forschen.«

Riwal räusperte sich. Wenig dezent.

»Hat Ihnen schon jemand gesagt, dass Professor Lapointe ein ausgewiesener Experte für Ys war?« Riwal stockte, er formulierte noch einmal neu: »Ich meine, allgemein ein Experte für lokale Archäologie, aber insbesondere für die Geschichte von Ys. Seit zwei, drei Jahren stellte die Geschichte der sagenumwobenen Stadt seinen Interessensschwerpunkt dar.«

»Ys – wirklich?« Dupin fühlte sich nicht in der Stimmung für den reichen bretonischen Legendenschatz.

»Kerkrom und Darot könnten einen archäologischen Fund auf dem Meeresboden gemacht haben. Das meine ich. Einen bedeutenden Fund. Etwas Kostbares, von hohem Wert. Und vielleicht haben sie deswegen Professor Lapointe aufgesucht und seine Expertise erbeten. Einen Rat. – Auch das mit der Materialprobe würde dann plausibel. Ebenso die technischen Anschaffungen von Darot und Kerkrom. Der neue Hebearm und das Hochleistungssonar, mit dem man den Meeresboden unter den Schlamm- und Sandschichten abtasten kann. Damit finden Sie alles.«

Dupin schwieg.

Zwei Kaninchen schlugen Haken über den Weg, nur ganz knapp vor ihnen.

»Es würde zudem erklären, warum Kerkrom auf dem Meer in Gebiete fuhr, wo sie sonst nie war. Vielleicht hat Darot es zuerst entdeckt. Im Eingang zur Bucht von Douarnenez, da, wo die Delfine im Sommer den Tintenfischen nachjagen. Und dann hat sie Kerkrom hinzugezogen. Kerkroms Boot ist für eine Bergung ungleich besser geeignet. Und als sie sich wiederholt in dem betreffenden Gebiet aufgehalten hat, ist es jemandem aufgefallen. Der Hafenchefin und Vaillant auf alle Fälle, wie wir wissen. Aber vielleicht ja noch jemand anderem. Und man hat ihr nachspioniert. So könnte alles ins Rollen gekommen sein.«

»Sie meinen«, Dupin bemühte sich um Neutralität in der Stimme, »es geht bei dem allen hier am Ende um einen Schatz?«

Jetzt war es Riwal, der schwieg. Und den Kommissar eingehend musterte.

»Dass die beiden«, Dupin nahm den abenteuerlichen Faden noch einmal auf, eher für sich selbst, »einen gewaltigen archäologischen Fund gemacht haben? Ein Kreuz zum Beispiel? Oder etwas Ähnliches?«

Er hatte mit der größtmöglichen Beiläufigkeit gesprochen. Dennoch hatte Riwal bei dem Wort Kreuz die Augenbrauen hochgezogen.

»Wie kommen Sie denn jetzt auf ein Kreuz?«

Dupin machte eine wegwerfende Handbewegung. »Anfang Juni hat dieser Junge, Anthony, Kerkrom und Darot beobachtet, wie sie in der Abenddämmerung mit Kerkroms Boot zurückkamen und etwas an Bord hatten. Einen Gegenstand, so groß wie er selbst, sagt er. In ein Tuch gewickelt. Für ihn hatte der Gegenstand die Form eines Kreuzes gehabt«, Dupin unterbrach sich und fügte – er tat sich sichtlich schwer damit – hinzu: »Er hat gesagt, es *sei* ein Kreuz gewesen. Am nächsten Tag hat er Kerkrom danach gefragt, und sie hat behauptet, es sei ein Holzbalken gewesen, den sie für ihr Haus besorgt habe.«

Dupin war wichtig gewesen, weiterhin alles möglichst lakonisch zu formulieren – aber das mit dem Kreuz ließ sich nicht lakonisch formulieren.

Riwal war stehen geblieben. Einen Augenblick lang hatte er blass ausgesehen. Dann erschien ein Leuchten in seinen Augen. Genau die Reaktion, die Dupin befürchtet hatte. Der Kommissar fügte eilig hinzu:

»Ich denke, es könnte der Motor oder ein Teil des Rumpfes des versenkten Bootes gewesen sein, ein Stück einer Planke vielleicht. Mit der Identifikationsnummer.«

»Sie wissen ja, wie es über Ys heißt, Chef, oder?« Riwal gab sich Mühe, seine Aufregung einigermaßen unter Kontrolle zu bringen, es gelang ihm nicht. »Wenn am Karfreitag in der großen Kirche in Ys die Messe gelesen wird, wird die Stadt wieder auferstehen. Und Dahut zurückkehren. Das sagenhafte Reich wird neu entstehen. Und«, wie vermutet gingen bei dem Thema alle fantastisch epischen Pferde mit Riwal durch, »nun kommt das Entscheidende, auch wenn Sie es nicht glauben werden: Die Messe, heißt es in einigen der Berichte«, *Berichte* wohlgemerkt, nicht Legenden, »muss an diesem Tag unter dem *großen goldenen Kreuz* gelesen werden, das auf dem Altar der Kirche steht! Das Wahrzeichen der legendären Kathedrale.«

Eigentlich war Dupin froh: je fantastischer die Geschichten, desto weniger musste er sich mit ihnen befassen.

Wieder zwei Kaninchen genau vor ihnen, sie schienen immer nur als Pärchen aufzutreten, wieder mit tollkühner Geschwindigkeit.

»Und in manchen Versionen der Legende spielt tatsächlich ein großes goldenes Kreuz eine Rolle?« Dupin hatte die Nachfrage ganz gegen seinen Willen gestellt.

»So ist es.«

»Erzählen Sie«, er war sich sicher, dass ihm die Aufforderung leidtun würde, »ganz kurz das Wesentliche dieses Mythos, nur den Kern, nichts drum herum. In knappen Worten.«

Riwal holte tief Luft:

»König Gradlon der Große war der König der Cornouaille, er war ein berühmter, siegreicher Krieger und besaß unendliche Reichtümer. Der Sohn von Conan Mériadec, dem ersten König von Armorica. Der historische Kern könnte im 4. oder 5. Jahrhundert angesiedelt sein. In den Fjorden des Nordens traf Gradlon die wunderschöne Malgven, die ihm eine Tochter gebar, Dahut, selbst aber bei der Geburt starb. Dahut wuchs zu einer noch schöneren Frau heran, als ihre Mutter es gewesen war. Gradlon liebte sie mehr als sein eigenes Leben. Da sie das Meer über alles liebte, ließ er ihr eine Stadt direkt am Meer bauen. Die prächtigste Stadt, die die Welt je gesehen hatte. Mit Dächern aus purem Gold. Und – einer prachtvollen Kathedrale. Mächtige, haushohe Mauern umgaben und schützten das kleine Reich vor dem Meer. Es gab ein einziges großes Tor, zu dem Gradlon alleine den Schlüssel besaß. Gradlon war ein weiser, allseits beliebter König, mit einem wichtigen Berater, Guénolé. Dahut aber war selbstverliebt und gierig. Ihr Vater sah es nicht, für ihn war sie ein einziges Strahlen. Er machte sie zur Königin und übergab ihr den Schlüssel zum Tor. Nie war ihr ein Mann gut genug, bis sie eines Tages auf einem Ball einem jungen Prinzen begegnete, den sie haben wollte, weil er der schönste Mann auf Erden war. Nun war sie Königin, besaß Macht, zahllose Reichtümer und auch noch die Liebe. Der Prinz wollte ein Zeichen ihrer Hingabe: Sie überließ ihm in einer Vollmondnacht den Schlüssel. Der Prinz aber«, Riwal verschnaufte kurz, »war der Teufel selbst. In der Nacht noch verwandelte er sich zurück in seine dämonische Gestalt und öffnete mit dem Schlüssel das große Tor. Innerhalb kürzester Zeit versank die gesamte Stadt im Atlantik, und mit ihr alle Einwohner. Der König und sein Berater retteten sich zunächst auf den höchsten Turm des Schlosses. Plötzlich tauchten zwei Pferde aus dem Meer auf und brachten Gradlon und Guénolé ans sichere Ufer. Der König rief unermüdlich nach seiner Tochter. Dahut, Dahut … Nur einmal konnte er sie kurz in einer Welle sehen. ›Es ist alles meine Schuld. Ich bin verflucht!‹, rief sie ihrem Vater zu. Dann tauchte sie ab, bei vollem Bewusstsein, sie hat es gewählt«, Riwal war sichtlich bewegt. »›Poul Dahut‹, das Loch, in dem Dahut verschwand, den Ort gibt es heute noch. Im Osten von Douarnenez. Ihre Beine verwandelten sich dabei in einen Fischschwanz, sie wurde eine Sirene. Sie schwamm in ihre untergegangene Stadt, auf den Grund der Bucht, wo sie seitdem lebt. Und nur erlöst werden kann, wenn …«

»Ich habe verstanden, Riwal.«

»Jeden Tag bis zum Ende seines Lebens stand Gradlon am Ufer der Bucht und hielt nach seiner Tochter Ausschau. Er sah sie nie wieder. Aber an manchen Tagen hörte er die Glocken der Kathedrale, ein eigentümlicher Klang, ›nicht von dieser Welt‹, heißt es, kein gewöhnlicher Glockenschlag. Eine Art Donner eher, verändert und verstärkt durch das Wasser und die Tiefe, der plötzlich über der ganzen Gegend lag.«

Dupin fiel unwillkürlich der sondersame Lärm von gestern Nacht ein, das verrückte Phänomen, er verscheuchte den Gedanken mit aller Kraft.

»Bis heute ist er in manchen Nächten zu hören. – Und das ist sie, Chef, die Geschichte von Ys. Kurz und knapp.«

Riwal hatte tatsächlich nicht allzu sehr übertrieben. Er wusste, es wäre nicht klug, Dupins außergewöhnliche Bereitschaft, sich kurzzeitig ernsthaft *ermittlerisch* einem derart sagenhaften Stoff zuzuwenden, aufs Spiel zu setzen.

»Letztlich, könnte man sagen, handelt es sich im Kern auch um eine Teufelsgeschichte. – *An Diaoul!*«

Eines der Lieblingsgenres der Bretonen, wusste Dupin. Die Geschichten vom Teufel. In der Bretagne war Gott nicht ohne den Teufel zu haben, sie waren ein unzertrennliches Paar. Dupins Lieblingsgeschichte war die von der Nacktschnecke, *ar velc'hwedenn ruz*: Vom Beginn aller Zeiten an versuchte der Teufel beständig, die Schöpfungen Gottes nachzuahmen, mitzuhalten im Schöpfungswettstreit. Nur gelang es ihm nie ganz, immer schaffte er es nur beinahe, immer fehlte etwas, deswegen gab es so viel Unvollkommenes, Halbfertiges, Misslungenes und auch Schlimmes in der Welt; eine Vorstellung, die eine bestechende Überzeugungskraft besaß, wenn man sich in der Wirklichkeit umsah. Als Gott also die edle Weinbergschnecke schuf, musste der Teufel sich ebenso an dem Thema versuchen. Nur wollte ihm partout kein Schneckenhäuschen gelingen. So kam die Nacktschnecke in die Welt.

»Der Teufel führt die Menschen in Versuchung, verführt sie, ja. Aber eigentlich *testet* er sie nur. Ein Charaktertest. Denn nicht alle erliegen ihm. Nur die, in denen die Gier, der Neid, die Geltungssucht und die Selbstsucht stärker als alle anderen Kräfte geworden sind. Wie«, Riwal klang jetzt tieftraurig, »bei unserem Täter hier. Und das nicht, weil es ihr tragisches Schicksal wäre – sondern weil sie es zulassen. Sie haben die Wahl.«

»Gut.«

Dupin war selbst nicht klar, was das »Gut« bedeuten sollte.

»Denken Sie bloß nicht, Sie seien übergeschnappt, wenn Sie so etwas erwägen, Chef!«

Mitnichten hatte Dupin »so etwas« – Ys – in Erwägung gezogen.

»Wie gesagt: Die Suche nach Ys ist Gegenstand seriösen wissenschaftlichen Interesses, denken Sie an die Expedition, von der ich erzählt habe, oder an die vielen renommierten Historiker, die sich damit intensiv beschäftigen.« Es sollte so viel heißen wie: Es muss Ihnen nicht peinlich sein.

Mittlerweile hatten sie den Cholera-Friedhof erreicht. Wo Laetitia Darot so makaber friedlich gelegen hatte.

»Das mit dem Balken, dem Holzbalken, den Céline Kerkrom für ihr Haus brauchte, das klingt abwegig, finden Sie nicht?«, schob Riwal vorsichtig hinterher.

Dupin ging nicht darauf ein. Dafür kam er auf einen anderen Punkt zurück:

»Professor Lapointe hat sich tatsächlich eingehend mit der Geschichte von Ys beschäftigt?«

In Lapointes Arbeitszimmer hatte Dupin nichts gesehen, was darauf hingedeutet hätte, auch auf der Liste stand nichts.

»Es war sein Steckenpferd. Ich weiß es von meinem Cousin. Er gehört demselben Kulturverein an, dem auch Lapointe angehörte. Und Manet.«

Dennoch konnte es vielzählige Gründe geben, warum Darot und Kerkrom sich an den Professor gewandt hatten – er war schließlich auch Mediziner gewesen. Und Biologe.

»Hatte ich erwähnt, dass mein Cousin selbst von Haus aus Historiker ist? Dass er in Paris Geschichte studiert hat?«

»Kannte Ihr Cousin Professor Lapointe näher?«

»Nur oberflächlich. Er war aufgrund seines Engagements für den *Kouign Amann* in den letzten Jahren nicht mehr so häufig bei den Sitzungen des Vereins dabei.«

»Was ist Ihr Cousin denn von Beruf?«

»Feuerwehrchef von Douarnenez, seit vielen Jahren. Er hat als Freiwilliger begonnen.«

»Kerkrom und Darot«, Dupin massierte sich die Schläfen, »haben sicherlich gewusst, dass Lapointe die Bürgerinitiative gegen den Einsatz von giftigen Chemikalien bei der Reinigung von Morins Booten beriet. Und haben selbst – einen Verbündeten gesucht.«

»Aber wozu? Wofür einen Verbündeten? – Wozu würden sie

Lapointe im Zusammenhang mit der Geschichte um das versenkte Schmuggler-Boot gebraucht haben? Wie hätte er ihnen da helfen können?«

Das war eine der offenen Fragen. Und Riwal kam anscheinend gerne auf sie zurück.

Plötzlich, Dupins Blick war über die Insel geschweift, er hatte nicht auf den Weg geschaut, saß ein einsames Kaninchen vor ihnen. Es schien nicht die geringste Angst zu haben, ließ alle Fluchtinstinkte vermissen. Riwal hatte es ebenfalls gesehen, aber offensichtlich beschlossen, es zu ignorieren. Dupin machte einen weiten Bogen um das Tier, kurz hatte er erwogen, zu fragen, ob Kaninchen an Tollwut erkranken konnten.

»Wie ist das«, wieder sprach Dupin bemüht neutral, »wenn jemand, eine private Person, einen *seriösen* archäologischen Fund macht – erhält man einen Finderlohn?«

»Fünf Prozent vom geschätzten Wert. Im Moment steht der Goldkurs pro Kilo bei rund dreiunddreißigtausend Euro. Und wir würden mit Sicherheit über viele Kilo sprechen. Bei einem großen Kreuz über einen mehrfachen Millionenbetrag. Und das bezifferte bloß den reinen Materialwert. Der reale Wert eines solchen Fundes wäre ein Vielfaches! Ich meine«, wieder trug es Riwal davon, »stellen Sie sich einmal vor! Ein Relikt der sagenhaften Stadt! Der endgültige Beweis, dass es sie wirklich gegeben hat. Unermesslich, der Wert wäre unermesslich. Und eines ist klar: Der Finder würde weltberühmt und reich.«

Er warf Dupin einen schuldbewussten Blick zu. Aber nur für Sekundenbruchteile, dann ging er noch einmal in die Offensive:

»Sie haben doch die Geschichte von der Landung der Wikinger gehört. Wie präzise man noch heute davon erzählt. Und genau diese Erzählungen galten bei den Nicht-Einheimischen als Fantastereien, als Legenden. Dabei wurden bloß die exakten historischen Vorgänge und Orte über ein Jahrtausend mündlich weitergegeben und dabei ein wenig ausgeschmückt. Keine Kultur beherrscht das mündliche Tradieren so vortrefflich wie die Kelten, wir haben es zur Kunstform erhoben. Von wegen Legenden!«, Riwal hatte sich in begeisterte Rage geredet: »Warum sollte das bei einem Ereignis wie dem von Ys nicht genauso der Fall sein? Bei einem noch ungleich bedeutenderen Ereignis als der Landung der Wikinger zudem. Das Versinken einer prachtvollen Stadt. Vielleicht im Zuge des massiven Ansteigens des Meeresspiegels, ein Fakt, von dem wir mittlerweile wissen.« Jetzt unterfütterte er seine Hirngespinste auch noch wissenschaftlich, eine kluge Taktik. »Es könnte eine alte keltische Stadt gewesen sein, unermesslich reich geworden durch blühenden Handel und Fischfang, so wie die Bretagne in der Frühen Neuzeit zu den reichsten Regionen Europas gehörte. Direkt am Wasser gebaut, tief gelegen, unter dem Meeresspiegel, in einer Ebene, die von hohen Dünen, von natürlichen Deichen geschützt gewesen ist, die dann nach und nach immer weiter ausgebaut wurden. Bis eines Tages in einer verheerenden Sturmflut die Naturgewalt doch durchbrach«, Riwal blickte Dupin direkt in die Augen. »Ein vollkommen realistisches Szenario! Denken Sie an die Jahrhundertflut nach der Sonnenfinsternis in diesem Jahr! Oder an 1904, da verschwand die gesamte bretonische Küste zwei Tage lang im Meer, auch Douarnenez. Und nun stellen Sie sich einmal eine Jahrtausendflut vor in Verbindung mit einem immensen Sturm! Und selbstverständlich werden in hundert, in fünfhundert Jahren auch einige der heutigen bretonischen Städte buchstäblich untergegangen sein!« Riwal machte es äußerst geschickt. So dargestellt, bekam die Geschichte einen weniger fantastischen, ungleich prosaischeren Anstrich.

»Wissen Sie, wie viele Fischer über die Jahrhunderte berichtet haben, bei besonders tiefen Ebben Ruinen in der Bucht gesehen zu haben? Vor allem den Turm der Kathedrale«, in überaus sanftem Ton fügte er hinzu, »bis heute wird davon berichtet.«

Dupin und Riwal passierten gerade eine weitere atemberaubend schmale Passage der Insel, von beiden Seiten hatte sich das

Meer bedrohlich weit ins Land gefressen. Gleich gabelte sich der Weg, führte rechts zum Leuchtturm und links zu einer steinernen Kapelle.

Riwal setzte noch einmal an: »Sie müssen es so sehen, die …«

Dupins Telefon.

Er zog es dankbar hervor.

Nolwenn.

»Ihr Instinkt hat Sie nicht getrügt, Monsieur le Commissaire! Morin hat tatsächlich einen *Bolincheur* abgemeldet. Der erst zehn Jahre alt war! Kein Alter für ein solches Boot. Überall, bei der Fischereibehörde, bei der Hafenverwaltung. Und jetzt kommt das Entscheidende: Es geschah knapp ein Jahr nach dem Vorfall und zwei Monate bevor er zum TÜV gemusst hätte. – Im Lichte Ihrer Hypothese gibt das ein äußerst verdächtiges Verhalten ab, würde ich sagen.«

»Hervorragend, Nolwenn. Hervorragend!« Es war wirklich genau das gewesen: ein Instinkt. »Und dieses abgemeldete Boot hat nie wieder jemand gesehen?«

»Das kann ich Ihnen natürlich nicht sagen.«

»Und in der Zeit zwischen dem Vorfall und der Abmeldung?«

»Auch das kann ich Ihnen nicht sagen.«

»Wir müssen mit Morin sprechen. Und mit dem Chef seiner *Bolincheurs*. Diesem Carrière. Wir müssen fragen, wo sich das Boot befindet. Und es uns zeigen lassen!«

»Ich kümmere mich umgehend darum.«

»Ist irgendein Grund vermerkt, warum es abgemeldet wurde?«

»Nein. Das ist auch nicht nötig. Selbstverständlich können die Eigner ihre Boote jederzeit ohne Begründung aus dem Verkehr ziehen.«

Sie waren fast am Leuchtturm angekommen, majestätisch ragte er in den blauen Himmel. Elegant, klassisch – strahlend weiß, ein gigantischer Schriftzug: *Sein*, weiter oben eine gläserne Kuppel, eine kunstvolle Metallkonstruktion, darüber eine schwarze Haube; der Turm war errichtet auf einem nicht minder elegantem Gebäude, von dem rechts und links in perfekter Symmetrie flache Verbindungstrakte zu zwei quadratischen Gebäudeteilen führten. Eine beeindruckende Architektur.

»Ich forsche weiter, Monsieur le Commissaire. Außerdem brechen wir hier jetzt alle auf zur großen Aktion. Es geht los. – Bis später.«

Nolwenn hatte aufgelegt.

Dupin wäre ihr am liebsten um den Hals gefallen. Ihre Entdeckung brachte die Realität zurück in die Ermittlungen. Das war eine echte Spur. Endlich.

Mit anhaltendem Hochgefühl gab Dupin Riwal das Gespräch wieder. Obgleich er einen Ausdruck von Enttäuschung auf Riwals Gesicht sehen konnte, war sein Inspektor professionell genug, sich augenblicklich auf die Neuigkeiten einzulassen.

»Wenn das stimmt, wird Morin eine größere Rolle im Zigarettenschmuggel spielen, das wird sicherlich keine einzelne Aktion gewesen sein. Dann müssen wir ganz neu denken.«

Riwal hatte recht.

»Was immer sich an diesem Juni-Abend auf Kerkroms Boot befand«, Riwal blinzelte, »sie müssen es irgendwo hingebracht haben. Und ...«

»Hallo?«

Ein lauter Ruf. Beide waren sie zusammengezuckt.

Weit und breit war niemand zu sehen.

»*Bonjour*, Messieurs!«

Noch immer war niemand auszumachen. Dupin war sich sicher, die Stimme zu kennen.

»Hier oben!«

Es waren einige Meter, aber Antoine Manet war deutlich zu erkennen. Er stand auf der schmalen Plattform in der Spitze des Leuchtturms.

»*Bonjour*«, Dupin schrie nun ebenfalls.

»Kommen Sie doch herauf«, Manet war gut zu verstehen, es ging kein Wind, der den Schall verfliegen ließ. »Ich hätte ohnehin gleich nach Ihnen geschaut.«

»Ich ...«, Dupin stockte. Ein Gespräch mit Antoine Manet war eigentlich keine schlechte Idee, es gab durchaus ein paar substanziell neue Punkte. Die wiederum neue Fragen aufwarfen, neue Gedanken.

»Sie sollten es auf keinen Fall verpassen, Monsieur le Commissaire! Ein Überblick kann nie schaden. 52 Meter 90 über der gewöhnlichen Realität!«

»Wir kommen.« Dupin klang erstaunlich entschlossen.

»Die Tür ist offen. Einfach rein, dann rechts – und rauf. Sie können mich nicht verfehlen.«

Sein Kopf verschwand hinter der Brüstung.

»Aber«, Riwals Gesichtsausdruck verriet tiefe Sorge, »seien Sie extrem vorsichtig, Chef, dieser große Leuchtturm, *Goul Enez*, ist richtig hoch. Die Treppen sind gefährlich steil. – Ich hielte es für besser, wir blieben hier unten.«

Dupin hatte nicht ans Klettern gedacht. Nicht an die unfassbar vielen Treppen. Nicht an eine Wendeltreppe, die sich nach oben hin überaus stark zuspitzte, oder anders formuliert: nicht an einen unbelüfteten, schon unten äußerst engen Raum, der mit jedem Höhenmeter nur noch enger wurde und in dem sich sehr warme, sehr feuchte und sehr abgestandene Luft sammelte, die nach Staub, Öl und Technik stank. Die winzigen Fenster waren so verschmiert, dass man die – zweifellos atemberaubende Aussicht – nicht einmal erahnen konnte. Von Romantik keine Spur, es war ein Leuchtturm in Betrieb und keine Touristenattraktion.

Kein Ort für Klaustrophobe zudem.

Dupin war auf den steilen Stufen schon bald ins Schwitzen geraten, der Schweiß perlte in großen Tropfen von seiner Stirn. Auch Riwal, der jünger und fitter war – Dupin hatte ihn wohlweislich vorausgehen lassen –, musste ab und an kurz innehalten, wobei er Dupin jedes Mal bange Blicke zuwarf.

Der Kommissar hätte nicht sagen können, wie lange er schon geklettert war, als die Stufen plötzlich endeten und sie vor einer stählernen Leiter standen, die weitere Meter tollkühn steil in die Höhe führte – der Raum war zu eng geworden für eine konventionelle Treppenkonstruktion. Am Ende der Leiter war eine Luke zu sehen, wie in einem U-Boot. Geschlossen. Luft gab es hier oben gar keine mehr, schien es, keinen Sauerstoff zumindest.

Riwal besaß selbstverständlich Erfahrungen mit Leuchttürmen und ihrer Bauweise, ohne zu zögern, kletterte er behände die Leiter hinauf, drehte die Luke auf und klappte sie nach oben. Flugs war er hindurch.

Dupin folgte.

»Schließen Sie die Luke schnell wieder, Chef, sonst knallen überall im Gebäude die Türen zu.«

Dupin kniete auf einer mit runden Nieten übersäten stählernen Plattform innerhalb der Kuppel des Leuchtturms, die die spektakuläre Technik beherbergte: eine gewaltige Linse. Es war immer noch äußerst beengt, aber die Luft ein klein wenig besser.

»Bereit?«

Dupin hatte keine Ahnung, wozu.

Riwal öffnete eine kleine Tür in der Kuppel, ebenso aus Stahl, duckte sich und entschwand.

Dupin tat es ihm nach.

»Passen Sie auf Ihren Kopf auf, Chef!«

In der nächsten Sekunde trat Dupin auf eine abenteuerlich schmale Konstuktion, die einmal um die Kuppel herumführte. Er blickte Richtung Westen.

Eine schier unglaubliche Menge an Licht. An Klarheit. An Freiheit. Ein überwältigender Blick über den Atlantik bis in eine Ferne, die sich unendlich auszudehnen schien, sich mit dem Blick selbst streckte und streckte.

Die Unendlichkeit war blau. Alles war blau. Saphirblau, türkisblau, cyanblau, lichtblau, azurblau, nahe der Insel immer dunkler, violett- und schwarzblau bis zum fliehenden Horizont, im Himmel dann umgekehrt: zuerst die tieferen Blautöne, nach oben hin die helleren, leichteren. Für einen Augenblick fühlte sich Dupin wie trunken.

Es kam ihm vor, als schwebte er, als würde er durch einen Zaubertrick in der Luft gehalten, überall um ihn herum nur Meer und Himmel. Majestätisch.

Noch ein Effekt war überwältigend: Man konnte sehen, mehr noch, erleben, dass die Erde rund war. Eine Kugel. Hier oben, fünfzig Meter über dem Meer und doch mittendrin, sah man es deutlich: Der Horizont wölbte sich. Diese Erfahrung gab es nur am Meer, schon als Kind hatte es Dupin fasziniert, so eindringlich wie hier und jetzt auf dem Leuchtturm hatte er es jedoch noch nie erlebt.

»Die *Chaussée de Sein* –«, Riwal, der dicht neben Dupin stand und ihn nicht aus den Augen ließ, hatte den Kommissar in Ruhe schwelgen lassen, Manet hatte sich ebenfalls zu ihnen gesellt. »Auf dem Boot gestern haben wir die erste Strecke der schroffen Granitformationen gesehen, wenn Sie sich erinnern«, Dupin erinnerte sich leider gut, »die sich von der *Pointe du Raz* fünfundzwanzig Kilometer hinaus ins Meer ziehen, Sein liegt auf halber Strecke. Ganz am Ende der *Chaussée* liegt *Ar Men*, der extremste aller bretonischen Leuchttürme, auf einem einsamen nackten Felsen im unendlichen Atlantik. Übrigens der Leuchtturm von Jean-Pierre Abraham, da hat er mehrere Jahre gelebt.«

Nolwenns Lieblingsschriftsteller. Der den schönen Satz über die Fischer geschrieben hatte.

»Und Henri Queffélec erzählt in seinem Roman ›Un feu s'allume sur la mer‹ genauestens von dessen Bau. Und von der eigentümlichen Gemeinschaft der Menschen von Sein.«

Es war nicht der Moment für literarische Exkurse, so interessant sie auch sein mochten.

Dupin ging ein Stück weiter, die schmale Brüstung entlang.

Jetzt sah man Richtung Osten. Die Insel wirkte wie ein unförmig in die Länge gezogener Fetzen Land, von oben sah es aus wie ein umgekehrtes »S«. Madame Coquils Worte fielen ihm ein, »das flüchtige bisschen«, ihre Angst, dass es bald im Meer versinken könnte. Er verstand sie nun noch mehr als zuvor. Von hier oben sah das »bisschen« noch fragiler, noch verletzlicher aus. Dem Ozean auf Gedeih und Verderb ausgeliefert. Unmöglich, es zu schützen. Ein Hauch Erde, Wiesen, Felsen, Sand.

»Ihr erster Leuchtturm? – Nicht schlecht, oder?«

Antoine Manet sprach munter, frisch und voller Energie. Er hielt einen schweren Fotoapparat in der Hand.

»Hier, im gefährlichsten Meer Europas, spielen Leuchttürme eine enorm wichtige Rolle. Seit Kurzem sind sie alle als historische Denkmäler klassifiziert. Sie retten Leben. Sie weisen die Richtung. Eine absolut verlässliche, unverrückbare Sicherheit. Symbole, wie es keine stärkeren gibt. Reale Mythen. – Ich bin jeden Tag einmal hier oben, wenn möglich um die gleiche Zeit, und mache Fotos. Eine Dokumentation, eine groß angelegte Unternehmung.«

Er hatte offenbar nicht vor, es eingehender zu erläutern.

Und Dupin würde nicht nachfragen.

»Der ursprüngliche Leuchtturm von 1839«, Riwal meldete sich zu Wort, natürlich kannte auch er die Geschichte dieses Leuchtturms, »war aus Granitblöcken, hundertfünf Jahre hat er gedient, Nacht für Nacht. Die Deutschen haben ihn 1944 gesprengt. Der hier ist von 1951. Sehr stark, sehr hell, Sie sehen ihn noch aus fünfundfünfzig Kilometern Entfernung. Aber«,

Riwal klang nun beinahe sentimental, »die Herzen der Insulaner hängen immer noch an dem alten Leuchtturm. In den beiden Gebäuden rechts und links befinden sich übrigens das Kraftwerk und die Entsalzungsanlage für das Meerwasser. Die mit Öl betrieben werden.«

»Für die Menschen hier«, der stellvertretende Bürgermeister lehnte mit beiden Armen auf der Brüstung und blickte nachdenklich auf das Dorf, »ist die Geschichte der Insel vor allem eine Geschichte der großen Stürme, Sturmfluten und Überschwemmungen.«

Was für die gesamte Bretagne galt, hatte Dupin gelernt: Die Sturmfluten gliederten die Geschichte wie große Schlachten, Kriege oder andere einschneidende politische Ereignisse. Hunderte Bücher gab es darüber, jedes Jahr erschienen Sonderausgaben der bretonischen Magazine: *Les plus grandes tempêtes, Les tempêtes du siècle, Les plus grandes tempêtes de tous les temps*.

»1756 ging auf Sein ein Tornado mit einer großen Flut einher, über Tage brachen die Wellen über die Insel, der Duc d'Aiguillon gab den Befehl zur Evakuierung. Die Überlebenden weigerten sich und zogen sich auf ihre Dachböden zurück. Das Meer hat über ein Drittel der Bevölkerung mit sich genommen. 1761 – 1821 – 1836 – 1868 – 1879 – 1896 und so weiter, das sind die Daten, um die sich alles dreht«, Manet klang, als wären es trotz aller Verluste keine Niederlagen gewesen, sondern Siege, große Siege: Akte heldenhafter Selbstbehauptung. Sie hatten den Elementen getrotzt, wieder und wieder. »Die letzten schlimmen Überflutungen haben die Insel Ende 2013, Anfang 2014 heimgesucht. Es war die Hölle, das Meer hat gebrüllt. Der Boden der Insel hat gebebt, die Wände der Häuser. Ein fünf Tonnen schweres Stück der Quaibefestigung ist von einer Welle meterweit gewirbelt worden, ein gewaltiger Sandsack wurde wie eine Feder durch die Luft getrieben und hat einen Mann getötet.« Manets Miene verfinsterte sich. »In

Zukunft werden es mehr und mehr Höllenereignisse werden. Und jedes Mal verliert die Insel rund einen Meter Land.«

Es war verrückt: Trotz des prächtigen Hochsommerwetters und des völlig friedlichen Meeres heute konnte man es sich sofort vorstellen, die Extreme lagen so nah beieinander auf diesem eigentümlichen Eiland.

»Und die Kaninchen«, Manet fixierte einige braun-weiße Flecken auf einer Wiese, »tragen ihren Teil zum Untergang bei. Sie durchlöchern die Erde und beschleunigen so die Erosion. Wie die Tagestouristen, die als Souvenir Steine von den Stränden mitnehmen, die wir mit großem Einsatz stets neu aufhäufen.«

Manet besaß eine beeindruckende Art, beiläufig und dennoch packend zu erzählen, trotzdem, Dupin riss sich los.

»Es gibt Neuigkeiten, entscheidende Neuigkeiten, Monsieur Manet, wir gehen davon aus, dass Kerkrom und Darot ...«

Er stockte und führte den Satz nicht zu Ende.

Sie sollten, war ihm beim Reden plötzlich durch den Kopf gegangen, zuerst etwas anderes tun, bevor sie darüber sprachen. Und zwar sofort. Riwal und der Junge hatten nämlich recht: Kerkrom und Darot mussten den Gegenstand an jenem Abend irgendwo hingebracht haben.

Irgendwo hier auf die Insel.

Die nicht groß war, wie sich von hier oben eindrücklich zeigte.

»Was ich sagen wollte: Ich würde Sie gerne bald noch einmal sprechen, Monsieur Manet. Meinen Sie, wir könnten uns«, Dupin blickte auf die Uhr, »später treffen? Im *Le Tatoon*? Ich rufe Sie an, sobald ich Zeit habe.«

Der Inselarzt blickte amüsiert.

»Natürlich. – Doch von mir aus«, grinste er, »könnten wir auch jetzt sprechen.«

»Später im *Le Tatoon*. Sehr gut.«

Dupin drehte sich um und trat ohne weitere Erklärung in die Kuppel zurück.

Riwal folgte achselzuckend.

Dupin kletterte die Leiter hinunter. Eilig.

»Sie müssen vorsichtig sein, Chef, wirklich vorsichtig.«

Dupin war schon bei den Stufen, Riwal fiel immer weiter zurück.

Unten angekommen, wartete Dupin auf den Inspektor.

»Ich will in die Häuser! Und noch einmal in die Verschläge.«

Riwal verlor kein Wort darüber, aber sein Gesicht zeigte übermäßige Erleichterung, dass Dupin die steilen Stufen in diesem Tempo nicht zum Verhängnis geworden waren.

»Sie überlegen, wo sie das Kreuz hingebracht haben könnten?«

»Wir vergessen Ys und all diese Geschichten, Riwal. Einverstanden?« Es klang nicht unfreundlich, aber bestimmt. »Wir konzentrieren uns völlig darauf, dass es sich bei dem ›Gegenstand‹ um ein Teil des versenkten Bootes handeln könnte.«

Sie gingen schnellen Schrittes zum Ausgang. Aus den Technikräumen waren laute Geräusche zu hören, eine Art dumpfes Stampfen.

»Sie müssen das Teil in der Nacht«, Dupin dachte laut nach, »irgendwo hingebracht haben, wo es sich dann eine Zeit lang befunden hat. Möglicherweise bis zu den Morden. Bis der Täter es in die Finger bekommen hat. Oder er hat es gar nicht gefunden und es befindet sich immer noch dort.«

Riwal runzelte die Stirn: »Das Dumme ist: Wir *müssen* es finden. Alles hängt davon ab. Ansonsten bleibt alles Spekulation.«

Sie waren ins Freie hinausgetreten.

Dupin lief wortlos geradewegs Richtung Dorf.

Es dauerte nicht lange, und sie standen vor Darots Haus.

Der Kommissar und sein Inspektor hatten den Rest des Weges geschwiegen.

Jetzt klingelte Dupins Handy.

Kadeg.

»Ja?«

»Sind Sie es, Commissaire?«

Die letzten Telefonate war es gut gegangen, jetzt war diese nervtötende Angewohnheit zurück.

»Was gibt es, Kadeg?«

»Wir sind vorne am Hafen. Quai Nord. An der Hauptmole. Madame Gochat und ich.«

Dupin hätte es beinahe vergessen.

»Okay. Ich komme. – Aber es dauert noch etwas.«

»Was genau meinen Sie mit ›etwas‹?«

Dupin legte auf.

Und wandte sich wieder Riwal zu:

»Also los. Sehen wir uns das Haus an.«

Es war klein, aber makellos instand gehalten. Es musste vor nicht allzu langer Zeit gestrichen worden sein, das Weiß war hell und sauber. Ein schmaler Streifen stoppeliges Gras, eine weiß gestrichene Betonmauer in Hüfthöhe.

»Die Nachbarn«, Riwals Blicke schweiften umher, »haben übrigens nichts Besonderes bemerkt, auch gestern Morgen nicht.«

Dupin löste das polizeiliche Absperrband am kleinen Tor, das ohnehin lächerlich ausgesehen hatte, und öffnete es.

Er steuerte nicht auf die Haustür zu, sondern ging hinter das Haus. Hier war der Stoppelgrasstreifen doppelt so breit wie vorne und konnte als Garten durchgehen.

Dupin war ernüchtert. Kein Schuppen, kein Anbau. Nichts. Außergewöhnlich war nur der Ausblick: ein paar bizarre Granitfelsen und dahinter der glitzernde Atlantik.

Eine schmale Terrassentür neben einem großen Fenster. Dupin versuchte sich am Türgriff. Es war nicht verschlossen.

Er trat ein. Riwal auffallend dicht hinter ihm. Auf der Hut. Mit angespannter Miene.

Unmittelbar standen sie im Wohnzimmer, das auch als Esszimmer diente – ein gemütliches Zimmer, hellblaue Wände, ein ausladendes, uralt aussehendes dunkelblaues Sofa in der Ecke gegenüber, ein niedriger Tisch voller Zeitschriften, ein Ohrensessel, der so ausgerichtet war, dass man durch das große Fenster das malerische Panorama sah.

Dupin warf einen Blick auf die Zeitschriften. Fachzeitschriften. Alle zum Thema Tauchen. *DiveMaster, Plongée, Scuba-People, Diver*, umfangreiche Hochglanzmagazine. Dupin blätterte ein paar durch.

Dann ging er durch eine schmale Tür und kam in die schlauchartige Küche, nur wenig breiter als die Tür selbst. Ein Croissantrest auf einem Teller. Ein Becher daneben.

Vom kleinen Flur aus führte eine steile Treppe nach oben. Kein Abstellraum, kein Garderobenschrank, das Haus war wirklich klein. Oben ein winziges Schlafzimmer, ein zweites genauso winziges Zimmer, das den Anschein machte, völlig ungenutzt zu sein. Das Bad war mit einem ungewöhnlich großen Fenster Richtung Meer versehen. Neben der Wanne ein Tischchen mit einem Becher und weiteren Zeitschriften.

Hier hatte eben noch jemand gelebt. Man sah die Spuren des Alltags. Es war jedes Mal, in jedem Fall aufs Neue, zutiefst unheimlich.

»Hier wurde nichts hingebracht. Nichts in der Größe, von der der Junge gesprochen hat, jedenfalls.«

Riwal war es, der mit enttäuschtem Ausdruck das kurze Fazit formulierte, als Dupin wieder unten war.

Fünf Minuten später standen der Kommissar und sein Inspektor vor Kerkroms Haus.

Es war ein ganzes Stück größer. Aus hellgrauen Steinen gebaut. Ähnlich gelegen wie das von Darot, nach hinten mit berückendem Panorama. Auch das Grundstück war größer, von einer halb zerfallenen Steinmauer umgeben, ein blaues Tor. Im Garten ein flacher Anbau. Vor dem Anbau eine Holzterrasse, auf der ein Tisch, zwei Stühle, zwei klapprige Holzliegestühle und drei Terracotta-Töpfe mit – für das Inselklima – erstaunlich ansehnlich gediehenen Kamelien standen. Die Terrasse war ungewöhnlich hoch gebaut, eine steile hölzerne Stufe führte hinauf. Dupin wäre beinahe gestolpert. Ein echter Garten, der auch genutzt wurde, ganz anders als bei Darot. Aber Darot war ja auch erst ein paar Monate auf der Insel gewesen.

»Vielleicht haben Sie«, Riwal ließ den Blick zwischen Haus und Anbau langsam hin und her wandern, »den – Gegenstand in dieser Nacht lediglich in ein Zwischenversteck gebracht. Und von dort noch einmal an einen anderen Ort.«

»Womit sie das Risiko erhöht hätten, gesehen zu werden. Und: So viele Möglichkeiten wird es auf der Insel nicht geben. Gebäude, Orte, Plätze, zu denen nur sie Zugang hatten, Verstecke, die hinreichend sicher wären.«

Dupin versuchte die Tür zum Anbau zu öffnen. Eine provisorisch anmutende Holztür aus Latten, die aussah wie selbst gezimmert. Erst als er sie kräftig anhob, gelang es.

Direkt rechts war eine weitere schmale Tür, die offen stand, mehrere Stufen, die ins Haupthaus führten. Ein kleines Fenster in der Ecke ließ diffuses Licht in den Anbau fallen, rechts ein Schalter, eine nackte Glühbirne, die ihren Dienst nur dürftig verrichtete. Es reichte dennoch, um zu sehen, was Kerkrom im Anbau alles gesammelt hatte. Eine größere Anzahl Hummerkäfige, nahe dem Eingang, die – ganz anders als in Kerkroms Verschlag am Hafen – ordentlich gestapelt waren, wie überhaupt alles eine gewisse Ordnung zu haben schien. Neben den Käfigen eine Ansammlung von Bojen in verschiedenen Größen und Farben. Dupin schaute in die Spalten zwischen den Käfigen, hinter die Käfige. Er verrückte einige der größeren Bojen. Weiter hinten standen drei alte Schränke, an denen Angeln lehnten. In der Mitte des Raums war ein penibel frei gehaltener Gang. Es roch nach überreifem, vergorenem Obst, ein Geruch aus Dupins Kindheit, so hatte es im Keller des alten Familienhauses gerochen, in dem winzigen Jura-Dorf, in dem sein Vater geboren worden war. Am Ende des Raums konnte er auf dem Boden einen großen Bastkorb mit Äpfeln ausmachen.

Riwal hatte begonnen, die Schränke zu öffnen.

Dupin bewegte sich in die Mitte des Anbaus. Sein Blick hatte alles systematisch abgesucht. War der Gegenstand auch nur annähernd so groß, wie der Junge ihn beschrieben hatte, wäre es nicht leicht, ihn hier zu verstecken. Auch die Schränke standen zu dicht an der Wand, um etwas dahinter zu verbergen.

»In den Schränken befinden sich Vorräte, Kleidung, irgendwelche alten Akten, alles sehr aufgeräumt.«

Der Boden bestand aus festgetretener Erde.

»Schauen Sie«, Riwal zog etwas zwischen den Hummerkäfigen hervor, Dupin hatte es eben schon gesehen, ein Gestell mit zwei großen Rädern. Etwa fünfzig Zentimeter hoch.

»Ein Bootswagen. Für Kanus und Kajaks.« Riwal war plötzlich wie elektrisiert. »Er ist ganz neu. Den hatte sie noch nicht lange. Damit ließe sich«, ein Vibrieren in der Stimme, »ein großes, schweres – Kreuz ohne Weiteres perfekt transportieren.«

Dupin war zu Riwal getreten.

»Sehen Sie, Chef, Sie müssen den Wagen nur nahe an das …«, er warf Dupin einen entschuldigenden Blick zu, »an den schweren Gegenstand heranfahren, ihn dagegenkippen und oben hebeln, dann rutscht er quasi von selbst auf die Verstrebung – und Sie können ihn überall hinfahren. Äußerst praktisch. Aus lackiertem Aluminium, sehr leichtgängig und wendig.«

Riwals ausgeprägter praktischer Sinn. Dupin spürte ein Kribbeln, Riwals Gedanke war brillant.

Der Kommissar war in die Hocke gegangen, um sich den Bootswagen genauer anzusehen.

Abrupt stand er wieder auf.

»Wir schauen ihn uns draußen im Licht an.«

Riwal manövrierte ihn mühelos aus dem Anbau, der Radstand war nicht groß, die Tür stellte kein Problem dar.

Sofort begannen sie mit einer aufmerksamen Inspektion.

»Er ist neu, quasi unbenutzt, der Lack ist überall tadellos, ein paar Wochen alt, würde ich sagen, aber«, Riwal deutete mit dem Finger auf eine Stelle, »genau hier – genau, wo der Gegenstand aufgeladen worden wäre, zwischen den Gummiapplikationen rechts und links, wo eigentlich das Kanu oder Kajak aufliegen würde –, genau hier gibt es schwere Kratzer. Richtige Schrammen.«

Dupin hatte sie auch schon gesehen.

Es war unglaublich. Das Kribbeln hatte sich gesteigert. Er musterte die Kratzer im dunkelgrünen Lack. Sie gingen tief, er fuhr sie mit den Fingern nach.

»Riwal, fragen Sie bei der Post nach. Entweder hat Kerkrom den Wagen auf dem Festland gekauft, oder er ist geliefert worden. In einem großen Paket. Ich will wissen, wann. Wenn man sich bei der Post nicht an ein großes Paket erinnert, dann sprechen Sie mit den Fährleuten.« Dupin dachte nach. »Oder sie hat ihn mit ihrem eigenen Boot geholt.«

Der Inspektor hatte das Handy bereits in der Hand.

Dupin nahm die Kratzer ein weiteres Mal in Augenschein, versuchte sich den von Riwal beschriebenen Vorgang im Detail vorzustellen. Ein Kajak oder Kanu hatten sie weder bei Kerkrom noch bei Darot entdeckt.

»Madame, hier Inspektor Riwal … ja, der von gestern Abend mit dem Einschreiben von Céline Kerkrom, ja … Wir haben noch eine Frage … Nein, etwas anderes … Wurde Céline Kerkrom in letzter Zeit ein größeres Paket geliefert, sicherlich«, er dachte kurz nach, »ein Meter mal achtzig Zentimeter. Und einigermaßen …«, er sprach den Satz nicht zu

Ende, die Antwort musste prompt gekommen sein. »Ach ja? … Und das war das einzige große Paket? Eine Sendung von einem bekannten Bootsausrüster aus Douarnenez … Und Sie hatten sich gewundert, warum Kerkrom einen Bootswagen braucht? … Ja, genau, weil sie kein Kajak oder Kanu besitzt … Nein, jetzt braucht sie ihn sicher nicht mehr … Unbedingt, ausgesprochen traurig … Ja, damit haben Sie uns ungemein geholfen … Nein, ich kann Ihnen bedauerlicherweise nicht sagen, warum … Aber ja, doch, doch, Sie waren, wie gesagt, eine große Hilfe, vielen Dank.«

Der »Dank« hatte das Ende des offensichtlich schwer zu beendenden Gespräches markieren sollen, Riwal schien der Wirkung nicht ganz zu trauen, vorsichtshalber legte er umgehend auf.

»Sie sagt …«

»Ich habe alles mitbekommen, Riwal.«

Dupin lief, auf der Terrasse unruhig hin und her. Es verdichtete sich, ja, der Hebearm, das Hightech-Sonar, der Bootswagen – aber noch waren es äußerst luftige, hochspekulative Indizien. Für eine äußerst luftige, hochspekulative Theorie, die im Augenblick auch nur einen Teil der mörderischen Geschichten abdeckte. – Aber womöglich waren ja noch andere Personen an dem Zigarettenschmuggel beteiligt. Und sie hatten es mit einem ausgefuchst organisierten System zu tun. Einem ganzen Apparat. Der einen anderen bestehenden Apparat nutzte für sein Funktionieren – einen Hafen zum Beispiel, die Fischerei.

Sie brauchten härtere Indizien. Etwas wirklich Stichhaltiges. Es war exakt, wie Riwal gesagt hatte: was immer Kerkrom und Darot gefunden hatten – *sie* mussten es jetzt finden. Ansonsten bliebe alles ein Phantom.

Riwal beseitigte das Absperrband an der Tür, die von der Terrasse ins Haus führte.

317

»Chef, ich kann mir das Haus auch alleine ansehen, ich meine, sollten Sie nicht – die Hafenchefin wartet. Ich schaue mir alles ganz genau an und berichte Ihnen umgehend.«

Riwal hatte recht. Er musste leider los.

Dupins Stimmung hatte sich innerhalb weniger Sekunden eingetrübt. Eine kleine ermittlerische Depression, die nicht selten einer ermittlerischen Euphorie folgte, wenn diese nicht sofort größere Klarheit brachte. Und das Gespräch mit der echauffierten Hafenchefin würde mit Sicherheit extrem unangenehm. Aber es war wichtig.

Dupin wandte sich zum Gehen.

»Und kein Wort zu irgendjemandem, Riwal. Über gar nichts.«

»Jumeau weiß bereits, dass wir nach … etwas suchen. Dass wir davon ausgehen, dass Kerkrom und Darot etwas gefunden haben.«

»Ich weiß«, knurrte Dupin. Er hatte sich schon eben, während sie zum Leuchtturm gingen, beträchtlich über sich selbst geärgert. Das war äußerst unbedacht gewesen. Dumm. Es wäre aus mehreren Gründen besser gewesen, wenn niemand etwas von ihrer Annahme wüsste. Aber wahrscheinlich würde es nun raus sein. Die Runde machen. Selbst wenn Jumeau nicht der gesprächige Typ war.

»Bis gleich, Riwal.«

Eine paar Augenblicke später befand sich Dupin auf der Straße. Widerwilligen Schrittes marschierte er Richtung Hafen. Dem Unangenehmen begegnete man am besten, indem man es hinter sich brachte.

Er war schon ein paar Meter gegangen, als er mit einem Mal abrupt stehen blieb. Ein Gedanke war ihm in den Sinn gekommen.

Auf der Stelle machte er kehrt.

Er betrat Kerkroms Haus durch den Vordereingang. Theoretisch musste er nur geradeaus durch das Haus hindurch – ein

Flur, ein Wohn- und Esszimmer. Er erreichte den Anbau durch die schmale, offene Tür mit den steilen Stufen.

»Riwal?« Ein energischer Ruf ins Haus. Er hatte den Inspektor nicht gesehen.

Es dauerte einen Moment.

»Hier, Chef. Ich komme. Ich war in der Küche, da gibt es eine kleine Speisekammer. Aber da war nichts. Nur wahnsinnig viel Milch und Haferflocken. Und Volvic.«

Mit diesen Worten war er bei Dupin angekommen.

»Was ist mit Madame Gochat?«

»Ich will erst noch etwas ausprobieren«, Dupin griff nach dem Bootswagen, den Riwal zurück an den Platz neben den Hummerkäfigen gestellt hatte.

»Kommen Sie.«

Er zog das Gestell auf die Terrasse und steuerte es bis an den Rand. Seine Blicke gingen zwischen Haus, Garten, Anbau und Terrasse hin und her.

»Sie haben den eingewickelten Gegenstand an diesem Abend höchstwahrscheinlich mit dem Hebearm auf den Bootswagen gehievt und«, er überlegte weiter, »dann sofort an einen sicheren Ort gebracht. Dabei werden sie es sich so einfach wie möglich gemacht und steile Stufen vermieden haben. Es musste schnell gehen. Es konnte die ganze Zeit jemand kommen und Fragen stellen.«

Dupin hob den Wagen mit einer Hand über die Terrassenkante auf das Gras und lief um das Haus herum, Riwal folgte neugierig.

»Nur der Vordereingang ist ebenerdig«, Dupin sprach konzentriert. Das war ihm eben eingefallen.

Er stieß die Eingangstür auf. Auch sie war nicht breit.

Jetzt würden sie sehen.

Es funktionierte. Der Bootswagen kam ohne Probleme hindurch.

»Der Gegenstand«, kommentierte Riwal, »dürfte nicht weit übergestanden haben, um hindurchzupassen. Aber wenn wir von einem Gegenstand *in der Form* eines Kreuzes ausgehen, der in der Vertikalen etwa hundertvierzig Zentimeter hat, wären es in der Horizontalen auch nicht mehr als achtzig. – Das hätte klappen können.«

Dupin war wortlos stehen geblieben. Von dem quadratischen kleinen Vorraum gingen drei Türen ab.

Geradeaus zum Wohnzimmer, über das man in den Anbau kam – steile Stufen –, außerdem die Tür zur Küche und links die zur Toilette.

Dupin zog den Bootswagen ins Wohnzimmer.

Wenn, dann war es hier entlanggegangen.

Ein kleines Wohn- und Esszimmer mit einem alten, rustikalen Holztisch. Knarrende Holzdielen. Ein plüschiges Sofa mit verschlissenem Samtbezug. An den Wänden mit grobem, aber kunstvollem Strich gemalte Bilder: Krebse, Langusten, Sardinen – alle in satten atlantischen Farben –, die dem Raum etwas Heiteres, Fröhliches gaben. Ein alter Vitrinenschrank. Rechts eine geschlossene Tür.

Dupin schaute sich um.

Wo konnte man hier etwas Großes verwahren?

Er ging zum Sofa. Es stand zu nahe an der Wand. Dupin prüfte es trotzdem. Auch der Abstand zum Boden war eigentlich zu gering. Er prüfte auch das.

Nichts.

Er öffnete den Vitrinenschrank.

Riwal hatte sich den Tisch und die Tischplatte angesehen: »Massiv.«

Dupin schaute sich noch einmal um. Dachte fieberhaft nach.

Dann griff er wieder nach dem Bootswagen und steuerte auf die geschlossene Tür zu.

Ein helles Schlafzimmer. Mit Blick in den Garten, auf die Felsen und das Meer. Er trat ein, den Bootswagen hinter sich herziehend. Auch hier kam er damit problemlos hinein.

Ein Doppelbett, zwei Holzstühle als Kleiderständer, ein alter Schrank, ein Nachttischchen, und wieder die abgetretenen Holzdielen.

Riwal war sofort zu dem Schrank gegangen und hatte ihn geöffnet.

»Fehlanzeige.«

»Verdammt!«, fluchte Dupin. »Sie müssen es doch irgendwo hingebracht haben.«

Eine Weile standen sie schweigend nebeneinander.

Dann ging Dupin zum Bett.

Er kniete sich hin. Schaute unter das Bett, was bedeutete: Er musste den Kopf fast seitlich auf den Boden legen.

Auch hier nichts.

Nichts außer Staub. Viel Staub. In dicken Flocken. Im ganzen Zimmer lag eine feine, sichtbare Schicht auf dem Boden, aber hier, unter dem Bett, hatte der Staub sich ungehindert sammeln können.

»Zum Teufel noch mal«, stieß Dupin zerknirscht hervor.

»Chef, mir ist eben noch ein Gedanke durch den Kopf gegangen.« Riwal sprach behutsam. »Wenn die Materialprobe *doch* in einem Zusammenhang mit den Geschehnissen des Falls stehen *sollte*«, behutsam, aber dennoch drängend, »dann müssen sie die Probe irgendwo genommen haben, an Land oder unter Wasser«, ein gewisser Trotz schwang jetzt mit. »Und sie werden Werkzeuge gebraucht haben.«

Dupin runzelte die Stirn.

»Ich sehe noch einmal im Anbau nach.«

Sollte Riwal tun, was er für richtig hielt.

Dupin war im Begriff, sich aufzurichten, als er plötzlich stutzte.

Unversehens neigte er den Kopf noch einmal zum Boden hinunter. Mit einem aufs Äußerste konzentrierten Blick.

Er hatte sich nicht vertan.

Es bestand kein Zweifel.

Auf der anderen Seite des Bettes endete die Staubschicht auf dem Boden abrupt, er hatte es eben nur mit einem Auge und halb bewusst wahrgenommen. Und zwar entlang einer geraden Linie.

Dort war gewischt worden. Es war ganz offensichtlich.

In Windeseile stand er auf und bewegte sich um das Bett herum.

Auf dieser Seite stand das hölzerne Nachttischchen, zwei Packungen Taschentücher darauf, ein Buch und eine Handcreme neben einer filigranen Nachttischlampe.

Bis zur Ecke des Raumes waren es vom Nachttisch aus ungefähr eineinhalb Meter. Eine weiß getünchte Wand mit grobem Putz, wie überall im Haus. Und – von hier war es noch deutlicher zu sehen: ein tadellos sauberer Boden.

Mit dem Bootswagen käme man problemlos bis hierher, es war ein geradezu bequemer Weg durch das Haus.

Vorsichtig ging Dupin erneut in die Hocke. Er versuchte, es sich so genau wie möglich vorzustellen, die Fantasie präzise arbeiten zu lassen. Aufmerksam inspizierte er die breiten Holzdielen, das Stück Boden in der Ecke zwischen Bett und Wand. Systematisch. Wo der Gegenstand hätte liegen, oder aber, viel plausibler, stehen können. Vom Bootswagen aus hätten sie ihn einfach an die Wand kippen können, das wäre das Naheliegendste.

Dupin kniete sich hin. Langsam, vorsichtig, rutschte er Stück für Stück näher auf die Wand zu, die Augen auf den Boden gerichtet.

Einen Moment später hielt er inne.

Mit einem Mal sah er sie.

Deutlich.

Eine Schramme.

Eine richtig lange Schramme, eine Kerbe. Ungefähr fünfzehn Zentimeter lang. Dupin rutschte noch näher heran. Fühlte, tastete, strich mit dem Zeigefinger darüber. Tief war sie, einen halben Zentimeter bestimmt, und scharfkantig. Das Objekt musste eine scharfe Kante besessen haben. Und schwer gewesen sein.

322

Natürlich waren die Dielen von Kratzern und Gebrauchsspuren der vielen Jahrzehnte übersät. Zu dieser Schramme hingegen war es, daran bestand kein Zweifel, erst kürzlich gekommen: dort, wo das Holz eingedrückt war, war es deutlich heller und offenporig.

Dupin betrachtete die Kerbe eine Weile.

Anschließend ging sein Blick nach oben.

Zur Wand.

Er versuchte die Höhe mit den Augen abzumessen, der Gegenstand würde etwas geneigt gestanden haben, so stabil es ging.

Und dann entdeckte er ihn.

Einen Eindruck im Weiß der Wand.

Horizontal. Ungefähr gleich lang wie die Schramme unten. Hier aber ganz fein nur, ein Strich. Dennoch – und das war das Entscheidende – einwandfrei zu erkennen.

Dupin rutschte ein Stück zurück. Fixierte abwechselnd die beiden Stellen. Ein leichter Schwindel hatte ihn überkommen. Eben schon. Hier hatte etwas gestanden. Etwas Massives. Es war eindeutig.

Es sah so aus, als hätten sie den Ort gefunden.

Bloß *was* hatte hier gestanden?

Ein Teil einer schweren Schiffsplanke mit Identifikationsnummer? Auch ein Motor konnte Teile mit scharfen Kanten besitzen: aus Metall, Eisen, Aluminium. – Aber war eine Holzplanke so schwer? Und hinterließe ein Motor nur an diesen beiden Stellen einen Abdruck? Genau solche Abdrücke?

Dupin beschlich ein eigentümliches Gefühl. Es vermengte sich mit dem Schwindel.

Zögernd rutschte er – immer noch auf Knien – ein Stück nach links.

Hier war nichts zu sehen. Gar nichts. Dupin war geradezu erleichtert.

Vorsichtshalber würde er auch rechts nachschauen.

Auch dort musterte er die Wand genau.

Da war etwas.

Es ließ sich nicht leugnen.

Keine längere Einkerbung wie oben, aber doch eine spitze. Ein Zentimeter nur, aber auch hier: scharfkantig.

Es war zu fantastisch alles, völlig aberwitzig, das Dumme war nur – es würde so perfekt passen.

»Chef«, mit verdrossenem Gesicht kam Riwal ins Zimmer zurück. »Ich habe nichts gefunden.«

»Gut«, antwortete Dupin geistesabwesend.

»Warum knien Sie in der Ecke auf dem Boden?«

Dupin erhob sich rasch.

»Sie haben«, er sprach wie abwesend, »den Gegenstand hierhergebracht, Riwal. Genau hierher.«

Riwal starrte ihn mit ungläubiger Miene an.

»Kommen Sie, ich zeige es Ihnen …«

Kadeg hatte eine Kneipe am Quai Nord gewählt – wo sie nun bereits über eine Stunde auf den Kommissar gewartet hatten.

Die Hafenchefin hatte eine erste scharfe Tirade abgefeuert, noch bevor Dupin sich hatte setzen können. Sie war drauf und dran, vollständig aus der Haut zu fahren.

Dupin hatte sich nichts anmerken lassen. Seine ersten Worte waren die Bestellung zweier *cafés* gewesen, als die Bedienung aufgetaucht war. Dupin war nur froh, dass sie alleine waren, im Augenblick war kein anderer Tisch besetzt.

Riwal sorgte dafür, dass sich die Spurensicherung die Schramme im Boden und die Eindrücke in der Wand ansah. Sein Befund war derselbe wie Dupins gewesen. Er war bloß noch aufgeregter gewesen als der Kommissar, hatte sich aber jegliche »Ys«-Einlassungen verkniffen. Überhaupt jegliches Frohlocken.

»Das wird Sie teuer zu stehen kommen, Commissaire! Das war Nötigung. Ein Akt polizeilicher Willkür – mich vor die Entscheidung zu stellen, entweder ohne meinen Anwalt mitzukommen oder in Untersuchungshaft zu gehen!«, die Hafenchefin hatte ihre Stimme nun ein wenig gedämpft, ohne jedoch an Verächtlichkeit oder Aggressivität einzubüßen. »Das sind die Methoden einer Diktatur.«

»Ich bin mir sicher«, Dupin lehnte sich zurück, »dass Inspektor Kadeg«, er nickte solidarisch zu ihm hinüber, »dies nie so formuliert, geschweige denn so gemeint hat. Es läge ihm fern. Uns allen.« Dupin wechselte den Ton von unverhohlen süffisant zu unmissverständlich: »Sie können von Glück sagen, dass Sie sich noch auf freiem Fuß befinden, Madame Gochat. Ich werde es meinem Vorgesetzten überaus schwer vermitteln können«, was übrigens stimmte, fiel Dupin ein – er hatte schon lange nicht mehr an den Präfekten gedacht –, »auch der Staatsanwaltschaft nicht. Wir haben die Tatwaffe bei Ihnen sichergestellt und die Aussage eines Fischers, der das erste Mordopfer in Ihrem Auftrag verfolgt hat. Zudem eine Reihe von unterschlagenen Informationen. So weit die Fakten.«

»Mein Anwalt …«

»Sie werden nicht lange auf freiem Fuß bleiben, wenn Sie nicht reden, Madame Gochat. Es ist Ihre Wahl.«

Sie wusste etwas. Dupin war sich sicher. Und sie könnte ohne Weiteres auch tatsächlich die Person sein, nach der sie die ganze Zeit suchten.

Madame Gochat durchbohrte den Kommissar mit einem stechenden Blick, schwieg jedoch.

»Von der Insel direkt zurück in Polizeigewahrsam. Mir wird dann wohl gar nichts anderes übrig bleiben, als mich der erdrückenden Last der Fakten zu beugen«, Dupin genoss es unumwunden, »gleichgültig wie meine persönliche Einschätzung aussehen sollte.«

Der blanke Hass lag jetzt in ihren Augen, das Gesicht bleich, der Ausdruck verzerrt.

Kampfeslustig reckte sie das Kinn:

»Ich bin unschuldig. Ich habe niemanden ermordet. Das ist alles, was ich zu sagen habe.«

»Wo ist der Fund, Madame Gochat?«

Für den Bruchteil einer Sekunde, kaum merklich, war sie zusammengezuckt.

»Wo ist der Fund?«, wiederholte Dupin hart.

»Ich weiß nicht, wovon Sie sprechen.«

»Wo ist er?«

»Ich habe nichts zu sagen. Gar nichts«, schnaubte sie. Aufeinandergepresste Lippen. Verengte Pupillen. Den Blick starr nach vorne gerichtet. An Konsequenz mangelte es ihr nicht.

Die beiden *petits cafés* waren mittlerweile serviert worden und standen, verführerisch duftend, vor Dupin.

»Dann ist unser Gespräch hiermit zu Ende.«

Ohne Hast trank er den einen, dann den anderen *café*. Madame Gochat starrte ihn fassungslos an. Mit dem letzten Schluck erhob er sich.

»Das ist ungeheuerlich!«, wieder war sie kurz davor, die Fassung zu verlieren.

In aller Ruhe instruierte Dupin seinen Inspektor:

»Wir machen es so, wie wir es besprochen haben«, Dupin sprach, als wäre die Hafenchefin gar nicht anwesend. »Wir lassen sie laufen. Wir können sie jederzeit wieder festnehmen, wenn es irgendwie angezeigt scheint.«

Er drehte sich um – und ging.

»Ach, und Kadeg«, Dupin war schon von der Terrasse runter, »melden Sie sich gleich bei Riwal. Er informiert Sie über die neuen Entwicklungen.« Dupin hatte gesehen, dass auch Kadeg bei dem Wort »Fund« zusammengezuckt war, sich dann aber gut im Griff gehabt hatte.

»Und was soll ich jetzt hier?«, hörte er Gochat in seinem Rücken schimpfen. »Hier, auf dieser elenden Insel? Die Fähre fährt erst am Nachmittag. Sie können mich nicht einfach hier sitzen lassen!«

Dupin verlangsamte seine Schritte keinen Deut. Dass der Kommissar Gespräche und Verhöre jäh abbrach, kam in jedem Fall vor, in diesem aber wurde es die Regel, was dem Charakter dieses vertrackten Falles entsprach. Seine Laune war im Keller. Dabei wusste er, dass er positiv denken musste, auch, wenn er diesen Ausdruck hasste.

Dupin hatte letztens in einer quälend schlaflosen Nacht – Claire hatte wieder einmal nächtlichen Bereitschaftsdienst gehabt – eine Dokumentation über den ersten Amerikaner gesehen, der zu Fuß, alleine, und ohne technische Hilfsmittel, zum Südpol gelaufen war, in sechsundvierzig wahnsinnigen Tagen. Er war buchstäblich halb tot gewesen, als er ankam. Aber er hatte es geschafft. Auf die Frage, wie er das alles durchgehalten habe, jeden Morgen trotz schwerer Erfrierungen, grässlicher Schmerzen und stetig neuen Unbills – Wetterkapriolen, Defekt des Schlittens, den er hinter sich herzog – aufs Neue loszumarschieren, hatte er gesagt: »Ich habe konsequent nur die Gedanken zugelassen, die auf das jeweils Positive der Situation zielten, und jeden negativen ausgeschaltet.« So simpel es auch klang, Dupin war, nachts um halb drei, tief beeindruckt gewesen.

Mit aller Kraft versuchte er sich auf das Positive zu konzentrieren. Also: Der Gegenstand war hier gewesen. Und wichtiger noch: Es gab ihn! Das war das Entscheidende. Und ein riesengroßer Fortschritt. Es war nicht mehr bloß eine reine Hypothese. Die beiden Frauen hatten etwas gefunden, und genau darum ging es – das war sie, die Geschichte, der sie nachjagten. Davon war Dupin überzeugt. Es waren mittlerweile zu viele Indizien, zu viele Nebenstränge, die zu perfekt passten, auch wenn sie noch keinen Beweis besaßen. Den sie, auch bei »positiver« Betrachtungsweise, natürlich händeringend benötigten. Sie brauchten den Fund.

Dupin kannte diesen riskanten Punkt in jeder Ermittlung: wenn man sich festlegen musste, weil man ansonsten mit Sicherheit gar nichts erreichen würde – aber am Ende auch mit fliehenden Fahnen untergehen konnte. Natürlich konnten sie falschliegen, einer falschen Spur aufsitzen und mit Elan in die Irre laufen. Doch das machte ihm keine Angst. Das hatte Dupin noch nie Angst gemacht.

Er hatte den Hafenbereich zwischen den beiden Quais erreicht, die Verschläge. Er blieb stehen. Genau an der Stelle, an der Kerkrom immer angelegt hatte. Wie immer stand er viel zu nahe am Wasser. Und schaute auf den Hafen.

Er hatte sich festgelegt, ja, alles drehte sich um diesen Fund – nur: Bestand der Fund wirklich aus einem Teil des selbst versenkten Bootes? Eigentlich hatte er sich auch darauf festgelegt. Aber was wäre, wenn Kerkrom und Darot auf dem Meeresboden tatsächlich einen archäologischen Gegenstand gefunden hätten? Grundsätzlich hatte Dupin noch nie Probleme mit wunderlichen, schrullenhaften oder verdrehten Ideen und Theorien im Dienste einer Ermittlung gehabt, schon gar nicht, seitdem er in der Bretagne ermittelte – die Realität übertraf im Zweifelsfall die Fantasie um Längen, gerade wenn es um Verdrehtes und Kurioses in der Welt ging. Er war kein Anfänger: ob Dinge verrückt oder sogar äußerst verrückt wirkten, war für die Wirklichkeit kein Argument. Aber es gab eine klare Trennlinie zwischen dem Abenteuerlichen und dem Fantastischen! Man müsste mitnichten über Ys spekulieren. Wenn, dann handelte es um einen seriösen archäologischen Fund, von denen es in Frankreich jedes Jahr Dutzende gab, immer wieder las man davon. Selbst wenn es um ein Kreuz ging.

Dupin gab sich einen Ruck. Er setzte sich wieder in Bewegung. Er war in eine sonderbare Stimmung geraten – der Einfluss der Insel? –, er musste einen kühlen Kopf bewahren.

Es gab zwei Szenarien dazu, wer den Fund aus Kerkroms

Haus weggebracht hatte. Das erste: Kerkrom und Darot selbst. Aber wohin? An einen anderen Ort auf der Insel? Wo ihn der Täter dann gefunden hatte? Oder, ebenso denkbar, wo er sich immer noch befand, weil der Täter ihn nicht gefunden hatte? Oder, das zweite Szenario: Der Mörder hatte den Fund direkt nach der Tat mitgenommen, aus Kerkroms Haus. Und ihn von der Insel weggebracht – oder aber, auch das war möglich: Er hatte ihn erst einmal dagelassen und später geholt. Wie auch immer, würden sie des Fundes habhaft, führte er sie, über kurz oder lang, zum Täter, davon war Dupin überzeugt.

Er suchte nach seinem Telefon.

»Riwal, wo sind Sie?«

»Hinter Ihnen, Chef, direkt hinter Ihnen.«

Dupin drehte sich um. Der Inspektor stand keine fünfzehn Meter von ihm entfernt.

»Ich habe Sie am Quai Nord gesucht.«

Riwal machte keine Anstalten aufzulegen. Dupin tat es. Ungeduldig ging er seinem Inspektor ein paar Schritte entgegen.

»Wir brauchen eine systematische Durchsuchungsaktion der gesamten Insel. Jedes irgendwie möglichen Versteckes. Aller nicht mehr genutzten Gebäude, aller leer stehenden Schuppen, Verschläge«, er dachte nach, »auch der Kapelle und der Kirche. Selten oder nie benutzte Räume öffentlicher Gebäude.«

»Womöglich befindet es sich gar nicht mehr auf der Insel.«

Dupin lag auf der Zunge, Einspruch gegen Riwals »es« zu erheben, ließ es aber, es führte zu nichts.

»Womöglich. – Wie viele Kollegen haben wir im Moment auf der Insel?«

»Acht.«

»Gut. – Warum haben Sie mich gesucht, Riwal?«

Sie waren weiter Richtung Quai Sud gelaufen.

»Ach ja«, Riwal sammelte sich, »die Insel scheint heute äußerst beliebt zu sein.«

Dupin schaute ihn verständnislos an.

»Unser Piratenkapitän Vaillant hat eben vorne an der ersten Mole angelegt. Und Jumeau ist dem *Bolincheur*-Fischer von Morin begegnet, Frédéric Carrière, als er zur Insel zurückkam für das Gespräch mit Ihnen – und der Wissenschaftliche Leiter des Parc Iroise ist vor einer halben Stunde ebenfalls mit seinem Boot angekommen, um die Werte an seiner Station zu nehmen.«

»Was will Vaillant hier?«

»Es hat noch niemand mit ihm gesprochen.«

»Tun Sie das. Sprechen Sie mit ihm, ich will …«, Dupin entschied sich anders. »Nein – lassen Sie es, Riwal. – Lassen Sie ihn tun, was immer er auf der Insel vorhat, und folgen Sie ihm auf Schritt und Tritt. Beschatten Sie ihn.«

»Jawohl, Chef. Jumeau hatte übrigens den Eindruck, dass Carrière ihm gefolgt sei. Und Sie wissen, Jumeau sagt von sich aus nicht viel. Carrière hat sein Netz ganz in seiner Nähe ausgebracht. Für gewöhnlich hält er sich wohl nie in diesem Gebiet auf. Da gibt es für ihn auch wenig zu holen. – Das ist doch alles kein Zufall.«

Dupin sann einer Reihe von Gedanken nach.

»Riwal, noch etwas«, Dupin versuchte, so nüchtern und kühl wie möglich zu klingen, »ich will, dass Sie vertraulich mit Ihrem Cousin sprechen, dem Historiker. – Extrem vertraulich. Fragen Sie, was ihm zu einem bedeutenden archäologischen Fund hier in der Gegend einfällt. Ganz konkret. Ob es irgendwelche lokalen Geschichten oder historischen Begebenheiten gibt.« Er hielt inne und sah den begeisterten Ausdruck in Riwals Gesicht. »Ja, von mir aus fragen Sie auch nach einem Kreuz aus massivem Gold. Fragen Sie ihn nach allem, was archäologisch gesehen relevant sein könnte.« Ein riskanter, tollkühner Satz, wusste er, er musste ihn doch einschränken: »Nur nicht zu Ys, Riwal. Alles außer Ys. Ich will etwas Reales, Wissenschaftliches.«

In Riwals Augen war ein Anflug von Protest zu sehen, aber er kämpfte ihn nieder.

»Das war es im Augenblick. Ich …«

Das Telefon.

Nolwenn.

»Neuigkeiten, Monsieur le Commissaire.«

Ihre Stimme verriet zwei Dinge: dass der Anruf wichtig war und sie zudem eigentlich keine Zeit hatte, ihn zu führen. Dass es ein schlechter Moment war, es aber, offenbar, nicht anders ging.

»Ich habe mit Carrière gesprochen, mit dem Hafenmeister von Le Conquet, wo das fragliche Boot registriert war, mit der Fischereibehörde und zuletzt mit Morin selbst.«

Bei Nolwenn waren jetzt Autotüren zu hören, laut zuschlagende Autotüren.

»Am interessantesten ist, was der Hafenmeister sagt. Er hatte sich damals, als das Boot abgemeldet wurde, sehr gewundert, weil er es kannte. Es sei tadellos in Ordnung gewesen. Offiziell hieß es, es würde in einen anderen Hafen verlegt. Das aber ist bisher nicht geschehen, sagt die Fischereibehörde. Es ist kein Boot von Morin mit dieser Registrierungsnummer in einem anderen Hafen neu angemeldet worden.«

»Was sagen Carrière und Morin?«

»Mit Carrière habe ich ausführlicher gesprochen, er hat sich Mühe gegeben, einigermaßen kooperativ zu wirken, das Thema selbst schien ihn übrigens in keiner Weise aus dem Konzept zu bringen. Er behauptet, es hätte bei dem Boot massive Probleme mit der Fäulnis am Rumpf gegeben. Dass sie es trockenlegen mussten, dass es sich auf einem privaten Gelände von Morin befinde, zusammen mit ein paar anderen, kleineren Booten. Und dass die Arbeiten sehr aufwendig seien und immer noch nicht klar, ob und wann sie es wieder ins Wasser bringen. Ich

331

habe gesagt, dass wir uns das Boot ansehen möchten – er hat mich an seinen Chef verwiesen.«

Auch wenn Carrière das Thema nicht irritiert hatte – das alles klang butterweich. Und exakt so, wie man sich eine Ausflucht vorstellen würde.

»Monsieur Morin selbst war äußerst kurz angebunden, wenn auch nicht unfreundlich. Eigentlich hat er gar nichts gesagt. Nur, dass alles völlig regulär sei und am Ende er alleine verantworten müsse, welches Boot seetüchtig sei und welches nicht. Er hat, anders als Carrière, gar nicht nachgefragt, warum wir uns plötzlich für dieses Boot interessieren.« Dupin kannte Morins souveräne Art, das besagte gar nichts. »Er hat trotzdem nicht vor, uns eine Genehmigung für eine Inspektion des Bootes zu erteilen. Auch hat er sich nicht entlocken lassen, wo es sich befindet.«

Natürlich nicht.

»Wie heißt das Boot eigentlich?«

Er hatte schon die ganze Zeit nachfragen wollen.

»*Iroisette.*«

»Finden Sie heraus, an welchen Orten Morin Boote oder Bootsteile aufbewahrt.«

»Wenn an der Sache etwas faul ist, wird er es vermutlich genau dort nicht hingebracht haben.«

So würde es sein.

»Und selbst wenn wir all diese Orte absuchten und es nicht fänden, hieße das noch längst nicht, dass es irgendwo im Eingang der Bucht auf dem Meeresboden läge«, Nolwenns messerscharfer Verstand arbeitete wie immer auf Hochtouren, »es wäre nicht einmal annähernd ein Beweis.«

»Und wenn wir den Meeresgrund in dem Gebiet absuchen lassen?«

»Vergessen Sie es. Da ist die Nadel im Heuhaufen schneller gefunden. Wenn das alles stimmt, worüber wir hier spekulieren, bleibt nur eines: Die Teile des Bootes zu finden, die

Kerkrom und Darot entdeckt haben. Wenn der Täter sie nicht schon hat verschwinden lassen. – Oder aber, Monsieur le Commissaire, es geht doch um etwas ganz anderes. Riwal hat mich auf dem Laufenden gehalten. Vergessen Sie nicht: Sie ermitteln in der Bretagne!«

Ihr Unterton signalisierte das Ende des Telefonates. So viel wie: ›Ich muss los‹.

»Der Konvoi setzt sich jetzt in Bewegung, Monsieur le Commissaire. Und ich fahre voran. – Ich melde mich wieder.«

Schon hatte sie aufgelegt.

Dupin und Riwal hatten exakt denselben Weg eingeschlagen, den sie vor eineinhalb Stunden gegangen waren, an der Wasserlinie entlang auf den Cholera-Friedhof zu. Von oben, aus einer Vogelperspektive – für eine der vielen Möwen beispielsweise –, musste es amüsant anzusehen sein, wie sie unablässig um das kleine Eiland herumliefen, dachte Dupin.

»Was hat Nolwenn gesagt?«

Dupin referierte die Neuigkeiten.

»Ich kümmere mich jetzt um die Suchaktion.«

»Riwal?«

»Chef?«

Dupin wusste nicht genau, wie er es formulieren sollte. Er wollte der Sache nicht zu viel Gewicht verleihen.

»Nolwenn – und ihre Tante, sie – führen einen Konvoi an. Sie …«

Er sollte es lassen.

»Der ›große Aktionstag‹ beginnt mit einem Autokonvoi von verschiedenen Orten aus, hauptsächlich natürlich von Lannion, sie alle fahren nach Quimper. Pkw, Lastwagen, Traktoren. Über die Vierspurige«, die bretonische ›Autobahn‹ und Hauptverkehrsader. »Das wird den Verkehr über Stunden lahmlegen.«

Ein ungehemmtes Frohlocken.

Dupin versuchte angestrengt, die Bilder zu vertreiben, die

ihm sofort in den Sinn kamen. Eine – vom Staat angestellte – Mitarbeiterin der Polizei führte während der regulären Arbeitszeit eine illegale Aktion zum Zwecke einer massiven Verkehrsbehinderung an, gegen die, sie würden keine Wahl haben, die Polizei dann entschieden vorzugehen hätte. Eine Fahrt nach Quimper – ausgerechnet Quimper! Dem Sitz der Präfektur.

Es wäre das Klügste, sich auch weiterhin nicht damit zu beschäftigen. Sein Inspektor schien das ähnlich zu sehen.

»Bis gleich, Chef.«

Riwal machte mit dieser Verabschiedung kehrt.

Dupin lief weiter. Er war froh, alleine zu sein.

Der Kommissar befand sich auf halber Strecke zwischen Friedhof und Leuchtturm, rechter Hand lag die Mole, die einzige außerhalb der Hafenanlagen. Ein Zodiac mit einem dieser kolossalen Motoren hatte daran festgemacht. Riwal würde auf Anhieb die technischen Daten herunterbeten können, Kubikzentimeter, PS, Länge.

Vermutlich Leblanc, der die Messwerte nahm.

Vielleicht, ging es Dupin durch den Kopf, sollten sie doch beginnen, ganz offensiv über den »Fund« zu sprechen. Sogar über die verschiedenen Möglichkeiten; sie mussten, wenn sie von Bootsteilen sprachen, ja nicht Morins Namen ins Spiel bringen. Die Inselbewohner würden es ohnehin mitbekommen, wenn die Polizisten damit begannen, alle Gebäude zu durchsuchen. Sie würden wilde Vermutungen anstellen, die noch einmal wilder kolportiert werden würden. Eine solche groß angelegte Durchsuchungsaktion ließ sich nicht verheimlichen. Zuweilen, im richtigen Moment eines Falles eingesetzt, erzeugte das plötzliche Offenlegen einen interessanten Druck. Brachte

Dinge in Bewegung. Auch Riwal – sie hatten gar nicht darüber gesprochen – würde den Polizisten ja sagen müssen, wonach sie suchen sollten.

Eine Wirkung würde es auf jeden Fall haben: Der Täter würde aufgeschreckt. Und im besten Fall etwas Unvorsichtiges, Überhastetes tun. Man könnte gar ausdrücklich die Bevölkerung um Mithilfe und Hinweise bitten. Warum nicht den Spieß umdrehen? Eine Jagd auf den Täter eröffnen? Dupin hätte keine Skrupel. Die Frage war nur, ob es klug wäre. Ob sie so ihr Ziel erreichten? Man konnte den Täter durch ein solches Vorgehen natürlich auch zu extremer Vorsicht zwingen oder gar zum Abtauchen. Zum Stillhalten.

Dupin hatte den asphaltierten Weg verlassen und kletterte über die imposanten Kieselberge am Ufer der sichelförmigen Bucht direkt auf die Mole zu. Am Rand ein kleines, flaches Gebäude, nicht unähnlich den Betonschuppen vorne am Hafen, ein Stahlkasten auf dem Dach, technische Apparaturen. Die Mole war länger, als sie von Weitem ausgesehen hatte, an ihrem Ende befand sich eine aufwendige technische Konstruktion. Eine Art länglicher Käfig, der ins Wasser führte. Die Messvorrichtungen vermutlich.

»Monsieur le Commissaire!«

Leblanc war schlagartig hinter dem Schuppen aufgetaucht und winkte dem Kommissar.

Dupin hielt auf ihn zu.

»Gibt es Fortschritte bei den Ermittlungen?«

»Wir kennen die Geschichte und das Motiv. Wir wissen, worum es geht – uns fehlt nur noch der Täter.«

»Das erleichtert mich enorm.« Leblanc senkte den Blick. »Ich habe es immer noch nicht realisiert. Hier auf der Insel denke ich die ganze Zeit, Laetitia legt gleich mit ihrem Boot an.« Jetzt blickte er Dupin geradewegs in die Augen: »Ich nehme an, Sie wollen die Geschichte noch für sich behalten? Das, was sich hier abgespielt hat?«

335

»Ich bin mir noch nicht sicher.«

Dupin hatte nicht vorgehabt, derart ehrlich zu antworten. Auf Leblancs Miene war ein grüblerischer Ausdruck zu sehen. Es drängte ihn, weiterzufragen, doch er ließ es.

»Ich habe mir gerade die Messwerte der letzten Woche geholt. Möchten Sie die Anlage vorne auf der Mole einmal sehen? Sie ist klein, aber fein. Sie liefert alles, was avancierteste Analysen leisten können.«

Da war er wieder, der begeisterte Forscher.

»Ich …«, Dupin stockte, »und in dem flachen Bau?«

»Technik. Sie gehört zur Messstation. Dort befinden sich weitere Messgeräte: für Wind, Niederschlag, Luftdruck.«

»Mehr ist da nicht drin?«

»Ein paar Teile noch von den Bauarbeiten. Und Ausrüstung. Solche Sachen.«

»Etwas dagegen, wenn ich es mir einmal ansehe?«

»Überhaupt nicht. Aber ehrlich gesagt, gibt es dort nichts Spannendes zu sehen.«

Dupin ging auf den Bau zu.

Eine Tür aus Stahl. Ein einziges Fensterchen Richtung Meer. In der Ecke direkt neben dem Eingang ein Tisch aus Aluminium, ein Stuhl davor. Ein Notebook. Angeschlossen an einen Stahlapparat mit vielen Knöpfen und Lämpchen, der an der Wand hing. Kabel, die nach oben führten und durch ein Loch in der Wand nach draußen, vermutlich zu den Apparaturen auf dem Dach.

»Ich kann mir von hier aus sämtliche Werte der Messinstrumente vorne an der Mole holen. PH-Wert, Sauerstoffgehalt, solche Dinge.«

Dupin hatte nur mit einem Ohr zugehört. Der Raum interessierte ihn viel mehr.

»Laetitia Darot hatte sicherlich auch Zutritt zu diesem Bau, oder?«

»Theoretisch natürlich, ja. Aber sie ist, nehme ich an, selten hier gewesen. Ich wüsste nicht, welchen Grund sie gehabt haben sollte, herzukommen. Ein paarmal hat sie die Werte für mich abgelesen. Bei länger anhaltenden Schlechtwetter-Perioden. Aber nur dann.«

Dupin hatte begonnen, sich langsam durch den Raum zu bewegen. Vier mal vier Meter, schätzte er. Elektrisches Licht schien es nicht zu geben.

An zwei Seiten lagen Aluminiumteile, die aussahen, als gehörten sie zu der Konstruktion vorne an der Mole. In einer Ecke ein beachtlicher Anker, mehrere Plastikkanister, Benzin oder Öl, vermutete Dupin, in der Mitte des Raumes auf dem groben Betonboden eine Leiter. Überall Staubschichten. In der Ecke gegenüber dem Tisch lag ein aufblasbares Gummiboot, das klein, aber professionell aussah.

Leblanc hatte Dupins Blick gesehen.

»Manchmal muss ich vom Wasser aus etwas an der Station richten, dann nehme ich das kleine Boot.«

Was immer es war – der Gegenstand, den sie suchten, war auf jeden Fall nicht klein. Was bedeutete: Er war nicht leicht zu verstecken.

Und hier war er auch nicht.

»Gibt es noch – einen weiteren Raum hier, einen Anbau oder so?«

»Nein. Nur diesen einen.«

Leblanc war anzumerken, dass ihn Dupins Fragen zunehmend verwirrten.

»Ich würde doch gerne die Messvorrichtungen am Ende der Mole ansehen.«

Der Fund hatte über lange Zeit im Wasser gelegen, es würde ihm nichts ausmachen, weiterhin im Wasser zu liegen. Eine ruhige, sichere Stelle unter Wasser wäre generell kein schlechtes Versteck.

»Gern. Früher hätte man ganze Labore für diese Funktionen gebraucht, kommen Sie!«

Leblanc trat aus dem Schuppen, Dupin ließ einen letzten Blick durch den Raum schweifen und folgte.

»Hatte Laetitia Darot Zugang zu sämtlichen Räumen des Instituts auf der Île Tristan?«

»Im Prinzip schon. Aber außer in der Technik habe ich sie nie irgendwo gesehen. Wie gesagt, sie wollte ja nicht einmal ein eigenes Büro.«

Sie betraten die Mole.

Entfernte Stimmen waren zu hören, Stimmfetzen eher, Dupin drehte sich um. Er sah vier Polizisten in Uniform, die den Weg Richtung Inselende entlangliefen. Die Aktion hatte begonnen.

Dupin fiel etwas ein.

Er holte sein Handy hervor.

»Einen Moment, Monsieur Leblanc. Ich bin gleich wieder bei Ihnen.«

Dupin ging ein paar Meter auf den Strand.

»Chef?« Riwal war kaum zu verstehen, so leise sprach er.

»Sie sollen sich unbedingt auch den Leuchtturm ansehen. Und die Nebengebäude mit dem Kraftwerk und der Entsalzungsanlage.«

»Wird gemacht, vier Kollegen sind zur Kapelle unterwegs …«

»Ich habe sie gesehen, Riwal. Sie sollen sich jeden Raum zeigen lassen.«

»Vaillant«, Riwal sprach noch leiser, »hat übrigens sein Boot verlassen. Mit drei Männern. Ich beschatte ihn.«

»Wo sind sie hin?«

»In den kleinen Supermarkt.«

»Den kleinen Supermarkt?«

»Exakt.«

»Was wollen sie dort?«

»Ich weiß es noch nicht, aber ich beobachte die Kasse, ich habe sie genau im Blick, sie haben noch nicht bezahlt.«

Es war grotesk. Vor allem, wenn Dupin sich vorstellte, wie Riwal dort irgendwo hinter einem Mäuerchen kauerte.

»Melden Sie sich wieder, wenn es etwas gibt.«

Dupin steckte das Handy zurück in die Hosentasche.

Leblanc war bis zum Ende der Mole gelaufen. Er wartete dort auf ihn.

»Suchen Sie nach etwas Bestimmtem, Monsieur le Commissaire? Kann ich helfen?«

Dupin war bei ihm angekommen. Er trat zum äußersten Rand, wo das Gestell aus dem Wasser ragte.

Es war unglaublich, wie klar das Wasser war. Es strahlte in der Sonne smaragdgrün und türkisblau. Man sah jedes Steinchen, jede Muschel, jede einzelne feine Sandwelle. Ein Schwarm grüner Fische stob davon, die Bäuche blitzten für einen Moment silbern auf, hundertfach, als hätte man ein kunstvolles Feuerwerk im Meer entzündet. Zwei pechschwarze Krebse machten sich eilig davon.

Man brauchte nicht lange, um zu sehen, dass hier nichts war.

Dupin wandte sich ab.

»Das war es schon, Monsieur Leblanc.«

»Und jetzt wissen Sie mehr?« Leblanc konnte sein Erstaunen nicht verbergen.

»Ich muss weiter«, Dupins Stirn legte sich in Falten. »Danke für Ihre Hilfe.«

»Ich hoffe, dass Sie bald einen Schlussstrich unter diesen Fall ziehen können. – Das ist eine Katastrophe. Alles.«

Er blickte traurig in die Ferne. Überhaupt wirkte er heute noch mitgenommener als gestern.

»Ja.«

»Apropos Messwerte«, das Thema ließ Leblanc wieder munterer klingen. »Der Luftdruck fällt seit einer halben Stunde immens. Das sieht nach Gewitter aus. Wenn Sie noch rechtzeitig zurück auf dem Festland sein wollen, müssen sie bald los.«

Unwillkürlich blickte Dupin nach oben. Schaute angestrengt in alle Richtungen.

Der Himmel war genauso blau und prächtig und unverdächtig wie zuvor. Nirgends auch nur ein winziger Makel. Nicht der geringste Hinweis auf einen Wetterumschwung, geschweige denn auf ein Unwetter. Natürlich war Dupin – an einem echten Bretonen gemessen – noch kein Experte in der Wettervorhersage, aber auch kein Anfänger mehr, immerhin trainierte er seit Jahren eifrig. Er kannte die Zeichen. Und diese hier sahen nicht nach Gewitter aus. Auch sein Gefühl sagte ihm nichts von einem aufkommenden Unwetter.

Die Durchsuchungen der nicht privaten Gebäude der Insel waren fürs Erste abgeschlossen. Die Polizisten hatten sich jeden Raum angesehen. Madame Coquil hatte sich zunächst geweigert, die Schlüssel für die nicht öffentlichen Räume der Museen herauszurücken, und auch am Ende nur unter Protest nachgegeben. Sie verwaltete ebenso die Schlüssel der Kirche und des kleinen Leuchtturms am Quai Nord.

Dupin hatte an einige Gebäude – wie an das alte, leer stehende *Bureau du Port* – gar nicht gedacht, Riwal schon. Am Ende waren es doch einige gewesen. Und die Polizisten einzeln unterwegs.

Ohne etwas zu finden. Keine verdächtigen Schiffsplanken, kein Motor, kein metallisches Objekt in den fraglichen Dimensionen, auch kein Kreuz. Überhaupt keine verdächtigen Spuren. Nichts Ungewöhnliches, Merkwürdiges, Bemerkenswertes. Gar nichts.

Eine ergebnislose Aktion.

Es war entmutigend; das Negative hatte sich mittlerweile gehäuft, es war äußerst schwierig, darüber hinwegzusehen und den Blick ausschließlich auf das Positive zu richten. Für Dupin war es gerade gar nicht mehr zu sehen.

Er hatte auf dem Rückweg von Leblancs Messstation selbst einen Blick in ein paar der Gebäude geworfen, in denen gesucht – und nichts gefunden – worden war. In die Feuerwehr, in die Kirche. Er war nervös gewesen, nervöser, als er sich zunächst eingestanden hatte, und die Nervosität hatte sich während der Aktion noch gesteigert.

Aus der Nervosität war nach und nach mürrische Verstimmung und Gereiztheit geworden. Ein Zustand, in dem er sich heute zugegebenermaßen nicht zum ersten Mal befand. Nur war er jetzt noch ausgeprägter.

Die Nachricht, dass die Polizei »etwas« suche, hatte sich auf der Insel wie erwartet im Handumdrehen verbreitet. Man suche einen weiteren Toten, hatte es sogar geheißen. Dann wieder war von einem »Schatz« berichtet worden – einem edelsteinverzierten goldenen Stab. Wie von einem Zauberer. Oder Druiden. Den man auf dem Meeresboden gefunden habe. Antoine Manet hatte sich gemeldet und Dupin auf dem Laufenden gehalten. Bald würde es dazu Online-Schlagzeilen und exaltierte Radiomeldungen geben, Dupin machte sich keine Illusionen.

Er hatte die Polizisten angewiesen, kein Wort darüber zu verlieren, was sie suchten. Nicht einmal etwas zu dementieren, sondern sich schlicht mit der Formel »Kein Kommentar« zu wappnen. Die Gerüchte störten ihn nicht.

Wahrscheinlich wusste der Täter jetzt – oder zumindest bald – Bescheid. Und er würde annehmen, dass sie Bescheid wussten.

Riwal hatte Neuigkeiten. Er wartete im *Ar Men* auf den Kommissar, dem einzigen Hotel der Insel. Wo Riwal übernachtet hatte. Die Fähre hatte heute besonders viele Tagestouristen mit herübergebracht, die es sich in den Kneipen und Cafés direkt am Hafen bequem gemacht hatten. Dupin hatte dafür vollstes Verständnis, nur leider waren die Cafés so lange keine geeigneten Orte für diskrete polizeiliche Besprechungen.

Auch Riwal machte einen niedergeschlagenen Eindruck. Der Elan war weg, er sah ermattet aus. Wie Dupin war er seit fünf Uhr auf den Beinen. Und sicherlich ebenso – genau wie gestern –, ohne etwas zu essen. Riwal hatte das *Ar Men*, das auch ein Restaurant war, also sicherlich nicht ohne Hintergedanken gewählt. Dupins Magen hatte heftig angefangen zu knurren. Auch Leblancs Auskunft über den »immens fallenden Luftdruck« beschäftigte Dupins Magen in Form eines kleinen, aber nicht weichen wollenden mulmigen Gefühls. Essen würde sicherlich auch dagegen helfen, ein leerer Magen war nie gut. Immer noch waren weit und breit keine Wolken zu sehen, das Himmelblau war lediglich ein wenig weißer geworden, ein wenig milchiger, wenn man so wollte. Aber wirklich nur ein wenig.

»Vaillant und seine Männer sind vom kleinen Supermarkt einfach zurück aufs Boot? Mit Cola, Kaugummis, Chips und Bier?« Dupin schüttelte immer noch ungläubig den Kopf.

Riwal hatte von der Beschattung berichtet.

»So ist es. Als würden sie sich über uns lustig machen.«

»Und haben umgehend wieder abgelegt?«

»Unverzüglich. – Sie haben angelegt, sind zum kleinen Supermarkt, zurück aufs Boot und haben wieder abgelegt. – Carrière ist übrigens nicht mehr zu sehen auf dem Meer. Jumeau allerdings auch nicht. Er wird wahrscheinlich weiter Richtung *Chaussée des Pierres Noires* gefahren sein.«

Dupin dachte nach. Eigentlich sollten sie Vaillant auch auf dem Meer beschatten lassen. Was allerdings nicht einfach wäre. Um unauffällig zu sein, müssten sie sich ein Fischerboot besorgen. Aber genauso gut müssten sie alle anderen beschatten lassen, all ihre speziellen Kandidaten. Sie würden viele Fischerboote brauchen.

Das Meer war ein schwieriges Terrain für Ermittlungen. Es

342

machte die Dinge noch komplizierter, als sie es ohnehin schon waren.

Riwal unterbrach Dupins unfruchtbare Gedanken.

»Ich habe, wie Sie mich gebeten hatten, noch einmal mit meinem Cousin gesprochen.« Riwal war eine besondere Vorsicht beim Formulieren anzumerken, er ließ Dupin nicht aus den Augen, wartete kurz und fuhr dann fort. »Nach seinem wissenschaftlichen Dafürhalten wäre ein solcher Fund, sagen wir: der Fund eines Kreuzes aus massivem Gold auf dem Grund der Bucht von Douarnenez, ich zitiere nur, Chef, auch wenn es Ihnen nicht gefallen wird«, jetzt zögerte er noch einmal, gab sich dann aber einen Ruck, »*zwangsläufig* im Zusammenhang mit Ys zu betrachten. Weder in Douarnenez noch in irgendwelchen Gemeinden oder Städten im Umkreis der Bucht gab es Kirchen, Klöster oder überhaupt Orte, die auch nur ansatzweise ausreichend Bedeutung besaßen, um die Heimstätte eines solchen Kreuzes oder ähnlicher archäologischer Funde zu sein.« Er sprach immer schneller, aus Sorge, dass Dupin dazwischenfuhr. »Überhaupt: Von Goldkreuzen dieser Größe gab es im historischen Christentum in ganz Frankreich nicht viele, hat er gesagt. Und keines fehlt. Es muss *eine exponierte Bedeutung an einem exponierten Ort gehabt haben*. So seine Worte. Anders ist es nicht vorstellbar.«

Dupin war nicht dazwischengegangen. Er war zu müde. Zu erschöpft. Außerdem war er es selbst gewesen, der Riwal gebeten hatte, mit seinem Cousin zu sprechen. Er hätte es wissen müssen.

Dupin hatte auf ganz anderes gehofft. Auf einen realistischen kunsthistorischen Kontext, der notfalls auch ein Kreuz einschloss. Eine Erklärung wie: In der großen Kathedrale von Quimper oder Rennes oder Vannes stand bis zum soundsovielten Jahrhundert ein besonders großes goldenes Kreuz, das irgendwann geraubt wurde, von den Normannen, den Angeln oder Sachsen in Douarnenez auf ein Boot gebracht wurde, das in einer schweren Sturmnacht sank ... So etwas.

Dupin schwieg.

»Was werden wir jetzt tun, Chef?«

»Ich will, dass wir uns vornehmlich mit Morin befassen.«

Er hatte zwar energisch gesprochen, dabei aber einen zerknirschten Eindruck gemacht.

Er fand keine Haltung zu alldem. Es war zum Aus-der-Haut-Fahren.

»Nein, wir nehmen weiterhin auch alle anderen ins Visier«, korrigierte er sich.

Es hatte schon weniger zerknirscht geklungen. »Der Täter«, brummte Dupin, »wird es uns nicht leicht machen. Es wird ein raffiniertes Versteck sein. – Dennoch, wir werden die Suche systematisch ausweiten. Aufs Festland. Wir sollten die Einsätze umgehend befehlen.«

Es würde viel Arbeit. Viel frustrierende Arbeit.

Dupin entfuhr ein tiefer Seufzer. Aber es half natürlich alles nichts.

Riwal brachte lediglich ein abgekämpftes »Machen wir« hervor.

»Aber zuvor, Riwal, zuvor essen wir etwas.«

Das Gesicht des Inspektors hellte sich schlagartig auf.

»Die Spezialität des Restaurants ist in ganz Frankreich berühmt«, die Aussicht auf ihren Genuss setzte neue Kräfte bei Riwal frei, »*Ragoût de Homard!*«, er hatte es wie eine Fanfare angestimmt. »Sie werden entzückt sein, Chef. – Das Ragout wird in großen Schmortöpfen zubereitet. Fein zerlegter, teilweise ausgelöster Hummer, rosa Zwiebeln aus Roscoff, Sellerie, Fenchelsamen, geräucherte Muscheln, alles zusammen in Erdnussöl scharf angebraten, mit *Eau de vie* aus Cidre abgelöscht, dazu drei, vier Gläser sehr guten Weißweins.« Es hörte sich tatsächlich an wie Poesie. »Dann die unvergleichlichen Amandine-Kartoffeln, ein Schuss Sahne, Piment d'Espelette, Salz, Gros

Sel – und«, das Finale, »reichlich gesalzene Butter. Dann lässt man es schmoren, schmoren, schmoren.«

»Ja?« Eine schlanke, schwarzhaarige Frau stand vor ihnen, freundlich, aber spürbar nicht mit endloser Geduld, einen kleinen Block und einen Stift in den Händen.

»Zwei Mal«, stieß Dupin hervor.

»Sehr gerne, Monsieur. Zwei Mal. – Und was genau zwei Mal?«

»Das Hummer-Ragout«, platzte es aus Riwal heraus. »Und zwei Gläser Quincy.«

»Dann doch eine Flasche«, korrigierte Dupin.

Die Dame nickte anerkennend und verschwand.

Auch hier saß man famos. Von den Tischen und Bänken des mutig rosa gestrichenen *Ar Men* blickte man auf den hinteren Teil der Insel, auf den Leuchtturm, die Kapelle. Den Weg am Cholera-Friedhof vorbei. Hier und dort ausgedehnte Felder der kleinen rosa Blumen. Und zu jeder Seite: das Meer.

Aus dem milchigen Weiß am Himmel, das das herrliche Blau abgelöst hatte, wurde – es ließ sich nicht leugnen – ganz allmählich, aber unaufhaltsam ein diesiges Hellgrau.

Riwal wirkte immer noch wie entrückt. Und war wieder in Erzähllaune.

»Merlin, der berühmteste Zauberer der Welt, ein Bretone, war ein guter Freund der Neun Hexen von Sein. Er kam regelmäßig auf die Insel, um mit ihnen über die Kunst der Magie zu sprechen«, mit jedem Wort gewann sein Bericht weiter an Dynamik. »Sie haben Merlin ihre Visionen anvertraut, auch die Ankunft eines großen Königs. Artus, wie wir alle wissen. Dem Merlin kurze Zeit später begegnete und von da an sein Mentor wurde. Eines Tages wurde Artus in einem fürchterlichen Kampf bei Camlann verwundet, so schwer, dass nicht einmal mehr Merlin ihn retten konnte. Kurzerhand brachte er Artus hierher auf die Île de Sein. Zu den Neun Hexen. Die ihm eine Stätte aus purem Gold bereiteten. Velléda, die Heilerin unter ihnen, ›la femme de l'autre monde‹, nahm sich seiner an. Er war so gut wie tot. Aber sie gab ihm das Leben zurück. Wobei nicht einmal Merlin wusste, wie. Sie besaß die Macht, die Tore zur Unterwelt zu öffnen. – Sie sehen, die Insel spielt auch in der Artussage eine entscheidende Rolle.« Riwals Augen leuchteten.

Dupin sagte nichts.

Er fühlte sich wehrlos.

»Monsieur le Commissaire!«

Dupin fuhr erschrocken hoch.

Kadeg. Er hatte ihn fast vergessen. Im nächsten Moment stand der zweite Inspektor heftig atmend vor dem Tisch. Für seine Verhältnisse machte er einen kleinlauten Eindruck.

Der Eindruck täuschte nicht:

»Sie ist mir entwischt«, sein Ton eine Mischung aus eingestandenem Fehlschlag und Zorn, »sie ist gerissen! Sie muss nach dem Gespräch mit Ihnen sofort ihren Mann angerufen haben. Sie lief ganz unverdächtig am Hafen herum. Zwischen den Molen …«

»Wovon reden Sie, Kadeg?«

»Gochat! Sie ist weg. Sie hat die Insel verlassen. Ihr Mann hat sie mit dem Boot abgeholt. Sie ist irgendwann vorne zur großen Mole geschlendert, auf einmal kam ein Boot um die großen Felsen am Hafeneingang, legte nur ganz kurz an, und weg war sie.«

Es überraschte Dupin nicht wirklich. Dennoch war es ärgerlich.

»Woher wissen Sie, dass es ihr Mann war?«

»Ich habe den Namen des Bootes erkennen können. *Ariane DZ*. Es ist auf François Gochat zugelassen. Und ich habe einen Mann gesehen.«

»Mit diesem Boot kommen sie überallhin«, Riwal, der Experte, meldete sich zu Wort, »und das schnell. Es ist exzellent motorisiert, ich habe es gestern in Douarnenez gesehen.«

346

Kadeg grämte sich. Ein seltener Anblick.

»Sorgen Sie dafür, dass Gochat beobachtet wird, sobald sie den Hafen in Douarnenez erreicht. – Und dann übernehmen Sie selbst wieder. Aber jetzt«, Dupin sprach ungewöhnlich schwungvoll, »werden auch Sie erst einmal etwas essen, Inspektor Kadeg.«

Kadeg war sogar noch länger auf den Beinen als sie beide. Und auch ihm sah man es an. Im Moment hingegen vor allem Verblüffung, er hatte eine andere Reaktion erwartet.

Aber er protestierte nicht.

»Das Hummer-Ragout?« Ein erwartungsvoller Klang.

»Ja.«

Kurze Zeit später saß er einträchtig neben Riwal auf der Bank, Dupin gegenüber. Jeder von ihnen in Gedanken versunken. Glücklicherweise dauerte es nicht lange, bis die Bedienung mit der Flasche Quincy und drei riesengroßen Tellern kam, dann mit dem gewaltigen Schmortopf, der randvoll war, die Hummerscheren ragten rechts und links hervor. Als hätte der Koch gewusst, wie es um ihr Inneres stand, und sie aufmuntern wollen. Sie hätten noch ein paar hungrige Polizisten dazu einladen können, und jeder wäre satt geworden.

»Phänomenal, nicht, Chef?«

Dupin nickte. Ein heftig zustimmendes Nicken. Tatsächlich, es war großartig: deftig und stark im Geschmack – man schmeckte das raue Meer, den Charakter der Insel –, das Hummerfleisch dagegen mild und zart, eine verwirrende, aber wunderbare Mischung. Und dazu der kalte Weißwein. Das pure Glück.

Das Klingeln von Dupins Handy riss sie aus ihrem Zustand zwischen Erschöpfung und Verzückung.

Es war Nolwenn.

»Ja?« Dupin schluckte den letzten Bissen herunter.

»Ich habe«, Nolwenn war große Zufriedenheit anzuhören, »den sechsundachtzigjährigen Bruder von Lucas Darot ausfindig gemacht. Den Bruder vom vermeintlichen Vater von Laetitia Darot. – Er lebt zurückgezogen in einem kleinen Kaff bei der *Pointe du Raz* und scheint mir noch recht rüstig.«

Es klang verwirrend, aber vielversprechend.

»Ein Neffe meines Mannes hat eine Metzgerei in der Nähe, wo der Bruder manchmal einkauft.«

Noch immer konnte Dupin nicht ganz folgen.

»Ich habe mit ihm gesprochen. – Es ist alles wahr! Es war eine Affäre. Laetitias Mutter und Morin. Eine ganz kurze bloß. Lucas hat ihr vergeben. Und Laetitia mit all seiner Liebe als sein eigenes Kind großgezogen. Er hat es nie jemandem gesagt. Bloß seinem Bruder. Der es bis heute in seinem Herzen getragen hat. – Aber jetzt, mit Laetitias Tod, ist für ihn alles anders.«

Es stimmte also. Und es war das, was ihm sein Gefühl die ganze Zeit über gesagt hatte.

»Eine bewegende Geschichte, Monsieur le Commissaire. Der Fall geht ans Eingemachte. Er verlangt einem alles ab. – Aber das Hummer-Ragout gibt Kraft, Sie werden es merken.«

Wie konnte sie das schon wieder wissen?

»Wir«, Dupin stockte, »sitzen hier, Riwal, Kadeg und ich«, er stockte noch einmal, »alle zusammen. Im *Ar Men*. – Hier können wir uns in Ruhe besprechen.«

Es waren Motorgeräusche durchs Telefon zu hören, jemand hatte in einen niedrigeren Gang geschaltet. Nolwenn schien sich immer noch im Auto zu befinden. Dupin sah das Chaos förmlich vor sich: Pkw, Lastwagen, Traktoren im Schneckentempo. Die »Vierspurige« wäre komplett lahmgelegt.

»Tja, das mit der Feier Ihrer Mutter wird wohl nichts. Aber so ist es«, ihr Tonfall entbehrte aller Ironie. »Da kann man nichts machen. Arbeit ist Arbeit. Also, bis später, Monsieur le Commissaire.«

Dupin steckte das Handy ein.

Sein Blick ging zum Himmel. Aus dem diesigen Hellgrau

von eben war nun ein bedrohliches Grau geworden. Und verdichtete sich, so sah es aus, zu einer Art Bewölkung. Der gesamte Himmel war betroffen. Eine diffuse, gestaltlose graue Wand. Noch immer war kein Windchen zu spüren, die Luft stand. Dupin hatte so etwas noch nie gesehen, und er hatte so einiges an Wetterphänomenen, Wetterkapriolen, Wettersensationen erlebt in den letzten fünf Jahren – den bretonischen Urelementen ausgesetzt –, eigentlich alles, hatte er gedacht.

Sie mussten wieder in Gang kommen. Sich aufraffen.

»Wir weiten die Suche jetzt aufs Festland aus«, in Dupins Stimme lag etwas Drängendes. »Auf der Insel gibt es erst einmal nichts mehr für uns zu tun.«

»Und wohin genau werden wir die Suche ausweiten?« Kadeg sprach noch mit vollem Mund. Aber natürlich war er es, der den Finger in die Wunde legte.

»Wir werden nach allen Liegenschaften, allen Grundstücken, allen Häusern, Zweit-, Dritthäusern, Ferienhäusern, allen Gebäuden, Schuppen, Verschlägen, Kellern fahnden, die unsere – ›Protagonisten‹ besitzen. Und mit Morin beginnen.«

»Sie werden«, Kadeg knackte genussvoll seine letzte Hummerschere, »einen Teufel tun und uns von dem Ort erzählen, an dem sie das Ding versteckt haben. *Wenn*«, die unendlich zarte, unendlich köstliche äußerste Spitze der Schere verschwand in seinem Mund, »es überhaupt je irgendeinen Fund gegeben hat. Noch hat ihn niemand gesehen. Das Ganze könnte ebenso gut ein Hirngespinst sein. Ein kleiner Junge, der sich langweilt und sich fantastische Geschichten ausdenkt! Ein neuer Bootswagen und ein paar Schrammen im Boden und an der Wand. Das ist alles ziemlich dünn.«

Es war eine dumme Idee gewesen, Kadeg zu neuen Kräften kommen zu lassen. Dupin hätte es sich denken können. Das Schlimme war nur: Kadeg machte nicht einmal einen vorsätzlich böswilligen Eindruck. Es war nicht seine Absicht gewesen,

Dupin zu brüskieren, er meinte, was er sagte. Und in gewisser Weise sprach er natürlich nur die Zweifel aus, die auch den Kommissar immer wieder beschlichen.

»Wir brechen auf«, Dupin erhob sich ohne Vorwarnung. »Wir können die Einzelheiten auch auf dem Boot besprechen«, sein Blick war erneut zum Himmel gewandert, ihm wurde immer mulmiger zumute. Er schickte einen möglichst entschieden klingenden Nachsatz hinterher: »Ich werde mich auf dem Festland als Erstes erneut mit Morin treffen.«

Sie waren bereit zum Ablegen.

Der Kommissar und seine beiden Inspektoren hatten sich im Bug von Goulchs schnittigem Boot versammelt.

»Leinen sind los«, rief einer der hochgeschossenen jungen Männer zu Goulch hinüber, der bereits im Kapitänshäuschen stand. Im nächsten Moment fuhren die mächtigen Dieselmotoren hoch, davor war es nur ein leises Stottern gewesen.

Dupin hatte vier Polizisten auf der Insel gelassen und genauestens instruiert. Je einer war an Kerkroms und Darots Haus platziert, einer bei den Verschlägen und einer, der die kleine Mannschaft koordinierte, am Hafen. Man konnte nie wissen.

Dupin hatte Goulch vorsichtshalber nicht nach dem Wetter gefragt. Ob aus dieser nebulösen grauen Materie tatsächlich ein Unwetter entstehen könnte. Goulch würde rechtzeitig Bescheid sagen, wenn er erwähnenswerte Wetterereignisse auf sie zukommen sähe.

»Ich will, dass wir uns zuerst um …«

Mit einem Schlag verstummten die Dieselmotoren. Dupin brach irritiert ab.

Goulch kletterte im nächsten Moment aus seinem Kapitänsstand. Für seine Verhältnisse war ihm heftige Aufregung anzumerken.

»Eine Funkmeldung. Sie kam gerade rein.«

Er kam vor Dupin zum Stehen.

»Charles Morin. – Sie haben ihn aus dem Meer gefischt. Verletzt, blutend, vollkommen entkräftet. Er ist fast ertrunken, es war anscheinend Rettung in letzter Minute.«

Das durfte nicht wahr sein.

»Morin?«

»Exakt.«

»Was ist passiert?«

»Sie wissen es noch nicht.«

»Wer sind ›sie‹?«

»Ein Boot der Küstenwache. Morin wurde von einem Algenfischer gerettet. Einem *Goémonier*. Er hat ihn an Bord genommen und die Küstenwache verständigt, die von Molène aus aufgebrochen ist. Sie müssten in ein paar Minuten bei ihnen sein.«

»Ich muss wissen, was passiert ist.«

»Wir haben wie gesagt noch keine weiteren Informationen.«

»Hat Morin dem Algenfischer nichts gesagt?«

»Zumindest hat der Algenfischer der Küstenwache nichts gesagt. Es ist auch gerade eben erst passiert, ich meine, die Meldung kam gerade rein.«

»Wo hat er ihn aufgefischt?«

»Vier Seemeilen von Molène, Richtung Süden, also Richtung Île de Sein. Ein Gebiet, in dem äußerst heftige Strömungen herrschen. – Und bedenken Sie die eingeschränkte Sicht gerade.«

Es sollte so viel heißen wie: ein Glücksfall, dass man ihn überhaupt gefunden hat und er noch lebt.

»Kann man mit Morin sprechen, ich meine, ist er vernehmungsfähig?«

»Auch das kann ich Ihnen nicht sagen.«

»Wo werden sie ihn hinbringen?«

»Douarnenez. In die Klinik.«

Es war klar, was zu tun war:

»Wir fahren nach Douarnenez. So schnell es geht.«

Auch wenn Dupin wusste, was das bedeutete: maximaler Speed. Aber es ging nicht anders.

»Gut. – Nehmen Sie mein Funkgerät. Die Kollegen werden sich wieder melden.«

Goulch hielt Dupin das knallgelbe Gerät hin.

Ein paar Sekunden später heulten die Motoren auf, doppelt so laut und heftig wie zuvor. Das Boot machte einen regelrechten Satz nach vorne.

Eine Viertelstunde später waren sie längst auf offener See. Theoretisch hätten sie im Osten die *Pointe du Raz* sehen können, doch aus der diffusen grauen Wand war eine wabernde, fiese, tiefdunkle Brühe geworden, die nichts mit gewöhnlichem Nebel oder Dunst gemein hatte. Das Meer selbst hatte ein fahles Betongrau angenommen, mit Mühe konnte man zwei-, dreihundert Meter weit sehen. Den Horizont hatte die ominöse Materie längst geschluckt. Auch Goulch würde nichts mehr sehen können, keinen steil aufragenden oder noch schlimmer: flach versteckten Felsen, von denen es hier nur so wimmelte, was bedeutete, er würde sich voll und ganz auf seine Hightech-Navigation verlassen müssen. Und das tat er vertrauensvoll, bisher war er nicht einen Moment vom maximalen Speed abgewichen. Dupin hatte die Viertelstunde stumm verbracht.

»Hier die *Stelenn*, *Bir* bitte melden.«

Die abgehackten Stimmen aus dem Funkgerät in Dupins Hand versetzten ihm einen Schreck.

»Ja, hier die *Bir*. Dupin«, er musste sich sammeln. »Dupin am – ich bin es, Kapitän Goulch fährt.«

Der Mann von der Küstenwache ging über das Gestammel hinweg.

»Wir haben Charles Morin nun an Bord. Er weigert sich, in die Klinik nach Douarnenez gebracht zu werden. Er will auf die Île Molène. Er hat ein Haus dort, sagt er. Und die Insel habe einen guten Arzt. Morin ist äußerst geschwächt und unterkühlt, eigentlich sollte er in die Klinik«, der Kollege der Küstenwache berichtete professionell unaufgeregt. »Aber er behauptet, ihm gehe es gut. Auch wenn er beim Reden fast nicht zu verstehen ist.«

Das war unfassbar.

»Hat er gesagt, was passiert ist?«

»Er sagt, es sei ein Unfall gewesen, ein Missgeschick. Er …«

»Ein Missgeschick?«

Der Mann der Küstenwache war nicht aus der Ruhe zu bringen. »Er sagt, er habe geangelt und sei über Bord gegangen, als er sich beim Heraufholen der Leine zu weit über die Reling gebeugt habe. Er sei in eine Strömung geraten. Sein Boot befindet sich über zwei Kilometer entfernt. Es wurde von einem anderen Algenfischer entdeckt. Das Problem ist, dass diese Positionen überhaupt nicht zueinander passen«, der Mann referierte immer noch trocken. »Die Position, an der Morin aus dem Wasser geholt wurde, und die, an der sein Boot aufgetan wurde.«

»Was meinen Sie?«

»Die Strömungen verlaufen anders.«

»Und wie kann es dann sein, dass er sich dort befand?«

»Keine Ahnung.«

Der Mann der Küstenwache war nicht der Typ für Spekulationen.

»Und wann ist es passiert?«

»Monsieur Morin sagt, er sei ungefähr eine halbe Stunde geschwommen. Dann also gegen 13 Uhr 45. Da ungefähr muss er – ins Wasser gekommen sein.«

Dupin blieb ein paar Sekunden still.

Verschiedenste Gedanken schossen ihm durch den Kopf.

Oder besser: wirbelten ihm durch den Kopf, wie in einer Schnee-kugel, die heftig und schnell geschüttelt worden war.

»Sind Sie noch da, Commissaire?«

»Ja.«

»Er ist bei Bewusstsein und bringt seinen klaren Willen zum Ausdruck.« Dupin wusste, was das bedeutete, er kannte die For-mel. »Wir werden ihn nach Molène fahren müssen.«

Der Kommissar zögerte keinen Moment: »Ich komme auch dorthin.«

Er musste Morin sehen.

»Wie Sie wollen.«

»Wo ist er verletzt?«

»Am Oberarm. Es blutet anständig. Er sagt, es sei beim Sturz vom Boot geschehen. Auch wenn ich mich frage, wie – aber was soll's. Er blutet.«

Dieser ganze Vorfall mutete vollkommen absurd an.

»Sie glauben ihm nicht?«

»Wenn er es so sagt ...«

»Sie haben an der Geschichte, die er erzählt, Zweifel, habe ich recht?« Dupin jedenfalls hatte sie, mächtige Zweifel. »Das war kein Unfall, oder?«

»Ich denke nicht«, entgegnete der Mann jetzt gleichmütig.

»Wir sind schon unterwegs, Monsieur. – Over.«

Riwal und Kadeg waren nahe an Dupin herangetreten und hatten trotz des Fahrtwindes jedes Wort mitgehört.

Dupin musste nur Goulch im Kapitänsstand Bescheid geben. Umgehend war er wieder zurück.

»Natürlich war das kein Unfall«, Riwal klang entschieden. »Der Mann von der Küstenwache ist mit Sicherheit ein absolu-ter Experte, was die Strömungen hier anbelangt. Es wird genau so sein, wie er sagt.«

Es entsprach Dupins Gefühl. Ein Unfall wäre ein zu großer Zufall.

Riwal blickte finster. »Es war ein Anschlag.«

»Ein Mordversuch«, präzisierte Kadeg kühl. »Ein Mordversuch an Charles Morin.«

Dupin schwieg.

Die Folgerungen wären enorm. Und machten Dupins zurzeit bevorzugtes Szenario erst einmal zunichte. Oder aber – es hatte jemand Rache nehmen wollen? Weil er wusste, dass Morin der Mörder war und er einem der Opfer besonders nahegestanden hatte? Das könnte erklären, warum Morin log. Nichts erzählte. Ihnen das Märchen mit dem Unfall auftischte.

Dupin lehnte sich weit über die Reling, gefährlich weit. Es würde den Kopf freipusten, er atmete im heftigen Fahrtwind ein paarmal tief ein und aus. Dann stellte er sich vor seine beiden Inspektoren. Wenn es ganz schlimm kam und man nicht mehr weiterwusste, half nur eines, die Flucht nach vorne:

»Ich will«, Dupins Stimme war fest und klar, von scharfer Präsenz, »von all unseren Verdächtigen wissen, wo sie sich gerade aufhalten. Gerade und in der letzten Stunde. Ich will es ganz genau wissen, und ich will Zeugen. Beweise. Nichts Vages. – Ab jetzt interessiert uns nur noch das. Nichts anderes mehr.«

»Welche Personen genau?«, fragte Riwal sicherheitshalber.

Dupins Augen verengten sich: »Unser Jungfischer Jumeau; Vaillant, der Pirat; unsere«, es war zu ärgerlich, »reizende Hafenchefin; Pierre Leblanc und der *Bolincheur* von Morin natürlich, Frédéric Carrière.«

Morin saß halb, halb lag er. In einem braunen Ledersessel im Wohnzimmer seines Hauses, das ganz anders war als das bei Douarnenez, wo Dupin ihn besucht hatte. Einfach, schlicht, nicht einmal besonders groß. Eines der alten Fischerhäuser der Île Molène. Das Einzige, was es auf den ersten Blick von den anderen unterschied, war die herausragende Lage: unmittelbar hinter dem alten Hafen mit dem lagunenartigen Sandstrand der Insel, von dem in der dunkelgrauen Brühe allerdings nicht viel zu sehen war.

Morin trug einen Jogginganzug und war in mehrere bunt gemusterte Wolldecken gewickelt. Er sah besorgniserregend aus. Restlos entkräftet. Die Strapazen des Geschehenen waren ihm deutlich anzumerken, in unregelmäßigen Abständen überkamen ihn Zitteranfälle, dann wirkte er derart schwach, dass man einen Kollaps befürchtete. Zugleich aber, so Dupins Empfinden, wirkte er aufgebracht, im Innersten aufgebracht, immer wieder spannten sich seine Gesichtsmuskeln an und verzerrten seine Züge.

Der Arzt hatte Morin den rechten Oberarm verbunden, sodass Dupin die Wunde – »eine ordentliche Verletzung« – leider nicht hatte sehen können. Der Arzt hatte Morin zudem ein Schmerzmittel und etwas für den Kreislauf gegeben. Und Dupin – ärztlich fürsorglich – klargemacht, dass er Morin bei der anstehenden »Unterredung« nicht von der Seite weichen werde.

Dupin war alleine, Riwal und Kadeg waren nicht mit hineingekommen.

»Ich war angeln, ja«, Morin sprach leise. »An einer meiner geheimen Stellen, ich habe mich dumm angestellt und bin über Bord gegangen, dabei habe ich mich verletzt – das war's. So einfach ist das.«

»Sie sind fast umgekommen. Dass Sie noch am Leben sind, ist reines Glück.« Dupin war genervt. Er empfand kein Mitleid.

Morin hatte schon bei der minimalen Begrüßung keinen Hehl daraus gemacht, dass er die Unterredung für überflüssig hielt, sich – ganz anders als bisher – überhaupt nicht für den Kommissar und das Gespräch interessierte.

»Die Positionen, an denen Sie und Ihr Boot gefunden wurden, passen von den dort herrschenden Strömungen her in keiner Weise zusammen. Erklären Sie mir das, Monsieur Morin.«

Dupin stand mitten im Raum. Er hatte den Sessel gegenüber von Morin abgelehnt, den er ihm mit einer schwachen Handbewegung angeboten hatte.

»Denken Sie, was Sie wollen«, er sprach mit vollkommener Gleichgültigkeit, sein Blick schweifte demonstrativ zum großen Fenster hinaus.

»Mit was für einem Boot waren Sie unterwegs? Wie groß?«

»Acht Meter neunzig, eine *Antarès*, ein älteres Modell.«

Ein Boot, das man gut alleine fahren konnte – wusste Dupin von Riwals zahlreichen Ausführungen –, zum Fischen hervorragend geeignet. Kein Rennboot, aber auch nicht langsam.

»Woran haben Sie sich verletzt?«

»Ich weiß es nicht.«

Er gab sich nicht einmal Mühe. Es wirkte wie blanker Hohn.

»Ich glaube Ihnen kein Wort, Monsieur Morin.«

»Das kümmert mich nicht.«

»Sie sind angegriffen worden. Das war eine Attacke. Jemand wollte Sie erledigen.«

Morin wiederholte bloß:

»Denken Sie, was Sie wollen.«

Dupin hatte selbstverständlich vorgehabt, ihn mit der Schmugglerboot-Sache zu konfrontieren, dem, was sie jetzt wussten. Mit unwiderlegbaren Beweisen zu drohen. Aber Morin würde es bloß mit einem süffisanten Grinsen abtun.

»Sie wissen, wer der Mörder ist. Sie haben es irgendwie herausgefunden.«

Dupin hatte begonnen, beim Reden auf und ab zu laufen.

»Es war nur eine Frage der Zeit«, trotz eines leichten Zitterns, das Morin erneut überkommen hatte, war ein zufriedenes Lächeln auf seinem Gesicht erschienen.

»Sie geben es also zu.«

Dupin hatte einen Schuss ins Blaue gewagt. Mit Erfolg. Doch

augenblicklich war ihm ein neuer Gedanke gekommen. Es konnte sogar ohne Weiteres sein, dass es Morin bereits gelungen war. Dass es eine handgreifliche Auseinandersetzung gegeben hatte, bei der Morin den anderen umgebracht hatte, auch, wenn er dabei selbst irgendwie über Bord gegangen war. Oder sie waren beide über Bord gegangen. Und nur Morin war gerettet worden. Was allerdings dagegen sprach, war Morins immense innere Anspannung, für ihn schien die Sache, was immer es war, noch nicht vorbei.

»Ich gebe gar nichts zu. Ich hatte einen Unfall. Und ich denke«, er dehnte die Worte, »ich sollte mich jetzt ausruhen.«

»Aus medizinischer Sicht ist das unbedingt angezeigt«, schaltete sich der blasse, untersetzte Arzt ein, »ich empfehle es Ihnen dringend, Monsieur Morin.«

»Ja, ich brauche meine Kräfte noch.«

Morin hatte gemurmelt. Für Bruchteile einer Sekunde hatten sich dabei seine Fäuste geballt, es war Dupin nicht entgangen. Morin hatte es bemerkt – selbst das schien ihm gleichgültig.

Ein fernes Grollen war zu hören, nicht besonders laut, aber deutlich vernehmbar. Ein Donnern, das zu einem Gewitter gehörte. Weit weg, auch das deutlich. Dennoch.

Ein aggressives Schweigen breitete sich aus.

Morin würde kein Sterbenswörtchen mehr sagen. Und sie konnten ihn zu nichts zwingen. Wenn es juristisch darauf ankäme, bliebe er bei seiner Unfallgeschichte. Es war nicht auszuhalten: Dupin würde nichts tun können, gar nichts. Er war zur Ohnmacht verdammt. Es gab nichts Schlimmeres für ihn. Es machte ihn rasend.

»Ich werde nun etwas schlafen. Wenn Sie mich entschuldigen.« Morin hantierte demonstrativ mit seinen Decken.

»Wir haben mit dem Bruder von Lucas Darot gesprochen. Wir kennen die Geschichte jetzt. Laetitia war Ihre Tochter.«

Es war, als hätte Dupin den Satz nicht gesagt. Er verpuffte im Nichts.

»Ich hatte es Ihnen versprochen, Monsieur Morin, wir finden alles heraus«, Dupin hielt kurz inne. »Die ganze Wahrheit.« Die Worte waren kraftlos aus Dupins Mund gekommen. Sie waren längst wirkungslos. Lächerlich.

Dupin drehte sich um.

Er ging zur Tür.

Ein paar Sekunden später hatte er das Haus verlassen.

Er bog scharf nach links auf einen abschüssigen lehmigen Pfad, der bald zu einem schmalen Weg direkt am Wasser führte.

Nach ein paar Metern blieb er stehen.

»So ein Scheiß.«

Der Fluch war aus seinem tiefsten Inneren gekommen. Die Backenzähne des Unter- und Oberkiefers hatte er so fürchterlich aufeinandergepresst, dass es wehtat.

Die Dinge liefen vollends aus dem Ruder, und er stand ohnmächtig daneben.

»So ein Scheiß!«

Der Fluch hallte über die ganze Insel.

Die Luft war schwer, warm, feucht, drückend. Die nebulöse Materie schluckte alle Geräusche. Es war totenstill. Nicht einmal ein leichtes Schwappen des dickflüssigen Meeres war zu hören. Keine Möwen. Keine Menschen. Keine Motoren. Es war seltsam dämmrig.

Linker Hand wechselten sich spitze, bizarr geformte Felsen mit großen, glatten Granitplatten ab. Und alle versanken sie nach einigen Metern im finsteren Atlantik, der sich bereits nahe an die innersten Küstenlinien vorgearbeitet hatte. Die Flut kam. Etwas weiter draußen schimmerten Schemen, Silhouetten von kleinen schroffen Felseninseln, manche mit dunkelgrüner Haube. Irreale Gefilde. Bilder, wie man sie aus

Science-Fiction-Filmen kannte, imaginierte Landschaften fremder Planeten.

Die Luft roch nicht, sie stank, es biss fast in den Augen, ein Cocktail modriger, fauliger Algen, sich zersetzender Meeresinnereien, die das steigende Wasser die Insel hochschob. Dafür jedoch hatte der Kommissar kein weiteres Grollen mehr vernommen, nicht einmal in der Ferne. Das Gewitter hatte sich also beruhigt.

Die Entfernung zwischen Sein und Molène war nicht wirklich groß, aber die Unterschiede zwischen den Inseln waren es. Molène war völlig anders, schon in der Form. War die Île de Sein unförmig in die Länge gezogen, zerrissen, so war Molène eine harmonisch gerundete, beinahe kreisrunde Bilderbuchinsel. Schon an den Wasserrändern lag sie zwei, drei Meter höher als Sein und stieg von dort aus Richtung Inselmittelpunkt noch einmal an. Ihr traute man den Widerstand in tobenden Stürmen zu. Und alles wirkte sanfter als auf Sein, ausgewogener, mehr im Einklang, auch wenn die Vegetation auf »Moal-Enez« – der »kahlen Insel«, so der bretonische Ausdruck – eigentlich auch nicht mehr zu bieten hatte; auch hier fehlten Bäume, große Sträucher oder Hecken. Das Dorf mit seinen zweihundert Einwohnern formierte sich um den Hafen im Osten herum.

Dupin war dem einsamen Fußweg am Wasser gefolgt, der einmal um die Insel herumzuführen schien. Er hatte sich bemüht, Schärfe und Klarheit des Denkens zurückzugewinnen. Sich zu beruhigen. Er dachte viel zu angestrengt nach, fiebrig, erhitzt. Er wollte es erzwingen. Mit Gewalt. Mit Hast. Dabei wurde man bloß fahrig.

Er hatte begonnen, alles in Ruhe Revue passieren zu lassen. Alles, was seit gestern Morgen geschehen war, als er übermüdet und fröstelnd in dem engen gekachelten Raum der Fischhalle gestanden hatte. Vielleicht hatte er einfach etwas übersehen. Irgendwo, irgendwann hatte vielleicht jemand etwas gesagt, hatte er vielleicht etwas beobachtet und möglicherweise sogar in sein Notizheft geschrieben, das einen Hinweis enthielt. Den er bloß bisher noch nicht als solchen erkannt hatte. Er hatte sein Clairefontaine herausgeholt und hatte es, ohne stehen zu bleiben, durchgeblättert; dabei wäre er einige Male fast gestolpert.

Plötzlich durchbrach ein Lärm die eigentümliche Stille. Dupin war sich sicher, dass sein Handy noch nie so laut geklingelt hatte.

Eine unterdrückte Rufnummer.

»Ja?«, sagte er mürrisch.

»Ich habe noch einmal nachgedacht, Georges«, seine Mutter, es durfte nicht wahr sein, sie besaß ein untrügliches Gespür für den denkbar unpassendsten Augenblick, »ich weiß nicht, ob ich mich heute Morgen, als der Florist da war, klar ausgedrückt habe. Es ist schlicht undenkbar, dass du morgen nicht dabei bist. Das ist keine Möglichkeit, die wir in Betracht ziehen werden. Ich verstehe, dass du dich in einer Untersuchung befindest und dass es um eine äußerst unangenehme Geschichte geht – ich habe fürwahr Verständnis für alles –, aber du wirst sie dann eben bis morgen früh abgeschlossen haben müssen.«

»Ich …«

»Du hast zu tun, Georges, ich weiß, ich lasse dich weiterarbeiten. Bis morgen, mein Liebling.«

Es war das Ende des Gespräches.

Des ganz und gar wahnsinnigen Gespräches.

Noch bevor Dupin das Telefon fassungslos wieder in seiner Hosentasche verstaut hatte, klingelte es ein zweites Mal.

Wieder eine unterdrückte Nummer.

»Ah. – Monsieur le Commissaire!«

Bedauerlicherweise erkannte er die Stimme sofort.

Und in diesem Moment hätte er sich glatt gewünscht, es wäre noch einmal seine Mutter gewesen. Denn das hier war noch schlimmer: der Präfekt. Den er erneut – in dieser Hinsicht war es vielleicht der glücklichste aller seiner bisherigen bretonischen Fälle – völlig vergessen hatte. Umso schockartiger krachte dessen Existenz nun in Dupins Bewusstsein zurück.

»Es gibt Ärger«, schoss der Präfekt los, »ordentlich Ärger.« Die Worte ließen darauf schließen, dass eine seiner notorischen Tiraden folgen würde – verwirrend war bloß, dass seine Stimme nicht cholerisch klang.

»Madame Gochat, die Hafenchefin, hat Klage eingereicht. Gegen Sie und das polizeiliche Vorgehen. Sie kennt ein paar mächtige Leute in Rennes. Fischerei-Lobby«, seine Stimme hatte sich mit den letzten Worten mehr und mehr verhärtet, der Anfall stand vielleicht doch unmittelbar bevor. »Nötigung, Freiheitsberaubung und so etwas. Hören Sie gut zu«, es folgte eine rhetorische Pause, Dupin erwartete das Schlimmste. »Wir werden uns von dieser hochnäsigen Person in keiner Weise beeindrucken lassen! Soll sie schimpfen wie ein Rohrspatz, sich aufführen wie Rumpelstilzchen. Haben Sie verstanden? Keine Glacéhandschuhe! Seien Sie erbarmungslos. – Sie tun alles, was getan werden muss.«

Dupin glaubte, zu halluzinieren.

»Ich … Das werde ich, Monsieur le Préfet. – Wenn erforderlich. – Polizeilich erforderlich.«

»Polizeilich hin oder her, so ein Quatsch! Seien Sie nicht so zimperlich! Sie wissen doch, meine Frau ist aus Douarnenez. Wir besitzen noch das Haus ihrer Eltern.« Dupin wusste es natürlich nicht, und es erschloss sich ihm auch nicht, warum er es wissen sollte. »Vor ein paar Jahren haben wir uns ein neues Boot zugelegt, und selbstverständlich wollten wir es in den *Vieux Port* legen, wohin sonst? An einen der schönen Plätze gleich vorne. Gochat hat es rundweg abgelehnt, da etwas für mich zu machen. Die reine Boshaftigkeit!«

Daher wehte also der Wind. Dupin hätte es wissen müssen.

»Und noch eine Sache, mon Commissaire«, bei dieser Formel war äußerste Vorsicht angesagt, Dupin wappnete sich. »Ich denke, Sie sind sich gewahr, dass diese für die Sicherheit auf den Straßen unserer Nation überaus bedeutsame Übung, bei der ich mich befinde, bis übermorgen Abend dauern wird. Bis Sonntagabend, achtzehn Uhr. Ja?«

»Durchaus«, so lange hätte er einigermaßen Ruhe. Aber auch jetzt hatte Dupin keine Ahnung, worauf der Präfekt abzielte.

»Wie gesagt: von dringendem nationalem Interesse! Ich werde also vor Montagmorgen keine Pressekonferenz geben können, um den erfolgreichen Abschluss der Ermittlungen verkünden zu können.«

Er hielt inne und machte keine Anstalten, fortzufahren. Die Pointe musste also schon enthalten gewesen sein.

Dupin brauchte einen Moment, dann fiel der Groschen.

»Ich …« Ihm fehlten die angemessenen Worte.

»Es gibt also keinen Grund für Sie, irgendetwas zu überhasten. Irgendeine übertriebene Hektik an den Tag zu legen. Es reicht vollkommen, wenn Sie den Täter Anfang der Woche dingfest machen«, ein komplizenhafter Ton, der für Dupin noch schwerer zu ertragen war als jeder cholerische Ausbruch. »Das ist doch dann ein wunderbarer Wochenbeginn. Die Verkündung unseres gemeinsamen ermittlerischen Triumphes!«

Es war ganz und gar ungeheuerlich. Bei jedem Fall geschah es aufs Neue, dass Dupin dachte: Das jetzt übertrifft alles, was sich der Präfekt je geleistet hat, und wird nicht mehr zu überbieten sein. Und jedes Mal wurde er eines Besseren belehrt.

»Ach, Commissaire, und nur, weil wir gerade sprechen. Ich habe irgendetwas von einer Protestaktion wegen dieser Düne gehört. Die mit einer großen Abschlusskundgebung genau vor der Präfektur in Quimper endet. – Wissen Sie etwas davon?«

»Ich …«

»Chef!«

Dupin fuhr zusammen.

»Ist alles in Ordnung, Chef?«

Riwal – Kadeg im Schlepptau – kam über den schmalen Küstenweg gelaufen.

Dupin reagierte sofort:

»Ich bin untröstlich, Monsieur le Préfet. Dringende Neuigkeiten. Ich melde mich.«

Umgehend hatte er aufgelegt, er konnte kein Risiko eingehen.

»Sie müssen vorsichtig sein. Zwischen den Grasbüscheln auf dem Weg hier versteckt sich glitschiger Granit, da rutscht man schnell aus.«

Dupin antwortete nicht.

Riwal schaltete sofort um:

»Bei Ihnen war besetzt. – Wir haben den Arzt getroffen. Er hat gesehen, wie Sie auf den Inselrundweg abgebogen sind, er hatte sich schon gewundert. Wussten Sie, dass es siebenundzwanzig blaue Bänke gibt auf diesem Weg, platziert jeweils an den schönsten Aussichtspunkten?« Dupin war zu sehr in seine Gedanken vertieft gewesen, um auch nur eine zu bemerken. »Es handelt sich um den offiziellen Inselrundweg.«

Riwals Satz wirkte wie eine Aufforderung, alle drei setzten sich mit diesen Worten wieder in Bewegung.

»Wenn man etwas sehen könnte«, fuhr Riwal fort, »hätten Sie hier an der Nordwestseite einen atemberaubenden Blick. Vor allem, wenn auch noch Ebbe wäre«, zwei absurde Konjunktive. »Sie hätten einen perfekten Eindruck vom gesamten Archipel. – Richtung Süden«, Riwal machte eine sinnlos vage Geste in die graue Brühe hinein, »liegen ein paar größere Inseln. Auf einer gibt es ein zerfallenes Haus, das mal von einem verrückten Fischer bewohnt war, auf einer anderen hat der Parc eine Messstation. Auf einer weiteren pflegen Ornithologen einen Hochstand. Der gesamte Archipel ist ein Paradies für Vögel. – Geologisch handelt es sich bei dem Archipel um ein gigantisches Granitplateau, das noch während der letzten Eiszeit zum bretonischen Festland gehörte und erst langsam zu Meeresboden wurde. Bis auf die Inseln eben. – Wissen Sie, was man sagt?«, eine rhetorische Frage, Dupin war immer noch zu sehr mit den beiden Telefonaten beschäftigt, um einzuschreiten. »Bei Flut ist es ein Meer mit Land, bei Ebbe ein Land mit Meer.«

Riwal hielt inne und warf Dupin einen prüfenden Blick zu, offensichtlich ein Versuch, den Gemütszustand des Kommissars zu ergründen. Dann schickte er seinem Exkurs rasch eine Frage zum Fall hinterher:

»Wie war das Gespräch mit Morin?«

Dupin musste etwas klären, es ging nicht anders, auch wenn er von seiner eigenen Maxime abwich:

»Riwal, wissen Sie etwas von einer ›großen Abschlusskundgebung‹ des Protestzuges *vor* der Präfektur?«

»Selbstverständlich. Der Demonstrationszug hat am Quai de l'Odet begonnen. Die Kundgebung findet natürlich vor der Präfektur statt. Sie müsste in diesen Minuten beginnen. Es sind viele Hundert Menschen. Die Stimmung muss ziemlich aufgeheizt sein, die Leute haben eine Stinkwut. Zu Recht! Es wird viele pressewirksame Bilder geben, auch wenn der Präfekt selbst nicht da ist.«

Genau das war das Problem. Dupin sah die Bilder vor sich: Nolwenn in Großaufnahme mit einem Banner in der ersten Reihe direkt vor Locmariaquers Büro. Er sah die fliegenden Eier und Tomaten. Zu Bruch gehende Fensterscheiben.

Aber, Dupin musste plötzlich unwillkürlich grinsen, was machte er sich Sorgen? Es war Nolwenn! Sie würde seine Hilfe nicht benötigen. Und wenn doch, dann wäre er natürlich da. An ihrer Seite.

»Also, was sagt Morin?« Riwal hatte vollkommen recht, es gab Dringenderes zu besprechen.

Dupin gab das Gespräch wieder, so gut es ging.

»Das ist vollkommen inakzeptabel, wir müssen Morin zwingen, zu reden«, plusterte Kadeg sich auf.

»Was wollen Sie tun? Ihn foltern? – Sie behalten Morin ab jetzt permanent im Auge, Kadeg. Permanent! Und er soll es ruhig merken. Sie bleiben hier auf Molène. Jemand anderes soll Gochat übernehmen. – Und besorgen Sie sich Unterstützung. Egal, was er tut, Sie bleiben an Morin dran.«

»Er wird jetzt keinen Fehler machen.«

»Trotzdem«, beharrte Dupin, er spürte, dass die Angriffslust zurück war. »Und nun zum Wesentlichen: Wer war wo zwischen eins und Viertel nach zwei heute Mittag?«

Ein dumpfes Grollen hob an. Und dieses Mal schien es gar nicht mehr weit entfernt.

»Das kam von Süden«, Riwal machte erneut eine unsinnige Geste ins Diffuse. »Irgendwo da muss auch die Sache mit Morin passiert sein.«

»Übrigens«, Kadeg war, noch unsinniger, Riwals Geste mit den Augen gefolgt, »wir haben den Algenfischer, der Morin aus dem Meer gezogen hat, überprüft. Er scheint unverdächtig. Es gibt keinerlei Hinweise, dass er mit der Sache irgendetwas zu tun haben könnte.«

»Gut«, Dupin nickte anerkennend.

»Er kommt aus Lanildut«, ergänzte Riwal, »dem wichtigsten Algenhafen Europas. Dort gibt es um die hundert Algenfischer. Die Menschen dort nennen die Algen ›Brot des Meeres‹, und die *Laminaires,* die bis zu vier Meter lang werden, die ›Spaghetti des Meeres‹.«

Algen waren eines der ganz großen bretonischen Themen, wusste Dupin, aus gutem Grund.

Sie gingen mittlerweile nur noch mit geringem Tempo: Der Küstenpfad war so schmal, dass sie hintereinander bleiben mussten. Um sich verständigen zu können, möglichst nahe hintereinander. Dupin, Riwal, Kadeg.

»In den Legenden ist von einem ›magischen Meereskraut zahlloser Farben‹ die Rede, das die magische Meereskuh *Mor-Yvoc'h* ernährt«, Riwal schweifte erneut ab. »Erst heutzutage werden die fantastischen Potenziale der verschiedenen Algen-arten wissenschaftlich entdeckt. Sie besitzen Potenziale für die Medizin, die Biotechnologie, die Pharmazie, die Kosmetik, als natürlicher Dünger, als alternatives Isolationsmaterial. Das größte Potenzial aber besitzen sie für die Ernährung. Wie wer-den wir die bald neun Milliarden Menschen auf unserem Pla-neten ernähren?« Es klang, als hätte Riwal vor, es selbst zu tun: »Mit Algen! Nur mit Algen wird uns das noch gelingen!«

»Zum Fall zurück«, Dupin wurde ungeduldig.

»Sie sind äußerst gesund! Reich an Jod, Magnesium, Bal-laststoffen und Antioxidantien. Und die großen Köche der Bre-tagne kreieren die wunderbarsten Köstlichkeiten mit ihnen. Bald wird es sogar einen Algen-Fernsehsender geben: *Breizh Algae TV*, der …«

»Die Alibis«, Dupin reichte es endgültig, »wie steht es um die Alibis?«

»Gaétane Gochat ist immer noch nicht zurück in ihrem Büro. Und bisher nicht zu erreichen«, Kadeg hatte Riwal überholt und zackig mit seinem Bericht begonnen, »am alten Hafen, wo der Liegeplatz ihres Bootes ist, hat sie noch niemand gesehen, auch ihr Mann ist bisher nicht …«

»Müssten sie nicht längst wieder zurück sein?«

Dupin war hellwach.

»Sie sind auf keinen Fall geradewegs von Sein nach Douar-nenez gefahren, so viel steht fest.«

»Und das finden Sie nicht äußerst alarmierend?« Dupin fasste es nicht.

»Sollen wir sie wieder verhaften, wenn sie auftaucht?«

Kadeg hatte keinerlei Anstrengung unternommen, die süffi-sante Ironie in seinem Tonfall zu verhehlen.

Dupin blieb ganz ruhig.

»Sobald sie wieder auftaucht, soll sie jemand befragen. – Und selbstverständlich: Wenn Madame Gochats Angaben darüber, wo sie gewesen ist, nachdem sie Sein verlassen hat, auch nur ansatzweise unvollständig sein sollten, nehmen wir sie sofort wieder fest. Auf der Stelle.«

Kadeg verdrehte die Augen.

»Riwal, über wie viele Hubschrauber verfügt die Küstenwache?«

»Das kann ich Ihnen nicht genau sagen, Chef. Vielleicht fünf im Finistère Sud.«

»Ich will, dass Sie nach Gochat suchen.«

»Ich denke nicht, dass es bei diesem Wetter Sinn macht.«

»Stimmt.« Dupin stöhnte.

»Denken Sie, dass sie es war?«

»Möglich. Auf jeden Fall ist sie auf der Suche nach etwas. Wie wir. Davon bin ich überzeugt. – Weiter, was ist mit den Alibis der anderen?«

»Sie haben Leblanc am Mittag ja noch auf Sein gesehen«, Riwal hatte sich offenbar um den Wissenschaftler gekümmert, »er ist später nach Ouessant, um auch dort die Werte zu nehmen. Dort habe ich ihn erreicht. Noch vom Boot aus, um 14 Uhr 33. Das Institut verfügt auf Ouessant über eine kleine Forschungsstation. Mit zwei Mitarbeitern. Ich habe mit einem der beiden gesprochen, er bestätigte, dass Leblanc schon eine Zeit lang da gewesen sei, konnte aber nicht genau sagen, wie lange. Leblanc behauptet, ab 13 Uhr 45. Wenn das stimmt, war es wahrscheinlich zu knapp für einen Zusammenprall mit Morin. Wenn nicht, wenn er eine halbe Stunde später auf Ouessant angekommen wäre, sähe es ganz anders aus. Es hängt auch sehr von der Geschwindigkeit ab, die sein Boot schafft.«

»Hm«, ein unwirsches Grummeln Dupins. Das war noch so eines dieser prekären Alibis, von denen sie seit gestern schon zu viele gehört hatten. Streng genommen besagte es gar nichts.

»Ich denke …«

Mit einem Mal zuckte Dupin zusammen.

Er blieb bewegungslos stehen.

Riwal lief beinahe in ihn hinein.

Vor ihnen waren dunkle, seltsam geformte Granitfelsen zu sehen. Direkt neben dem Weg. Und einer dieser Felsen hatte sich gerade bewegt. Langsam, gemächlich – aber: bewegt. Ganz eindeutig.

Dupin fixierte die Stelle.

»Eine dicke Kegelrobbe. Müde vom vielen Fressen. Sie jagen, und dann machen sie es sich hier gemütlich.« Riwal klang hocherfreut.

Die Kegelrobbe hatte den Kopf in ihre Richtung bewegt. Sie schien die kleine Menschengruppe für einen Moment zu mustern, um dann aus irgendeinem Grund zu befinden, dass sie nicht gefährlich aussah. Behutsam bettete sie den Kopf zurück auf die Felsen. Eine perfekte – anthrazitfarbene – Mimikry mit dem Granit, auf dem sie lag. Nur rechts und links der Schnauze und um die dunklen Augen schimmerte das Fell ein wenig heller. Und es war auch nicht bloß eine Robbe, es waren, sah Dupin jetzt, gleich mehrere. Acht Stück. Die anderen hatten es nicht für nötig befunden, den Kopf auch nur ansatzweise zu heben und nach dem Rechten zu schauen. Es sah gemütlich aus, sie lagen völlig entspannt ganz nahe beieinander, stattliche Exemplare, fast zwei Meter lang. Und niemand schien erstaunt, außer Dupin.

»Zu Vaillant«, Kadeg war wieder dran, Dupin war immer noch einigermaßen beeindruckt von den Robben. »Er war westlich von Ouessant, als ich ihn über Funk erreicht habe. Sie haben nach Makrelen gefischt.«

»Hätte er um 13 Uhr 45 an der Stelle sein können, wo es passiert ist?«

»Unter Umständen schon. Wie bei Leblanc. Ausgeschlossen ist es nicht.«

Fantastisch. Es ging so weiter.

»Er ist auf die Île de Sein gefahren, um Cola, Kaugummis,

Chips und Bier zu kaufen – und dann raus zum Fischen? Was hat er vor dem Supermarktbesuch gemacht?«

Sie hatten die Robben hinter sich gelassen – nicht ohne dass Dupin sich noch mal umgedreht hatte.

»Lange geschlafen, hat er gesagt.«

Es war grotesk.

»Ich …«

Kadegs Handy.

Er trat demonstrativ zur Seite und nahm an.

»Inspektor Kadeg?«

Er hörte länger zu.

»Drei seiner großen Boote? Drei der Hochseetrawler?«

Eine Antwort und dann eine Nachfrage Kadegs: »Was ist mit den Küstenbooten?«

Wieder hörte Kadeg länger zu. Dann beendete er das Gespräch.

Mit bedeutsamer Miene kam er zu Dupin und Riwal zurück.

»Drei der Hochseetrawler von Morin, die im Hafen von Douarnenez lagen, sind eben gleichzeitig ausgelaufen. Eigentlich sollten sie erst morgen wieder in See stechen.«

Dupin fuhr sich durch die Haare, auch das war kein Zufall.

»Wo befinden sich seine anderen großen Boote?« Dupin erinnerte sich an sechs, wenn er richtiglag.

»Zwischen Schottland und Irland. Weit entfernt. Zu weit.«

»Er wird auch alle seine Küstenfischer aktiviert haben«, warf Riwal düster ein.

»Ganz sicher«, bestätigte Kadeg.

Es überraschte Dupin nicht im Geringsten. Genau dafür hatte Morin seine Kräfte gebraucht. Für eine massive Aktion.

»Dennoch wird die Suche für sie nicht einfach«, grübelte Riwal. »Das Meer ist groß. Zudem könnte die fragliche Person längst an Land sein.«

»Könnten wir«, Dupin dachte laut nach, »Morins Flotte verfolgen lassen?«

»Selbst wenn wir wollten – wir verfügen nicht über genug Boote.«

»Weiter«, Dupin trieb zur Eile. »Was ist mit Jumeau? Wo hat er sich aufgehalten?«

Sie hatten sich wieder in Bewegung gesetzt. Nun in genau umgekehrter Reihenfolge, Kadeg, Riwal, Dupin, einer dem anderen dicht auf den Fersen. Bald würden sie die Insel umrundet haben.

»Ich habe ihn eben erst erreicht. Nördlich von Sein, wo er auch gestern war. Er behauptet, die ganze Zeit über in dem dortigen Gebiet gewesen zu sein, das wäre ungefähr zehn Seemeilen entfernt.«

»Klar.« Auch das war vollends schwammig. Was zugegebenermaßen ein Stück in der Natur der Sache lag, auch Jumeau hatte sich auf dem Meer aufgehalten. Um auf dem Wasser Entfernungen und Zeiten ermessen und abschätzen zu können, waren sie mit Motorenleistungen, Wellengang und Strömungen zu kombinieren. Was die Berechnungen zwangsläufig kompliziert und sehr elastisch werden ließ.

»Frédéric Carrière«, Kadeg übernahm wieder, »Morins *Bolincheur*-Chef, war um 14 Uhr 15 nur zwei Seemeilen von Ouessant entfernt, das ist nicht weit von dem Gebiet, um das es geht. Er ist von einem anderen Boot gesehen worden, von einem *Bolincheur*, der mit Morin nichts zu tun hat. Carrière selbst hat ausgesagt, ein ganzes Stück weiter im Norden gewesen zu sein. Schon fast außerhalb der nationalen Gewässer. Das heißt: Er hat gelogen. Er hat mich direkt angelogen.«

Vielleicht spielte Morins Fischer tatsächlich eine zentrale Rolle in diesem Drama.

»Knöpfen Sie ihn sich vor, Kadeg, und …«

Dupin brach ab.

Er war erstarrt.

Wie vom Blitz getroffen.

»Riwal, was – was haben Sie da eben gesagt?«

Der Inspektor drehte sich verwirrt um.

»Ich? Im Zusammenhang mit Jumeau oder Vaillant? Dass das Meer groß ist und …«

»Nein, nein. Das mit der Messstation des Parcs. – Dass der Parc Iroise da draußen eine Messstation unterhält«, Dupin zeigte ins diffuse Grau, wie Riwal es getan hatte, »auf einer Insel, im Süden von Molène, haben Sie gesagt, ungefähr da, wo das mit Morin passiert ist.«

»Ja. Auf der Île de Triélen. Aber …«

»Warten Sie«, in rasender Geschwindigkeit hatte Dupin sein Handy hervorgeholt.

Er hatte die Nummer heute schon angerufen.

Riwal und Kadeg standen ratlos vor ihm.

Es dauerte eine Weile.

»Hallo?«

Eine muntere Frauenstimme. Voller Elan.

»Spreche ich mit der Mitarbeiterin von Monsieur Leblanc?«

»Am Apparat.«

»Commissaire Dupin, ich war gestern …«

»Ich erinnere mich.«

»Nur eine Frage: Wenn Monsieur Leblanc freitags seine Tour zu den Messstationen unternimmt, wie genau sieht seine Route dann aus?«

»Immer dieselbe: Sein, Triélen, Ouessant, Béniguet und danach Rostudel auf der Halbinsel von Crozon.«

Dupin verstummte kurz.

»Triélen – die Insel im Süden von Molène?«

»Exakt.«

»Immer dieselbe Tour? Immer dieselbe Reihenfolge?«

»Nur bei extremen Wetterlagen macht er es manchmal anders. Triélen ist am heikelsten, der Wellengang, die Strömungen. Bei schwierigen Verhältnissen lässt er die Insel ab und zu aus und holt die Werte erst in der nächsten Woche.«

»Und heute?«

»Ich denke«, sie zögerte, »ehrlich gesagt weiß ich es gar nicht. Wir erwarten seit heute Mittag ein schweres Gewitter, andererseits ist das Meer bis jetzt noch einigermaßen glatt. – Soll ich ihn fragen?«

»Nein. Lassen Sie. Ich rufe ihn selbst an«, Dupin hatte fast schon aufgelegt. »Ich danke Ihnen.«

Riwal und Kadeg waren während des Telefonats näher und näher an den Kommissar herangerückt. Kadeg ergriff als Erster das Wort:

»Leblanc hat mir gesagt, er sei direkt nach Ouessant. Von Triélen hat er nichts erwähnt. Er wird den Stopp dort heute ausgesetzt haben.«

»Sie«, Riwal sprach scharf akzentuiert, »denken, Leblanc war auf Triélen, habe ich recht, Chef? – Dann wäre er wahrscheinlich unser Mann.«

Dupin schwieg.

»Aber selbst wenn er auf Triélen gewesen wäre und Morin ihm da aufgelauert hätte – und es würde ja perfekt passen«, Riwal stutzte, »wie sollten wir es beweisen können? Jemand müsste Leblanc zufällig gesehen haben. Und das ist äußerst unwahrscheinlich, vor allem bei diesem Wetter. Eigentlich ausgeschlossen.«

Dupin blieb still.

Bedauerlicherweise hatte Riwal recht. Es hatte sich wie eine plötzliche Eingebung angefühlt – und genau so etwas brauchten sie dringend.

»Es muss einen Weg geben.« Dupins Satz mutete wie eine Beschwörung an.

»Ich will Vaillant sprechen. Er weiß ...«

Dupin erstarrte erneut.

Und hatte im nächsten Augenblick wieder das Handy am Ohr.

Er drückte noch einmal dieselbe Nummer.

»Hallo?«

»Ich muss noch etwas wissen«, Dupin kam sofort zum Punkt: »Die Werte, die Monsieur Leblanc abliest – die er auf seinen Computer überspielt …«, mit einem Schlag war er in einen fiebrigen Zustand geraten, ihm war noch etwas eingefallen, »Sie sehen die Werte erst im System, richtig? Wenn Leblanc wieder im Büro ist. Ich meine, er überspielt sie dann erst ins System und nicht schon vorab über eine Funkverbindung?«

Das war die Frage, die ihm gerade durch den Kopf gegangen war.

»Nein. Erst dann.«

»Und wenn er sie davor löschen würde, sähen Sie die Werte nie.«

»Das ist richtig«, der Mitarbeiterin war – berechtigte – Verwirrung anzuhören. »Ich habe gerade mit Monsieur Leblanc telefoniert. Ich musste noch ein paar Dinge mit ihm klären vor dem Wochenende. Sie hatten ja gefragt: Er hat Triélen heute tatsächlich zunächst ausgelassen, weil er annahm, dass das Gewitter bereits losginge. Aber er fährt jetzt noch vorbei. Auf dem Weg zur Île de Béniguet.«

»Ich …«

Für Sekunden war Dupin außerstande weiterzusprechen, mit solcher Wucht hatte der Gedanke ihn durchzuckt. Ein glasklarer Gedanke dieses Mal.

Der alles erhellte.

Das war es.

Dupin war sich sicher.

»Haben Sie Monsieur Leblanc gesagt, dass ich nach seiner Route gefragt habe?«

»Nur nebenbei.«

Es konnte gar nicht anders sein.

Das war es. Das war die Lösung.

»Ich brauche Goulch, er muss uns sofort abholen!«

Riwal und Kadeg starrten den Kommissar an.

»Keine Zeit für Erklärungen. Riwal, geben Sie Goulch Bescheid. Er soll auf der Stelle kommen.«

Dupin hatte den Weg verlassen und lief über die Felsen auf das Wasser zu.

Sie mussten schnell sein.

Schneller als er.

Sonst wäre das Spiel verloren.

»Wo soll er hier anlegen?« Riwal hatte das Handy schon am Ohr, er kannte den unbedingten Tonfall Dupins.

»Er soll umgehend kommen.«

Dupin war es ernst. Er lief weiter auf das Wasser zu.

Es würde ganz knapp.

Er durfte den Beweis nicht zerstören. Es musste ihn geben.

Dupin hatte die Wasserlinie erreicht. Er schaute sich um. Von Sand oder Kieseln war nichts zu sehen, nur mächtige schwarze Felsen. Glücklicherweise herrschte Flut. Vielleicht würde Goulch ja einigermaßen nahe herankommen. Das Wasser war dunkelgrau, trist. Dichte Algenteppiche waren zu sehen.

Einen Augenblick später standen Riwal und Kadeg neben ihm.

»Goulch kommt.«

»Gut.« Dupin war in Gedanken.

»Wohin fahren wir?«, Kadegs Frage kam verhalten, nicht fordernd, selbst er schien zu spüren, dass es nicht der Moment war, forsch aufzutreten.

Dupin hörte sie nicht einmal.

Er hatte begonnen, unruhig auf und ab zu laufen. Den Kopf gesenkt.

»Die *Bir* wird sofort da sein«, Riwal schien den Kommissar beruhigen zu wollen.

Mit einem Mal blieb Dupin stehen. Auf seinem Gesicht lag tiefste Entschlossenheit.

Im nächsten Augenblick stürmte er los.

Geradewegs ins Wasser hinein.

Kadeg und Riwal standen mit offenem Mund, sie rührten sich nicht von der Stelle.

Rasch ging Dupin das Wasser bis zu den Knien.

Bis zur Hüfte.

Dann blieb er stehen. Von der Kälte des Meeres spürte er nichts.

Er wartete.

»Chef, das ist gar keine gute Idee.« Riwal hatte sich endlich gelöst und stürzte nun selbst auf die Wasserlinie zu.

Plötzlich wurde es laut. Die schweren Motoren von Goulchs Boot. Von rechts. Noch war in der grauen Suppe nichts von ihm zu sehen.

»Hier – wir sind hier!«

Dupin schrie aus Leibeskräften.

»Alles klar, Commissaire.«

Goulch; wie immer die Ruhe selbst. Er war klar und deutlich zu hören, er sprach durch ein Megafon. Es dauerte noch einen Moment, bis Dupin die *Bir* ausmachen konnte.

»Ich mache das Beiboot klar, Commissaire. Viel näher komme ich nicht ran.«

»Das dauert zu lange.«

Zügig, wenn auch ein wenig vorsichtiger als gerade, schritt Dupin voran. Der Untergrund war steinig und algig, es war nicht leicht, das Gleichgewicht zu halten.

Das Wasser stand ihm bis zur Brust. Und jetzt war es auch zu spüren. Sechzehn Grad, vermutete Dupin. Oder fünfzehn. Oder vierzehn.

»Passen Sie auf, Chef, Sie verlieren den Halt!« Riwals Stimme verriet, dass er die Katastrophe unmittelbar bevorstehen sah.

Dupin hielt ein letztes Male inne. Es waren noch zehn Meter bis zum Boot.

Dann glitt er, ohne einen weiteren Schritt zu machen, vollständig ins Wasser.

Und schwamm.

Er schwamm auf das tiefe Heck zu. Goulch hatte alles beobachtet und war mit zwei seiner Besatzungsmitglieder zum hinteren Teil des Bootes geeilt.

Riwal und Kadeg wateten nun ebenfalls ins Wasser. Tiefer und tiefer, bis auch sie schwammen. Immer schneller am Ende, ihnen war klar, dass der Kommissar nicht warten würde.

Dupin hatte das Boot erreicht, die Stufen am flachen Heck. Mit Goulchs Hilfe war er sofort an Bord. Ein Kollege hielt ihm eine Decke hin, die Dupin ablehnte.

»Nach Triélen. So schnell es geht.« Sein Herz pochte wild.

»Alles klar.« Goulch verschwand in den Kapitänsstand.

Riwal und Kadeg kraulten die letzten Meter.

Sie hievten sich gerade an Bord, als die Motoren hochfuhren.

»Wir sind da.«

Dupin hatte sich während der rasenden Fahrt zu Goulch ins Kapitänshäuschen begeben. Das Meerwasser triefte ihm aus dem Poloshirt, der Hose, den Socken und Schuhen, er nahm es nicht wahr. Er hatte vom erhöhten Stand die ganze Zeit angestrengt Ausschau gehalten, so unsinnig es auch war. Die nebulöse Materie schien noch undurchdringlicher geworden zu sein.

»Es gibt zwei Passagen«, Goulch zeigte Dupin auf seinem beeindruckenden Monitor einen detaillierten Kartenausschnitt. »Die Messstation liegt hier auf der schmalen Spitze. Es sieht so aus, als könnte man sich von Norden und Süden ungefähr gleich weit der Station nähern. Wir kommen von Norden.«

Kadeg und Riwal waren mittlerweile zu Goulch und Dupin gestoßen, was es sehr eng werden ließ im Kapitänsstand.

Es war immer noch nichts von der Insel auszumachen, keine Schemen, keine Felsen.

»Wie weit können wir ran?«

»Noch ein paar Meter, das war es dann, auch bei Flut.«

»Gibt es keine Mole?«

»Nein. Sie brauchen ein Beiboot.«

»Schalten Sie die Motoren aus, Goulch.«

Wenn sie nichts sehen konnten, mussten sie mit den Ohren arbeiten. Vor allem aber mussten sie hoffen, dass sie nicht zu spät gekommen waren.

Von einem auf den anderen Moment war es still.

Vollkommen still. Einzig das leichte Schwappen des Wassers vom langsamen Ausgleiten des Bootes war zu hören.

»Drei Möglichkeiten«, Dupin sprach gedämpft, »er kann bereits wieder weg sein, so weit, dass wir sein Boot nicht mehr hören; er kann sich genau jetzt auf der Insel aufhalten und die Motoren seines Bootes sind aus, dann weiß er, dass jemand gekommen ist; oder er kommt erst noch, und wir werden das Boot bald hören.«

Für eine Weile sagte niemand etwas.

»Wir gehen an Land.« Dupin lief auf das Heck zu. »Ich will zu der Station.«

»Ich würde dieses Mal das Beiboot nehmen«, bemerkte Goulch sachlich.

Plötzlich waren Schemen zu sehen, dunkle flache Felsen. Silhouetten. Vielleicht zwanzig Meter entfernt. Sie lagen wirklich direkt vor der Insel.

»Es geht ganz schnell«, Goulch hatte auf einen großen gelben Knopf gedrückt, schon ließen die beiden massiven Arme das Beiboot zu Wasser.

»Gut.«

Mit einem behänden Satz stand Dupin auf dem harten Gummi des Beibootes. Kadeg und Riwal folgten.

»Nehmen Sie das mit«, Goulch reichte dem Kommissar ein Funkgerät. »Ich bleibe mit dem Boot genau hier. Wenn Sie an Land sind, müsste die Station in rund hundert Metern auf der rechten Seite liegen. Direkt am Wasser.«

Dupin nickte.

Goulch stieß das Beiboot ab.

Kadeg und Riwal hatten sich ein Paddel geschnappt und setzten das Boot in Bewegung.

Fast lautlos glitt es Richtung Felsen. Dupin fasste intuitiv nach seiner Waffe.

Ein paar Meter noch, dann hatten sie die Insel erreicht.

Riwal hielt nach einer Stelle zum Aussteigen Ausschau. Immer noch war kein anderes Geräusch zu hören. Auch hier keine Möwen, keine Menschen. Nichts.

Riwal kletterte als Erster aus dem Boot.

»Hier geht es gut.«

Dupin tat es ihm gleich. Dann Kadeg.

Das Wasser war hüfttief.

Ohne Zweifel: Wenn Leblanc auf der Insel war, wusste er, dass sie da waren – aber nicht genau, wo. Und auch er würde sie nicht sehen können. Dupin watete an Land.

Er kletterte die dunklen Felsen hoch, bis er auf buschigem Gras stand. Er hielt sich rechts, wie Goulch gesagt hatte. Die Inspektoren zwei, drei Meter hinter ihm.

Es war gespenstisch. Die dichte Brühe, die absolute Stille, als würden die Natur, die Insel, das Meer den Atem anhalten.

Dupin bewegte sich langsam, die Hand an seiner SIG Sauer.

Das Gelände stieg nach einiger Zeit an.

Rechts, auf dem Felsen am Wasser, waren jetzt Konstruktionen aus Beton zu sehen. Vermutlich ein Teil der Befestigungen für die Messgeräte.

Urplötzlich brach ein gewaltiger Lärm los.

Dupin hatte ihn sofort eingeordnet.

Ein aufheulender Bootsmotor.

Er war also da.

»Es kommt von der anderen Seite der Insel.« Riwal war unvermittelt losgestürzt, Kadeg ebenso. Auch Dupin zögerte nicht. Der Lärm hatte ein wenig nachgelassen, blieb aber konstant.

Sie liefen über Gras und Steine, ohne zu sehen, wohin. Geradewegs auf die Quelle des Lärms zu. Die Insel war größer, als Dupin gedacht hatte.

Sie erreichten das Ufer.

Und sahen auch hier erst einmal nichts.

Das Boot musste weiter links liegen. Die Felsen wirkten noch spitzer und schroffer als auf der anderen Seite. Sie mussten aufpassen, nicht auszurutschen. Man konnte sich Arme und Beine brechen.

Noch ein paar Meter, dann sahen sie das Boot. Ein Zodiac, Dupin erkannte es sofort. Sie konnten eine Leine sehen, die provisorisch um einen hervorstehenden Felsen gebunden war.

Es war niemand zu sehen.

»Er hat den Leerlauf eingelegt.«

Natürlich – Riwal hatte recht. Dupin war die Monotonie der Motorengeräusche schon beim Laufen aufgefallen.

Die Reaktion erfolgte im Bruchteil einer Sekunde: Dupin drehte sich mit einem jähen Satz um und stürmte in die Richtung, aus der sie gekommen waren.

»Zurück! Alle zurück. Zur Messstation. So schnell es geht.«

Er hatte sie an der Nase herumgeführt. Ein Täuschungsmanöver. Und sie waren darauf reingefallen.

Er hatte sie von der Messstation weglocken wollen. Und es war ihm gelungen. Dabei hatte Dupin gewusst, dass es eigentlich nur um die Station ging.

Der Kommissar lief, so schnell er konnte. Das durfte nicht wahr sein. Würden sie auf diese absurde Weise scheitern? Im allerletzten Moment? Durch einen dummen Trick?

Dupin zog – ohne das Tempo zu verringern – seine Waffe.

»Polizei! Bleiben Sie von der Station fern«, er schrie, so laut er konnte, ins diffuse Grau hinein. »Stellen Sie sich!«

Er lief weiter, ohne eine Reaktion abzuwarten.

»Ich werde jetzt schießen. Entfernen Sie sich von der Station und stellen Sie sich.«

Keine Reaktion.

Er hielt im Laufen die Waffe gen Himmel.

Und schoss.

Einmal. Zweimal. Dreimal.

Nichts.

Nach einer Weile sah er wieder Wasser. Sie waren zurück auf der Seite der Insel, wo sie angelegt hatten. Er hörte Riwal und Kadeg hinter sich und hielt sich jetzt links.

Seine Orientierung hatte ihn nicht im Stich gelassen. Ein paar Meter weiter entdeckte er wieder die Betonkonstruktion. Die Messvorrichtung.

Wäre die ganze Station so angelegt wie auf Sein, würde sich auch der Schuppen irgendwo in der Nähe befinden.

Dupin stolperte, sodass er fast hinschlug. Lief weiter.

Blieb abrupt stehen.

Links war ein Umriss zu erkennen. Das musste er sein.

Noch ein Stück, und er konnte ihn sehen: einen schlichten Schuppen aus Beton. Rechts eine Tür.

Es würde um Sekunden, Sekundenbruchteile, gehen.

Mit einem Satz war er drin. Bereit, die Pistole im Anschlag.

Niemand.

Kadeg und Riwal kamen hinter ihm in den Raum gestürzt.

»Hier ist er nicht«, keuchte Kadeg.

»Egal.« Dupin war schon wieder bei Atem. Er wirkte völlig konzentriert.

Seine Augen suchten den Raum ab. Auch innen glich er dem von Sein. Ein Tisch aus Aluminium, ein Stuhl davor. Technische Apparaturen an der Wand über dem Tisch, ein Kasten, kleine Dioden, die rot blinkten.

Er musste sich erinnern. Wo war das Kabel angeschlossen gewesen?

An der Seite irgendwo.

Richtig.

Hier waren zwei Anschlüsse. USB-Anschlüsse, reguläre USB-Anschlüsse, wenn Dupin es richtig sah.

»Ich will endlich wissen, was hier gespielt wird«, blaffte Kadeg, um keine Mäßigung mehr bemüht. »Was hat das alles zu bedeuten, Commissaire?«

Bootsmotoren heulten auf, bevor Dupin antworten konnte.

»Er flüchtet«, Riwal machte einen Satz Richtung Tür, »er hat uns schon wieder ausgetrickst!«

»Lassen Sie ihn. Wenn er gerade schon hier in der Station war, ist ohnehin alles verloren. Und wenn nicht, haben wir alles, was wir brauchen.«

Dupins Funkgerät meldete sich.

»Hier Goulch. Es hört sich so an, als würde ein Boot die Insel verlassen. Was soll ich tun?«

»Das ist Leblanc. Verfolgen Sie ihn.«

»Sollen wir ihn verhaften, wenn wir ihn haben?«

»Das sage ich Ihnen dann.«

»Gut. – Over.«

Dupin wandte sich der Apparatur zu.

»Wir brauchen auf der Stelle ein Notebook.«

So weit hatte er eben nicht gedacht.

Wieder waren hochfahrende Motoren zu hören. Wieder war der Lärm gewaltig.

»Sie wollen«, Riwal hielt inne, dann zeigte sich plötzlich ein Strahlen auf seinem Gesicht, er hatte verstanden, es platzte aufgeregt aus ihm heraus: »Sie wollen eine Verbindung zu dem Apparat hier aufbauen. Dort – ist der Zeitpunkt des letzten Datenabrufes gespeichert«, seine Stimme überschlug sich fast. »Er war *doch* schon hier, er hat uns angelogen. Leblanc ist hier gewesen – und er *hat* die Werte abgelesen. Kurz bevor das mit Morin geschah. Das – das ist der Beweis«, er stammelte begeistert, »der unwiderlegbare Beweis. Die Messstation wird es uns sagen.

Deswegen – deswegen musste er wiederkommen. Er musste das Übertragungsdatum löschen. Die Uhrzeit, die ihn verrät.« Man konnte förmlich sehen, wie sich das Puzzle vor Riwals Augen zusammensetzte. »Vor allem, nachdem er eben von seiner Assistentin gehört hat, dass Sie nach seiner Route gefragt haben. – Die Uhrzeit des Datenabrufes ist an zwei Orten gespeichert: auf seinem eigenen Computer und hier. Auf seinem Computer kann er es einfach löschen – um es hier zu löschen, musste er wiederkommen«, er setzte kurz ab, »Leblanc ist von Sein *keineswegs* direkt nach Ouessant gefahren, er war hier. Und hier – *hier* hat Morin ihn zu stellen versucht. Auf der Insel! Er hat ihm hier aufgelauert. Vermutlich, als Leblanc die Insel wieder verlassen wollte. Er muss die Daten ja noch überspielt haben.«

Ungefähr so waren auch Dupins Schlussfolgerungen gewesen.

»Wir lassen uns ein Notebook von Molène bringen. Es müssten zwei Polizeiboote auf der Insel sein«, Kadeg war jetzt ganz bei der Sache. Schon war er aus dem Schuppen, um zu telefonieren.

»Auf alle Fälle wissen wir nun, dass er es war«, stieß Riwal hervor.

»Wenn er das Datum der Übertragung vom Mittag löschen konnte, stehen wir mit leeren Händen da.«

»Alleine, dass er gerade auf die Insel gekommen ist und uns hier zum Narren gehalten hat, ist doch ein eindeutiges Indiz.«

Dupin machte sich keine Illusionen, er hatte es in Gedanken bereits durchgespielt: »Er wird behaupten, dass er nach seinem Stopp auf Ouessant beschlossen hat, doch noch rasch nach Triélen zu fahren, weil das Gewitter anders als erwartet nicht gekommen ist. Dass er uns auf der Insel gar nicht bemerkt hat. Wegen des Motors. Und dass er den Motor hat laufen lassen, weil er nur ganz kurz da war, dass er das immer so macht. Und so weiter.«

Kadeg war zurück. »Sie bringen uns ein Notebook, es wird

nicht lange dauern.« Sein Ton machte deutlich, dass er jemanden mächtig aufgescheucht hatte.

»Gut.«

Dupin ging langsam durch den Raum. Äußerlich ruhig, mit
einer inneren Anspannung aber, die sich jederzeit entladen
konnte.

Es würden entsetzliche Minuten.

Sie würden warten müssen. Geduld haben.

Mit aller Kraft versuchte Dupin die Gedanken auf anderes zu lenken. Eine Frage rückte erneut in den Mittelpunkt:
Wo war der Gegenstand, um den sich alles drehte? Den Kerkrom und Darot geborgen hatten? Denn daran, so Dupins
Überzeugung, hatte sich nichts geändert: Es ging um diesen
Fund. Er war der Kern von allem. Nur, worum handelte es
sich bei dem Gegenstand? Jetzt, da er wusste, dass sie hinter
Leblanc her waren und nicht hinter Morin; zumindest nicht
im Hinblick auf die Morde? Jetzt war alles anders. Es würde
nicht um eine Planke oder den Motor eines Schmuggelboo-
tes gehen.

Die beiden Inspektoren hatten Dupin intuitiv in Ruhe gelassen, er lief auch jetzt weiter durch den Raum.

»Geben Sie den Befehl, Leblancs Haus zu durchsuchen. Alle
Gebäude und Grundstücke, die ihm gehören oder mit denen
er in Verbindung steht. Schuppen, Verschläge, Abstellräume,
was auch immer. Dasselbe gilt für das Institut, sämtliche Gebäude des Parc Iroise. Vor allem auf der Île Tristan. Aber nicht
nur.« Dupin überlegte: »Sie sollen sich auch alle Messstationen des Parcs anschauen. – Die offizielle Formulierung lautet:
Wir suchen nach einem wertvollen Gegenstand. Ungefähr einen Meter vierzig hoch, womöglich aus Gold. – Ich«, erst jetzt
drehte er sich zu seinen Inspektoren, »ich will eine Großak-
tion.«

»Alles klar, Chef«, Riwal wirkte erleichtert. Kadeg nickte
knapp.

Beide verließen den Raum.

Dupin blieb allein zurück. Er hatte vor der Apparatur halt-gemacht.

Regungslos starrte er sie an.

Kadeg trug das Notebook wie einen heiligen Gegenstand vor sich her. Übertrieben vorsichtig stellte er es auf den schmalen Aluminiumtisch. Dupin war ungeduldig.

»Und hier das USB-Kabel«, Kadeg zog es aus der Hosentasche.

Dupin nahm es und steckte es eilig in den Slot an der Apparatur.

Das Notebook fuhr hoch. Riwal übernahm, er stellte sich vor die Tastatur, Kadeg ließ ihn gewähren.

»Wir verfügen natürlich nicht über das Programm des Instituts, mit dem die Messwerte übertragen und gespeichert werden, ich versuche es auf Betriebssystem-Ebene. Der USB-Port der Anlage muss uns als externe Hardware ja nur sagen, wann er das letzte Mal kontaktiert wurde.«

Dupin hatte keinen blassen Schimmer, was Riwal da fachsimpelte. Es war auch gleichgültig.

Riwal tippte mit Verve, seine Miene signalisierte äußerste Aufmerksamkeit.

»So nicht«, ein Brummen, das Klacken der Tastatur, wieder ein Brummen, »so nicht.«

Erneut das Klacken, ein dumpfes leises Piepen: »Und so auch nicht.«

Eine Pause.

Riwal tippte mit zehn Fingern.

»Mist!« Riwal atmete tief ein. »Aber«, eine ausgedehnte Pause, »aber so!«

Plötzlich schien er in Hochstimmung.

Auf dem Display war gar nicht viel zu sehen. Nur links unten am Rand eine Reihe von Befehlen. Buchstaben, Zeichen, Zahlen. In winzigem Schriftgrad.

Dupins Blick hing an der letzten Zeile:

»Synchronising run: 22.06. – – – 13.25«.

»Da ist er, da ist unser Beweis. Um genau 13 Uhr 25 hat hier jemand Daten abgerufen. – Das ist belastbar.«

Dupin verharrte bewegungslos. Er sagte kein Wort.

Ein paar – feierliche – Augenblicke war es ganz still.

Bis schlagartig neuer Lärm einsetzte. Wütender prasselnder Regen. Wie aus dem Nichts hatte es zu schütten begonnen. Mit apokalyptischer Heftigkeit.

Dann brach ein markerschütternder Donner los, der Himmel und Erde erzittern ließ.

Das Gewitter. Es war doch gekommen.

»Sagen Sie Goulch Bescheid, Riwal. Er soll Leblanc verhaften, sobald sie sein Boot aufgetan haben.«

Auf Dupins Gesicht war ein kurzes Lächeln zu erkennen.

»Goulch hat sich eben gemeldet, als wir draußen waren. Sie haben Leblancs Boot auf dem Radar, sie sind dran. Aber er versucht mit aller Kraft, die *Bir* abzuschütteln. Er fährt halsbrecherische Manöver kreuz und quer. Gerade hält er trotz des aufgewühlten Meeres auf die kleinen Inseln vor Quéménès zu, wo das Wasser sehr flach ist.«

Ein gigantischer greller Schein erleuchtete den Himmel und die Insel, ein Blitz, der durch alles hindurchgekommen zu sein schien, auch durch die massiven Wände, so grell war er gewesen. Der dazugehörende Donner folgte auf der Stelle. Der Krach war noch gewaltiger als der erste.

»Wir sollten schleunigst von der Insel runterkommen und aufs sichere Festland gelangen. Jetzt geht es richtig los.« Riwal wirkte ernsthaft besorgt, was kein gutes Zeichen war, zweifellos war er bei extremen Wetterlagen der Hartgesottenste von ihnen dreien.

Zusätzlich zu Regen, Blitz und Donner brachen nun heftige Böen los.

»Das Boot, das das Notebook gebracht hat, liegt ungefähr dort, wo Goulch gelegen hat. Zwei Kollegen sind mit auf die Insel gekommen. Sie warten beim Beiboot.« Auch auf Kadegs Stirn hatte sich eine tiefe Sorgenfalte gezeigt.

»Dann los.«

Der Kommissar hatte äußerst ungute Erinnerungen an einen Sturm auf den Glénan-Inseln, der ihn zu einer provisorischen Nacht auf einem erbärmlichen Klappbett in einem klammen, engen Zimmer zusammen mit Riwal und einem anderen Polizisten gezwungen hatte. Und hier war nicht einmal ein Klappbett zu sehen.

»Ich lasse die Anzeige des Notebooks, wie sie ist. Ich mache aber sicherheitshalber ein paar Screenshots.«

Nach ein paar Klicks klappte Riwal das Notebook zu.

»Wie bekommen wir es trocken aufs Boot?«

Eine gute Frage. Sie konnten es nicht einmal unter ihre Kleidung nehmen. Immer noch waren sie triefnass von ihrem Meeresausflug.

Dupin blickte sich um.

In einer Ecke lagen zwei größere Styroporstücke neben allerlei anderem Krimskrams.

»Das müsste gehen«, Dupin schnappte sie sich. »Wir klemmen das Notebook dazwischen.«

Sie waren dreckig und verschmiert, aber trocken.

»Gut«, Riwal nickte zustimmend.

Dupin legte das Notebook zwischen beide Styroporstücke.

Wieder ein gewaltiger Blitz – wieder ein gewaltiger Donnerschlag.

»Zum Boot!«

In der Tür blieben sie noch einmal kurz stehen.

»Kadeg, Sie sorgen dafür, dass das Notebook sicher und unverzüglich nach Quimper kommt, sobald wir an Land sind.«

»Und wohin fahren wir jetzt?«

»Zur Île Tristan.«

Es war ein kategorischer Bescheid gewesen.

»Zum Institut?«

»Ja.«

Sie rannten los. In den monströsen Regen hinein. In das Gewitter, das nun genau über ihnen war.

Die siebenundsechzig Minuten auf dem Polizeiboot von Triélen bis zur Île Tristan an diesem 22. Juni würden, Dupin besaß daran keinen Zweifel, zu den entsetzlichsten, fürchterlichsten, grässlichsten Minuten seines Lebens gehören.

Es hatte nach dem Ablegen nur kurz gedauert, und die heftigsten Symptome einer massiven Seekrankheit hatten sich eingestellt. Nicht bloß die Seekrankheits-»Leitsymptome« wie Übelkeit, Schwindel und Erbrechen, sondern zugleich sämtliche andere Reaktionen, zu denen es im Zusammenhang mit einer Seekrankheit überhaupt kommen konnte. Dupin war nicht blass geworden, sondern fahlweiß, augenblicklich hatte sich ein kalter Schweißfilm auf seiner Stirn gebildet, einhergehend mit einem peinigenden zwanghaften Schlucken. Der Herzschlag hatte sich nicht bloß beschleunigt, sein Herz hatte gerast wie wahnsinnig. Wie auch der Kopfschmerz rasend gewesen war. Und der Schwindel hatte sich zu einem Taumel gesteigert.

Es war kein Drehen *oder* Schwanken gewesen – für gewöhnlich empfand der Seekranke das eine oder das andere –, sondern ein Drehen *und* Schwanken. Zu den panischsten Empfindungen hatte die gezählt, dass nicht bloß das Boot und mit dem Boot er selbst sowie die ganze Mannschaft unabwendbar nach *vorne und unten* stürzten, sondern gleich das gesamte Meer, der Atlantik selbst. Als würde die Erde kippen, der ganze Planet, eine jähe Verschiebung der Erdachse, irgendeine kosmische Katastrophe. Es war bemerkenswert, wie lange panische Empfindungen anhalten konnten.

Es war ein Albtraum.

Die Fahrt am gestrigen Morgen, die Dupins Physis und Psyche nach seinem Empfinden bereits aufs Äußerste strapaziert hatte, war im Rückblick ein Kinderspiel gewesen.

Es hatte ihn, so komisch es klang, unvorbereitet getroffen. Dupin war auf Triélen so ganz und gar auf die neuen Entwicklungen fixiert gewesen, so eindringlich mit diversen Gedanken beschäftigt, dass er instinktiv erwartet hatte, es würde sich mit der Fahrt so verhalten, wie es sich für gewöhnlich in solchen Momenten der Ermittlung mit dem Rest der Realität verhielt: Für den Zeitraum seines fiebrigen Fixiertseins auf die Lösung eines Falls trat die restliche Realität ohne sein Zutun in den Hintergrund. Hörte sie vorübergehend auf zu existieren. Aber nicht heute. Die Seekrankheit war stärker gewesen.

Die Wellen, Wellenberge, hatten sich zu Ungetümen aufgebaut, in vollkommener Unberechenbarkeit und Unregelmäßigkeit, als hätte ein Titan in tobender Wut mit seiner gewaltigen Faust auf der Wasseroberfläche hierhin und dorthin geschlagen und immer neue, ungeordnete, dramatische Wasserschläge erzeugt. Luft hatte es keine mehr gegeben, nur noch Schaum und Gischt, bei jedem Atemzug. Auch der Lärm war ohrenbetäubend gewesen, der Lärm des Wassers, nicht des Sturms. Wenn die ungeheuren Wellenköpfe brachen, wurde das Wasser, Dupin hatte es so noch nie gesehen, waagerecht weggeweht.

Der Atlantik hatte buchstäblich gebrüllt. Dupin hatte immer gedacht, die Begriffe, die er aus den vielen Geschichten der großen Stürme kannte, seien Metaphern, spektakuläre poetische Bilder. Es waren keine Metaphern. Das Meer tat all das wirklich. Es brüllte. Es rollte. Es wütete. Riwal hatte ihm x-mal die Zeichen zur Klassifikation von Stürmen erklärt – jetzt hatte er alles selbst erlebt. Windstärke neun, schwerer Sturm: meterhohe Wellen mit verwehter Gischt, das Rollen des Meeres beginnt; Windstärke zehn, schwerer Sturm: Brecher, noch höhere Wellen; Windstärke elf, orkanartiger Sturm: Die See brüllt, die hundert Stundenkilometer werden übertroffen; Windstärke zwölf, Orkan: eine einzige Hölle aus weißem Schaum.

Dupin war sich zudem sicher gewesen, dass über kurz oder lang einer der Blitze das Boot treffen würde. Im Hinblick auf die ungeheure Anzahl an Blitzen, die ohne Unterlass in unmittelbarer Nähe einzuschlagen schien, war es ein statistisches Wunder, dass sie nicht getroffen worden waren.

Wenig hilfreich war auch Riwals Gesichtsausdruck gewesen, der sich schon kurz nach dem Ablegen versteinert hatte. Der Inspektor hatte – wie auch der kreideweiße Kadeg – während der gesamten Fahrt kein einziges Wort gesagt. Nur einmal, es konnte auch Einbildung gewesen sein, hatte Riwal sich Dupin plötzlich zugewandt und mit schreckstarrer Miene etwas gesagt, das im heftigen Sturm schwer zu verstehen gewesen war. Dupin glaubte, »Es gibt kein Entkommen« gehört zu haben, aber das war natürlich Unsinn. Wie die ganze Szene gestern Morgen – die sieben Gräber. Gegen seinen Willen, es war lächerlich, war der Gedanke an den Fluch während der Fahrt wieder aufgekommen. Er hatte ihn vergeblich niederzukämpfen versucht. In wirren, aufblitzenden Bildern hatte Dupin sich auf dem Cholera-Friedhof gesehen: vor dem siebten Grab stehend.

Dumm war, dass das Wanken und Schwanken – immerhin nicht das Drehen – auch nach dem Betreten der sicheren Erde nicht verschwunden war. Auch jetzt noch, wo Dupin sich wie-

390

der auf festem Boden befand – dem der Île Tristan –, tobte es weiter.

Beim Verlassen des Bootes hatte Dupin sich noch bei jeder Bewegung festhalten können, zuletzt an der Reling. Jetzt, ohne diese Möglichkeit, musste er achtgeben, nicht zu straucheln.

Entschlossen versuchte er, in Richtung des Institutsgebäudes zu wanken, auf das Kadeg und Riwal bereits schnellen Schrittes zueilten. Auch die Übelkeit war immer noch heftig.

Der Regen hatte kein bisschen nachgelassen, nur war er erheblich kälter geworden, wie es sich insgesamt einige Grad abgekühlt hatte.

Dupin war triefnass. Das Gute, wenn man es so sagen wollte, war, dass er es ob seiner miserablen Gesamtverfassung gar nicht wahrnahm. Höchstens, dass er fror. Er steuerte auf die Hauswand zwischen zwei Fenstern zu. Er war noch nicht in der Lage, vernünftige Gespräche zu führen, nicht einmal halbwegs vernünftige.

Er würde sich hier erst mal anlehnen.

Sobald er die Wand an seinem Rücken spürte, zwang er sich, in einem gleichmäßigen Rhythmus ein- und auszuatmen. Fünf Sekunden nach dem Einatmen die Luft anhalten, fünf Sekunden nach dem Ausatmen. Eine Methode, die ihm Docteur Garreg für äußerste Stresssituationen empfohlen hatte.

Das Wichtigste, und auch das würde hoffentlich helfen: Er musste sich auf den Fall zurückbesinnen, seine Gedanken bündeln. In eine gezielte Ordnung bringen – was vor allem hieß: konsequent auf das richten, was jetzt anstand. Auf die Durchsuchungen aller Räume, die mit Pierre Leblanc in Verbindung standen. Und auf dessen Festnahme.

Es dauerte etliche Minuten, bis er sich vorsichtig von der Wand zu lösen traute. Kaffee würde sein Magen fatalerweise erst einmal nicht zulassen, obwohl er ihn im Moment so dringend benötigte wie selten in seinem Leben.

Schon im Eingang des Instituts herrschte hektisches Treiben.

Eine Truppe von sechs uniformierten Polizisten kam ihm entgegen. Angeführt von Inspektor Kadeg, der gerade verkündete: »Dann werden wir uns das technische Gebäude eben ein zweites Mal anschauen. Und dieses Mal richtig!«

Genau dieses Gebäude hatte Dupin am meisten interessiert.

Einer der Polizisten blieb vor Dupin stehen, ein pausbackiger junger Kerl.

»Wir haben das Gebäude eben bereits systematisch durchsucht, Monsieur le Commissaire«, er sprach selbstbewusst und klar, »und nichts gefunden.«

Dupin nickte bloß. Es wäre dennoch nicht verkehrt, es sich erneut anzusehen. Allzu gründlich hatte die erste Inaugenscheinnahme nicht sein können, so lange konnte die Truppe noch nicht da sein.

Dupin überlegte, sich Kadeg anzuschließen. Aber er sollte sich erst einmal einen Überblick verschaffen. Er stolperte weiter, durch die kleine Halle, durch eine zweite Tür zu einer Art Rezeption, wo er Riwal erblickte. Gut ging es ihm immer noch nicht, nicht annähernd.

Riwal kam sofort auf ihn zu. Sichtbar in Aufregung.

»Leblanc ist nun Richtung Le Conquet abgedreht, vielleicht, um sich vor dem Unwetter in Sicherheit zu bringen. Goulch ist ihm immer noch auf den Fersen. Obwohl Leblancs Zodiac im Zweifelsfall schneller und wendiger ist. Die wilden Manöver werden ihm nicht helfen, Goulch wird ihn gleich haben. – Ich vermute, Sie wollen Leblanc dann umgehend sehen.«

»Umgehend«, jedes Wort kostete Kraft. »Hier auf der Insel.«

Dupin konnte es nicht erwarten.

»Hier, im Institut?«

»Hier.«

Der Kommissar würde selbst für die zweihundert Meter bis Douarnenez auf kein Boot mehr gehen in diesem Unwetter. Schon allein die Vorstellung löste eine neue Welle des Schwindels aus.

»Gut, Chef. – Eine erste Durchsuchung von Leblancs Haus ist abgeschlossen«, Riwal klang frustriert. »Auch die eines kleinen Wochenendhauses, das er besitzt. Nicht weit von der *Pointe du Raz*, in Kermeur. Beides ohne Ergebnis. Das Gleiche gilt für die Räume hier. – Bisher wurde nichts gefunden. – Und der Gegenstand ist ja nicht klein. Wir forschen zudem nach Personen im Umfeld von Leblanc, die wissen könnten, ob er weitere Gebäude besitzt. Beruflich, privat.«

»Ich …«, Dupin zuckte zusammen.

Er musste sich an der Wand abstützen, das schreckliche Gefühl, genauer: das ganz reale Empfinden, dass die Erde steil nach vorne abfiel, war zurück.

Er wartete. Atmete tief. Die Fünf-Sekunden-Formel.

»Alles okay, Chef?« In Riwals Ausdruck lag tiefe Sorge.

»Ich muss noch einmal kurz raus, Riwal.«

Erst nachdem Dupin eine ganze Weile gelaufen war, ging es ein wenig besser.

Die frische Luft tat gut. Die Böen und auch der Regen waren etwas schwächer geworden.

Nur langsam ließ die grauenvolle Empfindung nach, und er konnte seine Gedanken wieder einigermaßen bewusst lenken. Er musste zurück. Die Besprechung mit Riwal fortführen, es gab noch eine Reihe wichtiger Punkte.

Er machte kehrt. Nach einer Weile sah er zwischen den Bäumen die hell erleuchteten Fenster des Instituts.

Und eine Gestalt, die eilig auf ihn zukam.

»Chef? Sind Sie es?«

Riwal.

»Ich habe Sie schon gesucht.«

»Alles in Ordnung, ich …«

Wieder durchzuckte es Dupin.

Aber dieses Mal war es kein Schwindel, sondern ein Einfall. Ein Gedanke, wie aus dem Nichts.

Er griff in die hintere Hosentasche. Sein Clairefontaine. Die verschiedenen Bäder – im Atlantik, im bretonischen Regen – würden ihm nicht gut bekommen sein.

»Was meinen Sie, Chef? Sollten wir nicht reingehen? Es regnet zwar nicht mehr so stark, aber ...«

»Gehen Sie ruhig.« Dupin war völlig abwesend.

Das Notizheft sah in der Tat elendig aus. Die Einbandpappe war aufgeweicht, die dünne Schutzfolie des Materials löste sich an allen Seiten, das Wasser hatte sich, obgleich das Heft in der Hosentasche fest zusammengepresst worden war, natürlich von den Rändern bis ins Innere vorgearbeitet.

Es war nur ein Gedanke. Aber es konnte durchaus sein. Auch wenn es fantastisch anmutete. Doch was hieß das schon?

»Ich will mir nur etwas anschauen, Riwal.«

Dupins Blick wanderte den Inselweg entlang, den er gerade – ohne Absicht – ein gutes Stück gelaufen war.

»Soll ich«, Riwal zögerte, »vielleicht mitschauen?«

»Nein, nein. Es ist nur – eine Sache.«

»Sind Sie sich sicher?« Riwal schien sich ganz und gar nicht sicher.

»Unbedingt.« Dupin bemühte sich um einen gefestigten Ton. »Ich bin gleich wieder da.«

Er drehte sich um und marschierte erneut davon. Riwal zuckte verzweifelt mit den Achseln, ohne dass der Kommissar es noch sah.

Dupins Schritte waren schnell und bestimmt.

Er brauchte das Clairefontaine nicht. Zumindest nicht, um sich dessen sicher zu sein, was die wunderbare Hotelbesitzerin des *Ty Mad* gestern erwähnt hatte. Die halb zerfallene Mole am westlichen Ende der Insel – und: die Grotten. Die als Eingänge zu verborgenen Höhlen und Gängen dienten, wenn man der Legende glaubte. Wo die fantastischen Schätze des Schreckenspiraten lagen.

Leblanc hatte den Gegenstand eigentlich nur mit dem Boot von Sein wegbringen können. Eine Mole würde also höchstwahrscheinlich eine Rolle gespielt haben bei der Auswahl eines Verstecks. Es war wie in Kerkroms Haus, sie mussten absolut konkret und praktisch denken, aus der Perspektive Leblancs: Wohin und wie war ein so schwerer Gegenstand am einfachsten zu bringen? Um möglichst gut verborgen zu sein?

Die Insel stieg zur Mitte hin gehörig an. Blitz und Donner hatten sich nach Osten verlagert. Der Himmel ließ unverändert wenig Licht hindurch, ab und an jedoch waren nur Konturen tief hängender Wolkenmassive zu sehen.

Zu beiden Seiten des Weges standen hohe Bäume, eine wilde Allee. Wenn Dupins Orientierung wieder einigermaßen funktionierte, verlief der Weg fast gerade.

Der Kommissar keuchte, er hatte ein hohes Tempo vorgelegt. Doch sein innerer Zustand war noch nicht stabil. Auf den – durchaus interessanten – Einfall gerade folgten nun massive Zweifel. Gemeine grundsätzliche Zweifel. Mit einem Mal kippten seine Überzeugungen. Was, wenn die ganze Geschichte mit dem »Fund« doch nur ein Phantom war? Sich unter dem Tuch wirklich ein Holzbalken für das Haus befunden hatte? Was, wenn in Kerkroms Schlafzimmer etwas ganz Banales gestanden hatte, das die Kerben hinterlassen hatte? Was, wenn seine Fantasie mit ihm durchgegangen war, so wie es Riwal öfter passierte? Und auch das mit Leblanc und der Insel gerade – vielleicht war doch alles ganz regulär gewesen? Was, wenn es doch um das Boot von Morin ginge? Auf eine komplizierte Weise, die er einfach noch nicht verstand, nicht einmal ahnte? Oder es war alles ganz anders? Dann jagte er hier auf der Insel einem Hirngespinst nach.

Die plötzlichen Zweifel – die hoffentlich bloß zu den Folgeerscheinungen seines verstörten Zustandes gehörten – hatten ihn seine Schritte verlangsamen lassen.

Er ging dennoch weiter.

Den Blick stur geradeaus gerichtet.

Mittlerweile waren die schweren Wolkenungetüme überall klar umrissen, und auf eine eigenartige Weise war Dupin froh darüber, richtiggehend erleichtert. Es gab allem ein Stück Wirklichkeit zurück. Die Herrschaft der obskuren grauen Materie, die das wankelmütige Gewitter geboren hatte, war vorüber.

Der Weg fiel nun – Richtung Meer – steil ab, Dupin musste vorsichtig gehen.

Nicht lang und er sah die Umrisse eines Gebäudes. Ein altes Steinhaus, größtenteils ohne Dach, die Mauer an einer Seite war vollständig zusammengebrochen.

Der Weg führte direkt am Haus vorbei.

Dann konnte Dupin die halb zerfallene Mole erkennen. Es waren nur ein paar Meter übrig geblieben. Einer der gewaltigen Stürme musste den Rest vor langer Zeit mit sich genommen haben.

Auch wenn sich das Wetter zu beruhigen schien, der Atlantik tat es noch nicht. Dupin ging bis zum Anfang der Mole – penibel auf einen Sicherheitsabstand von ein paar Metern zum aufgepeitschten Wasser achtend. Es reichte eindeutig, um mit einem Zodiac anzulegen.

Ein guter Ort, um an Land zu gehen.

Dupin drehte sich um.

Konzentrierte sich.

Mit Sicherheit würde auch Leblanc ein Hilfsmittel gehabt haben, so etwas wie Kerkroms Bootswagen. Anders war es nicht vorstellbar.

Das alte Steinhaus war höchstens zwanzig Meter entfernt. Der Weg war in einem relativ guten Zustand, steinig, aber in Ordnung. Nach rechts führte ein weiterer Weg, auch dieser einigermaßen eben, am Meer entlang. Hinter dem Weg schroffe Felsmassive. Ein Warnschild: »Betreten verboten – Lebensgefahr«. Ein zweites mit einem Symbol, das Dupin von den bretonischen Küsten gut kannte: Klippen, von denen ein Felsen abbrach und in die Tiefe stürzte. Ein großes rotes Ausrufezeichen daneben.

Dupin lief los.

Den Weg am Meer entlang. Mehrere sanfte Biegungen, links die Felswand, rechts das Meer. Zwanzig, dreißig Meter.

Dann endete der Weg abrupt auf einer Art steinernen Plattform. Zwei gezackte, hohe dunkle Löcher waren in den Felsen zu sehen. Eines direkt hinter der Plattform, eines, das man über ein paar Meter groben Kieses erreichte. Bei diesem Wetter, dem wenigen Licht, sahen sie aus wie aufgerissene Schlünde. Neben beiden noch einmal ein Warnschild: »Betreten verboten – Lebensgefahr«.

Dupin zog sein Handy hervor, eines dieser modernen Outdoormodelle, mit denen Nolwenn das ganze Kommissariat ausgestattet hatte und das die vergangenen Stunden besser überstanden hatte, als er gedacht hatte.

Er schaltete die Taschenlampenfunktion ein. Es würde ein lächerlich schwacher Lichtschein sein, aber es war alles, was er hatte.

Ohne zu zögern trat er in den Eingang der ersten Grotte.

Drinnen war es stockdunkel. Und erstaunlich kalt.

Dupin hielt inne und leuchtete in die steinerne Kammer. Das Handy richtete sogar mehr aus, als er für möglich gehalten hatte. Es offenbarte imposante Abmessungen. Weniger in der Länge oder Breite – die Grotte war nicht länger als zehn Meter, vielleicht sechs in der Breite –, sondern in der Höhe. Das Licht verlor sich nach oben, eine Decke war nicht zu sehen. An manchen Stellen der Felsen schimmerte es hell, wenn Dupin sie anleuchtete, mineralische Einschlüsse, Quarze.

Auf dem Boden lagen dichte Schichten getrockneter Algen, nur in der Mitte war ein schmaler, steinerner Korridor frei geblieben. Bei hohen Fluten und starken Stürmen würden die Algen hineingeweht werden. Über Jahre schon, so sah es aus, hatten sie sich hier angehäuft.

Nirgendwo war eine Spur von irgendeiner Aktivität zu sehen, es sah nicht so aus, als wäre hier in jüngster Zeit jemand gewesen. Dupin ging ein wenig herum. Schaute. Leuchtete den Boden ab. Die Grotte musste erstaunlich trocken sein, die Algen knisterten unter seinen Schuhen.

Er verharrte ein paar Augenblicke – knöcheltief in Algen stehend – und schüttelte dann unwillkürlich den Kopf. Er wandte sich um und steuerte rasch auf den Ausgang zu.

Die zweite Grotte war sicherlich doppelt so groß wie die erste. Auch hier war keine Decke zu sehen. Anders als in der ersten aber war der felsige Boden ganz blank, nirgendwo auch nur eine Alge. Dafür gab es direkt hinter dem Eingang links eine Spalte, etwa einen Meter fünfzig hoch, einen Meter breit. Dupin leuchtete hinein. Das Licht reichte nicht sehr weit, aber dennoch war zu erkennen, dass aus der Spalte eine Art natürlicher Gang im Felsen wurde.

Sollte er den Gang erkunden? Oder besser mit Verstärkung und geeigneter Ausrüstung wiederkehren? Einer richtigen Lampe zum Beispiel? Riwal würde wissen, wie über einen Ausflug in einen solchen Höhlengang zu denken war.

Dupin zögerte. Dann duckte er sich, bereit zum Eintreten.

In dem Augenblick, in dem er seinen Fuß in die Spalte setzte – den Kopf in einer äußerst verkrampften Haltung vorausschiebend –, kam ihm plötzlich etwas in den Sinn.

Er wäre beinahe hochgeschnellt.

Ein Bild. Ein Bild aus der Höhle mit den Algen. Als er das Handy auf den Boden gerichtet hatte.

Irgendwo war etwas aufgeblitzt, er hatte es nur aus dem Augenwinkel gesehen, und es war ihm wahrscheinlich deswegen nicht sofort aufgefallen, weil an den verschiedensten Stellen Quarze geglitzert hatten. Aber wenn er jetzt daran dachte, wurde ihm klar, dass sonst nur die Wände geglitzert hatten. Doch das – war am Boden gewesen.

Hastig drehte er sich um, verließ die Höhle und stand nur ein paar Sekunden später wieder in der ersten Grotte, außer Atem.

Die Algen sahen überall gleich aus.

Er würde es einfach versuchen.

Er stellte sich in die Mitte, ging ein wenig in die Hocke, hielt die Handylampe Richtung Boden. Drehte sich langsam im Kreis.

Nichts.

Er ging zwei Schritte weiter. Versuchte es erneut.

Wieder nichts.

Und noch einmal.

Hatte er sich das nur eingebildet?

»So ein Scheiß.«

Dupin richtete sich auf. Die leise gesprochenen Worte hallten beachtlich, seine Stimme wirkte merkwürdig verzerrt.

»Dann eben so«, murmelte er trotzig.

Schnurstracks ging er auf die Ecke rechts vom Grotteneingang zu. Dort drehte er sich um und begann, sich mit dem rechten Fuß voran systematisch durch die Algen zu schieben.

Der Felsboden war unebener, als man vermuten würde, es gab Absenkungen und Spalten, die von der Algenschicht an der Oberfläche ausgeglichen worden waren.

Er kam nur langsam vorwärts.

Die Algenschicht – auch das war nicht zu sehen gewesen – erreichte stellenweise eine Höhe von einem halben Meter. Dann wieder waren es nur ein paar Zentimeter. Dupin kam sich vor wie in seiner Kindheit, wenn er im Herbst durch die dichten Laubschichten gelaufen war oder die von seinem Vater im Garten mühsam aufgetürmten Blätterberge aufgewirbelt hatte.

Plötzlich verlor er den Halt. Aus irgendeinem Grunde rutschte er ab.

Er wankte, versuchte vergeblich, die Balance zu halten – dann stürzte er. Geradewegs nach vorne, instinktiv beide Hände vor sich streckend. Und schlug brutal auf.

Ein stechender Schmerz in den Händen, Armen und Schultern lähmte alle anderen Wahrnehmungen für einige Augenblicke.

Er versuchte sich zu orientieren.

Er lag auf der rechten Schulter.

Tausende kleine Algenteilchen wirbelten durch die Luft, er hustete.

Sein Handy mit der Taschenlampe musste in den Algenteppich gefallen sein. Es dauerte, ehe sich seine Augen an die Dunkelheit gewöhnt hatten. Lediglich durch den Grotteneingang fiel ein wenig dämmriges Licht.

Dupin versuchte sich aufzustützen. Was mit einem spitzen, heftigen Schmerz in beiden Handgelenken beantwortet wurde. Behutsam tastete er mit der linken Hand die Umgebung ab.

Er spürte einen Felsrand, sicherlich vierzig Zentimeter hoch. Jetzt begriff er.

Er war in eine Vertiefung im Felsboden gefallen, die durch die Algen verdeckt gewesen war. Eine richtige Versenkung. Sie musste ein paar Quadratmeter groß sein. Auch sein Schienbein, merkte er jetzt, schmerzte heftig. Er musste damit auf dem spitzen Vorsprung gelandet sein. Dupin bewegte das Bein vorsichtig. Auch wenn es sich vom Aufprall noch ein wenig betäubt anfühlte, der Schmerz war nicht so schlimm wie der in den Handgelenken. Aber: Das war auch kein Felsvorsprung. Es fühlte sich ganz anders an.

So gut es ging, rollte er sich ein Stück zur Seite und richtete den Oberkörper auf. Im Halbdunkel war zwischen den Algen eine gerade, scharfe Kante zu sehen. Dunkel.

Da lag etwas.

Eilig wischte er ein paar Algen fort, tastete den Gegenstand ab. An der Oberfläche fühlte er sich weich an, organisch, darunter war er hart. Überstürzt kniete er sich hin, den Schmerz in den Händen ignorierend.

Legte ihn weiter frei.

Eine Art Verstrebung. Vierkantig. Vielleicht fünfzehn Zentimeter breit. Fünf Zentimeter tief.

400

Er versuchte den Gegenstand ein Stück zu bewegen. Unmöglich.

Hektisch tastete Dupin sich weiter nach oben.

Dann hielt er inne.

Wie vom Donner gerührt.

Er atmete nicht einmal.

Eine Querverstrebung. Ein rechter Winkel.

Er legte die waagerechte Verstrebung ganz frei. Sie war kürzer als die andere.

Er atmete immer noch nicht.

Es war unglaublich.

Ein Kreuz.

Es war ein Kreuz.

Ein großes Kreuz. Aus massivem Material.

Dupin spürte, wie ihn eine Gänsehaut überkam.

Es war vollkommen verrückt. Zu verrückt. Das konnte nicht wahr sein. War er etwa auch auf den Kopf gestürzt? Halluzinierte er? Die Schmerzen in den Handgelenken – zum Beispiel – fühlten sich ganz real an. Es dauerte, bis er sich aus dem Bann löste, in den er geraten war.

Er schüttelte sich und schaute wieder hin. Viel konnte er nicht erkennen. Es sah aus wie eine Art Moos, das sich auf der Oberfläche der Verstrebungen gebildet hatte. An einigen Stellen auch mit längeren Fäden. Ein paar der Gegenstände in der »Schatzkammer« auf der Île de Sein, die vom Meeresgrund kamen, waren so ähnlich bewachsen gewesen.

Auf einmal entdeckte er etwas. Direkt neben dem Kreuz. Auf dem nackten Felsen.

Sein Telefon.

Erst als er es in der Hand hatte, sah er, dass das Display zersprungen war. Das untere Drittel des Glases fehlte ganz, auch das Gehäuse war lädiert. Das Schlimmste: Es leuchtete nicht mehr. Dupin drückte auf den On-Knopf. Nichts.

Er musste aufstehen. Gleichgültig, wie schmerzhaft es sein

würde. Was es tatsächlich wurde – nicht nur die Hände, Arme und Schultern taten höllisch weh, jetzt waren es alle Knochen.

Seine Augen blieben fest auf das Kreuz geheftet. Dabei bemerkte er plötzlich, dass am unteren Ende etwas funkelte.

Er ging in die Hocke, eine nicht weniger schmerzhafte Übung. Über eine Länge von wenigen Zentimetern war die Bewachsung von der Oberfläche entfernt worden. Ein glänzendes Material trat zum Vorschein – das musste es gewesen sein, was vorhin zwischen den Algen aufgeblitzt war, als er den Boden abgeleuchtet hatte, das war das Funkeln gewesen.

Bei dem Licht war es schwer zu sagen, ob es golden glänzte, aber: Ausgeschlossen war es nicht. Dupin fuhr mit den Fingern über die Stelle. Und spürte eine Kerbe. Mit scharfem Rand. Das Material war beschädigt, genauer: es fehlte ein Stück. Nicht viel – ein längliches, schmales Stück.

Wieder erstarrte Dupin.

Was hatte Riwal über die Einsendung von Kerkrom gesagt?

Die »Materialprobe«, die von dem Pariser Labor als reines Gold identifiziert worden war?

Dupin richtete sich auf.

Das musste es sein.

Kerkrom und Darot hatten tatsächlich ein Kreuz gefunden. Ein Kreuz aus Gold. Auf dem Meeresboden. In der Bucht von Douarnenez. Sie hatten es mit Kerkroms Boot geborgen und in ihr Haus gebracht. Von dort hatte Leblanc es nach den Morden hierhergeschafft.

Vielleicht hatten sie ihn und Professor Lapointe hinzugezogen, um den Fund zu prüfen. Um ermessen zu können, worum es sich handelte. Zu überlegen, was zu tun wäre. Vielleicht hatten sie das Kreuz dann einem Museum, der Region, dem Staat, übergeben wollen – und Leblanc hatte genau das nicht gewollt? Vielleicht hatte er es auch nur irgendwie zufällig mitbekommen, und ihnen war gar nicht bewusst gewesen, dass sie einen Mitwisser hatten.

Theoretisch könnte das Kreuz aus jedem beliebigen Jahrhundert stammen, aus dem 19., 18., 17., vielleicht sogar aus dem Mittelalter, gleichgültig, was Riwals Cousin sagte. Es gab die verrücktesten Geschichten, die Historie war doch voll davon. So viele Heilige hatten die Bretagne nach dem Ende des westlichen Römischen Reiches missioniert, so eifrig war der Glaube angenommen worden, wer wusste schon, was Menschen gestiftet hatten, um so sicher wie möglich in den Himmel zu gelangen. Oder was Napoleons Truppen auf geheimen Wegen von ihrem Russlandfeldzug mitgebracht hatten. Aus irgendeiner sagenhaft reichen orthodoxen Kirche. Es gab sicher endlos viele – und ganz realistische – Möglichkeiten.

»Ich muss«, Dupin sprach laut vor sich hin, »ich muss die anderen holen.« Der heftig widerhallende Satz wirkte wie eine Selbstvergewisserung.

Mühevoll stieg er aus der Vertiefung des Bodens und starrte noch einmal für einen Augenblick auf das dunkel daliegende Kreuz. Er sah es – und dennoch kam ihm alles vollkommen irreal vor. Fantastisch. Es war ungeheuerlich.

Er drehte sich abrupt um und lief, so schnell es ging, auf den Ausgang der Grotte zu.

Draußen wurde er von grellem Licht geblendet. Er musste sich die Hand vor das Gesicht halten.

Der Himmel war an einzelnen Stellen theatralisch aufgerissen. Durch chaotisch gezackte Löcher brachen Sonnenstrahlen dramatisch hindurch.

»Ein Kreuz. Ja, Riwal. Ein – archäologischer Fund.«

Die Augen des Inspektors waren weit aufgerissen. Dupin meinte, ein leichtes Zittern des ganzen Körpers wahrzunehmen. Eigentlich hatte Riwal genau das erwartet – gehofft –, aber jetzt, wo es Wirklichkeit geworden war, schien es dann doch zu viel für ihn zu sein. Was Dupin gut verstehen konnte.

Kadeg, direkt neben ihm, nicht minder entgeistert.

»Sie meinen, Sie haben …«

»Jetzt zu Leblanc. – Was ist passiert, Riwal? Erzählen Sie.«

Die beiden Inspektoren waren augenblicklich auf Dupin zugestürzt gekommen, als er das Institut betreten hatte. Riwal hatte aufgeregt etwas von Goulch, Leblanc und »immer noch auf der Flucht« berichtet. Dupin war ihm ins Wort gefallen. Es war einfach aus ihm herausgeplatzt. Seine Entdeckung. Dabei hatte er möglichst prosaisch berichtet, prosaisch in der Wortwahl, vor allem aber in der Haltung. Die Entdeckung fühlte sich jetzt, außerhalb der Grotte, bei hellerem Tageslicht, noch fantastischer an.

Riwal stand noch spürbar unter dem Eindruck von Dupins Nachricht, versuchte aber, sich für seinen Bericht zusammenzureißen. »Er hat bei der Einfahrt in den Hafen, ein paar Meter bevor man um die Felsen in den Hafenschlauch biegt, plötzlich noch einmal das Ruder rumgerissen, den Motor bis zum Äußersten hochgefahren und ist Richtung Norden davongeschossen. Sie wissen, wie schnell diese Zodiacs sind. Aber Goulch wird ihn kriegen, egal welche Haken er noch schlägt.«

»Er hat nicht die Spur einer Chance«, pflichtete Kadeg bei, »mittlerweile sind zwei weitere Schnellboote der Wasserschutzpolizei an der Operation beteiligt.«

»Gut. – Wir brauchen vier Mann für die Grotte, denke ich.« Dupin hatte es eilig.

»Gibt es einen Wagen?«

»Einen alten Landrover *Defender*. Wir wollten eben schon damit nach Ihnen suchen.« Riwal sprach immer noch völlig verklärt, »ich hatte es die ganze Zeit auf Ihrem Handy versucht, es …«

»Wo steht der Wagen?«

»Wenn man rauskommt, links hinter dem Gebäude.«

Dupin lief los. Die Schmerzen an den verschiedenen Stellen seines Körpers hatten langsam nachgelassen, dafür waren sie in den Handgelenken noch stärker geworden.

Eine halbe Minute später standen sie samt Verstärkung vor dem Landrover.

Dupin nahm vorne Platz. Er hatte einige Schwierigkeiten gehabt, in den Wagen zu klettern. Man musste sich, eine der vielen Eigenarten dieses Wagens, trotz eingebauter Stufe an einem Griff regelrecht hochziehen.

Riwal ließ den Motor aufheulen und gab ordentlich Gas.

Das heftige Holpern des Wagens auf dem unasphaltierten Weg machte Dupins Magen zu schaffen, schon bald aber hatten sie das halb zerfallene Haus erreicht und sprangen bereits wieder ins Freie.

Dupin lief voran, der Rest der Truppe dicht hinter ihm.

Die hohen Felsenwände, der kurze, gewundene Weg am Meer, die kleine steinige Plattform, die Verbotsschilder.

Am Eingang der Grotte blieb Dupin einen Augenblick stehen. Die anderen wären beinahe in ihn hineingelaufen.

Dann trat er ein.

Riwal, der direkt hinter ihm folgte, schaltete eine der wuchtigen Taschenlampen an. Sie alleine leuchtete die gesamte Grotte hell aus. Weitere Lampen blitzten auf.

»Da vorne.«

Dupin bewegte sich vorsichtig vorwärts. Er hatte bereits den Algenteppich erreicht.

»Hier! Sie müssen aufpassen, es geht sicher einen halben Meter runter, da stürzt man leicht. Es liegt unter …«

Er beendete den Satz nicht.

Er hatte das Kreuz doch eben freigelegt.

Und eine beträchtliche Masse von Algen aus der Vertiefung befördert. Jetzt jedoch war die Vertiefung fast nicht mehr zu sehen, nur eine Felskante an einer Stelle. Die Algen lagen überall wieder gleichmäßig verteilt und bildeten eine durchgehende

Oberfläche. Ein Windstoß musste in die Grotte gefegt sein und sie verweht haben, obwohl Dupin eben und auch jetzt keinerlei Luftzug verspürt hatte.

Er tastete mit dem rechten Fuß den vorderen Rand der Vertiefung ab und stieg – mit äußerster Vorsicht – hinunter.

»Hier unter den Algen?«

Kadeg war ebenso hinuntergestiegen.

Dupin reagierte nicht. Er fuhr mit dem rechten Fuß im Algenmeer vor und zurück.

Machte einen Schritt nach vorne und wiederholte die Bewegung. Kadeg tat es ihm gleich.

Riwal und die anderen waren vor der Kante stehen geblieben. Beobachteten den Kommissar und den Inspektor, die Taschenlampen auf das Algenmeer gerichtet.

Nichts.

Es war unmöglich.

»Es muss noch eine weitere Vertiefung geben.«

Riwal war ein Stück tiefer in die Höhle hineingegangen.

Das musste es sein. Natürlich. Auch wenn Dupin darauf gewettet hätte, dass es diese hier gewesen war. Eigentlich war er sich völlig sicher. Dennoch.

Die anderen Polizisten waren Riwals Beispiel gefolgt und schwärmten aus.

»Hier. Hier ist etwas.«

Kadeg war in die Hocke gegangen.

Dupin fuhr herum.

In seiner lächerlich triumphal nach oben gereckten Hand hielt der Inspektor Dupins kaputtes Handy. Der Kommissar hatte es eben einfach liegen gelassen.

Kommentarlos wandten sich alle ab und nahmen die Suche wieder auf.

Keiner sprach ein Wort.

Dupins Fassungslosigkeit steigerte sich sekündlich.

Einer der vier Polizisten war es, der nach einer Weile bedrückenden Schweigens – und weiterem vergeblichen Durchkämmen der Algen – das Offensichtliche formulierte:

»Hier ist nichts. Kein Kreuz. – Gar nichts.«

»Das ist ganz und gar unmöglich. Es *muss* hier sein. Es war gerade noch da. Genau hier. In dieser Höhle. – In dieser Felsvertiefung.«

»Aber jetzt nicht mehr«, hielt Kadeg entgegen.

»Ich war nur zwanzig Minuten weg«, Dupin sprach zwar laut, sodass es alle hören konnten, aber eigentlich nur zu sich selbst. »Vom Verlassen der Höhle bis zu unserem Eintreffen sind nicht mehr als zwanzig Minuten vergangen.«

»Das hat anscheinend gereicht«, schlussfolgerte Kadeg. »Dafür, dass jemand das Kreuz hier aus der Höhle holen konnte. Oder«, überlegte er ruhig, »es hat gar kein Kreuz gegeben. Wenn Sie keine Lampe gehabt haben und Ihr Handy kaputt war, ist es hier sicherlich ziemlich dunkel gewesen.«

Was sollte das heißen? Dass er die Felskante für ein großes goldenes Kreuz gehalten hatte? Dass er halluziniert hatte?

»Sie waren nach der Bootsfahrt«, Kadeg sprach ohne bösen Unterton, was die Wirkung seiner Worte freilich noch steigerte, »ganz schön durch den Wind, Monsieur le Commissaire. Ich würde sagen, seekrank auf höchstem Niveau. So etwas bringt alles durcheinander, auch die Sinneswahrnehmungen. Und den Verstand. Mit Nachwirkungen, die noch über Stunden anhalten können. – Oder, auch das wäre ja ganz verständlich, Sie sind bei dem Sturz mit dem Kopf irgendwo angeschlagen.«

Dupin war zu sehr mit der Situation beschäftigt, um auf Kadegs Unverschämtheiten einzugehen.

»War es vielleicht doch die andere Grotte, Chef?« Riwal versuchte Dupin beizustehen. »Sollten wir sie nicht auch durchsuchen?«

Es war gut gemeint, machte die Sache aber nur noch schlimmer. Er irrte sich nicht. Er hatte nach der – zugegeben – überaus heftigen Seekrankheitsattacke seine fünf Sinne längst wieder beisammengehabt. Er war keinen Hirngespinsten aufgesessen.

»Es war hier!«

Die einzig mögliche, einzig logische Erklärung war die Erwägung, die Kadeg zuerst geäußert hatte:

»Jemand hat sich das Kreuz geholt. – Jemand hat mich beobachtet und es sich dann geholt.«

Das aber hieße: Sie müssten jetzt rasend schnell handeln.

Ohne eine Reaktion der anderen abzuwarten, stürzte Dupin Richtung Ausgang.

»Wer immer es war, er kann nicht weit sein. – Riwal, Kadeg, geben Sie den Befehl, die Insel zu sichern und systematisch abzusuchen.« Dupin wusste, den Befehl hatte er heute schon einmal auf einer anderen Insel gegeben. »Und sie sollen mehrere Boote einsetzen und alle Schiffe, die sich in der Nähe der Insel befinden, kontrollieren«, er zögerte, aber nur kurz, »am besten alle Boote, die sich in der Bucht von Douarnenez aufhalten. Jedes einzelne muss durchsucht werden, egal, wie groß oder klein, egal, welchem Zweck es dient. Und«, das Wichtigste vielleicht, »finden Sie heraus, wo sich Gochat, Jumeau, Vaillant und Carrière gerade aufhalten«, auch diesen Auftrag hatte er heute bereits formuliert: »Und was Morin auf Molène so treibt. Ich will, dass Sie mit jedem Einzelnen von ihnen persönlich sprechen.«

Er hatte es gehabt. Er hatte das Kreuz gehabt! Vor zwanzig Minuten. Und dann einen fatalen Fehler begangen. Er hätte es hier niemals alleine liegen lassen dürfen.

Leblanc hatte sich ausrechnen können, dass sie auf der Île Tristan zu suchen begännen. Besaß er doch einen Komplizen? Hatten sie sich die ganze Zeit getäuscht? Wenn ja, würde er ihn nach dem Vorfall mit Morin natürlich sofort gewarnt haben. Sodass der Komplize sich umgehend aufgemacht hätte. Und entweder angekommen wäre, als Dupin die Grotte schon verlassen hatte, oder – ohne dass Dupin es gemerkt hatte – als er noch da gewesen war. In dem Fall hätte er nur ein bisschen warten müssen. Um das Kreuz dann von der Insel wegzuschaffen.

So würde es gewesen sein: Jemand hatte es ihnen weggeschnappt.

Dupin rannte zur Mole. Riwal, Kadeg und die vier Polizisten in einigem Abstand hinter ihm.

Schnaufend kam er vor der Mole zum Stehen. Er blickte sich um. Drehte sich ein paarmal um die eigene Achse. Suchte das Meer ab. Die Insel.

»Wir müssen auf den Hügel! Zu einer Stelle, wo man die Gegend und das Wasser überblicken kann.«

Dupin sprintete erneut los, den steil ansteigenden Weg hinauf.

»Oben links«, Riwal war ihm dieses Mal dicht auf den Fersen. »Ich zeige es Ihnen.«

Dupin hörte, wie Kadeg, der an der Mole stehen geblieben war, Befehle in sein Telefon brüllte.

Dupins Herz raste.

Riwal war mittlerweile auf gleicher Höhe.

»Hier. – Hier entlang.« Riwal verließ den Weg.

Sie rannten querfeldein, zwischen mächtigen Bäumen hindurch. Nicht lange, aber es genügte, um Dupins Handgelenke durch die Erschütterungen erneut heftig schmerzen zu lassen.

Dann, ganz plötzlich, eröffnete sich ein atemberaubendes Panorama.

Die gesamte Bucht von Douarnenez lag vor ihnen. Die fünfzig Meter Höhe über dem Meeresspiegel reichten für einen beeindruckenden Ausblick. Und Überblick. Riwal hatte recht gehabt.

Dupin blieb erst gefährlich nah am Abgrund stehen.

Er hatte schon während der letzten Meter begonnen, das Wasser systematisch abzusuchen. Das Meer war immer noch wild. Gewaltige Wellen krachten gegen die Klippen. Dupin spürte die feine Gischt auf seinem Gesicht.

Es war kein Boot zu sehen.

Kein einziges.

»Bei einem derart aufgepeitschten Meer«, Riwal japste, er versuchte, seine Atmung zu beruhigen, »wäre es wahrscheinlich das Klügste, linker Hand von der Mole direkt unter Land zu fahren, am besten in den *Port de Plaisance* von Douarnenez hinein. Da liegen Dutzende Boote. Und dort erst einmal festzumachen. Und das Kreuz dann entweder über Land weiterzutransportieren oder später mit anderen Booten gleichzeitig auszulaufen, wenn sich das Meer wieder einigermaßen beruhigt hat.«

Dupin verstand sofort.

»Lassen Sie den Freizeithafen durchsuchen. Jedes einzelne Boot.«

»Sofort, Chef.« Riwal holte sein Telefon hervor.

Dupin lief ein Stück auf den Felsen entlang. Er fuhr sich durch die Haare. Wieder und wieder.

»Zum Teufel.«

Der Kommissar und sein Inspektor waren von der Klippe zum Wagen an der halb zerfallenen Mole gelaufen und von dort zurück zum Institut gefahren.

Kadeg und die vier Polizisten hatten direkt von der Mole aus mit der Suchaktion begonnen. Weitere Kollegen waren hinzugestoßen.

Bisher ohne Ergebnis, sowohl auf der Insel wie auf dem Wasser. Vier Boote waren auf dem Meer im Einsatz, sechs Polizisten durchkämmten den Freizeithafen.

In Dupin war grimmige Wut aufgestiegen. Leblanc hatte sie gewaltig zum Narren gehalten – hielt sie immer noch gewaltig zum Narren, mit seinem neuerlichen Versuch zu entkommen, vor allem mit seinem Manöver hier auf der Insel.

Sie durften ihn nicht noch einmal unterschätzen. Leblanc war kaltblütig, gerissen. Auch wenn er einer dieser Täter war, dem niemand etwas Derartiges zutrauen würde. Dupin kannte den Typus. Er brannte förmlich darauf, ihn in die Mangel zu nehmen.

Es war Wut auf Leblanc, vor allem aber Wut auf sich selbst, die ihn umtrieb. Nicht bloß wegen seines dummen Fehlers gerade, sondern weil er sich gleich mehrere Male hinters Licht hatte führen lassen.

Dupin stieß die Tür zum Institut auf. Riwal war dicht hinter ihm.

»Wir müssen uns auf die Frage konzentrieren, wer der Komplize sein könnte ...«

Riwals Telefon. »Es ist Goulch.«

Dupin riss es ihm aus der Hand:

»Haben Sie ...«

»Ein Hochseetrawler, die *Gradlon*, er kam aus der Bucht von Lanildut. Aus dem Hafen dort. Er ...«, Goulch stammelte, Dupin hatte den souveränen Polizisten noch nie so erlebt. »Die Zone ist völlig unübersichtlich. Er ist einfach über das Zodiac hinweggepflügt. Wir haben es mitansehen müssen. Das Boot ist zerplatzt, er ...«

»Was?«

Dupin war wie gelähmt stehen geblieben.

Er konnte Schreie hören, Rufe, hektische Kommandos. Goulchs Besatzungsmitglieder.

»Es ist gerade erst passiert. Vor ein paar Sekunden. Wir suchen nun nach Leblanc. Das Zodiac ist direkt unter den Kiel des Trawlers geraten, bei hoher Geschwindigkeit, er ...«

»Morin.«

Goulch begriff sofort.

»Ja. Der Trawler gehört zu seiner Flotte. Wir haben ihn angewiesen, augenblicklich in den Hafen zurückzufahren. Er dreht gerade bei.«

Dupin war verstummt.

»Er wird den Polizeifunk abgehört haben.« Goulch klang resigniert. Natürlich, so würde es gewesen sein, Morin war mit Sicherheit perfekt ausgerüstet. »Es waren ja einige Boote im Einsatz.«

Es war nicht auszuhalten.

Das war zu viel.

»Da. Da ist er.« Ein lautstarker Ruf. Einer von Goulchs Männern. Es dauerte einen Moment, bis Goulch kommentierte:

»Wir sehen Leblancs Körper, er ist – ganz sicher nicht mehr am Leben, Commissaire, wir … Ich melde mich gleich zurück.«

Goulch legte auf.

Dupin hatte sich immer noch nicht von der Stelle gerührt.

Plötzlich löste er sich.

Er raste nach draußen, Riwals Handy am Ohr.

Es dauerte eine Weile, ehe das Gespräch angenommen wurde.

»Ja?«

Ein gleichmütiges Brummen.

»Sie haben ihn exekutiert«, Dupin presste die Worte mit großer Mühe hervor. »Sie haben Ihr Boot auf ihn gehetzt. Das ist Mord.«

»Ah, Commissaire Georges Dupin«, Morin sprach gefasst, in sich ruhend geradezu, von Entkräftung keine Spur mehr. »Natürlich weiß ich leider nicht, wovon Sie reden.«

»Einer Ihrer Hochseetrawler hat Leblanc und sein Zodiac unter sich begraben.«

»Sie meinen, es hat sich ein bedauerlicher Unfall ereignet?« Morin gab sich keinerlei Mühe, überrascht oder schockiert zu klingen. Zugleich fehlte jedes Moment einer Provokation. Er hatte nicht die Absicht, Dupin zu demütigen. Sich lustig zu machen. Ihm ging es um anderes.

»Sie hatten ihm schon auf Triélen aufgelauert – und jetzt haben Sie Ihr Werk vollendet.«

412

Es war zum Verrücktwerden. Wie würden sie Morin beikommen können?

»Es macht keinen Sinn, es zu leugnen. Wir wissen es.«

»Anscheinend«, Morin atmete ruhig, »wissen mittlerweile auch Sie, wer der Mörder war. Das heißt doch: Sie haben den Fall gelöst. Das muss Sie ungemein erleichtern – es erleichtert uns alle ungemein, ich gratuliere.« Es war gespenstisch, wie aufgeräumt Morin klang. »Der Täter war von ungeheurer Brutalität, und das aus reiner Gier. Er hat drei Menschen auf dem Gewissen. Zwei wunderbare junge Frauen. – Wenn ich es jetzt richtig verstehe, scheint er doch gewissermaßen seine gerechte Strafe bekommen zu haben.«

»Sie geben es zu?«

»Ich gebe gar nichts zu.«

Dupin ging vor dem Institut fieberhaft auf und ab.

»Wir werden es Ihnen nachweisen, Monsieur. Darauf können Sie sich verlassen.«

In Wahrheit verhielt es sich anders. Dupin machte sich nichts vor, es würde äußerst kompliziert, ihm irgendetwas nachzuweisen.

»Bei einem solchen Wetter, einer so turbulenten See kommt es leider immer wieder zu tragischen Unfällen. Noch dazu in einer derart zerklüfteten Landschaft mit all den Felsen. Und ich vermute mal, Leblanc ist mit unvorsichtig hohem Tempo unterwegs gewesen.«

»Was hat Ihr Trawler im Hafen von Lanildut verloren gehabt?«

»Ich kann es Ihnen nicht sagen. Sie können sich vorstellen, dass ich nicht unentwegt mit jedem meiner Kapitäne in Kontakt stehe. Ich vermute aber, dass sie Schutz gesucht haben vor dem Unwetter. Er wird wahrscheinlich von Douarnenez aufgebrochen sein, Richtung Kanal. Da liegt es nahe, dort unter Land zu fahren.«

Es war perfide. Aber so würde es laufen. Genau so.

Der Kapitän wäre der Einzige, der Morin belasten könnte – und er würde, daran hatte Dupin keinen Zweifel, kein Wort sagen. Zu seinem Patriarchen stehen.

»Ich denke nicht, dass es für die Menschen und die Öffentlichkeit ein größeres Problem darstellt, wenn ein skrupelloser Dreifachmörder auf der Flucht vor der Polizei bei einem selbst verschuldeten Unfall ums Leben kommt.«

Es war bodenlos.

Und das Schlimmste: Morin hatte recht.

So würde es sein.

»Und vor allem«, Morin sprach langsam, in seiner Stimme lag jetzt Schärfe, »bedenken Sie, wie kompliziert es geworden wäre, ihm die Verbrechen wirklich nachzuweisen. Natürlich hätte er alles geleugnet. Und Sie hätten nichts weiter als eine Kette von mehr oder weniger plausiblen Hypothesen und Indizien besessen. Die nie und nimmer gereicht hätten, um ihn dingfest zu machen. Und das wissen Sie! Hätten Sie das gewollt? – Sie wären ganz und gar auf meine Aussage angewiesen gewesen. Alles hätte davon abgehangen, ob ich ausgesagt hätte. Und vielleicht sogar einen Beweis präsentiert hätte«, er sprach immer leiser. »Vielleicht, es ist selbstverständlich ein reines Gedankenspiel, hat einer meiner Fischer ja wirklich etwas Belastbares gesehen. – Oder ich hätte berichtet, wie Leblanc versucht hat, mich zu töten …«

Er wartete keine Reaktion ab.

»Sie sind ein kluger Mann, Monsieur Dupin. Sie wissen, dass ich kein Interesse daran hatte, Leblanc im Gefängnis zu sehen. Selbst wenn meine Aussage ihn für immer dahin hätte bringen können.«

Es wurde immer perfider, immer wahnwitziger. Zugleich immer klarer. Dupin verstand – das war das Grausame – exakt, was Morin meinte. Ein im Gefängnis beschützter Leblanc war das Letzte gewesen, was Morin gewollt hatte. Er hatte ihn auf freiem Fuß haben wollen. Um seine Rache vollenden zu können. Und wenn Leblanc versucht hätte, von der Bildfläche zu verschwinden, hätte Morin ihn erbarmungslos gejagt – so lange, bis er ihn gefunden hätte.

Es war entsetzlich.

Etwas wehrte sich in Dupin, sie konnten das alles doch nicht einfach so hinnehmen. Geschehen lassen.

»Das Kreuz. Es ist weg, Monsieur Morin«, vielleicht konnte er ihn so kriegen. »Jemand hat es aus dem Versteck geholt, in das Leblanc es gebracht hatte.«

Morin antwortete nicht.

Ein längeres Schweigen entstand. Ein vielsagendes Schweigen. Morin hatte, so wirkte es, auch von dem Kreuz gewusst. Aber nicht, dass es jetzt verschwunden war. Vielleicht war es das Einzige, was Morin nicht gewusst hatte.

»Leblanc muss einen Komplizen gehabt haben«, setzte Dupin erneut an. »Vielleicht war der Komplize es ja auch, der Ihre Tochter getötet hat, und gar nicht Leblanc selbst.«

Morin reagierte immer noch nicht.

»Oder«, es war Dupin gerade durch den Kopf gegangen, »Sie selbst haben das Kreuz holen lassen.«

Auch das war eine Möglichkeit.

Vielleicht hatte Morin das Versteck aus Leblanc bei ihrer Konfrontation auf Triélen mit Gewalt herausgeholt. Bevor er selbst überwältigt worden war. Er hatte dann nur den richtigen Moment abpassen und das Kreuz holen lassen müssen. Von einem seiner Küstenfischer vielleicht. Deren Boote nur ein paar Hundert Meter entfernt lagen.

»Ich schere mich keinen Deut um das Kreuz, Monsieur le Commissaire«, erwiderte Morin mit tiefer Verachtung.

Noch einmal herrschte Stille in der Leitung. Dupin hörte Morin atmen.

»Lassen Sie los, Monsieur le Commissaire.«, sein Tonfall besaß mit einem Mal eine beinahe heitere Note. »Wenn Sie unbedingt mögen, suchen Sie noch nach dem Kreuz. Tun Sie, was Sie nicht lassen können. Suchen Sie ruhig auch bei mir, meine

Türen stehen Ihnen jederzeit offen. Und nur damit Sie es wissen: Es gibt keinen Komplizen. – Aber wie auch immer: Es ist sowieso vorbei.«

»Nichts ist vorbei, Monsieur Morin. Nichts.«

Dupin legte auf.

Ohne dass er es bemerkt hatte, war er am Ende des Quais weitergelaufen, den Steinstrand entlang. Ein ganzes Stück.

»Chef? Chef?«

Riwal. Irgendwo in der Ferne.

»Hier.«

Jetzt konnte er den Inspektor sehen. Riwal hatte auf der Wiese vor dem Institut gestanden und stürmte nun auf ihn zu. Dupin ging ihm entgegen.

»Sie haben Leblancs Leiche an Bord geholt«, Riwal stockte. »Der Körper wurde übel verstümmelt, die Schiffsschraube muss ihn erwischt haben.« Er fügte wie als Fazit hinzu: »Es muss ein fürchterlicher Tod gewesen sein, sein linker Arm und die ganze Schulter sind …«

»Lassen Sie gut sein, Riwal.«

»Ich habe schon kurz mit dem Kapitän des Trawlers gesprochen. Er steht unter Schock – sagt er.«

Selbstverständlich. Genau so hatte Dupin es erwartet.

»Er habe das Zodiac nicht kommen sehen. Sie seien froh gewesen, nach dem Unwetter endlich wieder auslaufen zu können. – Es sind drei Polizeiwagen unterwegs nach Lanildut. Wir werden den Kapitän und die ganze Mannschaft nach Quimper bringen und verhören.«

»Tun Sie das.«

Es wäre müßig. Aber natürlich mussten sie es versuchen.

»Dann – dann geht es jetzt nur noch um das Kreuz.«

Riwal hatte den Tod Leblancs bereits akzeptiert.

Wie es alle anderen tun würden. Morin hatte es prophezeit. Niemand würde ein großes Problem mit dem Tod eines brutalen Mörders haben.

Dupin legte die Hände in den Nacken.

»Ich will, dass ...«, er brach ab. »Ich muss nachdenken.«

Er wandte sich abrupt ab.

Er musste alleine sein.

Nur ein Bretone würde es einem glauben: Am gesamten Himmel war keine Wolke mehr zu sehen, nicht eine einzige. Der heftige Gewitter-Spuk war vorüber. Als wäre die Welt nicht zwei Stunden zuvor beinahe untergegangen. Nur, dass alles nass war – einschließlich Dupin, seiner Inspektoren und aller anderen Polizisten, die im Einsatz gewesen waren –, erinnerte noch an das Unwetter.

Dupin war immer weitergegangen. Eine geraume Zeit lang.

Bis in eine kleine Bucht.

Die ganze Welt dampfte, Douarnenez, die Stadt – die rechter Hand lag –, die Insel, die Bäume, die Felsen, die Erde. Alles war stark erwärmt gewesen, als der kühle Regen sintflutartig niedergegangen war. Es war ein berückendes Schauspiel, an sich mochte Dupin es sehr, diese zarten, ätherischen Schwaden, die von überallher aufstiegen. Jetzt nahm er kaum Notiz davon. Auch nicht von der Wärme und Kraft der Sonne, die sie sogar noch am Abend besaß.

Sein Blick ging aufs Wasser, unbestimmt, leer. Seine Handgelenke schmerzten ohne Unterlass.

»Chef?«

Riwal näherte sich vorsichtig von der Seite, Kadeg neben ihm.

»Wir haben ...«, hob Riwal an.

Kadeg unterbrach ihn: »Wir haben die Insel abgesucht. Sie ist ja nicht groß. Ohne irgendjemanden oder irgendetwas zu finden. Wenn es nicht noch weitere verborgene Höhlen gibt, dann wüsste ich nicht, wo man hier ein eineinhalb Meter hohes Kreuz verstecken sollte. Vor allem, wenn man nur wenig Zeit hatte. – Wir haben uns übrigens auch den Spalt in der zweiten Grotte angesehen. Er wird nach einigen Metern immer schmaler und unzugänglicher. Da kommt niemand durch.«

Dupin antwortete nicht.

»In der Bucht sind zwei Boote durchsucht worden«, Riwal machte aus seiner tiefen Enttäuschung keinen Hehl, »das waren die einzigen, die nach dem Ende des Gewitters wieder ausgelaufen sind. Beide unverdächtig. Und auch im Freizeithafen haben wir bisher nichts finden können. Dem Hafenmeister ist kein Boot aufgefallen, das um die infrage kommende Uhrzeit eingelaufen wäre, er hat sein Büro direkt vorne am Eingang und eigentlich einen sehr guten Überblick.«

»Jemand hat es geholt«, Dupin sprach tonlos, »jemand muss es geholt haben.« Der zweite Satz hatte beschwörend geklungen. »Es kann gar nicht anders sein.«

»Oder es war die Seekrankheit. Wie gesagt: So was kommt vor«, sagte Kadeg ruhig, er wirkte auch jetzt nicht so, als wolle er sich über Dupin lustig machen.

»Wo waren Vaillant, Jumeau, Gochat und die anderen in der letzten Stunde?«

»Gochat und ihr Mann sind wieder in Douarnenez aufgetaucht, wir haben sie eben auf dem Festnetz zu Hause erreicht. Gochat hatte etwas in Morgat zu erledigen, sie ist von der Île de Sein direkt dorthin, wir haben es überprüft. Ausgeschlossen, dass sie zur fraglichen Zeit einen Ausflug zur Île Tristan hätte unternehmen können.«

»Was ist mit Frédéric Carrière, dem *Bolincheur* von Morin?«

»Er war nicht zu erreichen bisher. Ich habe die Nummer. Ich versuche es umgehend noch einmal«, Riwal griff nach seinem Telefon.

»Bei Vaillant das Gleiche«, Kadeg wirkte unmotiviert. »War nicht zu erreichen.«

»Wenn Sie ihn nicht bald erwischen, lassen Sie nach ihm fahnden.«

Kadeg zog die Augenbrauen hoch: »Meinen Sie nicht, das ist ein wenig übertrieben?«

Dupin ging über Kadegs Einwurf hinweg.

»Ich will«, der Inspektor bemühte sich um einen freundlichen Tonfall, was Schlimmes befürchten ließ, »Ihnen nicht zu nahe treten, Commissaire, und denke auch nicht, dass Sie wirklich den Verstand verloren haben, aber wie gesagt, schon viele haben im Zusammenhang mit einer Seekrankheit Dinge …«

»Das ist genug, Kadeg. Haben Sie verstanden? Das war das letzte Mal.«

Dupin hatte alle Entschiedenheit in den Satz gelegt, zu der er noch imstande war. »Versuchen Sie es noch einmal bei Vaillant. – Jetzt.«

Mit beleidigter Miene zog der Inspektor davon.

Dupin sah, dass Riwal bereits ein paar Meter entfernt telefonierte. Er schien jemanden erreicht zu haben.

Es dauerte nicht lange, und der Inspektor war zurück:

»Carrière hat kurz vor dem Gewitter Ouessant angesteuert. Er war die ganze Zeit dort, in einer Kneipe am Hafen. Es gibt wohl einen Haufen Zeugen. Wenn Sie wollen …«

»Ist gut, Riwal.«

Wieder hatte er falschgelegen.

»Und Jumeau?«

»Sitzt bei *Chez Bruno*. Er ist mit Ausbruch des Gewitters nach Sein zurück. Er scheidet ebenso aus.«

Es war verflixt. Jemand musste doch das Kreuz geholt haben.

»Sie dürfen«, Riwal wirkte betreten, »Sie dürfen jetzt nicht verzagen, Chef. Sie haben den Fall gelöst.«

Riwal meinte es gut. Aber es half nicht.

Es war nicht auszuhalten. Sie hatten den Täter ermittelt, ja. Eine Aufklärung, die zu den schwierigsten und anstrengendsten seiner gesamten Laufbahn gehörte. Dann aber war der Täter ihnen entwischt und vor ihrer Nase umgebracht worden. Vom Vater eines der Opfer. Der selbst ein Krimineller war – und nun auch ein Mörder. Eine letzte brutale Wendung in diesem ohnehin brutalen Fall. Einem Fall dunkler, verheerender moralischer Abgründe. Ein Mörder, den sie nicht kriegen würden.

Schon das war alles andere als rühmlich. Aber damit nicht genug: Auch die »Beute«, der Gegenstand, um den sich alles drehte, ein massiv goldenes Kreuz von unschätzbarem Wert, war ihnen abhandengekommen. Dupin hatte es gehabt – und es sich wieder wegschnappen lassen. Unterm Strich war es eine heftige Niederlage.

Der Tag war lang gewesen, entsetzlich lang. Genau wie der gestrige. In beiden Nächten hatte er fast keinen Schlaf bekommen. Und seit heute Mittag kein Koffein mehr. Hinzu kamen die immer schlimmer werdenden Schmerzen in den Handgelenken. Zu allem Überfluss war Dupin auch noch der Präfekt eingefallen. Der keine Aufklärung des Falles vor Montag wünschte – und nun gleich von der »Lösung« des Falles erfahren würde. Die alles andere als geglückt war.

»Chef«, Dupin hatte fast vergessen, dass er nicht alleine war, »ich habe nachgedacht.« Riwal bemühte sich, so sanft zu klingen wie nur irgend möglich. »Wenn man ehrlich ist, war nur sehr wenig Zeit, das Kreuz zu holen. Ich meine«, er schien unsicher, ob er weitersprechen sollte, »zwanzig Minuten ist nicht viel. Jemand müsste Sie von einem Boot aus beobachtet haben, als Sie zur Grotte gegangen sind, die Insel war voller Polizisten. Dann müsste derjenige, als Sie wieder herausgekommen sind, gewartet haben, bis Sie sich in einiger Entfernung befanden, anschließend an der Mole angelegt haben, zur Höhle gegangen sein, das Kreuz auf einen Wagen oder Ähnliches geladen haben, herausmanövriert, wieder über den Weg zur Mole zurückgekommen sein. Und dann das Kreuz aufs Boot verfrachtet haben. – Und«, es waren lange, umständliche Formulierungen, »so schnell weg gewesen sein, dass wir ihn schon nicht mehr gesehen haben, als wir mit dem *Defender* kamen. – Das muss eine Aktion quasi militärischen Charakters gewesen sein.«

Dupin waren ähnliche Gedanken gekommen, schon ein paarmal, auch wenn er sie beiseitegeschoben hatte. Wirklich plausibel war nichts an diesen Annahmen, nein.

»Mit einer natürlichen Erklärung kommen wir hier nicht weiter. Ohne Zweifel: Es gibt dieses Kreuz, Sie haben es gesehen – doch dann war es weg«, Riwal flüsterte bedeutungsvoll. »Hier ist etwas Mysteriöses geschehen.«

Das allerdings waren nicht die Gedanken, die Dupin gekommen waren.

»Das ist nicht der richtige Zeitpunkt für so etwas, Riwal!«

Ihm war gerade noch etwas eingefallen:

»Was ist eigentlich mit der Assistentin von Leblanc?«

»Sie war die ganze Zeit bei uns unten am Empfang. Sie verhält sich äußerst kooperativ, auch wenn sie einigermaßen durcheinander ist.«

Dann konnte auch sie es nicht gewesen sein.

»Ich denke«, noch einmal begann Riwal in einem raunenden Tonfall, »es war das Kreuz …« Er führte den Satz nicht zu Ende.

Dupin war froh. Riwals Tonfall hatte ahnen lassen, worum es gegangen wäre: um Ys. Oder ähnlich Fantastisches. Und es war das Letzte, was Dupin jetzt ertragen würde: die ernsthafte Erwägung eines übernatürlichen Geschehens.

»Vaillant«, Dupin fuhr zusammen, Kadeg hatte sich unbemerkt genähert, »befindet sich auf Ouessant. Sie haben sich dort in Sicherheit gebracht. Natürlich war während des Gewitters der Empfang gestört. Es gibt Zeugen, sagt er, wir könnten …

»… jederzeit mit ihnen sprechen.« Dupin zweifelte nicht daran. »Verdammt.«

»Und übrigens: Die Einheiten, die Leblancs Haus und Wochenendhaus durchsucht haben, wollen wissen, ob sie noch gebraucht werden.«

»Sie sollen nach Hause fahren«, sagte Dupin müde.

»Denke ich auch.« Kadeg marschierte davon.

Dupin ging ein paar kraftlose Schritte am Wasser entlang. Und blieb dann stehen.

Riwal folgte diskret.

Eine Weile standen der Kommissar und der Inspektor schweigend nebeneinander in der strahlenden Abendsonne.

»Kadeg und ich übernehmen das mit dem Verhör des Kapitäns in Quimper. Vielleicht – vielleicht erreichen wir ja doch etwas.« Riwal bemühte sich um ein wenig Zuversicht.

»Tun Sie das.«

»Und«, jetzt sprach er entschlossen, »ich denke, Sie sollten auch nach Hause fahren, Chef. – Das war es für heute.«

Zunächst passierte gar nichts. Es war nicht einmal klar, ob Dupin den Satz wirklich gehört hatte.

Dann entfuhr ihm ein tiefer Seufzer.

»Sie können sich darauf verlassen, dass die Kollegen die Durchsuchungen am Hafen gewissenhaft fortführen werden. Wenn sie etwas finden, hören wir sofort davon. Und natürlich lassen wir noch einige Polizisten auf der Insel, die alles beobachten werden. Auch während der Nacht.«

Mehr konnten sie wirklich nicht tun.

»Außerdem sollten Sie Ihre Handgelenke untersuchen lassen.«

Dupin blickte auf seine Hände. Auf bemerkenswert große Schwellungen, an beiden Handgelenken. Bis hin zu den Fingeransätzen. Sie waren eben noch nicht da gewesen. Die Haut schimmerte bläulich.

»Ich – gut, Riwal.« Verlegen versuchte er, die Hände in seine Hosentaschen zu stecken. Was eine dumme Idee war.

»Gehen wir.«

Auf Riwals Gesicht zeigte sich tiefe Erleichterung.

Die offenbar mehr meinte als Dupins Bereitschaft, es für heute Abend gut sein zu lassen:

»Jetzt sind Sie durch, Chef. Es ist vorbei. Da haben Sie noch einmal ganz schön Glück gehabt. Glück im Unglück. So kann es gehen. Sie sollten froh sein.«

Dupin hatte keine Ahnung, wovon der Inspektor sprach.

»Sie verdanken es der Aura der Insel. Ihrer *hellen* Aura. Man sagt, dass Tristan und Isoldes Grab, ihre letzte und ewige Vereinigung auf der Insel, Unheil abwendet. Es soll sich irgendwo bei den Klippen über den Grotten befinden.«

Dupin kam immer noch nicht mit, war sich aber bereits jetzt sicher, dass er auch gar nichts mitbekommen wollte.

»Verstehen Sie? Der eine schlimme Bann ist durch den anderen, den guten Bann, abgemildert worden. Der Fluch der sieben Gräber war zwar zu stark, um ganz neutralisiert zu werden«, Riwal schaute verstohlen auf Dupins Hände, »so oft hat er schon zum Tod geführt, aber ...«

»Schluss, Riwal! Aus! Ich will nichts mehr davon wissen.«

Die harsche Reaktion schien Riwal nicht im Geringsten etwas auszumachen. Aus der Erleichterung in seinem Gesicht war sogar ein Lächeln geworden.

»Alles klar, Chef. Ich gebe Kadeg Bescheid. Und dem Kapitän. Wir sehen uns am Boot.«

Dupin war bei dem Wort »Boot« kurz zusammengezuckt, hatte sich dann aber wieder gefangen. Es war ja wirklich nur ein Katzensprung aufs Festland.

Zudem, noch wichtiger – ihm war ein Gedanke gekommen. Ein wunderschöner Gedanke, ein Versprechen, so verlockend, dass es ihm neue Kraft verlieh: In einer Stunde würde er im *Amiral* sitzen. Vor einem fabelhaften *Entrecôte frites* und einem schweren, samtigen Languedoc.

»Darf ich einmal noch kurz Ihr Handy haben, Riwal?«

Der Inspektor reichte es Dupin. »Geben Sie es mir auf dem Boot zurück.«

Riwal wandte sich ab.

Es war eine der wenigen Nummern, die Dupin auswendig kannte, die sein Kopf ohne Probleme behielt.

»Hallo?«

»Claire, ich bin's.«

»Georges? Das ist nicht deine Nummer.«

»Ich erkläre es dir später. – Wollen wir gleich zusammen essen?«

»Ich. – Ich kann nicht, Georges. Ich dachte … bist du denn schon fertig?«

»Irgendwie schon.«

»Ich dachte, dass du keine Zeit haben würdest. Deswegen habe ich zugesagt, bis Mitternacht zu bleiben. Ich könnte danach«, eine Pause, »aber das ist Blödsinn, ich wäre frühestens um Viertel vor eins im *Amiral*. Aber ich komme dann natürlich zu dir nach Hause. Sobald ich kann. – Es tut mir leid …«

»Macht nichts, Claire«, Dupin hatte sein Bestes gegeben, um überzeugend zu klingen, es war ihm nicht gelungen. »Dann sehen wir uns später bei mir. Ich freue mich.« Nur im letzten Satz hatte Energie gelegen.

»Bis nachher, Georges.«

Das war traurig. Sehr traurig.

Noch einmal musste die Vorstellung von dem köstlichen Entrecôte helfen. Und das tat sie. Auch wenn sie nicht alles retten konnte.

Die Sonne war noch nicht untergegangen, auch wenn es nicht mehr allzu lange dauern würde. Den Himmel im Westen hatte sie bereits in allen erdenklichen, sanft ineinander übergehenden Rot-, Orange-, Lila- und Pinktönen spektakulär eingefärbt. Das Meer gleich mit. Die Sonne selbst hatte für ihren Auftritt heute ein klassisches Gelb gewählt.

Die Schatten aller Dinge waren endlos lang geworden, auch die der Platanenreihe auf dem großen Platz am Quai, wo Dupin seit Jahr und Tag seinen alten Citroën parkte. Das milde Licht überzog die Bäume und den Rest der Welt mit einem warmen goldenen Schleier. Brachte sie auf Zauberart zum Leuchten.

Der Schatten des Restaurants – des schönen alten Gebäudes vom Ende des 19. Jahrhunderts – streckte sich fast bis zum Wagen.

Alleine der Anblick des *Amiral* veränderte Dupins Verfassung.

Die Aussicht auf das Entrecôte hatte ihn das Gaspedal tief durchtreten lassen. Noch dringlicher: das Verlangen, zurückzukommen. Nach Concarneau zurückzukommen, nach Hause. Und vor allem: in die sichere Realität. Die fantastische Insel, die ganze fantastische Gegend mit ihren Legenden, Mythen und wilden Geschichten hinter sich zu lassen. Den finsteren Fall. Die düsteren Verhängnisse.

Dupin öffnete die schwere Tür.

Trat ein.

Und sah seinen Stammplatz. In der Ecke links neben dem Tresen. Er war frei geblieben. Dupin entspannte sich. Er hatte Paul Girard, dem Besitzer, nicht Bescheid gegeben.

Er hatte vom Autotelefon aus ein paar Telefonate geführt. Vor allem hatte er versucht, den Präfekten zu erreichen. Ihm schwante Übles bei der Vorstellung, dass jemand anderes versuchte, die Ereignisse zu resümieren. Er selbst wusste nicht einmal, wie und was genau er erzählen sollte. Beim Präfekten war nur die Mobilbox angesprungen. Dupin hatte ihn vor seinem geistigen Auge versteckt im Straßengraben an einer massiv befahrenen Autobahn gesehen, emsig verzückt über die neueste Hightech-Radarausrüstung, die sie gerade testeten.

Dass sein Stammplatz frei war, hieß aber auch, dass Claire definitiv nicht gekommen war; insgeheim hatte er gehofft, dass sie es doch möglich gemacht hatte.

Paul Girard stand am anderen Ende der Theke und öffnete eine Weinflasche. Er warf Dupin einen längeren Blick zu, freundschaftlich, warm. Für seine Verhältnisse eine erstaunlich emotionale Begrüßung. Der längere Blick testete zugleich, ob es irgendeine Änderung an der rituellen Bestellung geben würde, dem Menü für besonders aufreibende, strapaziöse Tage.

Natürlich nicht.

Dupin setzte sich an den eingedeckten Zweiertisch, genauer: Er fiel auf die dunkelblaue, gemütlich gepolsterte Bank. Mit letzter Kraft. Er zog seine Jacke aus, die immer noch feucht war und nach Salz und Tang roch. Wie alles an ihm. Er musste, es fiel ihm gerade erst ein, völlig zerzaust aussehen. Lädiert. Es machte ihm nichts.

Die ersten Tische hatten sich bereits wieder geleert, die größeren, an denen Familien gesessen hatten; an anderen, den Zweiertischen, wurden die Desserts serviert.

Es war Freitagabend, die Stimmung war entspannt, gelöst.

Dupin mochte die Klänge im Raum. Den heimeligen Geräuschteppich, der eine heitere, angeregte Stimmung schuf.

Der Kapitän des Hochseetrawlers würde sich bereits in Quimper befinden. Kadeg und Riwal würden das Verhör wahrscheinlich in diesen Minuten beginnen. Aber – Dupin würde nicht weiter daran denken. Es machte ihn bloß zornig. Und änderte nichts.

Was er über das verschwundene Kreuz denken sollte, wusste er immer weniger, fatalerweise war ihm selbst alles mit jedem Kilometer, den er sich von der mythischen Insel entfernt hatte, noch unwirklicher vorgekommen. Dabei hatte er es gesehen. Mit eigenen Augen. Die ihm keinen teuflischen Streich gespielt hatten, so viele Teufel auch vorkommen mochten in den vielen wilden Legenden. Es gab dieses Kreuz. Einen – so viel stand für den Kommissar fest – sagenhaften archäologischen Fund. Der Grund für einen brutalen dreifachen Mord gewesen war. Und er würde vom Kreuz erzählen müssen. Dem Kreuz aus Gold. Die ganze Wahrheit. Die ganze Geschichte. Auch wenn er einen gigantischen Rummel lostreten würde, die medialen Wellen würden hochschlagen. Wie auch immer – er würde auch das heute Abend beiseiteschieben.

Was er aber tun sollte: kurz bei seiner Mutter anrufen. Um sie zu erlösen. Vor allem, um sich selbst zu erlösen. Es wäre vorbei mit ihrem hartnäckigen Nachsetzen. Ja, er würde morgen kommen. Das Fest war gerettet. Und seine Seele.

Und auch Nolwenn würde er anrufen. Der »große Aktionstag« müsste zu Ende gegangen sein. Das Gespräch mit Nolwenn am Ende eines Falles gehörte ebenso zu den festen Ritualen.

Paul Girard steuerte zielstrebig auf ihn zu, in der rechten Hand eine Dekantierkaraffe, die er mit einem ungewohnt feierlichen Gestus auf den Tisch stellte.

»Ich habe noch eine letzte Flasche gefunden: *Le Vieux Télégraphe*. Dein Lieblings-Châteauneuf-du-Pape. 2004. Die geheime letzte Flasche, für außergewöhnliche Ereignisse – und Notfälle«, er gab sich geradezu redselig heute Abend. Ein verschwörerisches Lächeln.

»Großartig.«

Dupin verehrte diesen Wein geradezu, er war bewegt.

Paul goss ein; ungleich mehr, als man gewöhnlich in das dickbauchige Glas goss. Er meinte es gut mit dem Kommissar.

Er stellte die Karaffe auf den Tisch und war im Nu wieder verschwunden.

Dupin nahm das Glas. Und ignorierte den Schmerz im Handgelenk, den die Bewegung auslöste.

Ein wenig ehrfürchtig setzte er an.

Der erste Schluck.

»Du wirst ihn doch nicht ohne mich trinken.«

Dupin fuhr hoch. Wein schoss über den Rand des Glases und traf auf sein Poloshirt.

Es war egal. Alles war egal.

»Ich war mich nur kurz frisch machen, ich bin auch gerade erst gekommen.«

Claire setzte sich ohne weitere Umstände. Nahm die Karaffe und schenkte sich ein. Nicht weniger, als Dupin in seinem Glas hatte.

»Mein Assistenzarzt konnte früher kommen.«

Dupin hatte immer noch kein Wort hervorgebracht.

Er war zu perplex. Und zu glücklich.

Claire.

Egal, was er sagen würde, es würde nicht auszudrücken vermögen, wie froh er war.

Jetzt war alles gut.

Claire besaß diese Wirkung. Sie musste gar nichts tun, nicht einmal etwas sagen. Sie musste nur da sein.

Ja, sie hatten sich in diesem ersten gemeinsamen bretonischen Jahr nicht so viel gesehen, wie er gehofft hatte. Aber das war es nicht, worum es ging.

Sie war da. Sie würde immer da sein.

»Wie ist der Fall ausgegangen? Was ist mit deinem Handy passiert?« Er liebte ihre flirrende Energie. »Und was ist mit deinen Handgelenken? Wenn die Schwellung nicht zurückgeht, müssen wir sie röntgen lassen.«

»Ich …«

»Georges«, Paul Girard kam zu ihnen, »Telefon … für dich …«

Dupin wollte nicht, wer auch immer es war.

Widerwillig nahm er den Apparat.

»Ja?«

»*Bon appétit*, Monsieur le Commissaire. Ich will Sie nicht lange stören.« Nolwenn, mit leichter Stimme. »Sie müssen es positiv sehen. Sie haben den Fall gelöst. Sie haben alles ans Licht gebracht. Sie haben Ihre Arbeit getan. Aber Sie haben nun einmal«, jetzt sprach sie mit grundlegendem Ernst, »nicht alles in der Hand. Niemand hat das. Selbst Sie nicht – ich weiß, es fällt

Ihnen schwer, das zu akzeptieren. Es ist auch schwer. Aber –
unabänderlich. Und Morin werden wir irgendwann drankrie-
gen, Sie werden sehen«, sie wechselte ins Kämpferische, »niemand übt in der Bretagne einfach so Lynchjustiz! Wo kämen
wir da hin? Mag Leblanc auch eine noch so skrupellose Krea-
tur gewesen sein. – Übrigens: Das Gespräch mit dem Präfekten sollten Sie auf keinen Fall vor morgen führen. Nicht bevor
alle Suchaktionen abgeschlossen sind. So lange läuft der Fall ja
auch noch. So, und nun«, jetzt bekam ihre Stimme einen heiteren Ton, »genießen Sie den Abend mit Claire, morgen müssen
Sie früh los. Rufen Sie aus Paris an, wenn Sie da sind. Dann besprechen wir alles Weitere. Bis dahin vergessen Sie alles. – Wir
werden in der Brasserie hier jetzt auch etwas essen. Also, *bonne
nuit*, Monsieur le Commissaire.«

Klare Anweisungen.

Vor dem Auflegen hatte Nolwenn einen winzigen Augenblick gewartet – so lange nur, dass es für Dupin gerade gereicht
hätte, irgendeinen der Fäden aufzunehmen. Er hatte mit Nolwenn tatsächlich noch über das Kreuz sprechen wollen, zumindest ein paar Sätze. Aber er hatte den Augenblick verstreichen
lassen.

Und schon als er das Telefon auf die Ecke des Tisches gelegt
hatte, sodass Paul es gleich wieder mitnehmen konnte, hatte er
alles wieder vergessen.

Claire blickte ihn neugierig an.

»Alles in Ordnung. Es stehen noch ein paar – Dinge aus«,
Dupin zögerte kurz, dann aber kamen die Worte erstaunlich bestimmt: »Aber die werden sich regeln.«

»Das heißt, wir fahren morgen früh nach Paris?«

Claire freute sich wirklich.

»Morgen früh. Paris!«

»Dann sitzen wir Sonntagvormittag im Park? Und fahren
erst am Abend zurück?«

An großen Sommertagen waren sie früher sonntagmorgens

gerne in den Jardin du Luxembourg gegangen, unweit von Dupins Wohnung, und hatten dort auf den bunten Stühlen in der Sonne gesessen. Stundenlang in die Sonntagszeitungen mit all ihren fabelhaften Beilagen vertieft. Die Stühle nahe beieinander, sodass sich ihre Arme berührten. Zwischendurch hatte Dupin einen *café* für sie beide geholt, ein Croissant, eine Brioche.

»Ja, das machen wir.«

Wieder stand Paul Girard plötzlich neben ihnen. Dieses Mal mit einem sehr großen Teller. Einer seiner Kellner hinter ihm mit einem runden Metallgestell.

»Ich hatte so eine Lust darauf«, Claires Augen funkelten. »Und wir haben ja Zeit. Das Entrecôte kommt danach.«

Der Kellner hatte das Metallgestell in der Mitte des Tisches platziert und Paul den großen Teller darauf. Austern, Langustinen, *Praires, Palourdes* – die kleinen Meeresschnecken und die großen – ein stattlicher Krebs.

Es war perfekt.

Claire hatte ein Glas mit dem *Vieux Télégraphe* in der Hand, sie hielt es Dupin entgegen.

Ein hohes Klingen.

»Ganz viel Zeit.«

Dupin sah Claire an.

Und nahm einen großen Schluck.

EPILOG

Vier Wochen waren vergangen.

Dupin hatte der Welt die dramatische Geschichte erzählt – genau so, wie es sich nach seinem Dafürhalten zugetragen hatte.

Der Präfekt hatte ihn – zum allerersten Mal – selbst reden lassen auf einer Pressekonferenz, ihm war die Sache in vielerlei Hinsicht zu heikel gewesen, hatte er unumwunden erklärt, wobei er den medialen Rummel dann doch begrüßt hatte.

Für Dupin waren die Dinge nicht heikel gewesen.

Dupin hatte mit großem Ernst gesprochen. Leblancs Verbrechen mussten geschildert werden. Der kaltblütige Mord an drei unschuldigen Menschen. Die Morde waren minutiös rekapituliert worden. Dabei war ein besonderes Augenmerk auf die Frage nach der Existenz eines möglichen Komplizen gelegt worden, eine für Dupin wegen des Verbleibs des Kreuzes überaus wichtige Hypothese.

Riwal, Kadeg und er hatten in alle Richtungen weiterermittelt, waren noch einmal alles kleinteilig durchgegangen, hatten erneut mit allen gesprochen, auch mit vielen, mit denen sie bisher nicht geredet hatten. Leblancs Telefonverbindungen, Computer, E-Mail-Account, Kontoverbindungen – alles war durchleuchtet worden. Aber sie hatten keinerlei Hinweis auf einen Komplizen gefunden; auch keine Erwähnung eines Kreuzes oder »archäologischen Fundes«. Leblanc war sehr klug, sehr vorsichtig vorgegangen. Sodass man die Hypothese des Komplizen schließlich offiziell fallen ließ. Zuletzt auch Dupin selbst. Was ihm, wie so vieles andere in diesem Fall, unendlich schwerfiel.

Auch von dem Verbrechen an Leblanc, dem gewissenlosen Mörder, hatte berichtet werden müssen, mit derselben Genauigkeit. Dupin hatte unbeirrt formuliert, dass er fest davon ausgehe, Leblanc sei Opfer eines Rachemordes geworden. Überraschenderweise hatte der Präfekt nicht protestiert. Obgleich sie nicht die Spur eines Beweises besaßen.

Natürlich war es gekommen, wie Dupin es sich ausgemalt hatte: Die Presse, die Medien, die Öffentlichkeit hatten die kalte Brutalität des Täters so plakativ ausgeschlachtet, dass nicht wenige den Tod Leblancs am Ende als eine irgendwie »gerechte Strafe« ansahen. Dupin hatte erneut den mächtigen Einfluss Morins zu spüren bekommen, der zwar nirgends in Erscheinung getreten war, aber eine Reihe von einflussreichen Leuten an seiner Stelle, die lange Interviews gegeben hatten und immer etwas von einer »Verkettung unglücklicher Umstände« erzählt hatten. So lief es eben. Aber Dupin hatte sich nicht beeindrucken lassen; er hatte auch die Untersuchungen zur »polizeilichen Verfolgung eines des Schmuggels verdächtigen *Bolincheurs*« wiederaufnehmen lassen – einige hatten applaudiert, andere heftig den Kopf geschüttelt –, er würde nicht ruhen, bis sie wussten, ob das Boot noch existierte. Wenn nicht, würden sie erst richtig loslegen.

Gegen den Kapitän der *Gradlon* war Anklage erhoben worden, obgleich die Chancen schlecht standen, dass es zu einem Prozess kam, geschweige denn zu einer Verurteilung. Man hatte auch diesen »Vorfall« aufwendig rekonstruiert. Gutachten waren erstellt worden, ausführliche Gutachten. Der Kapitän wie die gesamte Mannschaft, sieben Seeleute, hatten ausgesagt, es sei ein Unfall gewesen. Den zudem nicht sie, sondern das im völlig unübersichtlichen Seegebiet bei heftig aufgewühltem Meer viel zu schnell und viel zu nahe unter Land fahrende Zodiac selbst verschuldet habe. Die Gutachten hatten alle widrigen Umstände bestätigt. Dennoch blieben natürlich eine Reihe rätselhafter Fragen – zum Beispiel die, warum der Trawler überhaupt aus dem Hafen von Douarnenez ausgelaufen war, wenn ihm die See dann fünfzig Kilometer weiter plötzlich doch zu rau gewesen war?

Die polizeilichen Ermittlungen gegen die Hafenchefin wegen der in ihrem Gartenhaus entdeckten Mordwaffe – an der man tatsächlich Spuren des Blutes aller drei Opfer festgestellt hatte – waren eingestellt worden. Madame Gochat wiederum hatte ihre Anzeige gegen Dupin und die Polizei zurückgezogen und zugegeben, so etwas wie den Fund eines »Schatzes« vermutet und deswegen Kerkrom verfolgt zu haben.

Das aber, was die Welt in diesen vier Wochen am meisten beschäftigt hatte, war das Kreuz. Das große goldene Kreuz, von dem Dupin berichtet hatte.

Auch wenn sie es bisher nicht gefunden hatten. Es gab keinen Hinweis, keine Spur. Keinen weiteren Zeugen. Nur Dupin.

Ein forensisches Expertenteam, das extra aus Paris angereist war, hatte die Höhle untersucht, insbesondere die Vertiefung im Boden. Ohne auch nur das Geringste zutage zu fördern.

Das Verrückte war: Dass das Kreuz fehlte, war gar nicht schlimm, im Gegenteil. Das Fehlen erlaubte die kühnsten Spekulationen, der Freiheit des Fantasierens und Fabulierens waren keine Grenzen gesetzt. Ein imaginärer Furor war ausgebrochen. Egal ob morgens beim Bäcker, im *Maison de la Presse*, im *Amiral*, überall wurde darüber diskutiert. Die Zeitungen, die Radiound auch die Fernsehsender – lokale, regionale und nationale! –, vor allem natürlich das Internet, das geschwätzigste Medium von allen, waren über Tage und Wochen voll mit den abenteuerlichsten Geschichten gewesen. Natürlich kreisten die meisten um Ys. Einige – und es waren nicht nur eine Handvoll – waren sich sicher, dass die Wiederkunft des mythischen Reiches unmittelbar bevorstünde, sodass selbst Riwal eines Mittags bei der Lektüre der Tageszeitungen wütend »hanebüchen!« und »so ein Humbug!« ausgerufen hatte.

Der Leiter der wissenschaftlichen Expedition, die im nächsten Jahr in der Bucht von Douarnenez nach den Ruinen von Ys suchen würde, hatte angekündigt, die Unternehmung vorzuziehen, drei große Spenden waren eingegangen. Der Regionalrat hatte die Pläne Hals über Kopf bewilligt. Lediglich ein paar Wissenschaftler und Kunsthistoriker hatten sich die Beschreibung aus Dupins Bericht – der ja sehr vage geblieben war – minutiös mitteilen lassen. Aber niemand von ihnen hatte eine Vermutung oder kunsthistorische Einordnung gewagt.

Was nicht gemeldet worden war: Man hatte die polizeiliche Suche nach dem Kreuz mittlerweile eingestellt; Dupin hatte Schwierigkeiten, sich damit abzufinden.

Erst ganz langsam waren die Presseberichte verebbt, vor allem, weil es keinen Nachschub an Nachrichten gab. Seit drei Tagen war nicht einmal mehr eine kleine Notiz erschienen.

Auch im Kommissariat schien das Kreuz kein Thema mehr zu sein.

Nur Dupin fand keine Ruhe. Keine innere Haltung.

In Gesprächen mit Claire oder Nolwenn hatte er sich selbst sagen hören, eines Tages würde das Kreuz wieder auftauchen. Dabei hatte er bemerkt, dass dieser Satz die Sache noch mysteriöser klingen ließ.

Jean-Luc Bannalec. Bretonische Verhältnisse.
Ein Fall für Kommissar Dupin. Klappenbroschur.
Verfügbar auch als ₪Book

Jean-Luc Bannalec. Bretonische Brandung.
Kommissar Dupins zweiter Fall. Klappenbroschur. Verfügbar auch als ₪Book

Der erste Fall für Kommissar Dupin: An einem heißen Julimorgen geschieht im pittoresken Künstlerdorf Pont Aven ein mysteriöser Mord. Pierre-Louis Pennec, der hochbetagte Inhaber des legendären Hotels Central wird brutal erstochen. Wer ermordet einen 91-Jährigen und warum?

Zehn Seemeilen vor Concarneau: Die sagenumwobenen Glénan-Inseln wirken mit ihrem weißen Sand und dem kristallklaren Wasser wie ein karibisches Paradies – bis eines schönen Maitages drei Leichen angespült werden. Ein raffinierter Krimi und eine mitreißende Liebeserklärung an die Bretagne.

Kiepenheuer
& Witsch

Jean-Luc Bannalec. Bretonisches Gold.
Kommissar Dupins dritter Fall. Taschenbuch.
Verfügbar auch als ℰBook

Jean-Luc Bannalec. Bretonischer Stolz.
Kommissar Dupins vierter Fall. Taschenbuch.
Verfügbar auch als ℰBook

Zwischen dem malerischen Golfe du Morbihan und dem atemberaubenden Land des Salzes begibt sich Kommissar Dupin in eine aufreibende Ermittlung. Er stößt dabei nicht nur auf die energische Kommissarin Rose, sondern vor allem auf falsche Alibis, gewaltige Interessenkonflikte – und immer wieder auf urbretonische Geschichten.

Am malerischen Fluss Belon wird die Leiche eines Mannes gefunden – kurz darauf gibt es einen zweiten Toten in den sagenumwobenen Hügeln der Monts d'Arrée. Als sich herausstellt, dass die Spuren zu keltischen Brudervölkern, einer Sandraub-Mafia und rätselhaften Druiden-Kulten führen, ahnt der Kommissar: Dies wird sein aberwitzigster Fall.

Kommissar Dupins Lieblingsgerichte – holen Sie sich die Bretagne nach Hause!

Jean-Luc Bannalec. Bretonisches Kochbuch.
Kommissar Dupins Lieblingsgerichte. Leinen gebunden.
Hochwertige Ausstattung. Verfügbar auch als EBook

Kommissar Dupin liebt die grandiose Vielfalt der bretonischen Küche. Das Amiral in Concarneau ist sein Stammrestaurant – schon Georges Simenon wählte es als Schauplatz in einem seiner Maigret-Romane. Hier beginnt und beendet der Kommissar für gewöhnlich seine Tage. Jean-Luc Bannalec stellt zusammen mit seinen Freunden Catherine und Arnaud Lebossé, den Inhabern des Amiral, Kommissar Dupins Lieblingsgerichte vor.

Mit 100 leicht nachkochbaren Rezepten inkl. Menüvorschlägen, Weinempfehlungen und ausführlicher Produktkunde.

Ar Men Du
Relais du Silence et Restaurant Gastronomique
47 rue des îles
29920 Névez
02 98 06 84 22
www.men-du.com

Ein Lieblingsort von Kommissar Dupin

»Die Terrasse des Ar Men Du war ein magischer Ort.
Und nicht nur die Terrasse. Die Landspitze, auf der das
formidable Restaurant mit dem hübschen Hotel lag,
war nach Westen und Osten mit zwei Fensterseiten
zum Atlantik ausgestattet. Man sah den weiten Horizont
mit den beiden kleinen vorgelagerten Inseln...«
aus »Bretonischer Stolz«

Das **Ar Men Du** liegt gegenüber den sagenumwobenen Glénan-Inseln. Das Hotel besitzt drei Sterne, das Restaurant wurde 2010 mit einem Michelin-Stern ausgezeichnet.

Direkt am Meer erbaut, bietet das Restaurant einen einzigartigen 180°-Panoramablick auf den Atlantik. Auch die schönen Zimmer verfügen allesamt über Meeresblick, viele zudem über eine eigene Terrasse.

Das Hotel liegt in einem Naturschutzgebiet, zu beiden Seiten beginnen atemberaubende Wanderwege, alte Schmugglerpfade. Sowohl nach Concarneau als auch nach Pont Aven wie zu den meisten anderen Orten der Dupin-Kriminalromane ist es nicht weit. Fragen Sie nach den aktuellen Angeboten – ich freue mich auf Ihren Besuch!

Ihr Pierre Yves Roué und sein Team

BR≡TAGN≡ ⊞ | Entdecken Sie die Bretagne auf den Spuren Kommissar Dupins

Hunderte kleine und große Inseln umgeben die Küsten der Bretagne. Reisen Sie mit Kommissar Dupin zu diesen bretonischen Schätzen im Meer: Spazieren Sie durch die verwinkelten Gassen der winzigen Ile de Sein und entlang der weißen Sandstände auf den Glénan-Inseln. Sehen Sie gleich fünf Leuchttürme auf Ouessant, dem westlichen Punkt Frankreichs, und genießen Sie zwischen Palmen und Kamelien das süße Leben auf der Ile aux Moines im Golfe du Morbihan.

Eine Landkarte mit Dupins Lieblingsorten sowie weitere Tipps für Ihren Urlaub in der Bretagne finden Sie auf der offiziellen Internetseite des Tourismusverbands unter

www.**bretagne-reisen**.de

Yann Sola. Tödlicher Tramontane. Ein Südfrankreich-Krimi.
Taschenbuch. Verfügbar auch als Book

Im südfranzösischen Banyuls-sur-Mer würde Perez am liebsten in aller Ruhe sein Restaurant und seinen florierenden Delikatessenhandel betreiben. Doch dann explodiert in Strandnähe eine Yacht. Und als kurz darauf seine Freundin Marianne spurlos verschwindet, ahnt der Hobbydetektiv, dass es mit der Ruhe vorerst vorbei ist. Als er wenig später auch noch selbst unter Mordverdacht gerät, hat er endgültig die Nase voll von korrupten Konzernen und lokalen Strippenziehern. Perez dreht auf!

Bruno Varese. Die Tote am Lago Maggiore. Ein Fall
für Matteo Basso. Taschenbuch. Verfügbar auch als ☑Book

Matteo Basso, ehemaliger Mailänder Polizeipsychologe, hat seinen Job
an den Nagel gehängt und ist zurückgekehrt nach Cannobio, um dort
die Macelleria seiner verstorbenen Eltern zu übernehmen. Am malerischen Ufer des Lago Maggiore will er zur Ruhe kommen und endlich lernen, schmackhafte Salsiccia zu machen. Doch als seine Freundin Gisella
tot aufgefunden wird und sich die Hinweise häufen, dass es kein Unfall
war, ermittelt Matteo auf eigene Faust und gerät bald selbst in Gefahr.

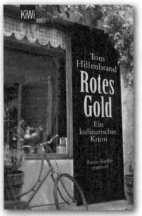

Tom Hillenbrand. Teufelsfrucht.
Ein kulinarischer Krimi. Taschenbuch.
Verfügbar auch als ⊟Book

Tom Hillenbrand. Rotes Gold. Ein kulinarischer Krimi. Xavier Kieffer ermittelt.
Taschenbuch. Verfügbar auch als ⊟Book

Tom Hillenbrand. Letzte Ernte.
Ein kulinarischer Krimi. Xavier Kieffer
ermittelt. Taschenbuch. Verfügbar
auch als ⊟Book

Tom Hillenbrand. Tödliche Oliven.
Ein kulinarischer Krimi. Xavier Kieffer
ermittelt. Taschenbuch. Verfügbar
auch als ⊟Book

Leseproben und mehr unter www.kiwi-verlag.de

Lenz Koppelstätter. Der Tote am Gletscher. Ein Fall für
Commissario Grauner. Taschenbuch. Verfügbar auch als ⬛Book

Nachts auf dem Gletscher, da gehört der Mensch nicht hin. Nur die Geis-
ter der Toten und der Sturm und der Schnee. Doch Skipisten-Toni entdeckt hoch oben ein seltsames Licht – und wenig später eine Leiche ...

»Ich habe den Krimi verschlungen. Spannend, sinnlich und intelligent.
Wer die Gegend kennt, bei dem wird das Buch Heimatgefühle auslösen.«
Oskar Roehler

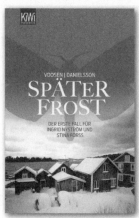
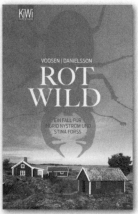

THE TIME OF Liberty

ℑ◗ Popular Political Culture in Oaxaca, 1750–1850

PETER GUARDINO

Duke University Press DURHAM AND LONDON 2005

FOR Jane Walter

© 2005 Duke University Press

All rights reserved

Printed in the United States of America on acid-free paper ∞

Typeset in Carter and Cone Galliard by Keystone Typesetting, Inc.

Library of Congress Cataloging-in-Publication Data appear
on the last printed page of this book.

CONTENTS